Grammaire

3e

discours, textes, phrases

Éric Pellet
Agrégé de Lettres modernes
Université Paris XII – Val-de-Marne

Dominique Haubert
Agrégée de Lettres modernes

Catherine de Vulpillières
Agrégée de Lettres modernes
Collège Delacroix à Roissy-en-Brie

Francine Voltz
Agrégée de Lettres modernes
IUFM de Versailles, centre de Cergy-Pontoise

Margherita Paccalin
Agrégée de Lettres classiques
Lycée Balzac à Paris

BELIN Éditeur
indépendant
depuis 1777

8 rue Férou – 75278 Paris cedex 06
www.editions-belin.com

© Éditions Belin, 2003   ISBN 2-7011-**3514**-1

Avant-propos

■ Proposer aux enseignants un outil de travail rigoureux, ludique et adapté à la diversité de leurs pratiques pédagogiques, offrir aux élèves un ouvrage de référence familier qu'ils aient plaisir à ouvrir et à consulter, telle est l'ambition de la collection **Grammaire Belin, Discours, textes, phrases.**

Les chapitres sont conçus pour permettre le travail en **séquences**, tout en laissant aux enseignants la possibilité d'utiliser indépendamment chaque partie de chapitre. Conformément à l'esprit des programmes, nous avons subordonné l'étude des notions grammaticales à celle des **formes de discours**, sans jamais renoncer à proposer pour chaque notion un **cours de grammaire structuré** et des **exercices systématiques** destinés à consolider les connaissances en cours de séquence.

■ Ce **manuel de 3ᵉ** est organisé en **quatre parties** : après une brève *Partie I* consacrée aux «rappels» de notions générales, la *Partie II* poursuit l'étude du pôle narratif et descriptif en mettant l'accent sur la question du point de vue, la *Partie III* est centrée sur les **questions d'énonciation**, la *Partie IV* développe la spécificité de la classe de 3ᵉ : l'étude du **discours argumentatif**, auquel est subordonné le discours explicatif, déjà étudié en 4ᵉ.

Chaque chapitre répond à un **objectif d'expression** propre aux programmes de 3ᵉ. Sa cohésion est renforcée par le choix d'un **thème** auquel se rattachent textes, documents, exemples et exercices, et qui offre la possibilité d'insérer le chapitre, ou une partie du chapitre, dans une séquence thématique. Une attention particulière a été portée à la **variété des supports**, afin de favoriser la pratique de l'oral et l'analyse d'image. Un certain nombre d'exercices renvoient à un CD audio joint au fichier du professeur.

■ Les chapitres sont organisés en doubles pages.

– La double page *Texte et discours : mise en jeu* propose deux documents, un texte et une image, qui ouvrent sur l'étude des propriétés du discours ou de l'organisation des textes. Les notions mises à jour sont rassemblées dans une brève leçon ; quelques exercices spécifiques permettent d'appliquer ces notions propres à l'analyse de discours ou à la grammaire de texte.

– La double page *Grammaire* présente, de manière simple et ordonnée, les notions au programme en grammaire de la phrase, plus exceptionnellement en énonciation ou en grammaire de texte.

– Les *Exercices* (manipulation, identification, utilisation) suivent l'ordre des parties du cours, ce qui laisse à chaque enseignant la liberté de fragmenter le cours, et éventuellement d'en intégrer une partie dans une séquence de son choix.

– Une double page *Orthographe* ou *Vocabulaire* explore ensuite des points liés aux notions étudiées en grammaire. Elle comprend un texte d'observation, une leçon et des exercices d'application.

– La page *Expression écrite et orale* permet à l'élève de mettre en pratique les notions vues dans le chapitre.

– Chaque chapitre s'achève par une *Évaluation* des acquis, qui s'inspire de l'épreuve de français du Brevet des Collèges.

■ En début d'ouvrage, un *Atelier de rentrée*, conçu pour être ludique, pourra servir de support à un premier contact avec la classe.

À la fin de chaque partie, est proposée une *Lecture suivie* d'une œuvre au programme, qui utilise les notions vues dans la partie.

En fin d'ouvrage, la *Boîte à outils* rassemble des tableaux que l'élève est régulièrement invité à consulter : fonctions, morphologie du nom et de l'adjectif, conjugaison, structures de phrase.

Les auteurs.

Table des matières

Organisation d'un chapitre

Ouverture de chapitre

1

Illustration
du thème

Objectif du chapitre

Thème du chapitre

Sommaire

Textes et discours : mise en jeu

2

Deux
documents
(un texte,
une image)

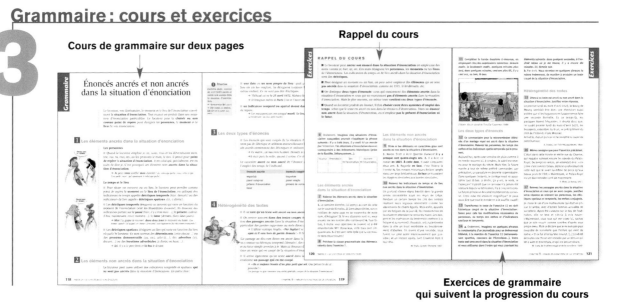

Questions pour aborder
la grammaire
par les discours
et les textes

Leçon

Exercices

Grammaire : cours et exercices

3

Cours de grammaire sur deux pages

Rappel du cours

Exercices de grammaire
qui suivent la progression du cours

Vocabulaire ou Orthographe

4

Texte d'observation suivi de questions

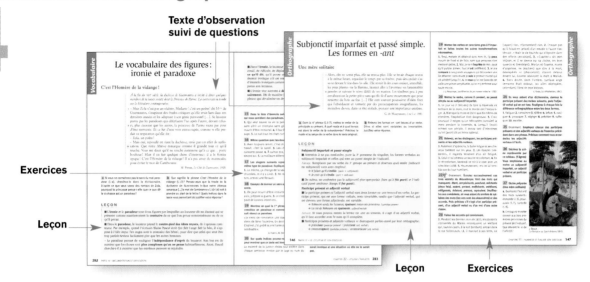

Exercices

Leçon

Leçon

Exercices

Expression écrite et orale et Évaluation

5

Test de fin de chapitre sur le modèle du Brevet des Collèges (questions, réécriture, rédaction)

Exercices d'écriture préparatoires

Exercices d'expression avec support audio

Rédaction finale

Lecture suivie

À la fin de chaque partie,
six doubles pages pour associer
activités de langue
et lecture d'œuvres complètes

Atelier de rentrée

Notes d'un naturaliste amateur

Le cochon et le sanglier

1 Entre le cochon et le sanglier, il y a la différence, notamment, de l'état domestique à l'état sauvage. Le cochon est un produit cultivé tandis que le sanglier pousse tout seul. Le cochon ne s'écarte guère de sa mangeoire, où il est assuré de trouver force bonnes épluchures, et le sanglier quête
5 à travers les grands bois illuminés des couleurs automnales, car il est lyrique, les glands savoureux, les racines fraîches et les amanites sanglières[1] qui sont, comme leur nom l'indique, un champignon réservé à son usage. Le cochon a de la graisse, le sanglier du muscle. La peau du cochon est épaisse, mais sensible ; et celle du sanglier, hérissée de crins poussiéreux,
10 certes, mais fort nobles, résiste à des horions[2] extrêmement sévères, voire acérés si l'on ose dire. Naturellement, le cochon mène une vie plus tranquille, dort sous un toit qui fuit le moins possible – car c'est un animal qui se vend régulièrement et une des nécessités du commerce est de présenter un produit de qualité constante, quasi normalisée – se lave par-
15 fois – il est moins sale qu'on veut le dire – et préside, lorsqu'il est vraiment devenu un très gros cochon, à des cérémonies païennes dénommées concours agricoles à l'issue desquelles après l'avoir embrassé, cajolé, décoré de la Légion d'honneur et proclamé très gros et très grand, on l'immole d'un tranche-lard perfide et on te vous le débite au cours du jour.
20 Le sanglier finit parfois aussi misérablement sur un étal ; mais jusqu'à son heure ultime, il résiste ; et il a souvent la joie posthume de se voir exposé intact, avec tous ses poils, chez Chatriot ou en quelque autre lieu de luxe ; car le sanglier ne quitte guère l'empyrée[3].

B. Vian, *Textes et chansons*, Éd. René Julliard, 1966.

1. Amanite sanglière : champignon fantaisiste de B. Vian, comme « amanite panthère » ou « amanite printanière ».
2. Horion : coup violent donné à quelqu'un ; en ancien français, coup de lance.
3. Empyrée : partie la plus élevée du ciel, lieu de résidence des dieux dans la mythologie grecque.

Textes et discours : mise en jeu

1 Une *parodie* est une imitation comique d'un genre littéraire ou artistique. Montrez que le terme s'applique à ce texte. En tenant compte du titre, indiquez quel genre de texte il parodie.

2 Relevez les expressions qui montrent que l'auteur n'est pas sérieux : jeux de mots, expressions insolites, changements de tons ou de niveaux de langue…

3 Relevez dans le texte des passages descriptifs : à quoi les reconnaît-on ? Pourquoi ont-ils leur place dans les « notes d'un naturaliste » ?

4 Relevez dans le texte plusieurs passages explicatifs : à quoi les reconnaît-on ? Quel connecteur les annonce ? Montrez que ce sont des explications fantaisistes.

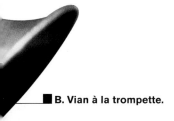

■ **B. Vian à la trompette.**

Grammaire

5 **a.** Relevez, dans la 3ᵉ phrase du texte, deux propositions subordonnées relatives. Encadrez les pronoms relatifs et indiquez leur antécédent.

b. Complétez chaque phrase par une subordonnée relative introduite par le pronom en caractères gras.

1. Le cochon ne s'écarte guère de sa mangeoire, **qui** … . **2.** Le cochon **que** … ne s'écarte guère de sa mangeoire. **3.** Le cochon **dont** … ne s'écarte guère de sa mangeoire. **4.** Le cochon **qui** … ne s'écarte guère de sa mangeoire. **5.** Le cochon ne s'écarte guère de sa mangeoire dans **laquelle** … .

6 **a.** Dans la phrase : *on te vous le débite au cours du jour* (l. 19), quels pronoms personnels sont indispensables, lesquels sont inutiles ? À quel niveau de langue correspond cette construction ?

b. Dans les phrases suivantes, remplacez les mots ou les groupes de mots en caractères gras par le pronom personnel qui convient ; vous préciserez sa fonction.

1. Le sanglier quête **les glands savoureux**. **2.** Le cochon ne s'écarte guère **de sa mangeoire**. **3.** Le sanglier est **lyrique**. **4.** Le cochon a **de la graisse**. **5.** La peau du sanglier résiste **à des horions extrêmement sévères**.

Vocabulaire

7 Dans ce texte, Boris Vian s'amuse à mêler trois types de vocabulaires différents : celui du poète, celui du naturaliste et celui du commerçant. Relevez les mots et les expressions qui appartiennent à chacun de ces trois domaines.

8 **a.** À quelle classe grammaticale le mot *Naturellement* (l. 11) appartient-il ? Expliquez sa formation. Cherchez un autre mot du texte formé de la même manière.
b. Reformulez la phrase en remplaçant les groupes nominaux en caractères gras par un groupe verbal.
*Ex. Il m'a fait **une réponse gentille**. → Il m'a **répondu gentiment**.*
1. Il lui jette **un regard bizarre**. **2.** Il a eu **une réaction violente**. **3.** Ils ont **des rencontres régulières**. **4.** Elles ont fait **une manifestation bruyante**. **5.** Je vous adresse **des remerciements infinis**.

9 **a.** À quelles classes grammaticales appartient chacun des mots qui forment l'expression *tranche-lard* (l. 19) ? Que désigne ce terme ?
b. Trouvez au moins cinq mots de la langue française désignant des outils ou des appareils formés de la même manière.

Orthographe

10 Réécrivez le texte de : *Naturellement* (l. 11) à *au cours du jour* (l. 19) en remplaçant *le cochon* par *les cochons*. Justifiez les changements orthographiques.

11 **a.** Dans l'exercice précédent, quelle règle avez-vous appliquée pour mettre au pluriel le groupe : *après l'avoir embrassé, cajolé, décoré de la Légion d'honneur et proclamé très gros* (l.17-18) ?

b. Remplacez le groupe en caractères gras par un pronom personnel antéposé et accordez comme il convient.

1. Tu auras cueilli **les fleurs**. **2.** Elle a mangé **les champignons**. **3.** Nous avons décoré **les vainqueurs**. **4.** On avait débité **la viande**. **5.** Le sanglier aurait nui **à l'agriculture**. **6.** J'ai observé **une laie et ses petits**. **7.** Sa peau a résisté **aux coups de lance**. **8.** J'aurais parlé **des petits cochons**. **9.** Vous n'avez pas connu **les trois petits sangliers** ? **10.** Nous avons contribué **à l'étude des sangliers**.

12 **a. Réécrivez les onze premières lignes du texte en remplaçant** *le cochon* **par la deuxième personne du singulier** *tu*. **À quoi faut-il faire attention à l'écrit ?**
b. Mettez les verbes au présent avec la terminaison qui convient.
1. Je (venir) en forêt. **2.** Il (trier) les haricots. **3.** Tu (grogner). **4.** Je (pouvoir) le dire. **5.** Nous (cueillir) les champignons. **6.** Vous (faire) la cuisine. **7.** Vous (dire) vrai. **8.** Il (écrire) une fable. **9.** Il (s'écrier) « Bravo ». **10.** Tu (dormir).

Expression écrite

13 Retrouvez dans les *Fables* de La Fontaine celle qui s'intitule *Le loup et le chien*. Expliquez pourquoi on peut dire que Boris Vian s'en est inspiré.

14 À la manière de Boris Vian, présentez (au choix) :
– le canard de basse-cour et le canard sauvage ;
– le lapin et le lièvre ;
– le coq et le faisan.

15 Le sanglier, sauvage et « lyrique », rencontre le cochon, gras et raisonnable. Imaginez leur dialogue.

16 Le cochon de l'image ci-dessous répond à Boris Vian pour protester contre le portrait que celui-ci fait des cochons : un cochon peut aussi être libre, noble, sauvage et poète... Développez sa réponse en une vingtaine de lignes.

Un cochon en liberté.

La phrase

Les émotions

■ Ch. Le Brun, *Bataille d'Arbelles,* 1669.

Du cri à la phrase

document 1 La colère

Franquin, *Journal de Spirou* n° 2587, Éd. Dupuis.

document 2 L'admiration

Au XVIIIe siècle, l'écrivain Denis Diderot s'extasie devant un tableau du peintre Hubert Robert qui représente des ruines.

1 O les belles, les sublimes ruines ! Quelle fermeté, et en même temps
quelle légèreté, sûreté, facilité de pinceau ! Quel effet ! quelle grandeur !
quelle noblesse ! Qu'on me dise à qui ces ruines appartiennent, afin que
je les vole : le seul moyen d'acquérir quand on est indigent. Hélas ! elles
5 font peut-être si peu de bonheur au riche stupide qui les possède ; et
elles me rendraient si heureux !... Avec quel étonnement, quelle surprise je regarde cette voûte brisée, les masses surimposées à cette voûte !
Les peuples qui ont élevé ce monument, où sont-ils ? que sont-ils devenus ? Dans quelle énorme profondeur obscure et muette mon œil va-t-
10 il s'égarer ? À quelle prodigieuse distance est renvoyée la portion du ciel
que j'aperçois à cette ouverture !

D. Diderot, *Salon de 1767.*

a Doc. 1 Qu'expriment *agrrr* et *grooaaaaaarr* ?

b S'il n'y avait pas d'image, comprendriez-vous facilement ce qu'expriment ces expressions ?

c Trouveriez-vous ce type d'expression dans le dictionnaire ? Justifiez votre réponse.

d Doc. 2 Vous semble-t-il qu'*hélas !* est du même type que les expressions précédentes ? S'il y a une différence, dites laquelle.

e Doc. 2 Relevez les phrases qui se terminent par un point d'exclamation et dites ce qui justifie pour chacune la présence de ce signe de ponctuation.

f Parmi les phrases relevées dans la question précédente, lesquelles sont sans verbe ? Pourquoi n'en ont-elles pas ?

g Ces phrases sans verbe présentent deux constructions différentes : lesquelles ?

h ✎ Imaginez un fait divers pour lequel vous rédigerez trois titres différents sous forme de phrases sans verbe, puis trois autres titres sous forme de phrases verbales.

i Observez vos deux séries de titres. Produisent-ils la même impression ? Justifiez votre réponse.

LEÇON

■ Quand nous éprouvons une émotion ou une douleur, il arrive que s'échappent de nous des **sons** (un cri, un soupir, une plainte…). Ces sons n'appartiennent pas à une langue particulière.

■ Pour exprimer une émotion d'une manière qui soit compréhensible par un destinataire, nous recourons aux **interjections**, qui ont un sens fixé. Par exemple, *ouf !* exprime le soulagement, *ah !* la surprise, s'ils sont prononcés avec l'intonation appropriée.

■ On peut aussi recourir à des **phrases sans verbe (non-verbales)** pour manifester son émotion : *Quel livre ! Génial, ce concert !* Mais il faut que le destinataire se trouve dans la même situation que le locuteur pour comprendre de quoi il parle.

■ On peut enfin faire des **phrases verbales,** qui associent un groupe nominal sujet et un groupe verbal : *Ce concert était génial…* Avec de telles phrases, le sens est exprimé avec davantage de précision mais l'émotion apparaît beaucoup moins spontanée.

Remarque. Les phrases verbales et beaucoup de phrases non-verbales peuvent être découpées en deux constituants, le **thème** et le **propos**. Le **thème** indique de quelle chose on parle et le **propos** ce que le locuteur en dit. Par exemple, dans la phrase verbale *Mon frère est furieux*, le GN *mon frère* est le thème, le GV *est furieux* le propos. Dans la phrase non-verbale *Pas terrible, ce concert !*, c'est *pas terrible* qui est le propos, et *ce concert* le thème.

1 Trouvez six interjections, et dites quelles émotions elles permettent d'exprimer. Il peut arriver que la même interjection, selon la manière dont elle est prononcée, exprime diverses émotions.

2 Oralement. Dans le document 1, vous remplacerez les expressions du père de famille *groooo* et *grooaaaaaarr* par des phrases sans verbe, puis par des phrases verbales qui traduisent la même émotion.

3 Dans une lettre adressée à un ami, vous racontez l'histoire évoquée par la bande dessinée du document 1. Vous n'utiliserez que des phrases verbales.

4 Oralement. Imaginez que quelqu'un vient d'apprendre qu'il a gagné au Loto. Exprimez sa joie successivement à l'aide d'un cri, d'une interjection, d'une phrase verbale et d'une phrase non-verbale.

5 Même question que la précédente pour l'étonnement : vous apprenez que votre meilleur(e) ami(e) a décidé de traverser l'Atlantique à la nage.

6 Oralement. Imaginez une situation où vous seriez amené(e) à dire *Sacré Jules !* et une autre où vous pourriez dire *Quelle histoire !.*

Phrase simple et phrase complexe

1 La phrase simple

■ Une phrase verbale **simple** est constituée au moins d'un **groupe nominal sujet** et d'un **groupe verbal**. Le groupe verbal contient le verbe et ses compléments. La phrase peut aussi contenir un ou plusieurs compléments circonstanciels (CC).

→ <u>Le frère de Luc</u> <u>a donné des émotions à ses parents.</u>
    GN sujet   **GV qui contient le V, un COD et un COI**

→ *Mario a <u>souvent</u> pleuré <u>dans son lit</u>.*
        CC   **CC**

2 La phrase complexe

> **❗ Attention**
>
> Des propositions subordonnées peuvent être coordonnées entre elles ou juxtaposées.
> → *Il est venu **parce qu'il a peur** et **pour que sa mère soit contente**.*
>
> Une proposition peut être subordonnée à une autre subordonnée.
> → *Je dis **que Nicolas sait** que Zoé est triste.*

■ Une phrase **complexe** est constituée de plusieurs **propositions** (prop.) qui ont chacune un groupe verbal et qui peuvent être : **juxtaposées, coordonnées, subordonnées.**

– Une proposition **juxtaposée** à une autre est **séparée d'elle par un signe de ponctuation** : une virgule, deux points ou un point-virgule.

→ *Jules est triste **Zoé rit**.*

– Une proposition est **coordonnée** à une autre par une **conjonction de coordination** *(et, mais, ou, ni, car, or)*. Deux propositions peuvent être liées aussi par un **adverbe de liaison** *(cependant, donc, ensuite…)*.

→ *Paul a reçu la lettre, **mais il n'a pas le moral**.*
→ *Paul a pris la lettre, **ensuite il l'a déchirée**.*

– Une **subordonnée** joue le plus souvent le **même rôle qu'un mot ou un groupe de mots** (un groupe nominal, un groupe adjectival ou un groupe circonstanciel). Dans ce cas, c'est un constituant de la proposition principale.

→ *Les gens **qui sont heureux** (heureux) n'ont pas d'histoire.*
(La subordonnée relative joue le rôle d'un groupe adjectival.)

3 Les propositions subordonnées (prop. sub.)

Jouant le rôle d'un groupe nominal (GN).

Certaines subordonnées peuvent avoir les fonctions d'un **GN** :

■ Les **conjonctives introduites par** *que* (dites aussi **complétives**).

→ *Max a senti **que Luc était en colère**.* (La complétive est COD de *a senti*.)

Les complétives sont parfois introduites par la **locution conjonctive** *ce que*.

→ *Je m'attends à __ce que__ Max pleure.*

■ Les **relatives sans antécédent**. La plupart de ces relatives représentent un être **humain** ; elles sont introduites par *qui* ou *quiconque*.

→ *Il se plaignait à __qui voulait l'entendre__.* (La relative est COI de *se plaignait*.)

Jouant le rôle d'un groupe adjectival (GA)

■ Les subordonnées **relatives** ont une fonction de **groupe adjectival** ; elles sont introduites par des **pronoms relatifs** *(qui, que, dont, où, auquel...)*.

→ *Les enfants __qui rient__ sont en bonne santé.*
     prop. sub. relative épithète

Remarque. La subordonnée relative est parfois attribut du complément d'objet.

→ *Je les entends __qui pleurent__.*
     attribut du complément d'objet *les*

Jouant le rôle d'un complément circonstanciel (CC)

■ Les **subordonnées circonstancielles** jouent le rôle d'un **complément circonstanciel**.

→ *__Quand il pleure__ (Pendant les fêtes), je suis aux anges.*
     CC de temps

■ Les subordonnées circonstancielles sont introduites par des **conjonctions de subordination** *(comme, que, si, quand...)*

→ *__Comme__ Max est triste, il ne danse plus.*

ou des **locutions conjonctives** *(parce que, vu que, même si...)*. La plupart des locutions conjonctives contiennent *que (pendant que, bien que...)*.

→ *__Depuis que__ Max est triste, il ne danse plus.*

4 Les subordonnées comparatives et consécutives

Les subordonnées consécutives et comparatives ne jouent pas le rôle d'un GN, d'un GA ou d'un CC.

■ La plupart des subordonnées **consécutives** sont introduites par *que* et **annoncées** par un élément placé dans la principale (*si, tellement, tant...*). Elles **dépendent d'un adjectif ou d'un adverbe**.

→ *Il est __si__ triste __qu'il refuse de manger__.*
(Le groupe *si... qu'il refuse de manger* n'est pas un CC : il modifie l'adjectif *triste*.)

■ Les subordonnées **comparatives**, introduites par un *que* invariable, sont elles aussi **annoncées** par un élément (*plus, autant, aussi...*) placé dans la principale.

→ *Il a versé __autant__ de larmes __que Marie a poussé de soupirs__.*
(Le groupe *autant... que Marie...* joue le rôle d'un déterminant de quantité du nom *larmes*.)

RAPPEL DU COURS

■ La phrase **simple** est constituée d'un **groupe nominal (GN) sujet** et d'un **groupe verbal (GV)**, auxquels peuvent s'ajouter des compléments **circonstanciels (CC)**.

■ La phrase **complexe** est constituée de plusieurs propositions (prop.) qui possèdent chacune un groupe verbal. Elles peuvent être **juxtaposées, coordonnées, subordonnées**.

■ Les subordonnées (sub.) **conjonctives introduites par** *que* (ou **complétives**) et les relatives sans antécédent ont des fonctions de groupe nominal ; les subordonnées **relatives** ont des fonctions de groupe adjectival (GA) ; les subordonnées **circonstancielles** ont une fonction de complément circonstanciel.

■ Les subordonnées **consécutives** et **comparatives** sont annoncées par un mot placé dans la principale.

La phrase simple

7 Recopiez les phrases verbales simples du texte suivant. Identifiez le groupe sujet et le groupe verbal et encadrez le (ou les) complément(s) circonstanciel(s).

Le bruit du tonnerre couvrit la musique. Trois femmes s'échappèrent des rangs. Leurs cavaliers les suivirent. Le désordre devint général, et l'orchestre se tut. Il est naturel, lorsqu'un accident ou une terreur subite nous surprend au milieu d'un plaisir, que l'impression en soit plus grande qu'en tout autre temps, soit à cause du contraste qui se fait ainsi sentir vivement, soit parce que tous nos sens, déjà mis en éveil, sont plus prompts à éprouver une émotion. À cela j'attribue les étranges grimaces que je vis faire à plusieurs femmes. La plus sensée alla se réfugier dans un coin, le dos tourné à la fenêtre. Une autre, à genoux, devant elle, cachait sa tête dans le sein de la première.

J.W. von Goethe, *Les Souffrances du jeune Werther,* 1774.

La phrase complexe

8 Par groupes de deux. Chacun rédige une phrase simple et l'échange avec celle de son voisin, afin de la transformer en phrase complexe.

9 Dans les phrases complexes de l'exercice 7, trouvez deux propositions juxtaposées entre elles, une proposition coordonnée à une autre, et deux propositions subordonnées.

10 Recopiez le texte suivant et délimitez les propositions. Précisez lesquelles sont juxtaposées, coordonnées ou subordonnées. Justifiez votre réponse.

Votre silence me fait mal. Je ne vous accuse point ; mais je souffre […]. Si je voulais, ou plutôt si je n'étais pas inquiète et mécontente de votre silence, je vous ferais une querelle, que vous entendriez à merveille, à laquelle vous répondriez avec plaisir, et votre justification serait sans doute un nouveau crime ; mais vous êtes si loin, vous êtes si pressé, si occupé, et pire que cela, si enivré ! Revenez donc : je vois le temps s'écouler avec un plaisir que je ne puis exprimer.

J. de Lespinasse, *Lettres,* 1773-1776.

11 ◎ Oralement. Inspirez-vous de cette bande son pour produire oralement des phrases selon les schémas ci-dessous.

1. Prop. principale + prop. sub. **2.** prop. principale + deux prop. sub. **3.** deux prop. coordonnées + une prop. subordonnée à la seconde **4.** prop. sub. + prop. principale + prop. sub. **5.** Deux prop. juxtaposées + prop. principale + prop. sub. + prop. subordonnée dans une autre subordonnée.

Les propositions subordonnées

12 Remplacez les subordonnées complétives en caractères gras par des GN de même sens.

1. Je ne supporte plus **que tous ces sapins de Noël soient massacrés. 2.** J'ai appris avec douleur **que les**

premières feuilles étaient tombées. **3.** Je m'émeus **de ce que la poussière disparaisse à chaque nettoyage de printemps. 4. Que le brin d'herbe au milieu des prés soit si seul** me fait venir les larmes aux yeux. **5.** La pensée **que les étoiles filantes meurent** me bouleverse.

13 Donnez la fonction des subordonnées complétives de l'exercice 12.

14 Remplacez les subordonnées relatives en caractères gras par un GA de même sens.

1. J'aime par-dessus tout le cri des oiseaux **qui vivent la nuit. 2.** Les bruits **qu'on entend la nuit** lui font courir dans le dos de délicieux frissons. **3.** Quoi qu'il lui arrive, il garde toujours un visage **qu'aucune émotion ne vient perturber. 4.** Il est si timide qu'il parle d'une voix **que l'on n'entend pas. 5.** Ce fin gourmet a renvoyé à la cuisine un plat **qui n'avait aucun goût.**

15 Dans les phrases suivantes, relevez les subordonnées relatives.

1. Après un dernier moment d'attente et d'anxiété, pendant lequel l'excès de l'émotion mettait Julien comme hors de lui, dix heures sonnaient à l'horloge qui était au-dessus de sa tête. **2.** Il étendit la main et prit celle de madame de Rênal, qui la retira aussitôt. **3.** Quoique bien ému lui-même, il fut frappé de la froideur glaciale de la main qu'il prenait. **4.** Si madame de Rênal rentre au salon, je vais retomber dans la position affreuse où j'ai passé la journée. **5.** Les heures qu'on passa sous ce grand tilleul, que la tradition du pays dit planté par Charles le Téméraire, furent pour madame de Rênal une époque de bonheur.

D'après Stendhal, *Le Rouge et le noir,* 1830.

16 Remplacez les subordonnées en caractères gras par des compléments circonstanciels de même sens.

1. Aussitôt qu'elle reçut la convocation pour les épreuves du brevet, elle s'évanouit. **2. Depuis qu'il est à la maternelle,** il a une peur bleue quand on l'interroge. **3. Quoiqu'il soit excellent en orthographe,** il tremble des pieds à la tête au début de chaque dictée. **4. Si elle n'a pas une bonne séance de relaxation chinoise,** la championne de saut à la perche a peur de la barre. **5. Comme il a toujours le vertige,** l'alpiniste a finalement abandonné sa carrière.

17 Recopiez les subordonnées compléments circonstanciels, puis entourez les conjonctions de subordination et les locutions conjonctives qui les introduisent.

1. Ce goût, c'était celui du petit morceau de madeleine que le dimanche matin à Combray (parce que ce jour-là je ne sortais pas avant l'heure de la messe), quand j'allais lui dire bonjour dans sa chambre, ma tante Léonie m'offrait. **2.** La vue de la petite madeleine ne m'avait rien rappelé avant que je n'y eusse goûté. **3.** Et dès que j'eus reconnu le goût du morceau de madeleine trempé dans le tilleul que me donnait ma tante (quoique je dusse remettre à bien plus tard de découvrir pourquoi ce souvenir me rendait si heureux), aussitôt la vieille maison grise sur la rue vint comme un décor de théâtre s'appliquer au petit pavillon.   M. Proust, *Du Côté de chez Swann,* 1913.

18 Rédigez cinq phrases complexes, contenant des subordonnées circonstancielles, introduites par les conjonctions (ou locutions conjonctives) suivantes : *avant que, puisque, après que, comme si, bien que.* Attention au mode employé dans la subordonnée !

19 Relevez les subordonnées et dites si elles sont complétives, relatives ou circonstancielles.

1. On sait bien que le rire est le propre de l'homme. **2.** L'idée qu'il soit ému en cet instant ne t'est même pas venue ! **3.** Comme il avait envie de pleurer et qu'il ne voulait pas le montrer, il a fait croire qu'il avait une poussière dans l'œil. **4.** Je ne cache jamais les émotions ni les sentiments que j'éprouve, et j'aimerais que tu en fasses autant. **5.** Mais enfin, est-ce que tu écoutes quand je te parle ?

Les subordonnées comparatives et consécutives

20 Après avoir repéré les éléments qui les annoncent, relevez dans ce texte les subordonnées consécutives. Dites à chaque fois quel mot elles servent à modifier.

1. Aucun bruit que le ronflement des flots, et parfois ce bruit monotone et menaçant semblait tout près, si près que je les croyais sur mes talons, courant par la plaine avec leur front d'écume, et que j'avais envie de me sauver. **2.** Il faisait si noir que je distinguais à peine la route, maintenant. **3.** Et tout à coup j'entendis devant moi, très loin, un roulement. Il était trop grêle pour que ce fût une charrette. **4.** Et je fis le reste du chemin avec une telle angoisse dans l'âme que le moindre bruit me coupait l'haleine.

G. de Maupassant, *La Peur,* 1884.

L'accord du verbe avec son sujet

Le Paradou, un jardin enchanteur

1 Ce jardin, qu'il ignorait la veille, était une jouissance extraordinaire. Tout l'emplissait d'extase, jusqu'aux brins d'herbe, jusqu'aux pierres des allées, jusqu'aux haleines qu'il ne voyait pas et qui lui passaient sur les joues. Son corps entier entrait dans la possession de ce bout de nature,

5 l'embrassait de ses membres ; ses lèvres le buvaient, ses narines le respiraient ; il l'emportait dans ses oreilles, il le cachait au fond de ses yeux. C'était à lui. Les roses du parterre, les branches hautes de la futaie, les rochers sonores de la chute des sources, les prés où le soleil plantait ses épis de lumière, étaient à lui. […]

10 À droite montaient les fraxinelles légères, les centranthus retombant en neige immaculée, les cynoglosses grisâtres.

É. Zola, *La Faute de l'abbé Mouret*, 1875.

a Relevez les verbes conjugués du texte, retrouvez leur sujet et précisez s'il est inversé.

b Aidez-vous de la leçon pour justifier l'accord de ces verbes.

LEÇON

■ Le verbe est au **singulier** quand :

– il a un sujet au singulier ; → *La foule panique.*

– le sujet est l'un des pronoms indéfinis *on, chacun, quelqu'un, tout, rien, aucun, personne* ;
→ *Personne ne ressentait d'admiration pour le grand chef.*

– le sujet contient *plus d'un* ; → *Plus d'un homme tremblait devant cette femme.*

– les sujets d'un même verbe sont repris par le pronom collectif *tout, rien, personne…*
→ *Le travail, les autres, le quotidien, tout l'affole.*

■ Le verbe est au **pluriel** quand il a un sujet au pluriel. → *Les émotions creusent l'appétit.*

Cas particuliers :

– le sujet contient un déterminant (ou un pronom) de quantité, suivi d'un pluriel : *peu de, beaucoup, la plupart…* ; → *La plupart des hommes* auraient tout fait pour elle.

– le sujet contient *moins de deux…*
→ *Moins de deux personnes* sur dix aiment parler de leurs émotions.

■ Le verbe peut être **au singulier ou au pluriel** quand :

– le sujet contient un nom collectif au singulier, suivi d'un complément du nom au pluriel (*une multitude de, la moitié des, une centaine de…*) ;
→ *Un tiers des hommes* seulement avoue(nt) avoir connu la peur.

– plusieurs sujets au singulier sont coordonnés par *ni, ou, ainsi que, comme, avec, de même que* ;
→ *La peur ou la haine* cause(nt) bien des drames !

– le sujet est *l'un ou l'autre*. → ***L'une ou l'autre*** *cause(nt) bien des drames.*

Remarques.

– Le sujet peut être inversé (*Après la colère surgissaient toujours **les remords**.*) ou séparé du verbe par un pronom complément avec lequel il ne faut pas l'accorder (*Mais **il** les chassait vite de son esprit.*).

– Attention aux pronoms relatifs sujets (*qui, lequel, laquelle…*), dont il faut rechercher l'antécédent pour accorder le verbe en nombre, mais aussi en personne (*C'est **toi** qui **as** eu le plus peur !*).

Ch. Le Brun, *Visage féminin faisant la grimace,* XVIIᵉ siècle.

Ch. Le Brun, *Expression des passions de l'âme : la colère,* XVIIᵉ siècle.

21 Mettez au pluriel les groupes en caractères gras et faites les accords qui s'imposent.

1. Mais si, au lieu du mépris, **l'objet** qu'on méprise cause de l'horreur, **le sourcil** se fronce encore plus que dans la première action, **la narine** enflée tire en haut et forme des plis aux joues, **la prunelle** au lieu d'être située au milieu de l'œil se situe plus bas, **la couleur** du visage pâlit. **2.** Si à la joie succède **le rire, ce mouvement** s'exprime par les sourcils élevés au milieu de **l'œil**, que l'on ferme, qui se mouille et jette **quelque larme**, qui est bien différente de celle de la tristesse. **3. Celui** qui pleure abaisse le sourcil sur le milieu du front, ferme presque l'œil et enfle les narines.

D'après Ch. Le Brun, *L'Expression des passions*, 1698.

22 Identifiez les sujets des verbes entre parenthèses. Précisez lesquels sont inversés. Conjuguez les verbes à l'imparfait en veillant aux accords.

Plus je (parcourir) cet agréable asile, plus je (sentir) augmenter la sensation délicieuse que j'(avoir) éprouvée en y entrant. Les têtes creuses et demi-chauves des saules (former) des espèces de vases d'où (sortir), par l'adresse dont j'ai parlé, des touffes de chèvrefeuille, dont une partie (s'entrelacer) autour des branches, et l'autre (tomber) avec grâce le long du ruisseau. Presque à l'extrémité de l'enceinte (être) un petit bassin bordé d'herbes, de joncs, de roseaux. Sur le devant (être) une douzaine d'arbres jeunes encore. C'(être) les bocages de ce coteau qui (servir) d'asile à cette multitude d'oiseaux dont j'avais entendu au loin le ramage ; et c'(être) à l'ombre de ce feuillage qu'on les (voir) voltiger, courir, chanter, s'agacer, se battre comme s'ils ne nous (avoir) pas aperçus.

D'après J.-J. Rousseau, *La Nouvelle Héloïse*, 1761.

23 Accordez comme il convient les verbes en caractères gras. Précisez les cas où vous pouvez accorder au singulier et au pluriel.

1. Un torrent de larmes **coulai…** de ses yeux et **inondai…** mon appartement. **2.** La plupart des invités **versai…** des larmes de crocodile. Plus d'un **avai…** même du mal à réprimer un fou rire. **3.** Une vingtaine de larmes **roulai…** sur ses joues avec élégance. Elle pensait que l'une ou l'autre **finirai…** bien par me toucher.

24 Même consigne que pour l'exercice précédent.

1. Peu de gens **meur…** de rire chaque année. **2.** La grande majorité des éclats de rire **coup…** moins que le verre. Pas un de ceux qui **jonch…** le sol de ma chambre ne me **bless…**. **3.** Il était mort de rire sans souffrance : ni le SAMU ni la présence de son poisson rouge n'**avai…** pu le sauver.

25 ✎ Composez vous-même un paragraphe d'une dizaine de lignes, contenant une difficulté de chacun des types évoqués dans la leçon. Comme dans le texte de Zola, vous décrirez un lieu ou un paysage qui vous a plu.

26 Dictée préparée (Le Paradou, un jardin enchanteur)

a. Quel est le temps principalement employé dans ce texte ? Les difficultés d'accord auraient-elles été les mêmes avec le passé simple ?

b. Dans quel genre d'ouvrage allez-vous trouver des informations sur les *fraxinelles*, les *centranthus* et *cynoglosses* ?

Structurer ses phrases

27 Oralement. En utilisant uniquement des interjections et des phrases sans verbe, imaginez le commentaire que pourrait faire un journaliste de télévision, témoin de chacun des événements suivants.

1. Le premier but de l'équipe de France en finale de la coupe du Monde en juillet 1998 **2.** l'élimination de l'équipe de France lors de la coupe du Monde 2002 **3.** le vol de la Joconde au musée du Louvre **4.** l'arrivée d'un vaisseau d'extra-terrestres sur la Terre **5.** un chef d'État glissant sur une peau de banane lors d'une conférence internationale.

28 ✎ En utilisant des phrases verbales, rédigez à présent le commentaire d'un journaliste de presse écrite sur l'un des événements de l'exercice précédent.

29 ✎ Au XVIe siècle ont été écrits des « blasons du corps féminin », c'est-à-dire des poèmes évoquant différentes parties du corps. **a.** Qu'observez-vous à propos de la structure des phrases de ce « blason de l'oreille » ? **b.** Sur le même modèle, imaginez à votre tour un « blason » sur l'un des sujets suivants : l'œil, la main, le front, les cheveux.

Oreille blanche, claire et nette,
Oreille un petit rondelette,
Oreille ni grosse, ni grasse,
Oreille de bien bonne grâce,
Oreille qui n'est point trop grande [...].
Oreille belle entre cinq sens.
Oreille noble entre les sens
Servant au corps et à l'esprit.

Albert Le Grand, « L'oreille », XVIe siècle.

30 ✎ Dans ce passage, le narrateur analyse la passion que le personnage, Swann, éprouve pour Odette. **a.** Qu'observez-vous à propos de la structure des phrases ? **b.** À votre tour, utilisez la même structure de phrase pour expliquer un sentiment (peur, haine, amour, jalousie...) que vous avez un jour éprouvé.

Et cette maladie qu'était l'amour de Swann avait tellement multiplié, il était si étroitement lié à toutes les habitudes de Swann, à tous ses actes, à sa pensée, à sa santé, à son sommeil, à sa vie, même à ce qu'il désirait pour après sa mort, il ne faisait tellement plus qu'un avec lui, qu'on n'au-rait pas pu l'arracher de lui sans le détruire lui-même à peu près tout entier : comme on dit en chirurgie, son amour n'était plus opérable.

M. Proust, *Un Amour de Swann*, 1913.

31 💿 📣 **a.** Écoutez ce poème d'Apollinaire : sur quel principe est-il construit ? Quel effet est ainsi produit ? **b.** À votre tour, choisissez une structure de phrase simple (*Ex. il y a ..., c'est un(e) ..., j'aime ...*), et, à la manière d'Apollinaire, écrivez un poème pour évoquer un lieu ou une personne que vous aimez particulièrement.

32 Oralement. Vous avez été victime d'une injustice. Improvisez, devant le reste de la classe, un bref monologue pour exprimer vos sentiments, en respectant successivement les consignes suivantes : **a.** votre monologue n'est constitué que d'onomatopées et d'interjections **b.** il est constitué uniquement de phrases non-verbales **c.** il est constitué de phrases verbales simples **d.** il est uniquement constitué de phrases complexes.

33 ✎✎ Observez ce tableau de Böcklin. En utilisant des structures de phrases variées, imaginez en une dizaine de lignes le monologue intérieur de la jeune femme.

A. Böcklin, *Pensées d'Automne,* 1886.

Un aveu difficile

L'histoire se passe en Suisse au XVIIIe siècle ; dans cette lettre, Julie d'Étanges avoue son amour à Saint-Preux, son précepteur, qui lui a déjà déclaré son amour.

1 Il faut donc l'avouer enfin, ce fatal secret trop mal déguisé ! Combien de fois j'ai juré qu'il ne sortirait de mon cœur qu'avec la vie ! La tienne en danger me l'arrache ; il m'échappe, et l'honneur est perdu. Hélas ! j'ai trop tenu parole ; est-il une mort plus cruelle que de survivre à l'honneur ?

5 Que dire ? comment rompre un si pénible silence ? ou plutôt n'ai-je pas déjà tout dit, et ne m'as-tu pas trop entendue ? Ah ! tu en as trop vu pour ne pas deviner le reste ! Entraînée par degrés dans les pièges d'un vil séducteur, je vois, sans pouvoir m'arrêter, l'horrible précipice où je cours. Homme artificieux ! c'est bien plus mon amour que le tien qui fait ton

10 audace. Tu vois l'égarement de mon cœur, tu t'en prévaux pour me perdre ; et quand tu me rends méprisable, le pire de mes maux est d'être forcée à te mépriser. Ah ! malheureux, je t'estimais, et tu me déshonores ! crois-moi, si ton cœur était fait pour jouir en paix de ce triomphe, il ne l'eût jamais obtenu.

15 […] Tous mes efforts sont vains, je t'adore en dépit de moi-même. Comment mon cœur, qui n'a pu résister dans toute sa force, céderait-il maintenant à demi ? comment ce cœur, qui ne sait rien dissimuler, te cacherait-il le reste de sa faiblesse ? Ah ! le premier pas, qui coûte le plus était celui qu'il ne fallait pas faire ; comment m'arrêterais-je aux autres ?

J.-J. Rousseau, *Julie ou la nouvelle Héloïse*, 1761.

Questions (15 points)

A. Le cri et l'émotion

1 De quel *fatal secret* parle Julie (l. 1) ? Que signifie ici *fatal* ? Relevez, dans ce texte, deux interjections différentes et dites quelle émotion elles expriment.

2 Comment comprenez-vous *homme artificieux !* (l. 9) ? Inventez une phrase verbale de sens équivalent.

3 Dans le dernier paragraphe, quel est l'effet produit par l'éloignement entre le sujet *mon cœur* et le verbe (*céderait* et *cacherait*) ?

B. Des phrases pour exprimer ses sentiments

4 Dans la phrase *La tienne en danger me l'arrache ; il m'échappe et l'honneur est perdu* (l. 2-3), combien de propositions distinguez-vous ? Sont-elles subordonnées ? coordonnées ? juxtaposées ?

5 Dans la phrase *Tu vois l'égarement de mon cœur* (l. 10), remplacez le GN : *l'égarement de mon cœur* par une proposition subordonnée de même sens qui ait la même fonction.

6 Trouvez, dans le texte, deux propositions subordonnées qui jouent le rôle d'un groupe adjectival.

7 Relevez, dans le second paragraphe, une subordonnée à fonction de complément circonstanciel. Dites de quel type de complément circonstanciel il s'agit.

8 Ajoutez, à la fin du texte, une phrase contenant une subordonnée comparative.

Réécriture (5 points)

Dans le deuxième paragraphe (l. 5-14), remplacez tous les sujets au singulier par des sujets au pluriel en veillant à faire les accords comme il convient.

Rédaction (20 points)

Racontez les réactions de Saint-Preux quand il reçoit cette lettre.

Consigne d'écriture. Vous écrirez à la manière d'un romancier qui garde une grande distance à l'égard de ce qu'il raconte : sans utiliser d'interjections, d'exclamations, de phrases sans verbe.

Le texte

La Résistance

■ R. Clément, *Bataille du rail*, 1946.

La cohérence du texte

document 1   L'appel du 18 juin

Fac similé de l'affiche
« À tous les Français »
de Gaulle, août 1940.

document 2   Et ça, qu'est-ce que ça veut dire ?

A Des gouttes de rencontre ont pu capitaliser, cédant à la panne, oubliant l'homo sapiens, livrant le papillon à la semaine. Rien n'est permanent ! Rien n'est perdu, cette guitare est un guéridon mobile.

B Dans l'univers, des forces immenses ne donneront pas encore. Un jour, ces forces avaient écrasé l'ennemi. Il faut que la France, ce jour-là, soit présente à la victoire. Alors, elle avait retrouvé sa liberté et sa grandeur. Tel fut mon but, mon seul but !

C Voilà pourquoi tu nous convies, où que je les trouve, à s'unir à elles dans l'action, dans le sacrifice et dans l'espérance. Ma patrie est en péril de mort. Luttez tous pour te sauver !

a Indiquez le locuteur, le destinataire, le thème du texte et le but visé par le locuteur dans le document 1. Pouvez-vous donner les mêmes indications pour les textes du document 2 ? (Nuancez votre réponse selon les textes A, B, C.)

b Quelle est l'idée commune aux mots *capituler, perdu, guerre, forces, écraser, ennemi, français...* Même question pour les mots *liberté, grandeur, sacrifice, espérance...* Peut-on obtenir le même genre de réponse pour la série suivante du document 2, texte A : *gouttes, capitaliser, panne, homo sapiens, papillon, semaine...* ?

c Doc. 1 Relevez les mots et les expressions qui désignent la France. À quelles catégories grammaticales appartiennent-ils ?

d Dans le document 1, distinguez les faits évoqués selon qu'ils se situent dans le passé, le présent ou l'avenir. Peut-on faire la même chose avec le texte B du document 2 ?

e Quel est le rôle des mots *Cependant, parce que, Alors, Voilà pourquoi* dans le document 1 ? Commentez l'effet produit par la suppression de certains d'entre eux dans le document 2.

f À partir de vos réponses aux questions précédentes, proposez trois « règles » qui permettent de faire la différence entre un texte cohérent et un texte incohérent.

LEÇON

■ Pour bâtir un texte, il ne suffit pas que les phrases soient correctes et que les mots aient un sens, il faut que l'ensemble soit **cohérent** et **organisé**.

■ Le lecteur ou l'auditeur doit pouvoir :

– reconnaître un **thème** organisateur (« De quoi parle-t-on ? »), des **relations de sens** entre les êtres ou les choses évoquées et comprendre le **but** du discours (s'agit-il de raconter, de décrire, de convaincre, d'expliquer ?) ;

– identifier les personnes ;

– se repérer dans le **temps** par rapport au présent, établir une chronologie ;

– distinguer une **organisation** du texte en plusieurs étapes et une **progression** de l'information de phrase en phrase.

1 ✎ À partir des données suivantes : *réunion, six, soleil, cheval blanc, Pierre, curé, Allemands, boulette, échelle, lutte,* **a.** formez un discours complètement incohérent (mais dans lequel chaque phrase sera grammaticalement correcte) **b.** formez un récit cohérent de dix lignes (vous pouvez employer les mots dans l'ordre et le sens qui vous conviennent).

2 Imaginez que le 2ᵉ paragraphe du doc. 1 soit écrit par de Gaulle après la guerre. Faites les modifications nécessaires. Qu'observez-vous ?

3 Imaginez que le 3ᵉ paragraphe du doc. 1 soit écrit par une autre personne s'adressant directement aux Français en parlant de de Gaulle. Qu'observez-vous ?

4 Relevez les mots ou les expressions qui marquent un lien entre les phrases ou entre les paragraphes et indiquez leur nature.

Il fut précédé par un grand débordement d'appareil militaire. D'abord deux troufions, tous deux très blonds, l'un dégingandé et maigre, l'autre carré, aux mains de carrier. Ils regardèrent la maison, sans entrer. Plus tard vint un sous-officier. Le troufion dégingandé l'accompagnait. Ils me parlèrent, dans ce qu'ils supposaient être du français. Je ne comprenais pas un mot. Pourtant je leur montrai les chambres libres. Ils parurent contents.
Le lendemain matin, une torpédo militaire, gris et énorme, pénétra dans le jardin.

Vercors, *Le Silence de la mer*, Éd. Albin Michel, 1951.
(avec l'aimable autorisation des Éditions Albin Michel)

Les éléments qui organisent le texte

1 La présentation d'un texte

■ Un texte long se décompose en **parties** (chapitres, rubriques, sections…), elles-mêmes composées de **paragraphes**, qui forment une unité de sens. Un paragraphe commence par un **alinéa** (un retrait de la première ligne) et s'achève par un passage à la ligne.

■ Dans un dialogue, chaque alinéa commence par un tiret qui correspond à un début de **réplique**, c'est-à-dire à un changement de locuteur.

→ *– Vous en êtes où, en histoire ?*
– À la période de l'Occupation.

2 Les connecteurs

■ Placés en tête de phrase, les **connecteurs** (adverbes de liaison, conjonctions de coordination ou de subordination) constituent des points de repère pour la compréhension car ils soulignent les **articulations** du texte.

→ *Voici comment cela s'est passé :* **d'abord** *(…) ;* **ensuite** *(…) ;* **enfin** *(…).*

■ Les **connecteurs logiques** permettent au locuteur d'établir un rapport entre deux idées ou deux événements. On les utilise en particulier dans les textes ou les passages **argumentatifs** et **explicatifs**.

→ *Mon père n'était pas d'accord avec ma décision ;* **cependant** *il me laissa partir* **car** *il savait que rien ne pourrait me convaincre.*

■ Les **connecteurs temporels** établissent un rapport chronologique. Ils organisent généralement les textes ou les passages **narratifs**, en marquant les étapes du récit : stade initial *(d'abord, au début, au commencement…)*, péripéties *(puis, ensuite, alors…)*, fin du récit *(finalement, enfin, au bout du compte…)*.

■ Les **connecteurs spatiaux** organisent généralement **la description**. Ils marquent le plus souvent des oppositions par rapport à un repère : *à droite / à gauche, en haut / en bas, ici / là-bas…*

■ Certains groupes prépositionnels **compléments circonstanciels**, placés **en tête de phrase** ou de proposition, jouent parfois le même rôle qu'un connecteur dans l'organisation du texte.

→ **À Paris***, le réseau est dirigé par Henriette.* **En province***, c'est Raymond qui sera ton contact.*

3 Le choix des personnes et des temps

■ Généralement, les mêmes êtres ou les mêmes choses sont évoqués plusieurs fois dans un texte. Les **reprises nominales et pronominales** (voir chap. 4) contribuent à unifier le texte en établissant des rapports de sens d'une phrase à l'autre.

→ *Pierre venait de Paris. Francis, qui était de Marseille, se méfiait de **lui** comme de tous ceux qui arrivaient de zone occupée. Il attendait que **le jeune Parisien** fît ses preuves…*

■ Le choix des pronoms dépend du **locuteur,** et éventuellement du **destinataire.** Si le texte de l'exemple précédent était énoncé par Francis s'adressant à Pierre, le **système des personnes** (qui est désigné par *je, tu, il…?*) serait différent.

→ ***Tu** venais de Paris. Étant de Marseille, **je me** méfiais de **toi**…*

■ De la même façon, le **choix des temps** (présent, passé ou futur) dépend du locuteur (auteur, narrateur fictif ou personnage) ; car en évoquant des faits, il se situe dans le temps par rapport à ces faits. Les temps utilisés doivent donc rester cohérents avec le choix du locuteur pour tout un texte ou toute une partie de texte.

4 La progression thématique

■ Un texte **progresse** par l'apport d'un **propos** nouveau à chaque phrase (voir chap. 10). **Le thème rattache une phrase aux autres phrases.** On distingue trois **types de progression** du texte.

■ La **progression à thème constant** : les phrases s'enchaînent par la reprise du même thème d'une phrase à l'autre.

th. 1 – pr. 1
th. 1 – pr. 2
th. 1 – pr. 3

→ ***François** a quatorze ans. **Il** s'intéresse à l'histoire de la Résistance. **Il** s'est rendu dans le Vercors pour retrouver d'anciens maquisards. **Ce veinard** a eu la chance de rencontrer Henri dès son arrivée.*

■ La **progression linéaire** : chaque phrase reprend pour thème le propos (ou une partie du propos) de la phrase précédente.

th. 1 – pr. 1
th. 2 – pr. 2
th. 3 – pr. 3
th. 4 – pr. 4

→ *Tu connais **François**… **Il** a rencontré **Henri**. **Celui-ci** vit toujours dans un hameau perdu **sur le plateau du Vercors**. **C'est à cet endroit** qu'en 1944, un groupe de maquisards a tenu tête à une division allemande.*

■ La **progression à thème dérivé** : le texte progresse par décomposition du thème initial ; chaque phrase a pour thème une partie du thème principal.

th. princ. – pr.
└► th. 1 – pr. 1
└► th. 2 – pr. 2
└► th. 3 – pr. 3

→ *En 1944, **toute la famille** a participé à la Résistance. **Mon père** a organisé le réseau dans le département ; **mon frère aîné** a pris le maquis au printemps 43 ; **moi, je** l'ai rejoint au début 44 ; **quant à ma mère et ma petite sœur, elles** servaient d'agents de liaison.*

Remarque. Les textes sont très rarement constitués d'un seul type de progression : ils combinent le plus souvent les trois types de progression.

RAPPEL DU COURS

■ Un texte se décompose, selon sa longueur, en chapitres, parties, paragraphes, mis en évidence par des **sauts de ligne** et des **alinéas**.

■ L'organisation du texte peut être soulignée par le recours à des **connecteurs logiques** pour les passages explicatifs et argumentatifs, **temporels** pour les passages narratifs, ou **spatiaux** pour les passages descriptifs.

■ L'unité du texte est également assurée par les **reprises nominales et pronominales** et le **système des temps** verbaux.

■ La **progression du texte** est la manière dont les phrases s'enchaînent les unes aux autres. On distingue la progression à **thème constant**, la progression **linéaire** et la progression à **thème dérivé**.

La présentation d'un texte

5 Quel est le nom des subdivisions que l'on peut trouver dans ces types d'ouvrages ou de textes ?
1. Magazine **2.** pièce de théâtre **3.** dissertation **4.** constitution d'un pays **5.** livre de grammaire.

Les connecteurs

6 Relevez les connecteurs qui organisent ces trois textes. Précisez de quelle forme de discours ils relèvent : narratif, descriptif ou argumentatif.

1. Lyon était devenu complice de sa vie, de son travail... Et en cette douce journée de février, grimpée tout en haut de la Croix-Rousse, elle regardait le paysage. Elle avait devant elle, en rangs serrés, droits, une légion de fenêtres, s'alignant sur de grands murs. En bas, il y avait le Rhône, de grands immeubles auxquels le voisinage du fleuve conférait de la majesté, de l'importance, ils en étaient beaux... Au loin, les gratte-ciel de Villeurbanne buvaient toute la lumière.

E. Triolet, Les Amants d'Avignon, Éd. de Minuit, 1943.

2. Il n'y a pas de propagande en ce livre et il n'y a pas de fiction. Aucun détail n'y a été forcé et aucun n'y est inventé. Dans ces conditions, l'entreprise semblait des plus faciles. Or, de tous les ouvrages que j'ai pu écrire au cours d'une vie déjà longue, il n'en est pas un qui m'ait demandé autant de peine que celui-là.

J. Kessel,
Préface de L'Armée des ombres (1943), Éd. Julliard, 1946.

3. C'était la petite Gérard qui avait la première parlé à Juliette de la Résistance. D'abord à mots couverts, ne sachant pas trop ce qu'elle pensait, cette fille si gentille, mais réservée, distante... Mais le jour où arriva la nouvelle que le frère de Juliette était tombé en Libye, la petite noiraude, dans un accès de rage et de pitié, lui proposa carrément de travailler. Le sang du frère se portait garant de Juliette. Il y avait de ça plus d'un an, depuis, de fil en aiguille, Juliette s'était trouvée entièrement prise dans l'engrenage.

E. Triolet, op. cit.

7 Complétez les phrases ci-dessous par les connecteurs suivants, en précisant s'ils sont temporels, spatiaux ou logiques : *dès 1947, en Allemagne, c'est pourquoi, le 11 avril 1961, et pourtant, ensuite.*

1. Dans la résistance étrangère, les actions des femmes furent nombreuses : en Grèce, en Yougoslavie, en Pologne, en Russie, les femmes aussi participèrent à la lutte contre le nazisme ; ..., où résister était particulièrement difficile, se répandit aussi le refus de l'inacceptable. **2.** Il était assez difficile de rejoindre un réseau, à cause du secret qui les entourait ; ... les premières actions furent plus symboliques qu'efficaces. **3.** Beaucoup de femmes ont donné leur vie, leur sang, sacrifié leurs familles, plus qu'on ne le pense. Elles n'ont pas toutes manié les armes, ... elles ont contribué à cette lutte. **4.** ..., des résistants et d'anciens déportés ont manifesté la volonté de témoigner dans les établissements scolaires. L'idée de concours a ... germé très vite. En 1958, le principe d'un concours national de la Résistance a été adopté. ..., le concours est devenu officiel et national.

8 Dans ce message de Radio-Londres, où le locuteur raconte ce qu'il a fait juste après l'appel du 18 juin, les phrases ont été mises en désordre. Reconstituez l'ordre du texte, en prenant comme repères les connecteurs temporels de chaque phrase.
1. C'est ainsi que cet après-midi du 19 juin, je sonnais au cinquième étage du n° 8, Seymour Place. Mon camarade vint m'ouvrir. Il était seul et voulait que je pusse le relayer au téléphone. **2.** Vers le soir, le Général rentra, accompagné d'un seul officier. Il me frappa par son calme. **3.** Quelques heures plus tard, mon camarade m'appelait au téléphone et me priait de le rejoindre chez le Général. **4.** Le matin du 19 juin, l'un d'entre nous dit avoir entendu la veille au soir, à la radio, l'appel du général de Gaulle. Les autres se jetèrent sur les journaux pour en lire la traduction. L'un de nous se chargea de porter au général de Gaulle notre adhésion collective. **5.** Presque aussitôt, le Général m'invita à le suivre dans le salon.

G. Boris, « Les Français parlent aux Français », 19 juin 1943, *Ici Londres,* Éd. La Documentation française, 1975.

9 Oralement. En utilisant dans l'ordre que vous voulez les cinq connecteurs spatiaux suivants, décrivez en quelques phrases la salle à manger d'une famille écoutant Radio-Londres : *à l'entrée, à droite, à l'intérieur du buffet, sur le sol, au plafond.*

10 Oralement. En utilisant, dans cet ordre, ces connecteurs temporels, racontez en quelques phrases une scène d'écoute clandestine de Radio-Londres : *vers huit heures du soir, puis, à ce moment-là, enfin.*

11 Oralement. Une résistante cherche à convaincre son fiancé de la rejoindre dans son réseau. En utilisant ces connecteurs logiques, imaginez son discours : *d'abord, en plus, voilà pourquoi.*

Le choix des personnes et des temps

12 Relevez, dans le texte suivant, tous les mots ou groupes de mots qui désignent la même personne.
Le lendemain matin l'officier descendit quand nous prenions notre petit déjeuner dans la cuisine. Un autre escalier y mène et je ne sais si l'Allemand nous avait entendus ou si ce fut par hasard qu'il prit ce chemin. Il s'arrêta sur le seuil et dit : « J'ai passé une très bonne nuit. »

Vercors, *Le Silence de la mer*, Éd. de Minuit, 1942.

13 Après avoir identifié le temps du 1er verbe, conjuguez les verbes entre parenthèses aux temps qui conviennent.

Ce soir-là, il décida d'écouter Radio-Londres. Il (s'installer) devant son poste de radio et (se mettre) à tourner le bouton de la fréquence : quelques jours plus tôt, un de ses amis lui (révéler) le moyen de capter la radio clandestine. Il (chercher) depuis plusieurs minutes déjà lorsque, tout à coup, il (entendre) : « POM POM POM POM ! Ici Londres ! Les Français (parler) aux Français. Dans quelques secondes, vous (entendre) le Général de Gaulle. » Son cœur (battre) à tout rompre, car il (savoir) que le Général (faire) une importante déclaration dans la soirée.

14 Mettez au présent le verbe *décider* dans le texte de l'exercice précédent, et réécrivez ce texte en faisant toutes les modifications de temps qui s'imposent.

La progression thématique

15 Identifiez la progression thématique utilisée dans chacun de ces trois textes.

1. [Gerbier] promena ses yeux à travers le camp. C'était un plateau ras, herbeux, autour duquel se liaient et se déliaient des ondulations de terrain inhabité.

2. La baraque abritait cinq bourgerons[1] rouges.
Le colonel, le pharmacien et le voyageur de commerce, assis à la turque près de la porte, jouaient aux dominos avec des morceaux de carton, sur le dos d'une gamelle. Les deux autres prisonniers conversaient dans le fond à mi-voix.
Armel était allongé sur sa paillasse et enveloppé de la seule couverture qui était accordée aux internés. Legrain avait étendu la sienne par-dessus.

3. L'homme de la résistance n'a plus d'identité, ou il en a tellement qu'il en a oublié la sienne. Il n'a pas de feuille d'alimentation. Il ne peut même plus se nourrir à mi-faim. Il dort dans une soupente, ou chez une fille publique, ou bien sur les dalles d'une boutique, ou dans une grange abandonnée, ou sur une banquette de gare. Il ne peut plus revoir les siens que la police surveille.

J. Kessel, *L'Armée des ombres* (1943), Éd. Julliard, 1946.

1. bourgeron : blouse de travail en grosse toile. Ici, hommes portant des bourgerons.

La ponctuation : de la phrase au texte

Préparatifs pour le jour J

Chapitre II

1 Le colonel avait dit : «Un entraînement de tonnerre». Il n'avait pas menti. Dès l'aube, le lendemain, les équipes reconstituées étaient sur le terrain, et aussitôt, le travail commença à une cadence qui, la semaine précédente, n'eût pas semblé imaginable. Assouplissements, course,
5 grimper, barres parallèles, ramping, sauts – vingt sortes de sauts, en longueur, à la verticale, du haut d'un mur, à travers une trappe – on eût dit une école de gymnastes déments.

Quand un groupe avait terminé le saut périlleux, il passait au cheval d'arçon ou partait au pas de gymnastique franchir les palissades. Les
10 moniteurs anglais eux-mêmes étaient épuisés ; les hommes, dès qu'on leur criait : «Repos», se laissaient tomber sur le sol et restaient là, plusieurs minutes, dos contre l'herbe, comme des cadavres, pour détendre leurs nerfs et leurs muscles à bout.

Le vieux Tom Mac Intyre ne les voyait plus guère entrer chez lui le soir,
15 et le «Bull» ne retentissait plus de leurs cris et de leurs bagarres.

Mais au bout d'une semaine de ce régime, les nouveaux furent capables d'affronter les premières épreuves du parachute.

J. Kessel, *Le Bataillon du ciel*, Éd. René Julliard, 1947.

a Dites précisément à quoi servent les virgules des lignes 5 à 6 et 10 à 12.

b Relevez les guillemets du texte. Ont-ils à chaque fois la même fonction ?

c À quoi servent les deux-points (l. 1 et 11) ? Connaissez-vous une autre utilisation de ce signe ?

d Par quoi pourrait-on remplacer les tirets (l. 5 et 6) ?

e À quoi reconnaît-on qu'il s'agit d'un début de chapitre ?

f Combien de paragraphes ce texte contient-il ? Qu'est-ce qui justifie cette décomposition ?

LEÇON

La ponctuation à l'intérieur de la phrase

■ La virgule permet d'isoler des groupes à l'intérieur de la phrase (complément circonstanciel, apposition…). Une virgule seule ne se place jamais entre le sujet et le verbe, ou entre le verbe et ses compléments essentiels.

■ Les deux-points servent à introduire un discours rapporté, une énumération ou à marquer un rapport logique entre deux parties d'une phrase.

→ *Les soldats s'entraînent intensivement pour le débarquement : ils savent qu'il est imminent.*
(les deux-points = en effet, rapport de cause)

■ Au milieu d'une phrase, deux tirets ou des parenthèses isolent un commentaire ou une précision du reste du texte.

→ *Assouplissements, course, sauts – vingt sortes de sauts – on eût dit une école de gymnastes déments.*

La ponctuation du paragraphe

■ Un paragraphe commence par un alinéa, et se termine par un retour à la ligne.

■ Dans un devoir, afin de rendre plus claire la présentation, il est recommandé de sauter une ligne entre chaque paragraphe.

■ Dans certains genres de textes (notes de cours, manuels scolaires, encyclopédies…), les paragraphes ou les groupes de paragraphes sont introduits par des titres.

Orthographe

16 Les points, points virgules ou deux points ont été remplacés par des virgules. Faites les changements qui vous semblent nécessaires.

Cela ne suffisait pas à Mary, en plus de sa mission, il faisait un travail que personne ne lui avait demandé, il cheminait le long d'une route, on lui signalait des traîtres, des miliciens, des dénonciateurs, il les faisait sauter avec leur maison, il entrait dans une ville, on lui indiquait la demeure du chef de la Gestapo, située un peu à l'écart, il tendait une embuscade avec son équipe, il tuait le chef de la Gestapo, les autres prenaient tous ses papiers et s'en allaient dans sa voiture, les sentinelles allemandes leur présentaient les armes, il exécuta ainsi plus de soixante ennemis ou agents de l'ennemi.

J. Kessel, « En passant »,
Tous n'étaient pas des anges, Éd. Plon, 1963.

17 Oralement. **Dans les phrases ci-dessous, dites à quoi servent les deux-points.**

1. J'ai essayé de capter Radio-Londres : je n'ai rien entendu. **2.** Il a réussi à détourner une quantité prodigieuse de marchandises : roues de bicyclettes, bas en nylon, viande… **3.** Il veut absolument passer en zone libre : sa femme et ses enfants y sont depuis des mois. **4.** Il frappa à la porte et donna le mot de passe : « rutabaga ». **5.** L'homme de la Gestapo lui attrapa le bras, il chercha à lui fournir des explications : c'était peine perdue.

18 Cette carte postale, (à droite) fournie par les autorités allemandes, a été détournée de sa fonction par un partisan. À partir de ce style télégraphique, rédigez des phrases complètes. Organisez-les en paragraphes et utilisez comme il convient la ponctuation.

19 Par groupes de trois. Choisissez un article dans un journal du jour. Découpez cet article afin d'isoler chaque unité de la page (grand titre, sous-titres, paragraphes, encadrés en marge…). Mélangez ces unités découpées et échangez-les avec celles d'un autre groupe. Reconstituez alors les trois pages choisies par l'autre groupe.

20 Vous avez été absent au cours d'histoire pendant lequel le professeur a proposé un corrigé du brevet blanc. Vous téléphonez à l'un de vos camarades, qui vous dicte le corrigé de la 1re partie. Sans le recopier intégralement, notez les titres des paragraphes, schématisez ces derniers, marquez les alinéas, afin de proposer une présentation claire de ce devoir d'histoire.

21 Dictée préparée (Préparatifs pour le jour J, l. 1-13)

a. À quel mode et à quel temps sont conjugués les verbes suivants : *eût semblé* (l. 4), *eût dit* (l. 6) ?

b. Justifiez le pluriel de : *sauts* (l. 5), *gymnastes* (l. 7).

Après avoir complété cette carte strictement réservée à la correspondance d'ordre familial, biffer les indications inutiles. – Ne rien écrire en dehors des lignes.

ATTENTION – Toute carte dont le libellé ne sera pas UNIQUEMENT d'ordre familial ne sera pas acheminée et sera probablement détruite.

France, le 6 octobre 1940.
Aviation anglaise en bonne santé ~~fatigué~~
Aviation allemande ~~légèrement~~, gravement malade, ~~blessé~~.
Voudrais Hitler tué et Mussolini prisonnier.
~~décédé~~ Amirauté anglaise sans nouvelles
de marine italienne ~~La famille~~ ~~va bien.~~
Occupant ont trop besoin de provisions. Doriot a besoin d'argent.
Tous Français écoutent nouvelles, ~~bagages~~. Espoir est de retour
De Gaulle travaille à notre salut. Hitler va entrer
à l'école des revers. Petit-fils de Foch a été reçu
à coups de canon. Hitler devait aller à Londres le 15 août
Vive la France, esclaves aujourd'hui, libres demain
Affectueuses pensées. ~~Baisers~~ à vous trois
Signature
Dupont-Durand

Organiser et présenter un texte

22 ✎ Identifiez le défaut de cohérence de chacun de ces extraits modifiés : énoncés intrus, changement injustifié de locuteur ou de système de temps. Réécrivez-les afin de rétablir leur cohérence.

1. Mais de toutes les aventures de Mary, il en est une encore plus étonnante : peu de temps après avoir été parachuté, Mary, dans un appartement de Lyon qui lui servait d'asile, fut surpris par des agents de la Gestapo. J'eus tout juste le temps de les bousculer, de sauter par la fenêtre et de m'enfuir. J'étais sauf, mais j'avais laissé dans ma chambre mes codes.

D'après J. Kessel, « En passant »,
Tous n'étaient pas des anges, Éd. Plon, 1963.

2. Le premier acte de résistance naît en Angleterre – pays intéressant à visiter en toute saison du moment que l'on est muni d'un parapluie – autour du général de Gaulle, sous-secrétaire d'État à la Guerre, envoyé en mission auprès du Premier Ministre Churchill par Paul Raynaud. Le général de Gaulle rentre en France, beaucoup plus touristique que la Grande-Bretagne, le 16 juin 1940 pour apprendre la démission du gouvernement auquel il appartenait, l'arrivée au pouvoir du maréchal Pétain et la demande d'armistice.

D'après S. Bernstein, P. Milza,
Histoire du vingtième siècle, Éd. Hatier, 1984.

3. Je lui remets la valise dans le « tabac » face au palais de Chaillot, où viendra la prendre son agent de liaison. Mais ensuite, plus de nouvelle. Le gars avait disparu. Et Mathieu a dû m'apprendre que le compère se fit « piquer » au cours d'une mission.

D'après Vercors, *La Bataille du silence,* Éd. de Minuit, 1992.

23 💿 ✎ Écoutez ces messages émis par Radio-Londres quelque temps avant le débarquement du 6 juin 1944. **a.** Transposez cette suite de messages sous forme d'un texte explicite et cohérent. **b.** Imaginez trois autres messages pouvant continuer la série (par exemple, l'un quelques heures avant le débarquement, l'autre pendant le débarquement, le troisième le lendemain...).

24 ✎ Un résistant doit faire sauter un pont. Rédigez en quelques lignes les instructions données par son chef de réseau, en organisant le texte grâce à ces connecteurs temporels : *demain matin, vers une heure, à ce moment-là, quelques minutes plus tard.*

25 Oralement. Choisissez l'un des sujets suivants : **1.** *les maquis* **2.** *Jean Moulin* **3.** *Pourquoi le témoignage des anciens déportés est-il important aujourd'hui ?* **4.** *Le rôle des femmes dans la Résistance.* Après une séance de recherche (au CDI, sur internet...), présentez oralement à la classe un court exposé de quelques minutes. Vous serez évalué par vos camarades sur l'organisation et la cohérence de votre texte oral, selon la grille suivante qu'ils auront recopiée.

Nom de l'élève	
Le thème est-il bien identifiable ?	
Le but du discours (décrire, raconter, expliquer, argumenter) est-il clair ?	
Les reprises nominales et pronominales sont-elles correctes ?	
Le texte est-il clairement organisé grâce à des connecteurs ?	

26 ✎✎ An 4000. Vous devez écrire une page de manuel d'Histoire consacrée à la Résistance des Terriens devant une invasion d'extra-terrestres en l'an 3500. En respectant les règles d'organisation et de présentation propres à ce type d'ouvrages, rédigez cette page d'Histoire imaginaire.

27 ✎✎ En vous inspirant de cette photographie, rédigez un texte de vingt à trente lignes constitué de trois paragraphes. Le premier sera narratif, il se déroulera selon une progression à thème constant (thème : *le soldat*). Le second sera descriptif, construit selon une progression à thème dérivé, (1er thème : *la pièce*). Le dernier sera argumentatif, et vous utiliserez une progression linéaire.

Scène d'écoute clandestine de Radio-Londres.

Une lucidité de somnambule

(Un membre occasionnel d'un réseau de résistance, nommé Dani, a été arrêté. Marat, le chef du groupe, qui vient d'échapper à une arrestation à son domicile, commence à soupçonner Mathilde, la femme de Dani.)

1 *Il n'est pas impossible que Mathilde trahisse*, pense Marat, *mais la trahison ne suffit pas à expliquer l'ensemble de ses réactions… De toute manière, je heurte des contradictions…*

Si Mathilde a livré Dani… pourquoi nous livrerait-elle à notre tour, pour sau-
5 ver Dani ?

Si Mathilde fait profession de livrer tout le monde, y compris Dani, pourquoi n'a-t-elle, précisément, livré que Dani, *qu'elle aime et qui n'est qu'un comparse, et non pas Caracalla ou moi ou tant d'autres, comme il lui eût été facile, en maintes occasions ? Pourquoi a-t-elle refusé de voir Caracalla ? Une « don-*
10 *neuse » aurait fait l'impossible pour entrer en contact avec lui…*

Mais si Mathilde n'a pas livré Dani, pourquoi tous ces embarras et ce refus de voir Caracalla ?

Etc., etc., etc.

Marat a beaucoup bu, lui aussi, les questions ont perdu de leur tran-
15 chant, les événements de la journée se sont décolorés, ne le poignent plus, mais il demeure lucide ; « une lucidité de somnambule », pense-t-il, et il s'applique patiemment à passer en revue tous les mots de Mathilde, toutes ses expressions, tout ce qu'on lui a rapporté d'elle depuis l'arrestation de Dani jusqu'à ce jour…

R. Vaillant, *Drôle de jeu*, Éd. Buchet-Chastel, 1945.

Questions (16 points)

A. Mise en page et ponctuation du texte

1 La typographie distingue 2 parties dans le texte. À quoi correspondent-elles ? À quelle forme de discours se rattache chacune d'elles ? Justifiez votre réponse.

2 Dans la 1ʳᵉ partie, certaines expressions ne sont pas en italiques. Pourquoi ?

3 Par quel procédé de mise en page l'auteur souligne-t-il la logique du raisonnement de Marat ?

4 Expliquez l'emploi des guillemets. (l. 9-10 et 16)

B. Une argumentation cohérente

5 Expliquez la phrase *je heurte des contradictions* (l. 2-3). Quel rapport a-t-elle avec le reste du texte ?

6 Relevez les connecteurs logiques qui marquent les étapes du raisonnement de Marat. Parmi ceux-là, lequel sert à souligner les contradictions ?

7 Quel est le thème de la plupart des phrases de la 1ʳᵉ partie ? Selon quel type de progression thématique s'organise le texte ?

Réécriture (4 points)

Réécrivez la partie de texte en italiques comme si le raisonnement était tenu par Dani.

Rédaction (20 points)

Vous avez découvert la vérité et vous expliquez à Marat ce qui s'est passé en répondant à toutes les questions qu'il se pose…

Consignes d'écriture. Votre texte sera un dialogue mêlant vos explications et les interrogations ou les exclamations de Marat devant votre récit. Vous utiliserez toutes les informations fournies par le texte.

Organiser un récit

Les Amériques

■ *Carte des Amériques*, gravure, XVIIIᵉ siècle.

La narration

Chez les Indiens Cherokee

En 1673, Gabriel Arthur, un jeune colon virginien parti avec un groupe vers l'Ouest en territoire Cherokee, se retrouve seul parmi les Indiens Tomahitans avec lesquels il vit pendant une année.

1 Pris dans les querelles intertribales, Arthur frôle la mort plus d'une fois. À son retour, il racontera à Abraham Wood comment, un beau jour où le chef garant de sa protection était absent du village, un clan dissident de Tomahitans l'a ficelé au poteau de torture : «On entassa autour de lui, rap-
5 porte Abraham Wood, un tas de cannes sèches en guise de combustible. Cependant, alors que l'on s'apprêtait à y mettre le feu, le chef revint en ville, un fusil sur l'épaule, et fut mis au courant. Se précipitant sur le lieu du supplice, il demanda qui avait voulu ainsi brûler l'Anglais. Un Indien d'origine Weesock se présenta, un brandon à la main, et dit que c'était lui.
10 Le chef arma son fusil sur-le-champ et tua le Weesock, puis se précipita vers Gabriel, et de son couteau coupa ses liens, et le renvoya à sa demeure, déclarant que quiconque toucherait à l'Anglais aurait affaire à lui. »

M. H. Fraïssé, *Aux commencements de l'Amérique*, Éd. Actes Sud, 1999.

Le procès de Soledad

H. Pratt, *Corto Maltese, Vaudou pour Monsieur le Président*, Éd. Casterman, 1974.

a Pourquoi peut-on dire que les textes de ces deux documents sont narratifs ?

b Doc. 1. Un «mini-récit» est inséré dans le récit d'ensemble consacré à la conquête de l'Ouest : relevez le complément de temps qui en marque le début.

c Gabriel Arthur vit en sécurité parmi les Indiens. Quel événement déclenche le changement de cette situation ? Quel autre événement rétablit en la renforçant la situation initiale du héros ?

d Doc. 2. Quel événement perturbe la vie du village haïtien dont le sorcier est le chef ? Quel événement va rétablir la situation ? Que manque-t-il au récit du sorcier pour être complet ?

e Recopiez le tableau ci-dessous. À partir des éléments de chacun des deux documents, complétez-le dans la mesure du possible en résumant les étapes.

	situation initiale	événement qui provoque le changement	péripéties	événement qui résout la crise	situation finale
doc. 1					
doc. 2					

f Doc. 2. Comparez l'ordre des événements avec l'ordre du récit du sorcier. Qu'observez-vous ?

LEÇON

■ Le **discours narratif** vise à raconter une histoire. Un **texte narratif**, ou **récit**, est constitué par une **succession d'actions** accomplies par un ou plusieurs héros. Romans, nouvelles, récits de voyage, mémoires sont des textes narratifs.

■ Tout récit peut être représenté par un **schéma narratif** comprenant cinq étapes : une **situation initiale** (1) est modifiée par un **événement perturbateur** (2) d'où résultent des **péripéties** vécues par le héros (3), à l'issue desquelles un **événement de résolution** (4) conduit à la **situation finale** (5).

■ L'enchaînement des faits dans le récit est souligné par des **connecteurs temporels**. L'**ordre du récit** peut être différent de l'ordre des événements dans l'histoire : il y a alors des **retours en arrière** et des **anticipations**.

1 Oralement. À partir des éléments suivants, faites le plan détaillé d'une histoire située en Amérique.

Situation initiale : *tourisme* ; événement perturbateur : *panne mécanique* ; péripéties : *à votre choix...* ; événement de résolution : *une famille apache* ; situation finale : *à votre choix*.

2 ✎ Rédigez le premier paragraphe d'une nouvelle racontant l'histoire que vous avez imaginée en 1. Le récit commencera (au choix) **a.** au milieu des péripéties, **b.** par la situation finale.

3 Le texte suivant est un début de nouvelle. À quelles étapes de l'histoire de Joël Flint peuvent correspondre les informations données dans le texte ? Quelles étapes vous manquent pour que le récit soit complet ? Comparez l'ordre des faits avec l'ordre du récit. Qu'observez-vous ?

Ce fut Joël Flint lui-même qui téléphona au shérif qu'il avait tué sa femme. Et quand le shérif arriva sur les lieux avec son assistant, [...] ce fut Joël Flint en personne qui les accueillit à la porte et les fit entrer. Il n'était pas du pays ; c'était l'étranger, le Yankee qui deux ans auparavant était venu dans notre comté avec une foire ambulante, il tenait une baraque foraine...

W. Faulkner, *Le Gambit du cavalier*, trad. A. du Bouchet, Éd. Gallimard, 1951.

4 ✎ Imaginez, sous la forme d'un plan détaillé, les étapes qui manquent de manière à ce que le récit soit complet.

L'expression du temps

1 Les compléments de temps

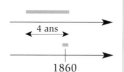

■ Les **compléments de temps**, généralement **circonstanciels** (facultatifs), expriment soit une **durée**, soit un **point de repère** par rapport auquel on peut **situer** le fait principal.

> → *Les armées se sont affrontées **pendant quatre ans**.* (durée)

> → *La guerre a commencé **en 1860**, après l'assassinat de Lincoln.* (points de repère)

Remarque. Les compléments de temps peuvent aussi être **essentiels** (non facultatifs).

> → *La guerre a duré **quatre ans**.* (complément essentiel de temps, durée)

■ Les compléments circonstanciels exprimant un **point de repère** indiquent si le fait principal est **antérieur**, **postérieur** ou **simultané** au repère.

> → *John est né **avant le jour de l'indépendance**.* (fait **antérieur** au repère)

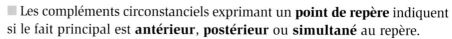

> → *John est né **après le jour de l'indépendance**.* (fait **postérieur** au repère)

> → *John est né **le jour de l'indépendance**.* (fait **simultané** au repère)

Le point de repère est exprimé par un complément circonstanciel qui peut être :

– un adverbe → *Marilyn Monroë est morte **avant-hier**.*

– un groupe prépositionnel nominal → ***Avant son départ**, il était pauvre.*

– un groupe prépositionnel infinitif → ***Avant de partir pour l'Ouest**, il était pauvre.*

– un groupe nominal sans préposition → ***Le troisième jour**, il atteignait l'Ohio.*

– un verbe au gérondif → ***En survolant le Grand Canyon**, j'ai eu une vision.*

– une proposition subordonnée → ***Quand je survolais le Grand Canyon**…*

2 Les subordonnées circonstancielles de temps

■ Une **subordonnée circonstancielle de temps** occupe la fonction **complément circonstanciel** : elle exprime le **point de repère** qui permet de situer le fait principal dans le temps. Elle peut se placer avant ou après la principale.

> → *Il s'est engagé **dès que la guerre de Sécession a commencé**.*

C'est la **conjonction de subordination** qui indique si la subordonnée marque un fait **antérieur**, **simultané** ou **postérieur** au fait principal.

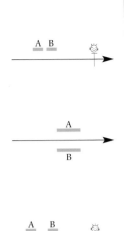

■ Les subordonnées *temporelles antérieures* au fait principal sont introduites par *après que, dès que, aussitôt que, sitôt que, depuis que, quand, lorsque…* suivies de l'**indicatif**.

→ *Quand ils ont vu l'Union Jack* (A), *ils se sont mis à chanter* (B).

■ Les subordonnées **temporelles simultanées** au fait principal sont introduites par *pendant que, quand, lorsque, tant que, comme, alors que…* ; elles sont aussi à l'**indicatif**.

→ *Pendant qu'il fait son jogging* (A), *elle regarde CNN* (B).

■ Les subordonnées **temporelles postérieures** au fait principal sont introduites par *avant que, jusqu'à ce que, en attendant que…* Elles sont toujours au **subjonctif**. **Avant que** peut être suivi de l'adverbe **ne**, dit «explétif», sans valeur négative.

→ *Avant qu'il (ne) parte pour Hollywood* (B), *il était garçon de café* (A).

Remarque. *Après que* est normalement suivi de l'indicatif, contrairement à *avant que* qui est suivi du subjonctif.

→ *Avant qu'il ne soit parti en Amérique, je devais le rencontrer.*

→ *Après qu'il est parti en Amérique, je ne l'ai plus revu.*

3 Autres formes d'expression du temps

D'autres constructions peuvent exprimer un rapport temporel.

■ La **coordination** : deux propositions indépendantes sont liées au moyen d'un connecteur temporel.

→ *Il a d'abord vécu à New-York,* **puis** *il est parti pour San Francisco.*

■ La **juxtaposition** : l'ordre temporel est alors suggéré par le temps des verbes.

→ *Elle a quitté Harlem, elle avait quinze ans.* (simultanéité)

→ *Je suis arrivé à Harlem : elle était partie.* (antériorité de la 2e proposition)

■ La **subordonnée participiale** (avec souvent une nuance causale) : le verbe au participe est doté d'un sujet distinct de celui du verbe principal.

→ *Une fois les bisons partis*, *la tribu a levé le camp.*

■ La **subordination inverse** : cette construction se rencontre dans l'expression d'une **succession immédiate** (*… à peine… que ; … ne… pas… que…*).

→ *À peine* *était-il arrivé à Las Vegas* **qu'il** *se ruait sur les machines à sous.*

→ *Nous* **n'étions** *pas plus tôt arrivés* **qu'il** *se ruait sur les machines à sous.*

(On l'appelle subordination inverse car c'est la première proposition, à l'imparfait ou au plus-que-parfait, qui est le circonstant de la seconde, introduite par *que* : on ne peut pas inverser l'ordre des propositions.)

Remarque. Les groupes prépositionnels infinitifs sont équivalents à une proposition subordonnée circonstancielle dont le sujet serait le même que celui de la principale.

→ *Pierre a achevé son ouvrage* **avant de nous rejoindre***.*

(avant que Pierre nous rejoigne)

RAPPEL DU COURS

■ Les compléments de temps peuvent exprimer une **durée**, ou bien un **point de repère** (**date** ou **fait**) par rapport auquel on situe le fait principal.

■ Les subordonnées **circonstancielles de temps** peuvent marquer un fait **antérieur** *(après que, dès que, sitôt que, quand, lorsque…)* **simultané** *(pendant que, quand, à mesure que, tant que…)* ou **postérieur à la principale** *(avant que, en attendant que, jusqu'à ce que…)*.

■ Le rapport temporel entre deux événements peut aussi être exprimé par **coordination** au moyen d'un connecteur, par **juxtaposition**, par une **structure corrélative** comme *à peine… que…*, ou par une **subordonnée participiale**.

Les compléments de temps

5 Pour chacune des phrases suivantes, dites si le complément de temps en caractères gras **a.** est un complément circonstanciel ou essentiel **b.** exprime un point de repère ou une durée.

1. Des historiens se demandent si les ancêtres de Christophe Colomb étaient des Corses, des Galiciens ou des Juifs catalans qui auraient fui la péninsule **à la fin du XIVᵉ siècle. 2. Dès l'âge de quatorze ans,** le futur découvreur de l'Amérique prend la mer, puis **en participant à des expéditions,** il apprend le métier de cartographe. **3.** Un convoi de bateaux génois où il se trouve embarqué **en 1474** est attaqué par des corsaires au large du cap Saint-Vincent. **4.** Le combat est rude et se conclut **en trois minutes. 5.** Colomb s'établit au Portugal, et, **durant neuf ans,** en fait sa terre d'attache.

6 Dans le texte suivant, relevez chaque complément de temps et précisez s'il exprime un point de repère ou une durée.

Chaplin réapparut en 1925 sous les traits de Charlot dans *La Ruée vers l'or,* sorte de biographie métaphorique, la plus parfaite de ses grandes œuvres muettes. Charlot y attend depuis des heures la femme qu'il aime devant une table servie le soir du réveillon. Pour distraire un moment sa mélancolie, il organise au bout de deux fourchettes la fameuse « danse des petits pains ».

D'après G. Sadoul, *Histoire du cinéma mondial,*
Éd. Flammarion, 1949.

7 Oralement. Ajoutez à chaque phrase un complément de temps indiquant **a.** une durée **b.** un point de repère qui ne soit pas seulement une date.

1. Il mâche du chewing-gum … . **2.** … il n'était pas question de porter un jean pour aller travailler. **3.** Elle déteste voir les westerns sur un petit écran … . **4.** Nous nous installerons à Harlem … . **5.** On n'oublie pas facilement que ce président a été acteur de cinéma … .

8 Recopiez ce tableau. Classez-y les informations de chaque phrase et dites si le fait principal est antérieur, postérieur ou simultané au repère.

	fait principal (A)	repère (B)	relation de temps
phrase 1			

1. Une fois les trois caravelles équipées, Christophe Colomb quitte Palos. **2.** Après seulement trente-cinq jours de navigation, il aborde au « San Salvador ». **3.** Avant de repartir, l'amiral laisse un groupe de ses compagnons dans l'île d'Haïti qu'il nomme l'île Hispaniola. **4.** À son retour en Espagne, il reçoit un accueil triomphal. **5.** La deuxième expédition a lieu peu après car la couronne de Castille ne veut pas se laisser distancer dans l'exploration par le Portugal.

9 Dans les phrases suivantes, ajoutez à chacun des faits exprimés (A) un fait secondaire qui lui servira de point de repère (B). (Vous emploierez un GN ou une subordonnée.)

1 La mission Apollo a tenu le monde en haleine. **2.** Les États-Unis entrent en guerre. **3.** Le Ku Klux Klan fut interdit. **4.** Elle partit, poussée par le rêve américain. **5.** Ils cueillent des fleurs à Hawaï.

10 Oralement. Indiquez la nature des compléments circonstanciels de temps en caractères gras.

1. En dessinant Mickey Mouse **en 1928,** Walt Disney ignorait qu'il deviendrait aussi célèbre. **2.** Il appliqua très tôt à ses *cartoons* la musique, le son et la couleur. **3.** Les dessins animés signés W. Disney furent gagnés par la standardisation **quand les studios géants de Burbank se lancèrent dans la réalisation de films toujours plus ambitieux commercialement. 4. Après avoir connu le succès dans le domaine du cinéma**, W. Disney créa le premier parc d'attractions, Disneyland. **5.** Un dessin animé des studios W. Disney sortira **la semaine prochaine**.

11 **Dans le texte suivant, relevez les compléments circonstanciels de temps et précisez leur nature.**

Quand le jeune Karl Rossmann, âgé de dix-sept ans et expédié en Amérique par ses pauvres parents [...], entra dans le port de New York, sur le bateau qui avait déjà réduit son allure, la statue de la Liberté qu'il regardait depuis un long moment lui parut tout d'un coup éclairée d'un soleil plus vif. Son bras armé d'un glaive semblait brandi à l'instant même, et sa stature était battue par les brises impétueuses.

F. Kafka, *Amerika ou le disparu*, Éd. Flammarion, coll. « GF »,
1988 (pour la trad. française).

12 **Complétez chacune des phrases suivantes à l'aide d'un complément circonstanciel de temps appartenant à la classe de mots indiquée.**

1. Elle a adoré les films américains [adverbe]. **2.** Il a arraché les posters de stars qui couvraient les murs de sa chambre [groupe prépositionnel infinitif]. **3.** Elle ressemblera à Marilyn [verbe au gérondif]. **4.** Vos enfants seront-ils encore sensibles au charme de Leonardo di Caprio ? [groupe nominal] **5.** Il se coiffait comme James Dean [groupe prépositionnel infinitif].

Les subordonnées circonstancielles de temps

13 **Notez, pour chacune des phrases que vous allez entendre, la subordonnée circonstancielle de temps et dites si elle marque un fait antérieur, simultané ou postérieur au fait principal.**

14 **Après avoir précisé l'ordre des événements dans le temps, reliez à l'aide d'une conjonction de subordination (à l'exception de *quand* et de *lorsque)* le fait (A) et son repère (B). Faites les modifications nécessaires.**

1. (A) Le cinéaste new-yorkais Carl Denham a emmené son équipe dans cette île inconnue / (B) il a entendu dire que les indigènes y adorent une divinité mystérieuse nommée Kong. **2.** (A) Le chef du village interrompt une cérémonie indigène / (B) les membres de l'équipe débarquent sur l'île. **3.** (A) Kong, en réalité un gorille géant, enlève Ann / (B) les indigènes l'avaient attachée entre deux totems pour l'offrir à leur dieu. **4.** (A) Denham montrera King Kong, la huitième merveille du monde à Broadway / (B) il aura réussi à la capturer. **5.** (A) King Kong provoque une panique dans la ville / (B) énervé par les flashes des photographes il a brisé ses chaînes.

Autres formes d'expression du temps

15 **Oralement. Pour chacune des phrases suivantes, dites quelle est la construction retenue pour exprimer le rapport temporel entre le fait principal et son repère.**

1. Après être rentré dans le sein de sa patrie, Chactas jouissait enfin du repos. **2.** Le mariage célébré, les « Sauvages » se préparèrent à la chasse du castor. **3.** Les femmes de la tribu riaient avec moi puis songèrent que je serais brûlé. **4.** Le soleil se leva ; la fille du Sachem et moi avions disparu. **5.** Nous rencontrions un fleuve, nous le passions sur un radeau ou à la nage.

D'après Chateaubriand, *Atala,* 1801.

16 **Relevez les subordonnées puis remplacez-les par des groupes prépositionnels infinitifs ou des propositions participiales de même sens. Attention à la subordination inverse !**

1. Quand nous eûmes marché dix-sept jours, nous entrâmes dans la grande savane Alachua. **2.** À peine sommes-nous sortis de l'enceinte funeste que des hurlements ébranlent la forêt. **3.** Nous errâmes longtemps avant qu'un missionnaire ne nous recueillît. **4.** Nous n'étions pas plus tôt entrés dans sa grotte qu'il se hâtait d'allumer du feu avec des lianes sèches. **5.** Aussitôt que les Indiens aperçurent leur pasteur dans la plaine, ils accoururent au-devant de lui.

17 **Reliez à l'aide de deux constructions différentes le fait (A) et son repère (B).**

1. (A) se détendre / (B) faire du saut à l'élastique dans le Grand Canyon. **2.** (A) écrire un livre sur les Natchez / (B) partir en voyage en Amérique. **3.** (A) découvrir beaucoup d'or / (B) aller plus loin vers l'ouest. **4.** (A) rencontrer Al Capone / (B) vivre dix ans incognito à Chicago. **5.** (A) faire un stage à Cap Canaveral / (B) réussir ce concours.

Le vocabulaire du temps

Suspendre le vol des heures ?

Extrait 1

1 Cette clepsydre fut pour Robinson la source d'un immense réconfort. Lorsqu'il entendait – le jour ou la nuit – le bruit régulier des gouttes tombant dans le bassin, il avait le sentiment orgueilleux que le temps ne glissait plus malgré lui dans un abîme obscur, mais qu'il se trouvait désormais
5 régularisé, maîtrisé, bref domestiqué lui aussi.

Extrait 2

1 C'était la première fois depuis des mois que le rythme obsédant des gouttes s'écrasant une à une dans le bac cessait de commander ses moindres gestes avec une rigueur de métronome. Le temps était suspendu. Robinson était en vacances. Il s'assit sur le bord de sa couche. Tenn[1] vint poser amou-
5 reusement son museau sur son genou. Ainsi donc la toute puissance de Robinson sur l'île – fille de son absolue solitude – allait jusqu'à une maîtrise du temps ! Il supputait avec ravissement qu'il ne tenait qu'à lui désormais de boucher la clepsydre, et ainsi de suspendre le vol des heures...

M. Tournier, *Vendredi ou les limbes du Pacifique*, Éd. Gallimard, 1972.

1. Tenn : le chien de Robinson.

a En vous aidant si nécessaire d'un dictionnaire, rappelez qui était *Chronos* et donnez le sens du mot *clepsydre*.

b Dans ces deux passages de *Vendredi ou les limbes du Pacifique*, quels noms permettent de rendre compte de la notion de temps ? Utilisez trois d'entre eux dans une phrase de votre composition.

c Que signifie l'expression : *Le temps ne glissait plus malgré lui dans un abîme obscur* (extrait 1, l. 3-4) ?

LEÇON

La notion de temps

Pour rendre compte de la notion de temps, on peut :

■ **mesurer** le temps selon des critères objectifs en proposant des **subdivisions** à l'aide de **noms** correspondant à des unités de temps *(la seconde, la minute, l'heure, le jour, le mois...)* et à des périodes *(l'instant, le moment, la jeunesse, la maturité, la vieillesse, la période, l'époque, l'ère, l'Antiquité, le Moyen Âge, les Temps modernes, l'éternité, l'infini...)* ;

■ **rendre sensible le temps, le caractériser** : le déroulement du temps est souvent évoqué à l'aide de **verbes** dont le sens contient l'idée d'un mouvement, le plus souvent continu *(passer, glisser, s'écouler, voler...)*.

→ *Le temps ne glissait plus malgré lui dans un abîme obscur...*

Ce sont les **adjectifs** qui permettent d'exprimer avec le plus de nuances la façon dont le locuteur appréhende le temps : *dilaté, ralenti, suspendu, haché, fluide, monotone, régulier, obsédant…*

Les mots du temps

Pour former les mots du temps, le français dispose de deux séries :

■ la série formée à partir de la **racine latine *tempus*** → temp- : **temp**o*riser*, a**temp**o*rel*, contem**p**orain… ;

■ la série formée à partir de la **racine grecque *khronos*** → chrono- : **chrono**logie, ana**chro**nique, **chrono**métrer…

---

18 Oralement. En cherchant l'étymologie dans un dictionnaire, dites si les termes suivants appartiennent ou non **a.** à la série latine *temp-* : *tempo, tempérament, tempête, temporiser, tempéré,* **b.** à la série grecque *chrono-* : *chronique, chromatique, crosne, chronographe, croque-mort.*

19 a. Choisissez, en vous aidant d'un dictionnaire, cinq mots du temps (autres que les termes proposés dans l'exercice 18) issus de la série grecque ou de la série latine. **b.** Employez-les dans une phrase de votre composition qui en éclairera le sens.

20 Reliez chacun des termes suivants à sa définition et indiquez à quelle classe de mots il appartient.

1. Intemporel **2.** atemporel **3.** temporaire **4.** temporiser **5.** intempestif **6.** contemporain **7.** éternel **8.** infini **9.** opportun **10.** simultanéité.

a. Qui n'a pas de terme **b.** concomitance, existence simultanée de plusieurs choses **c.** qui est étranger au temps, ne s'inscrit pas dans la durée **d.** différer d'agir, par calcul, dans l'attente d'un moment plus favorable **e.** qui n'est pas concerné par le temps **f.** qui se produit à contretemps, n'est pas fait à propos. **g.** qui est de notre temps **h.** qui convient dans un cas déterminé, qui vient à propos **i.** qui ne dure ou qui ne doit durer qu'un temps limité **j.** qui est hors du temps, qui n'a pas eu de commencement et n'aura pas de fin.

21 Employez chacun des mots de l'exercice 20 dans une phrase de votre composition.

22 Choisissez le mot juste pour désigner dans les phrases suivantes une partie de la durée : *moment, période, époque, ère, intervalle.*

23 Rédigez un paragraphe de quelques lignes dans lequel vous utiliserez chacun des mots suivants : *sablier, jeunesse, éternité, défiler, ralenti.*

24 Cherchez cinq locutions contenant le mot *temps* et employez chacune d'elles dans une phrase qui en explicitera le sens.

Ex. **Tuer le temps :** *faire quelque chose uniquement pour échapper à l'ennui.*

25 Réemployez chacune des locutions de l'exercice précédent dans une phrase humoristique où l'expression sera prise au pied de la lettre. (Dans *tuer le temps* par exemple, *tuer* sera employé au sens de mettre à mort.)

26 a. Classez chronologiquement les trois documents ci-dessous et dites à quelle période de l'histoire chacun d'eux correspond. **b.** Inventez une phrase dans laquelle vous utiliserez au moins un terme de la leçon pour commenter chacun des documents.

1. New-york, statue de la liberté.
2. *Sculpture Maya*, terre cuite, 600-900 après J.-C.
3. T. de Bry, *Premier voyage de C. Colomb en 1492.*

Bâtir une histoire

27 ○ Oralement. **a.** Écoutez cet extrait de *L'Or* de Blaise Cendrars et notez le schéma narratif représentant les différentes étapes du récit. **b.** Ajoutez-y une péripétie que vous rédigerez en quelques lignes.

28 ✎ Proposez, sous forme de plan détaillé, le schéma narratif d'une histoire pour laquelle la situation initiale et la situation finale seront respectivement les suivantes :
– Vous êtes invité(e) par votre oncle d'Amérique à vivre deux mois chez lui, dans l'opulence.
– Vous revenez en France au bout d'un mois, démoralisé(e) et amaigri(e).

29 ✎ Dans *Des Souris et des hommes* de J. Steinbeck, George et Lennie cherchent du travail dans un ranch. **a.** À partir des péripéties présentées ci-dessous, bâtissez le schéma narratif afin d'obtenir une histoire complète.
Arriver dans un ranch de la vallée de Salinas. Voir le patron. Rester sans rien dire. Chercher partout les cartes de travail.
b. Rédigez le dernier paragraphe du récit qui présentera la situation initiale sous forme d'un retour en arrière. Ce paragraphe commencera par exemple par *Quelques jours auparavant...*

30 ✎✎ **a.** Rédigez, en une vingtaine de lignes, un récit correspondant au schéma narratif que vous avez établi dans l'exercice précédent. **b.** Oralement. Vous ajouterez aux faits principaux des faits jouant le rôle de repères temporels (adverbes, verbes au gérondif, propositions subordonnées...).

31 ✎✎ Imaginez que vous êtes à la place de l'un des personnages (images ci-dessous). Faites le récit de ce qui vous arrive en précisant comment vous éprouvez le temps qui passe dans la situation où vous vous trouvez. La première phrase de votre texte pourrait être la suivante : *Le temps de rêver est bien court !*

Ch. Chaplin, *Les Temps modernes*, 1936.

Au bord du Pacifique.

Le « Manchester »

1 Le 7 avril 1854 appareilla de New York, à destination de Valparaiso, la frégate nord-américaine *Manchester*, propriété de M. Edward W. Gadner, de Nantucket, chargée de charbon et de bois par la maison de commerce de M. M. Cattwright & Harrison, avec deux passagers et quatorze hommes
5 d'équipage aux ordres du capitaine Alexander H. Coffin.

À cause d'une voie d'eau qui s'était déclarée dans la carène, le navire arriva à Montevideo en mauvais état. Un matelot, José Green, était mort en cours de route victime d'une infection banale. Après une remise en état sommaire et le recrutement de quatre hommes pour renforcer l'équipage,
10 le *Manchester* quitta Montevideo le 28 du même mois.

Il dut tenir la cape[1] pendant cinq jours de tempête dans les parages du cap Horn et il est probable que le calcul de l'estime[2] ait souffert d'une erreur considérable que le mauvais temps ne permit pas de corriger. Le 28 août, à l'ouest du Cap, le *Manchester* heurta un rocher à 10 heures du matin.
15 Le navire commença à faire eau en abondance en pleine tempête, il perdit ses quatre chaloupes emportées par les lames, et les pompes obstruées par le charbon de la cargaison furent impossibles à réparer. Un conseil des officiers réuni à la hâte décida d'abattre le grand mât et le trinquet[3].

Six heures plus tard ils aperçurent le rivage, tentèrent de le gagner, mais
20 en vain. L'eau envahissait le navire…

F. Coloane, citant P. Vidal Gormaz, *Naufrages*, Éd. Phébus, 2002.

1. Tenir la cape : réduire sa vitesse au minimum.
2. L'estime : calcul de la position du navire en fonction des vents et des courants.
3. Trinquet : petit mât placé à l'avant des navires à voile.

Questions (15 points)

A. Un récit incomplet

1 Quel paragraphe présente la « situation initiale » ? Quel trajet le *Manchester* devait-il suivre ?

2 Quel événement va modifier la situation et déclencher « l'aventure » ?

3 Quelles étapes du schéma narratif manque-t-il pour que le récit soit complet ?

B. Un rapport circonstancié

4 Relevez les compléments de temps. Quel ordre le narrateur suit-il dans son récit ?

5 En observant en particulier les compléments circonstanciels de temps et de lieu, montrez que ce récit s'apparente à un rapport d'enquête.

C. Emportés par le « temps »

6 Remplacez *en pleine tempête* (l. 15) par une subordonnée circonstancielle indiquant la simultanéité.

7 Transformez le groupe *Après une remise en état sommaire et le recrutement de quatre hommes* (l. 8-9) en deux propositions subordonnées circonstancielles de temps commençant par *Après que*.

8 Relevez un nom de la famille de « temps ». Quel adjectif formé sur le même radical signifie « qui ne vient pas au bon moment, qui arrive mal à propos » ?

Réécriture (5 points)

Réécrivez le passage : *Après une remise en état* (l. 8) jusqu'à *du matin* (l. 14) en remplaçant les CC par des subordonnées circonstancielles de temps.

Rédaction (20 points)

Imaginez la suite du récit de manière à obtenir un schéma narratif complet.

Consigne d'écriture. Vous veillerez à réutiliser un maximum de détails donnés dans l'extrait.

Désigner dans le récit

Les débuts de roman

■ L'écrivain Colette (1873-1954)
à sa table de travail.

Les reprises nominales

document 1 ## Les angoisses d'un débutant

1 Vers la fin de l'année 1612, par une froide matinée de décembre, un jeune homme dont le vêtement était de très mince apparence, se promenait devant la porte d'une maison située rue des Grands-Augustins, à Paris. Après avoir marché dans *cette rue* […], *il* finit par franchir le seuil de *cette*
5 *porte*, et demanda si maître François Porbus était en *son* logis. Sur la réponse affirmative que *lui* fit une vieille femme occupée à balayer une salle basse, *le jeune homme* monta lentement les degrés, et s'arrêta de marche en marche, comme quelque courtisan de fraîche date, inquiet de l'accueil que le roi va *lui* faire. […] Accablé de misère, *le pauvre néophyte*
10 ne serait pas entré chez le peintre auquel nous devons l'admirable portrait de Henri IV, sans un secours extraordinaire que *lui* envoya le hasard.

H. de Balzac, *Le Chef-d'œuvre inconnu*, 1837.

document 2 ## Une histoire de paysans

P. Makyo, *Grimion gant de cuir*,
Éd. Glénat, 1984.

a Doc. 1 Quelques expressions sont en caractères gras. Qu'ont-elles en commun ?

b La reprise de *rue des Grands-Augustins* par *cette rue* (l. 4) se fait-elle de la même manière que la reprise de *un jeune homme* par *il* (l. 4) ?

c La reprise de *un jeune homme* par *le jeune homme* (l. 7) se fait-elle de la même façon que celle de *un jeune homme* par *le pauvre néophyte* (l. 9) ?

d Est-ce que le premier *lui* (l. 6), le second (l. 9) et le troisième (l. 11) désignent le même individu ? Comment le lecteur s'y prend-il pour savoir ce que chaque *lui* désigne ?

e Doc. 2 Que désigne l'expression *la grande nourricière* ? Pourriez-vous le savoir sans l'image 1 ?

f Pourquoi cette expression convient-elle ici ? Est-ce qu'elle vous paraît objective ?

g ✎ En prenant pour point de départ le texte de l'image 1, imaginez une suite différente de celle de l'image 2 dans laquelle *les hommes* et *la terre* seront repris tous les deux par un pronom et par un groupe nominal de la forme *ce + nom + adjectif*.

h Regardez votre texte et demandez-vous comment le lecteur peut faire pour comprendre que ces deux pronoms et ces deux GN reprennent *les hommes* et *la terre*.

LEÇON

Dans un texte, on évoque plusieurs fois la même personne, la même idée, la même chose.

■ Les reprises **nominales** reprennent un GN par un autre GN.
> → **Un peintre** entra ; **ce peintre** était blond.

■ Les reprises **pronominales** reprennent un GN par un pronom personnel *(il)*, un pronom adverbial *(y)*, un pronom relatif *(qui, que…)*, etc.

Certains pronoms invariables en genre et en nombre reprennent non pas un GN mais **l'ensemble d'une phrase**, ou même **une suite de phrases**.
> → *Porbus est un grand artiste. Le jeune homme **le** sait.* (le = Porbus est un grand artiste)

■ Les reprises **nominales** sont dites **fidèles** quand un nom précédé du déterminant indéfini *un* est ensuite repris par les déterminants *le* ou *ce*.
> → *Je vis **un peintre** qui dormait ; **ce/le peintre**…*

■ Les **reprises nominales** sont dites **infidèles** quand on reprend un nom par **un autre nom** *(Un peintre… l'artiste)* ou **une périphrase** *(un peintre… ce jeune homme pâle)*. Une périphrase désigne quelque chose non par son nom habituel, mais par une tournure plus compliquée : *le meilleur ami de l'homme* est une périphrase pour *le chien*. La reprise nominale infidèle permet de porter des **jugements de valeur** *(l'assassin… l'infâme individu…)* ou **d'insister sur une caractéristique** de la personne ou de la chose désignée *(une rose… cette fleur odorante)*.

1 Oralement. Dans le document 1, remplacez les reprises nominales fidèles par des reprises nominales infidèles, en préservant la cohérence du texte.

2 ✎ Trouvez une périphrase qui convienne aux noms suivants : *une usine, une secrétaire, un ordinateur, une infirmière*. Rédigez une courte histoire où vous les emploierez.

3 ✎ Vous êtes romancier. Votre récit (une dizaine de lignes) commence par raconter ce que fait le personnage de la vignette de gauche, puis ce qui se passe ensuite, jusqu'à ce qui est montré dans la vignette de droite. Employez autant de reprises pronominales que de reprises nominales. (Ne tenez pas compte de ce qui est écrit dans les bulles).

Le groupe nominal
et ses équivalents

Une phrase verbale associe un verbe et des **groupes nominaux** (GN) qui occupent diverses fonctions dans la phrase. Mais d'autres catégories que le GN peuvent occuper ces fonctions : en particulier les **pronoms**, les **groupes infinitifs**, les **complétives** et les **relatives sans antécédent**.

1 Nom commun et nom propre

■ Les noms **communs** servent à désigner des personnes ou des choses que l'on peut compter *(chats, chiens, maisons, batailles…)*, des substances que l'on ne peut pas compter *(le beurre, l'eau…)* ou des qualités *(la douceur, la noirceur…)*.

■ Les noms **propres** désignent quelqu'un ou quelque chose d'**unique** ; le plus souvent ce sont des personnes *(Paul, Louis XV)* ou des lieux *(Le Louvre, Madrid…)*. Le nom **propre** n'a pas à proprement parler de sens *(Paul* ou *Liverpool* ne signifient rien), mais on apprend **par expérience** ce que désignent *Paul* ou *Liverpool*. En général, il s'emploie **sans déterminant** *(Luc, Reims, Dupont)*. Mais dans certains cas il peut en recevoir un *(Le Paris de 1900, les Dupont…)*.

2 Les principaux déterminants du nom

■ Pour employer un nom **commun,** on doit en général **lui attribuer un déterminant** : **indéfini** *(un, trois, plusieurs…)* ou **défini** : **article défini** *(le, la, les)*, **déterminant démonstratif** *(ce, cette, ces)* ou **possessif** *(mon, ton, son, etc.)*.

Le déterminant permet de préciser ce qu'un nom désigne : *chat* est une notion générale, *le chat rose* ou *trois chats maigres* désignent des chats particuliers. Les deux déterminants les plus employés sont l'article indéfini *(un)* et l'article défini *(le)*.

■ L'article **indéfini** permet de désigner **un élément quelconque** d'un ensemble : *un chat* désigne un être dont on sait seulement qu'il appartient à l'ensemble des chats. C'est pourquoi on utilise l'indéfini pour **introduire un être nouveau dans le discours** *(Dans **un** pays lointain vivait **un** roi très riche…)*. Mais il permet aussi de désigner **n'importe quel élément de l'ensemble** *(**Un** chien doit être fidèle à son maître.)*.

■ L'article **défini** a deux emplois :
– Il permet de désigner **une classe** (valeur **générique**) ;
→ ***L'homme moderne** est stressé.* (Il s'agit de l'homme moderne en général.)

– il permet **d'isoler un être particulier** ou un groupe d'êtres grâce au **contexte** (valeur **spécifique**).

→ ***La table*** *avait été renversée par* ***le chien.*** (Il s'agit d'une table et d'un chien particuliers que le destinataire peut identifier grâce au contexte.)

– Pour les autres déterminants, voir la page 304 de la Boîte à outils.

3 Les pronoms

■ Les **pronoms jouent le rôle de groupes nominaux.** On distingue les pronoms **substituts,** qui reprennent un groupe nominal, et les pronoms **nominaux** *(personne, quelqu'un, je, tu, tous…),* qui ne reprennent pas de groupe nominal.

■ Il existe diverses classes de pronoms **substituts** :

– pronoms **personnels** : → *il, le, lui, ils, eux…* ;

– pronoms **possessifs** : → *le mien, le tien, le nôtre…* ;

– pronoms **démonstratifs** : → *celui-ci, ceci, ça…* ;

– pronoms **indéfinis** : → *certains, quelques-uns* ;

– pronoms **numéraux** : → *deux, trois…* ;

– pronoms **relatifs** : → *qui, lequel…*

– Certains pronoms sont **tantôt substituts, tantôt nominaux.**

→ ***Certains / beaucoup*** *ne prennent pas de vacances.*
(Les pronoms sont nominaux : ils n'ont pas besoin d'antécédent pour être compris.)

→ *Ce soir-là Marie avait croisé des chats.* ***Certains / beaucoup*** *étaient gris.*
(Les pronoms sont substituts : ils reprennent *des chats.*)

> **!** **Attention**
>
> Les différents types de pronoms substituts correspondent aux différents types de déterminants du nom (voir Boîte à outils p. 304-305).

4 Autres équivalents du groupe nominal

D'autres structures peuvent également jouer le rôle d'un GN.

■ Le **groupe infinitif** peut être sujet, complément d'objet, etc.

→ ***Danser la salsa*** *avait toujours été sa passion.* (groupe infinitif sujet)

→ *Ce jour-là, Paul voulut* ***passer la nuit à Nice.*** (groupe infinitif COD)

■ La **proposition subordonnée infinitive** a une fonction de GN **complément d'objet direct**. Mais à la différence du groupe infinitif, elle a un sujet qui lui est propre.

→ *Aloÿs regardait* ***la pluie tomber.*** (*La pluie* est sujet de *tomber.*)

■ Les subordonnées **complétives** peuvent occuper les diverses fonctions d'un GN : sujet, complément d'objet, attribut, apposition, complément du nom, de l'adjectif.

→ *Adrien était heureux* ***que Jules parte*** */ de son départ.*
(complément de l'adjectif)

→ ***Que Jules parte*** */ Son départ l'étonnait.* (sujet)

■ Les subordonnées **relatives sans antécédent.**

→ *Il voulait aider* ***qui avait besoin de son aide.***
(La relative équivaut à un GN : les gens qui avaient besoin…)

■ On distingue les **noms propres** et les **noms communs**. Les noms **communs** désignent des **personnes** ou des **choses que l'on peut compter**, des **substances** ou des **qualités**. Les noms **propres** désignent des **êtres uniques**.

■ Les noms **communs** sont le plus souvent précédés d'un **déterminant défini** ou **indéfini**. Les noms **propres** n'ont en général **pas de déterminant**, sauf dans certaines constructions.

■ Les **pronoms** jouent le rôle des groupes nominaux. On distingue les **pronoms nominaux** et les **pronoms substituts**. Ces derniers reprennent un autre élément du texte.

■ Les **groupes infinitifs**, les **subordonnées infinitives**, les subordonnées **complétives** et les subordonnées **relatives sans antécédent** occupent aussi des fonctions de **groupe nominal**.

Nom commun et nom propre

4 Chacun de ces noms propres est également devenu un nom commun. Dans des dictionnaires appropriés, cherchez ce que désignent respectivement chaque nom propre et le nom commun correspondant.

1. Amphitryon **2.** Don Juan **3.** Titan **4.** Judas **5.** Gavroche **6.** Tartuffe **7.** Jersey **8.** Amazone **9.** Watt **10.** Poubelle.

Les principaux déterminants du nom

5 En vous aidant de la Boîte à outils (p. 304), dites à quelle catégorie précise appartiennent les déterminants en caractères gras.

1. À **neuf** heures, la salle **du** théâtre **des** Variétés était encore vide. **Quelques** personnes, **au** balcon et à l'orchestre, attendaient. (*Nana*) **2.** Debout devant l'armoire, en face des fenêtres, le docteur Pascal cherchait **une** note. Grande ouverte, **cette** immense armoire de chêne sculpté, montrait sur **ses** planches, dans la profondeur de ses flancs, un amas extraordinaire de papiers. (*Le Docteur Pascal*) **3.** Jean, **ce** matin-**là**, un semoir de toile bleue noué sur le ventre, en tenait la poche ouverte de la main gauche, et de la droite, **tous les** trois pas, il y prenait une poignée de blé, que d'un geste il jetait. (*La Terre*)   D'après É. Zola.

6 Précisez la catégorie des déterminants en caractères gras et dites quelle est leur valeur d'emploi.

1. Le héros de ce livre, **un** matin d'octobre, arriva à Paris avec **un** cœur de dix-huit ans et **un** diplôme de bachelier ès-lettres. **2.** Il vit dans **les** rues **des** voitures de fumier traînées par **un** cheval et **un** âne. **3.** Il se trouva tout à coup dans **une** chambre vide et inconnue. **4.** Quoi de plus triste qu'**une** chambre d'hôtel, avec ses meubles jadis neufs et usés par tout le monde ? **5.** Vive plutôt **une** chambre d'auberge, parquetée en bois blanc. **6.** Sa mère l'engagea **au** travail, à **la** bonne conduite, à **l'**économie. **7.** Il montait sur **les** tours **des** églises, contemplant, en bas, **les** hommes tout petits.

G. Flaubert, *L'Éducation sentimentale*, version de 1845.

7 À partir de cette image, imaginez un début de roman en quelques lignes. Vous emploierez obligatoirement deux déterminants indéfinis, deux déterminants définis et un déterminant démonstratif.

F. Zeffirelli, *Jane Eyre*, 1996.

Les pronoms

8 Dites si les mots en caractères gras sont des pronoms ou des déterminants.

1. Certains romans sont passionnants dès **la** première ligne, mais **d'autres** sont plus longs à démarrer. **2.** Les 3ᵉ D ont eu un devoir : **leur** professeur **leur** a lu **le** début d'un roman, et ils ont dû **le** résumer. **3.** Tu veux lire **un** roman policier ? **Celui-là** devrait te plaire. **4. Ce** roman-**là** est **un** de **ceux** que je préfère. **5. Tous** admirent **le** génie de **ce** jeune auteur.

9 Relevez les pronoms dans ces phrases.

1. Lol V. Stein est née ici, à S. Tahla, et elle y a vécu une grande partie de sa jeunesse. Elle a un frère plus âgé qu'elle de neuf ans – je ne l'ai jamais vu – on dit qu'il vit à Paris. Je n'ai rien entendu dire sur l'enfance de Lol V. Stein qui m'ait frappé. **2.** Chaque matin, Mᵐᵉ Dodin, notre concierge, sort sa poubelle. Elle la traîne depuis la petite cour intérieure de l'immeuble jusque dans la rue dans l'espoir de nous faire sursauter dans notre lit, et que notre sommeil soit interrompu comme l'est le sien, chaque matin. Entre tous ceux que lui impose sa charge de concierge, c'est en effet ce travail-là que Mᵐᵉ Dodin déteste le plus.

D'après M. Duras.

10 Dites à quelle catégorie précise appartiennent les pronoms relevés dans l'exercice précédent. Précisez également s'ils sont substituts ou nominaux.

11 Complétez les phrases par les pronoms substituts suivants : *l'une, celle-ci, ce dernier, il, l'autre.*

1. En 1792, la bourgeoisie d'Issoudun jouissait d'un médecin nommé Rouget, qui passait pour un homme profondément malicieux. Au dire de quelques gens hardis, ... rendait sa femme assez malheureuse. Peut-être ... était-elle un peu sotte. (*La Rabouilleuse*) **2.** En 1828, vers une heure du matin, deux personnes sortaient d'un hôtel situé dans la rue du Faubourg Saint-Honoré : ... était un médecin célèbre, Horace Bianchon ; ... un des hommes les plus élégants de Paris, le baron de Rastignac. « Allons à pied jusqu'au boulevard, dit ... à Bianchon. » (*L'Interdiction*)

D'après H. de Balzac.

12 Dans ce début de roman, relevez les pronoms substituts. Essayez de trouver les GN qu'ils remplacent : que constatez-vous ? Quel est l'effet produit ?

Ils s'arrachaient à leurs armoires à glace où ils étaient en train de scruter leurs visages. Se soulevaient sur leurs lits : « C'est servi, c'est servi », disait-elle. Elle rassemblait à table la famille, chacun caché dans son antre, solitaire, hargneux, épuisé. « Mais qu'ont-ils donc pour avoir l'air toujours vannés ? » disait-elle quand elle parlait à la cuisinière.

N. Sarraute, *Tropismes,* Éd. de Minuit, 1957.

Autres équivalents du GN

13 Précisez la fonction des groupes infinitifs en caractères gras.

1. Nous avions déjà visité Milan et Gênes. Nous étions à Pise depuis deux jours lorsque je décidai **de partir pour Florence. 2. Voyager** était devenu un sport comme un autre et nous le pratiquions de mieux en mieux. **3.** Mais cette fois, à Pise, lorsque nous arrivâmes à la gare, les guichets étaient fermés. Malgré ces empêchements je me jurai **de gagner Florence dans la journée. 4.** Ce jour-là, la seule idée **d'attendre au lendemain / pour voir Florence** m'était insupportable.

M. Duras, *Le Marin de Gibraltar*, Éd. Gallimard, 1952.

14 Relevez les subordonnées infinitives.

1. Au premier chapitre de l'*Éducation sentimentale*, on voit le héros tomber amoureux de Mᵐᵉ Arnoux. **2.** Dès les premières lignes de *L'Étranger*, le lecteur sent percer l'étrangeté du narrateur et peut imaginer qu'un drame va se nouer. **3.** *La Bête humaine* commence par la description de la gare Saint-Lazare ; Roubaud, le personnage principal, accoudé à sa fenêtre, entend retentir les coups de sifflets et partir les trains. **4.** Au début de *Thérèse Raquin*, Zola décrit avec précision le quartier où vont évoluer les personnages : le lecteur les imagine alors facilement vivre dans ce décor sinistre.

15 Dans les phrases suivantes, distinguez les groupes infinitifs et les subordonnées infinitives.

1. La place avait été bombardée et à travers la gare détruite on voyait arriver et partir les trains. **2.** Je ne pensais qu'aux camionnettes et ça m'était égal d'avoir chaud. **3.** Au bout d'une demi-heure, Jacqueline me dit qu'elle avait soif, qu'elle aurait bien bu une limonade. Je lui dis d'y aller seule parce que moi, je ne voulais pas rater les ouvriers.

M. Duras, *op. cit.*

16 a. Précisez la nature des groupes en caractères gras : groupe infinitif, subordonnée infinitive, complétive ou relative sans antécédent. **b.** Remplacez chacun d'eux par un GN.

1. J'emmène **qui veut** à la bibliothèque. **2.** Cette description d'orage est si précise qu'on entend presque **le tonnerre éclater. 3. Que ce roman ait du succès** est très étonnant. **4.** Madame Bovary passa sa jeunesse **à lire des romans sentimentaux. 5.** Elle fut flattée **que Charles la demande en mariage.**

Difficultés liées
aux déterminants et aux pronoms

Un saute-ruisseau facétieux

1 – Allons, Simonnin[1], ne faites donc pas de sottises aux gens, ou je vous mets à la porte. Quelque pauvre que soit un client, c'est toujours un homme, que diable ! dit le Maître-clerc en interrompant l'addition d'un mémoire de frais.

5 Le saute-ruisseau est généralement, comme était Simonnin, un garçon de treize à quatorze ans, qui dans toutes les Études se trouve sous la domination spéciale du principal clerc dont les commissions et les billets doux l'occupent tout en allant porter des exploits[2] chez les huissiers et des placets[2] au Palais. Il tient au gamin de Paris par ses mœurs

10 et à la Chicane par sa destinée. Cet enfant est presque toujours sans pitié, sans frein, indisciplinable, faiseur de couplets, goguenard, avide et paresseux. Néanmoins presque tous les petits clercs ont une vieille mère logée à un cinquième étage avec laquelle ils partagent les trente ou quarante francs qui leur sont alloués par mois.

H. de Balzac, *Le Colonel Chabert*, 1835.

1. Simonnin est un jeune employé chez un notaire.
2. Exploits, placets : actes et papiers judiciaires.

a Relevez, dans le texte, les mots qui se prononcent [tut] ou [tu]. Essayez d'expliquer leur terminaison, en précisant en particulier à quelle classe de mots ils appartiennent.

b *Quelque pauvre que soit un client, c'est toujours un homme* (l. 2). Reformulez plus simplement la proposition en caractères gras. Comparez l'orthographe de *quelque* dans la phrase du texte et dans les deux phrases suivantes : *Quelque pauvres que soient des clients, ce sont toujours des hommes. Quelques soucis d'argent qu'ils aient, ce sont toujours des clients.* Quelle règle d'orthographe pouvez-vous formuler ?

c Connaissez-vous d'autres mots ou groupes de mots qui se prononcent [kɛlk] ? Employez chacun d'eux dans une phrase. Comparez ensuite avec votre voisin les différentes manières d'orthographier [kɛlk].

LEÇON

Tout / tous / toutes

■ Il peut s'agir d'un déterminant indéfini, qui s'accorde avec le GN qu'il introduit (*tout le monde, toute la nuit, tous les jours, toutes les fois*).

■ Il peut s'agir d'un pronom indéfini, qui se prononce [tus] (*tous sont partis*), [tu] (*tout lui déplaît*) ou [tut], toujours au féminin pluriel (*elles lui ont toutes promis de lui écrire*).

■ Il peut s'agir d'un adverbe, que l'on peut remplacer par « tout à fait ». Il est invariable (*des micros tout petits*), mais peut prendre des marques de genre et de nombre devant un adjectif féminin commençant par une consonne ou un –h aspiré (*des fleurs toutes fraîches*).

Quelque / quelques / quel que

■ *Quelque*, déterminant indéfini, s'emploie avec un nom singulier quand il signifie «un(e) quelconque» (*il viendra **quelque** jour* : un jour quelconque) ; il est au pluriel devant un nom pluriel quand il exprime la quantité (*dans **quelques** jours* : dans plusieurs jours).

■ *Quel que* est toujours suivi du verbe *être* au subjonctif. *Quel* s'accorde avec le sujet du verbe *être*. (***Quelles que** soient vos conditions, …*)

■ Si *quelque … que* encadre un adjectif, *quelque* reste invariable (***quelque** sympathiques **qu**'ils soient…*) ; si *quelque … que* encadre un nom, *quelque* s'accorde avec lui (***quelques** soucis **qu**'il ait…*).

17 Complétez ces phrases par *tout* ou *tous*.

1. J'ai lu … les romans de Victor Hugo. **2.** Tu ne me crois pas ? Je t'assure, j'ai … lu. **3.** … le début de ton dernier roman est un plagiat. **4.** … les mois, cet écrivain fait paraître un roman-photo dans le journal municipal. **5.** « … roman est écrit par un romancier » affirma sentencieusement le présentateur.

18 Ajoutez s'il le faut une terminaison à l'adverbe *tout*, puis employez chaque groupe adjectival ainsi obtenu dans une phrase.

1. (Tout) entière **2.** (tout) surprises **3.** (tout) émus **4.** (tout) ronde **5.** (tout) honteuse.

19 Complétez ces phrases par *tout, toute, toutes*.

1. … à l'heure, je suis allé chercher un livre dans la bibliothèque. **2.** … les pages étaient cornées. **3.** J'en ai été … scandalisée. **4.** … la journée, je me suis demandé qui avait pu faire ça. **5.** Le soir, … endormie, j'y pensais encore !

20 Complétez ces phrases par *quel que* ou *quelque*. Attention aux accords.

1. Dans … jours, le prix du premier roman va m'être décerné ! **2.** Je crois que j'ai … chance de l'obtenir. **3.** … soit ton talent, tu n'as pas à être aussi prétentieux. **4.** Si j'ai le prix, … soit l'heure, téléphone-moi ! **5.** Le jour venu, il ne recueillit que … maigres applaudissements.

21 Soulignez le mot qu'encadre *quelque … que*. Selon qu'il s'agit d'un nom ou d'un adjectif, accordez *quelque* ou non.

1. (Quelque) cultivés qu'ils soient, ils n'ont lu aucune bande dessinée. **2.** (Quelque) efforts qu'elle fasse, ma mère m'achète toujours le même genre de romans. **3.** (Quelque) bons souvenirs que j'en aie, ce n'est pas un très bon roman. **4.** Ces romans ne me plaisent pas, (quelque) bien écrits qu'ils soient.

22 Complétez par *quelque, quelques* ou *quel(s, le, les) que*.

1. … soient ses raisons, ce *saute-ruisseau* n'a pas à jeter le pain par la fenêtre ! **2.** … sévères que soient les notaires, ils ont, eux aussi, été parfois des *saute-ruisseaux*. **3.** Les … *saute-ruisseaux* que je connais ont … difficulté à se mettre au travail. **4.** … malheurs qu'elles aient endurés et … soit la maladie dont elles souffrent, les mères des *saute-ruisseaux* sont fières de leurs fils et des … avantages de leur métier. **5.** Au bout de … temps, s'ils montrent … dispositions, les *saute-ruisseaux* peuvent obtenir … promotion à l'Étude, … facétieux qu'ils aient été.

23 En vous inspirant de cette photographie, rédigez, en quelques lignes, le début d'un récit, dans lequel figurera chacun des mots suivants : *tous* (déterminant) *tout* (déterminant ou pronom), *toutes* (pronom), *toute* (adverbe), *quelque, quelles que*.

C. Jaque, *Boule-de-Suif*, 1945.

24 Dictée préparée (Un saute-ruisseau facétieux)

a. Mettez le nom *saute-ruisseau* au pluriel et justifiez l'accord.

b. À quelle classe de mots appartient *leur* (l. 14) ? Justifiez son orthographe.

Désigner dans le récit

25 ✎ Imaginez un début de roman de quelques phrases, dans lequel tous les GN suivants et leurs équivalents seront employés. Attention à l'ordre dans lequel vous les utilisez.

La mallette, il, une jeune femme brune, celle-ci, ce dernier, elle, un taxi, une petite valise noire, le chauffeur, un homme.

26 ✎ Le roman à quatre mains. Formez des groupes de quatre. Chacun rédige la toute première phrase d'un récit et passe sa feuille à son voisin. Celui-ci écrit la phrase suivante, en utilisant quand il le faut des reprises nominales ou pronominales. On fait ainsi tourner les quatre feuilles jusqu'à ce qu'une dizaine de phrases soient rédigées sur chacune d'elles.

27 Oralement. Imaginez trois suites différentes de ce début de roman : la première commencera par *l'artiste*, la seconde par *le repris de justice*, la troisième par *le célèbre avocat*.

Ce matin-là, la neige recouvrait encore les toits des voitures garées en bas de l'immeuble et Turgot était en train de se brosser les dents, appuyé au montant de la fenêtre.

P. Lapeyre, *Welcome to Paris*, Éd. P.O.L., 1994.

28 ✎ En vous inspirant de l'une des deux scènes représentées par la carte de tarot (ci-contre), imaginez et rédigez quelques lignes d'un début de roman. Vous emploierez au moins une reprise pronominale, une reprise nominale fidèle, une reprise nominale infidèle, une périphrase. Vous soulignerez ces éléments et vous les identifierez entre parenthèses.

29 ✎✎ Voici la première phrase d'un roman :

La première fois qu'Aurélien vit Bérénice, il la trouva franchement laide...

L. Aragon, *Aurélien*, Éd. Gallimard, 1944.

Imaginez et rédigez une suite d'une trentaine de lignes, en utilisant des reprises nominales et pronominales variées.

30 ✎✎ Choisissez une photo de famille ou d'amis et imaginez qu'elle illustre le début d'un roman. Rédigez celui-ci, en veillant à désigner clairement chacun des personnages et en utilisant les différents types de reprises étudiés dans ce chapitre.

Une carte de tarot.

Un excellent jeune homme

1 Le 3 juillet de cette année, vers six heures du matin, j'arrosais mes pétunias sans songer à mal quand je vis entrer un grand jeune homme blond, imberbe, coiffé d'une casquette allemande et paré de lunettes d'or. Un ample paletot de lasting[1] flottait mélancoliquement autour de
5 sa personne, comme une voile le long d'un mât lorsque le vent vient à tomber. Il ne portait pas de gants ; ses souliers de cuir écru reposaient sur de puissantes semelles, si larges que le pied était entouré d'un petit trottoir. Dans sa poche de côté, vers la région du cœur, une grande pipe de porcelaine se modelait en relief et dessinait vaguement son profil
10 sous l'étoffe luisante. Je ne songeai pas même à demander à cet inconnu s'il avait fait ses études dans les universités d'Allemagne ; je déposai mon arrosoir, et je le saluai d'un beau : *guten morgen.* «Monsieur, me dit-il en français, mais avec un accent déplorable, je m'appelle Hermann Schultz ; je viens de passer quelques mois en
15 Grèce, et votre livre a voyagé partout avec moi. » […] Je le pris par la main, cet excellent jeune homme. Je le fis asseoir sur le meilleur banc du jardin, car nous en avons deux. Il m'apprit qu'il était botaniste et qu'il avait une mission du jardin des plantes de Hambourg.

E. About, *Le Roi des montagnes* (début), 1857.

1. Lasting : étoffe de laine rose et brillante.

Questions (15 points)

A. Première apparition d'un personnage

1 Pourquoi le GN *un grand jeune homme* (l. 2) est-il précédé d'un article indéfini ?

2 Relevez deux reprises nominales infidèles de ce GN.

3 Relevez trois reprises pronominales du même GN.

4 Quel jugement de valeur vous semble contenir l'expression *cet excellent jeune homme* (l. 16) ? Pourquoi l'auteur l'utilise-t-il ?

B. Désigner les éléments du récit

5 Comment le lecteur peut-il savoir ce que désignent *Hambourg* (l. 18) et *Hermann Schultz* (l. 14) ?

6 Justifiez l'emploi de l'article indéfini dans la phrase : *Un ample paletot… vient à tomber* (l. 4-6).

7 Dans le passage : *Je le pris par la main… de Hambourg* (l. 15-18), relevez deux pronoms nominaux différents, un pronom substitut personnel et un pronom substitut indéfini.

Réécriture (5 points)

Ce texte est raconté par le narrateur, qui est aussi un personnage de l'histoire. Remplacez le « je » par « Edmond About » dans les dix premières lignes en faisant toutes les modifications nécessaires.

Rédaction (20 points)

Vous êtes dans le jardin d'une maison en train de cueillir des fleurs, quand un visiteur inattendu se présente à la grille. Racontez cet épisode.

Consigne d'écriture. Vous prendrez soin d'introduire le personnage et de varier les reprises pronominales et nominales de manière cohérente : n'oubliez pas que le lecteur n'est pas présent dans la situation.

Décrire selon un point de vue

Le monde de Zola

■ R. Koehler, *La Grève,* 1886.

Description et point de vue

document 1 ## Un immeuble populaire à Paris

1 À l'intérieur, les façades avaient six étages, quatre façades régulières enfermant le vaste carré de la cour. C'étaient des murailles grises, mangées d'une lèpre jaune, rayées de bavures par l'égouttement des toits, qui montaient toutes plates du pavé aux ardoises, sans une moulure ; seuls les tuyaux de
5 descente se coudaient aux étages, où les caisses béantes des plombs mettaient la tache de leur fonte rouillée. Les fenêtres sans persienne montraient des vitres nues, d'un vert glauque d'eau trouble. Certaines, ouvertes, laissaient pendre des matelas à carreaux bleus, qui prenaient l'air […]. En bas, desservant chaque façade, une porte haute et étroite, sans boiserie, taillée
10 dans le nu du plâtre, creusait un vestibule lézardé, au fond duquel tournaient les marches boueuses d'un escalier à rampe de fer ; et l'on comptait ainsi quatre escaliers, indiqués par les quatre premières lettres de l'alphabet, peintes sur le mur. Les rez-de-chaussée étaient aménagés en immenses ateliers, fermés par des vitrages noirs de poussière : la forge d'un
15 serrurier y flambait. Et Gervaise lentement promenait son regard, l'abaissait du sixième étage au pavé, remontait, surprise de cette énormité, se sentant au milieu d'un organe vivant, au cœur même d'une ville, intéressée par la maison comme si elle avait eu devant elle une personne géante.

É. Zola, *L'Assommoir*, 1877.

document 2 ## Les grands boulevards

A. Gill, *Panorama du boulevard Montmartre*, 1877.

a Doc. 1 Dans quel ordre l'auteur décrit-il cet immeuble ?

b Quels indicateurs dans le texte permettent au lecteur de suivre cet ordre ?

c Combien de parties l'auteur distingue-t-il dans l'immeuble ?

d Comment l'auteur prépare-t-il la comparaison finale avec *une personne géante* (l. 18) ?

e À quel temps sont employés les verbes ? Pourquoi ?

f Doc. 2 Qu'est-ce qui conviendrait le mieux pour évoquer le spectacle peint sur ce tableau : une description ? une argumentation ? une narration ? Justifiez votre réponse.

g Que désignent les expressions «premier plan» et «second plan» dans un tableau ? Qu'y a-t-il au premier plan de cette peinture ? pourquoi ?

h Le peintre a intitulé son tableau *Panorama du boulevard Montmartre*. Cherchez deux autres titres, eux aussi sous la forme d'un groupe nominal, qui vous sembleraient pouvoir convenir. Justifiez vos choix.

i ✎ Vous êtes critique d'art. On vous demande de donner votre opinion sur ce tableau, de dire pourquoi il vous plaît ou ne vous plaît pas. (4 lignes)

j En lisant le texte que vous avez rédigé dans l'exercice précédent, quelqu'un qui n'a pas vu ce tableau peut-il s'en faire une idée précise ? Pourquoi ?

LEÇON

■ Dans un récit, une **description** est toujours faite selon le **point de vue** particulier d'un **personnage**, ou bien par un **narrateur omniscient**, c'est-à-dire qui sait tout et qui peut observer les choses de n'importe quel point de vue.

Décrire une personne, un objet, un lieu…, c'est produire une succession de phrases qui permettent au destinataire de se les représenter plus précisément.

■ Le locuteur doit **nommer** ce qu'il décrit («une maison», «une plage», «un magasin»…) et lui associer des **caractéristiques** : «c'est une maison colossale», «la plage est couverte d'algues», «le magasin le plus apprécié des Parisiennes»…

■ Le locuteur doit aussi analyser ce qu'il décrit en différentes **parties** (un homme : la tête, les bras, les jambes…), qui peuvent à leur tour être analysées en **sous-parties** (la tête : le front, les sourcils, le nez…).

■ Pour rendre plus vivante sa description, le locuteur recourt souvent à des **comparaisons** *(une ville pareille à une ruche)*, ou à des **métaphores** *(un fleuve de voitures)*.

■ Les descriptions sont en général écrites au **présent** ou à **l'imparfait** car ce sont des temps qui permettent de ne pas faire progresser l'action.

1 ✎ Décrivez un grand magasin de deux manières différentes : selon le point de vue d'un client qui le visite pour la première fois, puis à la manière d'un agent immobilier qui le décrit à un éventuel acheteur (8 lignes à chaque fois).

2 Imaginez que vous deviez décrire ce que représente ce tableau de Gill. Pour le faire, en combien de parties devriez-vous le diviser ?

3 Distinguez quatre parties dans votre habillement en attribuant une caractéristique à chacune d'elles.

4 ✎ Faites trois phrases : chacune devra contenir une métaphore évoquant un détail différent du tableau de Gill.

5 ✎ Même exercice que le précédent, mais avec des comparaisons.

Le groupe adjectival

Pour faire une description, le locuteur associe fréquemment aux noms des **adjectifs** (adj.). Ils permettent de **caractériser**, c'est-à-dire de donner des précisions sur ce que désigne le nom : *une cliente blonde* est plus précis qu'*une cliente*. L'adjectif **s'accorde** toujours **en genre et en nombre** avec ce nom.

1 Structure et fonctions du groupe adjectival qualificatif

■ Le **groupe adjectival** (GA) peut être réduit à l'adjectif seul ; il peut aussi contenir, à la **gauche** de l'adjectif, des **adverbes** et à sa **droite** des **compléments de l'adjectif** : des groupes prépositionnels, des infinitifs, des propositions subordonnées complétives.

> → *Napoléon III était **habile**.* (le GA est réduit à l'adjectif)
>
> → *Le maire de Plassans est **très heureux de la nouvelle place** / **d'être réélu** / **qu'on l'ait décoré**.*
> (GA = adverbe + adj. + complément de l'adj. / GP infinitif / complétive)

■ Le groupe adjectival peut occuper **diverses fonctions** dans la phrase : **épithète**, (à l'intérieur du GN), **attribut du sujet** ou **attribut du complément d'objet** (à l'intérieur du GV), **apposition** (à l'extérieur du GN).

> → *Des rues **suffisamment larges** furent tracées.* (épithète)
>
> → *Avant Haussmann, les rues de Paris n'étaient pas **bien larges**.*
> (attribut du sujet)
>
> → *J'ai trouvé la nouvelle avenue **très large**.* (attribut du complément d'objet)
>
> → *Ces avenues, **peu larges**, étaient remplies de fiacres noirs.* (apposition)

2 Le degré de l'adjectif qualificatif

Les adjectifs peuvent **varier en degré**, c'est-à-dire indiquer à quel degré le nom possède la propriété indiquée par l'adjectif. On distingue :

■ Le degré **absolu** (ou **superlatif** absolu), qui marque un degré élevé sans point de comparaison.

> → *L'avenue de l'Opéra est **très** / **excessivement** / **vraiment**... **large**.*

■ Le **comparatif**, qui mesure une qualité par rapport à un autre élément. On distingue comparatifs **de supériorité** (*plus*), **d'infériorité** (*moins*), **d'égalité** (*aussi*).

> → *Les ouvriers de Paris sont **plus** / **moins** / **aussi** pauvres que les mineurs du Nord.* (Que les mineurs du Nord a la fonction de complément du comparatif.)

■ Le **superlatif relatif** : il permet de distinguer dans un ensemble le ou les élément(s) qui possèdent le degré le plus élevé (superlatif de **supériorité**) ou le plus bas (superlatif d'**infériorité**) de la qualité exprimée par l'adjectif.

→ *Il habite la rue **la plus** / **la moins** prospère de Plassans.*
(*La rue* est l'élément qu'on distingue ; *de Plassans* est le complément du superlatif.)

3 La place de l'adjectif qualificatif épithète

Les adjectifs épithètes peuvent être placés **devant** le nom (antéposés) ou **après** le nom (postposés).

■ Sont **postposés** : les adjectifs **objectifs** (c'est-à-dire indépendants des jugements de valeur, des appréciations du locuteur), les adjectifs **issus d'un participe passé,** les adjectifs qui sont **longs** ou qui ont **des compléments**.

→ *Une machine **cylindrique*** (adjectif objectif), *un mineur **épuisé*** (adj. issu d'un participe passé), *une galerie **difficile à creuser*** (adj. avec un complément).

■ Un certain nombre d'adjectifs **courts** (*gros, grand, beau...*) sont le plus souvent **antéposés**. Ils ont un sens différent quand ils sont postposés.

→ *Un **grand** artiste* (un artiste remarquable) / *un artiste **grand*** (un artiste de grande taille).

■ Les adjectifs qui peuvent être **librement antéposés ou postposés** sans changer de sens sont **subjectifs**, c'est-à-dire qu'ils permettent au locuteur de porter un **jugement de valeur** ou **d'exprimer un sentiment**.

→ *Une **ravissante** blanchisseuse / une blanchisseuse **ravissante**.*

L'antéposition de l'adjectif donne plus de force à ce que dit le locuteur.

4 Les adjectifs relationnels

■ Un grand nombre d'adjectifs appelés adjectifs **relationnels** n'ont pas les mêmes propriétés que les adjectifs **qualificatifs**. Les adjectifs relationnels sont toujours **épithètes, postposés** au nom et ils **ne peuvent pas varier en degré**. Ils n'expriment pas une qualité mais une **relation** avec le nom, équivalente à celle qu'exprimerait un groupe prépositionnel.

→ *La police **impériale**.* (de l'Empire)
→ *L'expansion **industrielle**.* (de l'industrie)

■ Certains de ces adjectifs sont parfois **employés comme des adjectifs qualificatifs**, pour indiquer une qualité. C'est le contexte qui permet de décider s'il s'agit d'un adjectif qualificatif ou d'un adjectif relationnel.

→ *Le maire a une démarche **très impériale**.*
(« digne d'un empereur », adjectif qualificatif, qui varie en degré)

→ *La garde **impériale** s'aligne dans la cour.* (« de l'empereur », adjectif relationnel)

RAPPEL DU COURS

■ L'adjectif est le noyau du **groupe adjectival** (**GA**) qui dépend d'un nom et s'accorde en genre et en nombre avec lui.

■ Le GA peut être **épithète, attribut du sujet ou du complément d'objet, en apposition**.

■ Il varie en **degré** : superlatif **absolu**, **comparatif** et **superlatif relatif**.

■ Le GA épithète peut être placé **devant ou derrière le nom**. Sa place dépend du sens de l'adjectif, qui peut être **objectif ou subjectif**.

■ À côté des adjectifs qualificatifs, il y a les adjectifs **relationnels**, qui ne peuvent **pas être attributs ni varier en degré**.

Structure et fonctions du groupe adjectival qualificatif

6 Relevez tous les GA et précisez la nature de leurs éléments.

1. La situation matérielle de Zola fut difficile pendant des années. Il fut heureux que son activité de journaliste pût lui servir de gagne-pain. Après les mesures libérales de 1850 et à la fin du XIXe siècle, particulièrement fertile en événements, la presse bénéficia en effet d'un extraordinaire engouement.

2. Mme Hennebeau, très pâle, prise d'une colère contre ces gens qui gâtaient un de ses plaisirs, se tenait en arrière, avec un regard oblique et répugné ; tandis que Lucie et Jeanne, malgré leur tremblement, avaient mis un œil à une fente, désireuses de ne rien perdre du spectacle.

É. Zola, *Germinal*, 1885.

7 Oralement. Associez à chacun des noms suivants **a.** un GA constitué d'un adjectif seul **b.** un GA ayant pour noyau l'adjectif choisi en a.

1. Le romancier **2.** l'œuvre **3.** les succès **4.** les critiques **5.** les journaux.

8 Inventez une phrase à partir de chacun de ces GA.

1. Adverbe + hauts **2.** colossales **3.** fatiguées + complétive **4.** gris + GP **5.** pressée + infinitif.

9 Précisez la fonction des GA en caractères gras.

1. Zola fut journaliste ; on le trouve aujourd'hui **tout à fait remarquable** dans ce domaine aussi. **2.** Son activité de romancier masqua longtemps son autre métier, alors que les deux sont **absolument indissociables**. **3.** Il disait lui-même aimer « [se] produire à jour **fixe** devant un nombre **considérable** de lecteurs ». Zola,

toujours passionné, produisait un article par jour, soit trois ou quatre pages, même lorsqu'il travaillait à la rédaction des *Rougon-Macquart*.

10 Dans les deux extraits suivants, relevez les GA et indiquez la fonction de chacun d'eux.

1. L'avoué était [...] fort adroit. Son père lui avait laissé une des meilleures études d'Aix, et il trouvait moyen d'augmenter sa clientèle par une activité rare dans ce pays de paresse. Petit, remuant, avec un fin visage de fouine, il s'occupait passionnément de son étude. É. Zola, *Naïs Micoulin*, 1883.

2. Ils restèrent silencieux, la main dans la main. La mer berçait toujours leur amour de sa voix monocorde. Ils rentrèrent à Marseille à la clarté des étoiles, pleins de leur jeune espérance et de leur jeune tendresse.

É. Zola, *Les Mystères de Marseille*, 1867.

11 En vous inspirant du document ci-dessous, employez chacun des GA suivants dans une phrase où il occupera la fonction indiquée entre parenthèses.

1. noires de fumée (épithète) **2.** alignés (attribut du sujet) **3.** très animé (attribut du complément d'objet) **4.** dangereuse (épithète) **5.** souterraines (apposition).

Des mineurs au travail.

Le degré de l'adjectif qualificatif

12 Identifiez le degré de l'adjectif dans les phrases suivantes.

1. *Les Mystères de Marseille* sont moins connus que *Les Mystères de Paris*. **2.** Les prises de position de Zola furent aussi acérées que novatrices. **3.** Quel fut son plus vif espoir ? **4.** Certains de ses contemporains lui furent vraiment hostiles. **5.** Cette description est plus épique que réaliste.

13 Oralement. Employez les adjectifs de l'exercice 12 dans une phrase de votre choix, mais à un autre degré que vous préciserez.

14 **a.** Relevez, dans l'extrait de cette nouvelle de Zola, les adjectifs qualificatifs qui présentent une variation en degré. **b.** Identifiez le degré de chacun de ces adjectifs.

L'hôtel, vide et sonore, avait des échos de cathédrale au moindre bruit qui se produisait dans le vestibule. [...] Le premier étage comptait en outre quatre pièces, dont la plus petite mesurait près de sept mètres sur cinq. Madame Rostand, Frédéric, les deux vieilles bonnes, habitaient des chambres hautes comme des chapelles. L'avoué s'était résigné à faire aménager un ancien boudoir en cuisine, pour rendre le service plus commode ; auparavant, lorsqu'on se servait de la cuisine du rez-de-chaussée, les plats arrivaient complètement froids, après avoir traversé l'humidité glaciale du vestibule et de l'escalier. Et le pis était que cet appartement démesuré se trouvait meublé de la façon la plus sommaire.

É. Zola, *Naïs Micoulin*, 1883.

15 Complétez successivement chacune des phrases suivantes à l'aide d'un adjectif au comparatif **a.** de supériorité **b.** d'infériorité **c.** d'égalité.

1. L'enquête du romancier naturaliste est … . **2.** Les personnages sont … . **3.** Les hypothèses que Zola formule sont … . **4.** Le mécanisme qu'il démonte semble … . **5.** Les rapports de l'individu et de son milieu seront-ils … . ?

16 Employez dans une phrase chacun des adjectifs suivants au degré de votre choix. Faites ensuite lire vos phrases à votre voisin(e) qui identifiera le degré de l'adjectif.

1. Surchargé **2.** irréel **3.** étincelant **4.** industriel **5.** bourgeois.

La place de l'adjectif qualificatif épithète

17 Justifiez la postposition des adjectifs en caractères gras.

1. Ces ouvriers **pâles** de fatigue somnolaient. **2.** Les façades **ocres** de la Provence manquent au jeune homme que son père envoie à Paris pour obtenir une nomination de substitut. **3.** Ces bâtiments **carrés** lui semblaient peu accueillants. **4.** Mouret avait longuement réfléchi à l'organisation de cette journée **exceptionnelle**. **5.** Pourtant, à la caisse du Bonheur des Dames, les clientes **harassées** s'impatientaient.

18 Justifiez l'antéposition des adjectifs en caractères gras.

1. Il éprouva soudain le sentiment que ces **sombres** bâtiments qui l'entouraient étaient les cratères d'une lune. **2.** Cette **vaste** et **superbe** place est entourée de **petites** maisons. **3.** Créer des avenues rectilignes fut pour le baron Haussmann une **grande** entreprise.

19 Faites une phrase dans laquelle chacun des adjectifs en caractères gras sera épithète du GN proposé. Dites si l'adjectif qualificatif épithète peut être librement antéposé ou postposé et précisez alors son sens.

1. **Oblique** / une rue **2.** **pauvres** / les mineurs **3.** **héroïque** / la foule des femmes **4.** **gigantesques** / des appartements **5.** **petit** / un porte-monnaie.

Les adjectifs relationnels

20 Indiquez si les adjectifs en caractères gras sont qualificatifs ou relationnels.

Émile Zola (1840-1902) : **grand** écrivain **français**, chef de file du mouvement **naturaliste**. Orphelin de père, il passa les premières années de sa vie avec sa mère dans la région **aixoise**.

21 **a.** Employez les adjectifs suivants dans une phrase de votre choix. Indiquez si, dans cette phrase, ils sont qualificatifs ou relationnels. **b.** Oralement. À partir des phrases que vous aurez produites, dites lesquels de ces adjectifs peuvent être qualificatifs et relationnels. Précisez alors la différence de sens.

1. Moderne **2.** urbain **3.** gigantesque **4.** public **5.** parisien.

Les adjectifs objectifs et subjectifs

La petite Naïs

1   À la saison des fruits, une petite fille, brune de peau, avec des cheveux
    noirs embroussaillés, se présentait chaque mois chez un avoué d'Aix,
    M. Rostand, tenant une énorme corbeille d'abricots ou de pêches, qu'elle
    avait peine à porter. Elle restait dans le large **vestibule**, et toute la famille,
5   prévenue, descendait.
    « Ah ! c'est toi, Naïs, disait l'avoué. Tu nous apportes la récolte. Allons,
    tu es une brave fille… Et le père Micoulin, comment va-t-il ? »
    « Bien, Monsieur », répondait la petite en montrant ses dents blanches.
    Alors, Mme Rostand la faisait entrer à la **cuisine**, où elle la questionnait
10 sur les oliviers, les amandiers, les vignes. La grande affaire était de savoir
    s'il avait plu à l'Estaque, le coin du littoral où les Rostand possédaient
    leur propriété, la Blancarde, que les Micoulin cultivaient.

É. Zola, Naïs Micoulin, 1883.

a Le lecteur peut-il se faire une représentation précise du *vestibule*, de la *cuisine* de la maison de M. et Mme Rostand ? Pourquoi ?

b Complétez les noms de lieux écrits en caractères gras à l'aide d'adjectifs que des professionnels du bâtiment pourraient utiliser lors d'une réunion de chantier.

c Relevez les adjectifs qui caractérisent Naïs. Quelle impression le lecteur peut-il se faire de ce personnage ? Pourquoi ?

d Pour réaliser une adaptation cinématographique de cette œuvre de Zola, lesquels des adjectifs (relevés en c.) la personne chargée du casting retiendrait-elle pour le rôle de Naïs ? Justifiez votre réponse.

LEÇON

Lorsqu'on caractérise un être ou un objet, on peut, selon les adjectifs qu'on utilise, choisir de rester neutre ou de porter une appréciation.

■ Les adjectifs **objectifs** permettent de donner des détails **indépendants du jugement du locuteur**. On range parmi eux les adjectifs indiquant :
– une **couleur** ; → *La petite Naïs avait des cheveux* **noirs**.
– une **forme** ; → *Elle portait une corbeille* **ovale**.
– l'**appartenance à un groupe aux caractéristiques stables**. → *La région* **provençale** *est belle*.

■ Les adjectifs **subjectifs** permettent de porter une **appréciation** :
– **d'ordre affectif** ; → *Tu es une fille* **charmante**.
– **d'ordre évaluatif** concernant la qualité ou la quantité.
    → *Elle tenait une* **énorme** *corbeille d'abricots* **mûrs**.

■ Les adjectifs objectifs **de couleur** auxquels on ajoute le **suffixe – âtre**, à valeur péjorative, deviennent des adjectifs subjectifs.
    → *Les murs* **jaunes** *de la cuisine* (adj. objectif) / *des murs* **jaunâtres** (adj. subjectif).

22 Classez les vingt adjectifs suivants, susceptibles de caractériser une ville, dans le tableau ci-dessous.

adj. objectifs	adj. subjectifs

Lumineuse, tentaculaire, inquiétante, basse, cosmopolite, ocre, tranquille, agonisante, administrative, aérée, prospère, universitaire, glaciale, factice, poisseuse, géométrique, circulaire, fleurie, restaurée, gigantesque.

23 Associez à chaque nom en caractères gras un adjectif objectif indiquant la forme ou la couleur.

Dans le **cabinet**, un **meuble**, en **velours d'Utrecht**, espaçait son **canapé** et ses huit **fauteuils** ; un **guéridon** semblait un **joujou**, au milieu de l'immensité de la **pièce** ; sur la **cheminée**, il y avait une **pendule** entre deux **vases**.

D'après É. Zola, *Naïs Micoulin,* 1883.

24 Associez à chacun des noms de l'exercice 23 un adjectif subjectif. Comparez les deux textes obtenus.

25 Dites quelle impression les adjectifs en caractères gras donnent du personnage décrit dans ce passage.

Il ne reconnaissait pas la longue fille mince et déhanchée qu'il avait vue, l'autre saison, à la Blancarde. Naïs était **superbe**, avec sa tête brune, sous le casque sombre de ses **épais** cheveux noirs ; et elle avait des épaules **fortes**, une taille **ronde**, des bras **magnifiques** dont elle montrait les poignets **nus**.

D'après É. Zola, *op. cit.*

26 Remplacez les adjectifs en caractères gras de l'exercice 25 par des adjectifs d'évaluation négative, pour créer une impression que vous préciserez.

27 Décrivez en quelques phrases le salon présenté ci-dessous en utilisant **a.** cinq adjectifs objectifs variés **b.** cinq adjectifs subjectifs visant à produire une impression dominante que vous préciserez.

S.-C. Giraud, *La Salle à manger de la princesse Mathilde,* 1854.

Décrire selon un point de vue

28 ✎ Décrivez en quatre ou cinq phrases la gravure ci-dessous, en veillant à utiliser des groupes adjectivaux.

29 ✎ Choisissez un élément du tableau de Manet et décrivez-le en un paragraphe, de manière objective d'abord, et de manière subjective ensuite.

30 Oralement. En vous inspirant du portrait proposé, décrivez Émile Zola comme si vous le connaissiez personnellement, en adoptant un point de vue que vos camarades devront identifier (par exemple celui d'un ami, d'un jeune écrivain admiratif, d'une femme amoureuse...).

31 ✎✎ Rédigez une description de ce tableau de Manet en adoptant **a.** le point de vue d'un critique d'art enthousiaste **b.** le point de vue d'un critique d'art méprisant.

32 ✎✎ Après avoir relevé ce qui rend sensible la chaleur de l'été dans l'extrait proposé, inventez une suite à ce texte, en mettant à votre tour l'accent sur la canicule qui règne à Paris et sur le désarroi du personnage.

Un instant, Denise était restée étourdie sur le pavé, dans le soleil encore brûlant de cinq heures. Juillet chauffait les ruisseaux, Paris avait sa lumière crayeuse d'été, aux aveuglantes réverbérations. Et la catastrophe venait d'être si brusque, on l'avait poussée dehors si rudement, qu'elle retournait au fond de sa poche ses vingt-cinq francs soixante-dix, d'une main machinale, en se demandant où aller et que faire.

É. Zola, *Au Bonheur des Dames*, 1883.

Gravure, *l'Assommoir du Père Colombe*, XIXᵉ siècle.

É. Manet, *Émile Zola*, 1868.

La révolte des mineurs

1 Les femmes avaient paru, près d'un millier de femmes, aux cheveux épars, dépeignés par la course, aux guenilles montrant la peau nue, des nudités de femelles lasses d'enfanter des meurt-de-faim. Quelques-unes tenaient leur petit entre les bras, le soulevaient, l'agitaient, ainsi qu'un drapeau de deuil
5 et de vengeance. D'autres, plus jeunes, avec des gorges gonflées de guerrières, brandissaient des bâtons ; tandis que les vieilles, affreuses, hurlaient si fort que les cordes de leurs cous décharnés semblaient se rompre. Et les hommes déboulèrent ensuite, deux mille furieux, des galibots[1], des haveurs, des raccommodeurs, une masse compacte qui roulait d'un seul bloc, serrée,
10 confondue, au point qu'on ne distinguait ni les culottes déteintes, ni les tricots de laine en loques, effacés dans la même uniformité terreuse. Les yeux brûlaient, on voyait seulement les trous des bouches noires, chantant *La Marseillaise,* dont les strophes se perdaient en un mugissement confus, accompagné par le claquement des sabots sur la terre dure.
15 «Quels visages atroces !» balbutia Mme Hennebeau.

Négrel dit entre ses dents :

«Le diable m'emporte si j'en reconnais un seul ! D'où sortent-ils donc, ces bandits-là ?»

Et, en effet, la colère, la faim, ces deux mois de souffrance et cette déban
20 dade enragée au travers des fosses, avaient allongé en mâchoires de bêtes fauves les faces placides des houilleurs de Montsou.

É. Zola, *Germinal,* 1885.

1. Galibots, haveurs, raccommodeurs : mineurs chargés de différentes tâches au fond de la mine.

Questions (16 points)

A. Décrire selon un point de vue

1 De quels groupes et sous-groupes la foule des grévistes en marche est-elle constituée ?

2 Relevez les éléments permettant au lecteur de situer ces groupes les uns par rapport aux autres.

3 À quels temps les verbes de la phrase *Et les hommes [...] terreuse.* (l. 7 à 11) sont-ils conjugués ? Justifiez leurs emplois respectifs.

4 Quels sont les différents spectateurs désignés par *on,* à la ligne 12 ?

B. Les houilleurs de Montsou

5 Relevez, dans le texte, deux expressions désignant les visages des grévistes. Quelle image des mineurs contribuent-elles à donner ?

6 Analysez la construction du groupe adjectival : *lasses d'enfanter des meurt-de-faim* (l. 3).

7 Donnez la fonction de *affreuses* (l. 6) et de *terreuse* (l. 11).

8 Dites si les adjectifs suivants sont objectifs ou subjectifs. Vous justifierez votre réponse : *nue* (l. 2), *jeunes* (l. 5), *noires* (l. 12), *confus* (l. 13).

Réécriture (4 points)

Réécrivez le passage (l. 1 à 7) en supprimant les épithètes (GA et participes passés) quand c'est possible.

Rédaction (20 points)

À la manière de Zola, décrivez un mouvement de foule en une vingtaine de lignes.

Consignes d'écriture. Il s'agira d'une manifestation joyeuse ; le point de vue adopté sera celui d'un spectateur immobile et amusé.

Insérer une description

L'autobiographie

■ J. O'Gorman, *Autoportrait,* 1950.

La description dans le récit

document 1 ## Un Monsieur

1 L'étranger avance dans le couloir, tranquillement, comme quelqu'un qui rentre chez lui. Il s'appuie sur un bâton immense et luisant qui casserait, me semble-t-il, sous les mains de grand-père. Sans m'accorder un regard, il entre dans la cuisine. Maintenant, je le vois distinctement. Sur la tête,
5 il a un chapeau en forme de marmite renversée. Il est vêtu d'un long manteau noir avec de la fourrure au col. En plein été. Quand il se retourne, je vois qu'il a de la barbe-à-joues comme mon grand-père le sabotier. Sous le menton, il porte un col blanc à grandes pointes cassées et une cravate noire à nœud avec quelque chose qui brille dessus. C'est un
10 monsieur.

Il revient vers moi, frappe à la porte de la chambre [...].

P. Jakez-Hélias, *Le Cheval d'orgueil*, Éd. Plon, 1975.

document 2 ## Absente ou présente ?

S. Heuet,
*À la recherche
du temps perdu,
Combray*, (M. Proust),
Éd. Delcourt, 1998.

a Doc.1 En ne retenant que les verbes qui indiquent des actions du personnage, résumez les étapes de ce fragment de récit.

b Relevez les passages descriptifs. À quelles caractéristiques les reconnaissez-vous (types de connecteurs, temps des verbes...) ?

c À travers quel regard le lecteur découvre-t-il le personnage ? Montrez que c'est ce regard qui organise la répartition entre passages narratifs et passages descriptifs.

d Doc. 2 Dans chacune des quatre vignettes, relevez les détails de l'image qui indiquent que les choses sont présentées du point de vue de l'enfant.

e Dans la vignette 1, que signifie le « ? » placé au-dessus de l'enfant. Remplacez-le par une phrase : à quel temps avez-vous mis le verbe ? À quoi peut-on voir que les propos du grand-père ne font pas progresser l'histoire ?

f Achevez la phrase de la vignette 2, puis remplacez la vignette 3 par une autre phrase : quels temps avez-vous utilisés ? Laquelle de ces deux vignettes est narrative, laquelle correspond à une description ?

LEÇON

■ Dans un récit, l'enchaînement des faits qui font progresser l'action constitue le **premier plan du récit**. Mais un récit n'est jamais purement narratif : il contient également des passages **descriptifs** (lieux, attitudes, portraits...) ou **explicatifs** (informations sur le cadre historique ou politique, rappels sur le passé des personnages...), de longueur très variable, qui forment l'**arrière-plan du récit** et dans lesquels l'action ne progresse pas.

■ Dans un **récit au présent**, le temps des verbes ne marque pas la différence entre les actions de premier plan et les indications d'arrière-plan. Dans un **récit au passé**, en revanche, le **passé simple** ou le **passé composé** (pour les récits non littéraires) sont employés pour les actions de premier plan, tandis que l'**imparfait** marque les indications d'arrière-plan.

■ Une description est ordonnée selon le **point de vue** d'un **observateur**, qui peut être le narrateur lui-même, présent dans la scène, ou bien l'un des personnages, immobile ou en déplacement, à partir duquel le narrateur décrit la scène. L'**ordre de la description** suit alors le parcours d'un **regard** : de haut en bas, de droite à gauche, du plus près au plus loin, etc.

1 Parmi les éléments suivants, décidez lesquels vous utiliseriez plutôt pour le premier plan du récit et lesquels pour l'arrière-plan descriptif. À partir de ces éléments, rédigez ensuite un paragraphe narratif au présent.

Repas de famille, cour de ferme, coucher du soleil, arrivée d'un homme en tenue de soldat, bottes déchirées, barbe de trois jours, voix familière, cris de joie, étonnements, récit de blessure, déballage de l'accordéon, nuit de fête.

2 Réécrivez le texte du document 1 au passé. Quels verbes avez-vous mis à l'imparfait ? Justifiez votre choix.

3 Mettez-vous par groupe de deux. **a.** Pendant une 1re écoute, représentez schématiquement la photographie décrite par G. Perec. **b.** Lors d'une seconde écoute, reconstituez le parcours que suit le regard du narrateur-observateur en numérotant les éléments décrits dans l'ordre sur votre schéma.

Le verbe (1) : l'aspect

1 Temps et aspect : définitions

■ Les différentes formes d'un verbe permettent d'exprimer non seulement le temps, mais aussi l'**aspect** (souvent confondu avec le temps) :

– par le **temps**, on situe le fait dans une époque (passé, présent, futur) ;

– par l'**aspect**, on considère le déroulement du fait (avec ou sans durée, répété, achevé) ou le moment où l'on se situe dans le déroulement du fait (au début, à la fin, en cours de déroulement...).

> → Il **se met à bâtir** une cabane. *(début)*

se mit à bâtir...	*se met à bâtir...*	*se mettra à bâtir...*
passé	présent	futur

(Dans les trois cas, c'est le **même aspect**, même si le temps est différent.)

■ L'aspect s'exprime en français de différentes façons :

– par les temps des verbes *(il me regarda / il me regardait)* ;

– au moyen d'une périphrase verbale *(il allait me voir / il venait de voir)* ;

– parfois par le sens même du verbe *(je saute / je sautille)*.

2 L'expression de l'aspect par les temps verbaux

Aspect accompli ou non accompli

■ Toutes les formes composées d'un verbe à l'actif expriment l'aspect **accompli** : le déroulement du fait est achevé au moment considéré.

> → *À midi, nous **avions mangé**, nous **aurons mangé**, il fallait **avoir mangé**...*

■ Les « temps simples » expriment au contraire l'aspect **non accompli** : l'action est en cours d'accomplissement au moment considéré.

> → *À midi, nous **mangions**, nous **mangerons**, il faudra **manger**...*

■ Le passé composé marque donc l'accompli du présent, le plus-que-parfait l'accompli de l'imparfait, l'infinitif « passé » l'accompli de l'infinitif présent, etc.

Aspect limité ou non limité

L'**imparfait** et le **passé simple** expriment tous deux le passé, mais ils s'opposent par l'aspect.

■ Le **passé simple** présente le fait globalement, de sa limite initiale à sa limite finale. Il marque l'aspect **limité** (ou borné) dans le passé.

> → *Il **passa** tout l'été dans sa cabane.*

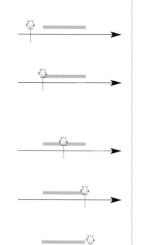

■ **L'imparfait** présente le fait sans prendre en compte ses limites, comme s'il était perçu «de l'intérieur». Il marque l'aspect **non limité** (ou non borné).

→ *Je **vivais** dans ma cabane.*

Remarque. L'aspect limité ou non limité ne dépend pas de la durée de l'action.

→ *Pendant cinquante ans, je **vécus** heureux en Ardèche.* (limité)

→ *À cet instant, il me **regardait**.* (non limité)

Aspect itératif

■ Le même verbe peut désigner un fait survenu plusieurs fois: c'est l'aspect **itératif** qui est exprimé par l'imparfait ou le présent dits «d'habitude».

→ *Chaque matin, il **arrivait** bras ouverts, en imitant le bruit de l'avion.*

En général c'est un complément circonstanciel *(chaque jour, une fois par an…)* ou un adverbe *(parfois, souvent, fréquemment…)* qui indique l'aspect itératif.

3 L'expression de l'aspect par les périphrases

■ Pour exprimer des nuances d'aspect, on a parfois recours à des verbes **semi-auxiliaires** placés devant le verbe à l'infinitif. L'ensemble forme une **périphrase verbale**.

– *Être sur le point de, aller…* expriment l'aspect **imminent**: on se situe juste avant le début de l'action.

→ *Il **était sur le point de mourir**. Il **va parler**.*

– *Commencer à, se mettre à…* marquent le **début** de l'action.

→ *Il **se mit à pleuvoir**.*

– *Être en train de, continuer de, ne pas cesser de* indique que l'action est **en cours de déroulement**.

→ *Il **est en train de** me raconter sa vie.*

– *Finir de, achever de…* marquent la **fin** de l'action.

→ *Lassés, les passants **cessent de** l'écouter.*

– *Venir de* exprime l'aspect **récent** (on se situe juste après la fin de l'action).

→ *Je **viens de** recevoir une lettre.*

Remarque. Les différents types d'aspect peuvent être combinés entre eux.

→ *Chaque fois que ma mère entrait, j'**étais en train de réviser** mes cours.*
(aspect itératif de l'imparfait + en cours de déroulement)

→ *À cet instant, il **se mit à pleurer**.*
(aspect limité du passé simple + périphrase marquant le début de l'action)

RAPPEL DU COURS

■ Le verbe marque non seulement le temps mais l'**aspect**, c'est-à-dire la manière dont on considère le déroulement du fait, qui a un début et une fin.

■ Les temps composés du verbe expriment l'aspect **accompli**, les temps simples l'aspect **non accompli**.

■ Le passé simple s'oppose à l'imparfait du point de vue de l'aspect : le premier marque l'aspect **limité**, le second l'aspect **non limité**.

■ Le présent et l'imparfait « d'habitude » expriment l'aspect **itératif**.

■ Des périphrases verbales permettent d'exprimer différents aspects de l'action : début de l'action, action en cours, fin de l'action…

Temps et aspect : définitions

4 **a.** Classez les formes verbales en caractères gras selon l'époque dans laquelle on situe le fait (passé, présent, futur). **b.** Dites à quel moment on se situe dans le déroulement du fait (début, cours de déroulement, fin).

1. Ainsi, lecteur, je **suis** moi-même la matière de mon livre. (Montaigne) **2.** Rousseau **entreprit de relater**, dans _Les Confessions_, cette expérience douloureuse. **3.** Guy **vient d'écrire** ses mémoires. **4.** Elle **remaniait** les pages de son journal intime. **5.** Un jour, elle **cessera de songer** à publier son autobiographie.

L'expression de l'aspect par les temps verbaux

5 Oralement. **Pour chacune des phrases suivantes, identifiez le temps du verbe et précisez s'il exprime l'aspect accompli ou inaccompli.**

1. Je suis né avec des passions vives. **2.** Mon frère et moi n'avons pas connu une enfance paisible. **3.** Cette femme aura écrit principalement pour rendre compte d'elle à elle-même. **4.** Un jour, Rousseau vola un ruban et accusa la jeune cuisinière. **5.** Si on fait l'énumération de leurs qualités, la liste sera longue. **6.** Auprès de mon arbre, je vivais heureux. **7.** Vous étiez terrifiés par les colères de votre oncle. **8.** Tu auras préféré garder pour toi ce souvenir d'enfance.

6 **Pour chacune des phrases suivantes, exprimez l'aspect accompli du fait, sans changer l'époque dans laquelle il se situe.**

Ex. Il écrira ses Mémoires cet été. → Il aura écrit ses Mémoires cet été.

1. En 2002, Laure se consacrait à l'écriture d'un essai sur le genre autobiographique. **2.** Elle relisait, à cette époque, _Les Confessions_ de Rousseau. **3.** Je participerai à un colloque sur l'autobiographie avant la fin de l'année. **4.** Il s'oppose aujourd'hui à la publication de sa correspondance. **5.** Vous rédigez toujours avec aisance.

Nathalie Sarraute à sa table de travail, 1958.

7 **En vous inspirant du document ci-dessus, composez une phrase à partir de chacune des formes verbales suivantes.**

_Ex._ Étudier (présent, accompli) : _Elle a étudié les particularités de cette autobiographie._

1. Se souvenir (présent, inaccompli) **2.** crier (passé, inaccompli) **3.** transformer (futur, accompli) **4.** vivre (passé, accompli) **5.** relire (futur, inaccompli).

8 Oralement. **Proposez une forme verbale exprimant l'aspect accompli pour qu'un(e) de vos camarades l'emploie dans une phrase de son choix. Celui ou celle qui aura dit sa phrase proposera à son tour une forme verbale. Et ainsi de suite…**

9 Indiquez le temps et l'aspect (accompli ou non accompli, limité ou non limité) de chacune des formes verbales en caractèrse gras.

Le matin, M. l'abbé ne **voulait** pas avoir l'air mécontent et **parla** de déjeuner ; il **pria** une des filles de son hôtesse, qui **était** jolie, d'en faire apporter. Elle lui **dit** qu'elle n'avait pas le temps : il **s'adressa** à sa sœur qui ne **daigna** pas lui répondre. Nous **attendions** toujours : point de déjeuner. Enfin nous **passâmes** dans la chambre de ces demoiselles [...]. Nous n'**eûmes** pas à nous louer de leur accueil.

J.-J. Rousseau, *Les Confessions*, 1782.

10 Pour chacun des verbes au passé, dites si l'aspect est limité ou non limité. Relevez, quand il y a lieu, ce qui indique la durée de l'action.

1. Au cours de ces six années, S. de Beauvoir mena de front la rédaction de ses *Mémoires* et des voyages. 2. Je rédigeai sans relâche cette partie de l'histoire de ma vie. 3. Quotidiennement, de cinq à six heures, je me consacrais à l'écriture. 4. Il croyait garder intacts les souvenirs de son enfance. 5. Il devint imaginatif pendant la seconde partie de sa vie, pour déformer en les dépeignant ses violents chagrins, ses mélancolies, sa jalousie brûlante.

11 Écrivez une phrase au passé en respectant les contraintes indiquées.

Ex. Écrire, aspect limité, durée de l'action : *une nuit.* → *J'écrivis ces pages capitales en une nuit.*
1. *Noter*, aspect limité, durée de l'action : dix ans 2. *s'ennuyer*, aspect non limité, durée de l'action : des journées 3. *contempler,* aspect non limité, durée de l'action : pendant que je dormais 4. *rédiger,* aspect limité, durée de l'action : plusieurs heures 5. *travailler,* aspect limité, durée de l'action : cette année-là.

12 Quel aspect (non limité ou itératif) expriment les imparfaits en caractères gras ? Lorsque l'aspect est itératif, relevez le CC qui le souligne.

1. Il lui **promettait** chaque jour de lui confier le manuscrit de son autobiographie. 2. Enfants, l'autobiographie nous **paraissait** être le plus sincère de tous les genres ! 3. **Confondait**-il réellement tissu de niaiseries et autobiographie ? 4. Il **affirmait**, lorsqu'on lui posait la question, mêler le véridique, le menti et le rêvé. 5. Pour écrire son autobiographie, elle **s'enfermait** tous les week-ends dans une chambre de bonne.

13 Inventez des phrases dans lesquelles vous emploierez les formes verbales suivantes afin de faire apparaître l'aspect itératif à l'aide d'un complément circonstanciel ou d'un adverbe.

1. Il se souvenait 2. je dénonçais 3. elle projetait 4. je craignais 5. nous relisions.

L'expression de l'aspect par les périphrases

14 Dites quelle nuance d'aspect marque chacune des périphrases verbales en caractères gras.

1. Maman **venait d'étrenner** une robe couleur tango. 2. Je **continuais à grandir** et je me savais condamnée à l'exil. 3. Je **me mis à désobéir** pour le plaisir de ne pas obéir. 4. À bout de larmes et de cris, je **cessais de ruminer** mes regrets. 5. Mes parents **commencèrent à me parler** comme à une grande personne.

S. de Beauvoir,
Mémoires d'une jeune fille rangée, Éd. Gallimard, 1958.

15 Remplacez chaque imparfait par une périphrase verbale marquant l'action en cours de déroulement.

1. Je **cherchais** à plaire. 2. Les amis de mes parents **encourageaient** ma vanité : ils me **flattaient** poliment, me **cajolaient**. 3. Je **bêtifiais**, guettant le mot qui m'arracherait à mes limbes.

S. de Beauvoir, *op. cit.*

16 a. Reprenez les phrases de l'exercice précédent afin d'y introduire, à l'aide d'une périphrase verbale, une autre nuance d'aspect. b. Oralement. Lisez vos phrases à vos camarades et faites-leur identifier cette nuance.

17 Placez, devant les verbes en caractères gras, un semi-auxiliaire exprimant la nuance d'aspect indiquée entre parenthèses.

1. J'ai beau me recroqueviller, me dissimuler tout entière sous mes couvertures, la peur ... (début de l'action) **se glisser** vers moi. 2. C'est de là qu'elle ... (récent) **arriver**. 3. Elle est cette procession de fantômes revêtus de longues robes blanches qui ... (en cours de déroulement) **s'avancer** en file lugubre. 4. La procession ... (en cours de déroulement) **vaciller** dans les flammes des grands cierges blafards. 5. Elle s'épand tout autour et ... (imminent) **emplir** ma chambre.

D'après N. Sarraute, *Enfance*, Éd. Gallimard, 1983.

Métaphores et comparaisons

Au milieu des livres…

1 Je ne savais pas encore lire que, déjà, je les révérais, ces pierres levées[1] : droites ou penchées, serrées comme des briques sur les rayons de la bibliothèque ou noblement espacées en allées de menhirs, je sentais que la prospérité de notre famille en dépendait. Elles se ressemblaient 5 toutes, je m'ébattais dans un minuscule sanctuaire, entouré de monuments trapus […]. J'assistais chaque jour à des cérémonies dont le sens m'échappait : mon grand-père – si maladroit, d'habitude, que ma mère lui boutonnait ses gants – maniait ses objets culturels avec une dextérité d'officiant[2]. Je l'ai vu mille fois se lever d'un air absent, faire le tour 10 de sa table, traverser la pièce en deux enjambées, prendre un volume sans hésiter, sans se donner le temps de choisir, le feuilleter en regagnant son fauteuil, par un mouvement combiné du pouce et de l'index puis, à peine assis, l'ouvrir d'un coup sec «à la bonne page» en le faisant craquer comme un soulier. Quelquefois je m'approchais pour 15 observer ces boîtes qui se fendaient comme des huîtres.

J.-P. Sartre, *Les Mots,* Éd. Gallimard, 1964.

1. Pierres levées : monuments préhistoriques, le plus souvent funéraires ou religieux.
2. Officiant : celui qui préside une cérémonie sacrée.

a Relevez, dans le texte ci-dessus, les GN employés pour désigner les livres.

b Quelles particularités des livres ces GN mettent-ils en évidence ?

c Regroupez ceux qui appartiennent à un même domaine. Nommez-le.

LEÇON

■ La **métaphore** et la **comparaison** sont des **figures de style** qui consistent à mettre en parallèle deux éléments (êtres, objets, notions, événements) pour souligner ou faire apparaître une ressemblance.

Ces deux figures reposent sur l'existence de **trois éléments** : le **comparé** (ce dont on parle), le **comparant** (ce avec quoi on compare), et la **propriété commune** aux deux (la ressemblance).

→ *Je m'approchais pour observer **ces boîtes** qui **se fendaient** comme des **huîtres**.*
　　　　　　comparé　　propriété commune　　　comparant

Il ne faut cependant pas confondre ces deux figures de style très proches l'une de l'autre :

■ La **comparaison** met en **relation** le comparé et le comparant à l'aide d'un **outil grammatical** de comparaison *(comme, tel, même, semblable, pareil à, ainsi que, tel que, de la même façon que…)*

→ *Je l'ai vu l'ouvrir «à la bonne page» en le faisant craquer **comme** un soulier.*
　　　　　　　　　　　　　　　　　　　　　outil de comparaison

■ **La métaphore** n'utilise **pas d'outil grammatical** pour indiquer la ressemblance entre le comparé et le comparant. Elle exige donc un **travail d'interprétation** plus important que la comparaison. Elle apparaît comme une énigme à résoudre, en particulier lorsque la propriété commune ou le comparé n'est pas exprimé.

→ *Je révérais **les livres**, ces **pierres levées**…* (présence du comparé)

→ *Je m'approchais pour observer **ces boîtes** qui se fendaient…* (absence du comparé)

Remarque. On parle de **métaphore filée** lorsque **plusieurs comparants** appartenant à un **même champ lexical** se prolongent dans tout un passage.

---

18 Oralement. **Relevez, dans ces comparaisons, le comparant, le comparé et leur propriété commune.**

1. Mon grand-père est droit et dur comme un tronc de laurier. **2.** Les mouches ronflèrent comme un feu de cheminée sur le passage de ma lampe. **3.** [Voici] la maison sonore, sèche, craquante comme un pain chaud. **4.** Ma sœur me fut livrée comme un jouet. **5.** Elle était fragile comme une plante de serre.

19 Oralement. **Pour chacune des métaphores contenues dans les phrases suivantes, indiquez le comparant et le comparé.**

1. Les lèvres minces de mon grand-père fendent à peine le buis rasé de sa figure. **2.** Le jardin dresse, autour d'une petite fille dégrisée, ses sabres de yucca. **3.** Le vent, sans obstacle, court en risées sur la houle des bois. **4.** Une brève éclipse vient de voiler la lampe : une main a passé devant la flamme. **5.** Nous le reconnaissons bientôt, dans la foule des voyageurs qui sortent du funiculaire, à sa haute taille, à sa démarche d'éléphant.

20 **Réécrivez les phrases de l'exercice précédent en remplaçant les métaphores par des des comparaisons. (Variez l'outil de comparaison.)**

21 **Transformez en métaphores les comparaisons suivantes. Vous pourrez ne pas exprimer le comparé ou la propriété commune au comparé et au comparant.**

1. Je m'approchais pour observer ces boîtes qui se fendaient comme des huîtres. **2.** Mon père émergeait peu à peu de l'obscurité, comme un spectre, avec sa robe blanche. **3.** Une nourrice me tendit son sein, semblable à une outre de lait. **4.** J'étais dans ma famille comme une fleur en pot. **5.** Le fleuve est pareil à ma peine.

22 ◎ Oralement. **Écoutez bien ces extraits d'autobiographies pour relever les comparaisons et les métaphores que vous expliquerez.**

23 **a. Inventez, pour chacun des éléments suivants, une comparaison et une métaphore. Employez chacune d'elles dans une phrase de votre choix. b. Oralement. Lisez à voix haute les phrases que vous venez de produire afin que vos camarades identifient le regard (attendri, moqueur, méprisant…) porté sur chacun des éléments caractérisés avec des métaphores et des comparaisons.**

1. Mon cauchemar **2.** les fourmis rouges **3.** les mains de ma mère **4.** les smarties **5.** mon entrée au collège.

24 **Expliquez le sens de ces expressions métaphoriques banales.**

1. Le manteau de la neige **2.** les perles de la rosée **3.** les hurlements de la tempête **4.** les rides de l'eau **5.** la blondeur des blés.

25 **Choisissez un être, un objet ou un lieu qui a marqué votre enfance et présentez-le en quelques lignes (comme Sartre le fait pour les livres) à l'aide d'une métaphore filée.**

26 **En vous inspirant des vignettes ci-dessous, qui redonnent au verbe son sens propre, rendez inventive une métaphore usée comme *pousser des cris*, ou *être rongé de remords*.**

Geluck, *L'Affaire le chat*, Éd. Casterman, 2001.

Insérer une description

27 ✎ Donnez un arrière-plan aux actions qui vous sont proposées, en insérant des passages descriptifs dans ce récit.

Il mit le pied sur le pont ; il poussa de nouveaux rugissements, bondit, saisit un seau, le remplit d'eau de mer. Je m'enfuis, remontai sur les écoutilles, grimpai au mât. Il nous poursuivit. Cela finit au moyen d'un large pourboire.

D'après F. R. de Chateaubriand,
Mémoires d'Outre-Tombe, 1850.

28 **a.** Oralement. Transposez ce récit au passé et relevez, en vous appuyant sur le choix du temps des verbes, les actions de premier plan et les indications d'arrière-plan. **b.** ✎ Rédigez un paragraphe dans lequel vous réutiliserez les actions de premier plan que vous avez relevées en a, mais en y intégrant d'autres indications d'arrière-plan.

Nous marchons dans une morne rue longue comme son nom, Ver-cin-gé-to-rix, pour arriver enfin à la clinique. Véra me sourit gentiment, auprès de son lit dans un berceau, je vois un petit être hideux, rouge, violet, avec une énorme bouche hurlante, [qui hurle ainsi, me dit-on] à s'étrangler jour et nuit. Véra a l'air inquiet, la main posée sur le rebord du berceau, elle le balance. On me dit d'embrasser le bébé, mais j'ai peur d'y toucher, enfin je me décide à poser mes lèvres sur son front plissé que ses cris stridents menacent de faire éclater.

N. Sarraute, *Enfance*, Éd. Gallimard 1983.

29 ✎ Inventez un paragraphe qui sera une suite logique de l'extrait suivant. Pensez à filer la métaphore du feu.

« Il a une imagination de feu, cet enfant. »
C'est acquis. Je suis un petit volcan (dont la bouche sent souvent le chou : on en mange tant à la maison !)

J. Vallès, *L'Enfant*, 1878.

30 Oralement. Apportez une photo de votre enfance et décrivez-la, de votre point de vue d'adolescent(e) d'aujourd'hui.

31 💿 ✎ Écoutez attentivement l'extrait suivant. Réécrivez la scène telle qu'elle pourrait être évoquée du point de vue d'un riche consommateur.

32 ✎✎ Écrivez un récit « au dénouement triste » tel que la tante du narrateur aurait pu le raconter. Vous y intégrerez des passages descriptifs.

Le destin de mes héros me préoccupait davantage que les soucis de mes parents. Tout cela parce que ma tante s'y laissait prendre elle-même. À l'entendre raconter, on sentait qu'elle croyait à ce qu'elle disait. Elle riait ou pleurait tout comme son neveu. Lorsque le dénouement était trop triste, nous nous couchions avec la même impression d'angoisse et je me serrais peureusement contre elle.

M. Feraoun, *Le Fils du pauvre*, Éd. du Seuil, 1950.

33 ✎✎ Imaginez que vous êtes l'enfant figurant sur la photographie ci-contre. Racontez ce qui s'est passé sous la forme d'un récit d'une vingtaine de lignes à la première personne. Dans les passages descriptifs, vous utiliserez des métaphores et des comparaisons.

C. Link, *Une Enfance africaine*, 2001.

vers le brevet

Un souvenir d'enfance

1 Une autre fois, il me semble qu'avec plein d'autres enfants, nous étions en train de faire les foins, quand quelqu'un vint en courant m'avertir que ma tante était là. Je courus vers une silhouette vêtue de sombre qui, venant du collège, se dirigeait vers nous à travers champs. Je m'ar-
5 rêtai pile à quelques mètres d'elle : je ne connaissais pas la dame qui était en face de moi et qui me disait bonjour en souriant. C'était ma tante Berthe ; plus tard, je suis allé vivre presque un an chez elle ; elle m'a peut-être alors rappelé cette visite, ou bien c'est un événement entièrement inventé, et pourtant je garde avec une netteté absolue le
10 souvenir non de la scène entière, mais du sentiment d'incrédulité, d'hostilité et de méfiance que je ressentis alors : il reste, aujourd'hui encore, assez difficilement exprimable, comme s'il était le dévoilement d'une « vérité » élémentaire (désormais, il ne viendra à toi que des étrangères ; tu les chercheras et tu les repousseras sans cesse ; elles ne t'ap-
15 partiendront pas, tu ne leur appartiendras pas, car tu ne sauras que les tenir à part…) dont je ne crois pas avoir fini de suivre les méandres.

G. Perec, *W ou le souvenir d'enfance*, Éd. Denoël, 1975.

Questions (17 points)

A. Les descriptions dans le récit

1 Le narrateur évoque trois époques différentes de sa vie. Relevez les connecteurs temporels qui marquent ces époques.

2 Dans la première partie du texte (jusqu'à « …tante Berthe », l. 7), relevez les verbes qui expriment le premier plan du récit : à quel temps sont-ils ? Relevez les verbes qui expriment l'arrière-plan du récit : à quel temps sont-ils ?

3 Relevez dans la première partie un court passage descriptif : qu'est-ce qui est décrit ? La dernière partie est entièrement descriptive : quel est l'objet de cette description ?

B. Le point de vue de l'enfant

4 Relevez tous les groupes nominaux qui désignent la tante Berthe. Montrez que l'ordre dans lequel ils apparaissent traduit le point de vue du narrateur enfant.

5 Quel aspect est exprimé par la périphrase verbale : *étions en train de faire les foins* (l. 1-2). Changez la périphrase de manière à exprimer **a.** L'action à son début. **b.** L'aspect accompli.

6 *Avoir fini de suivre les méandres* (l. 16) : quels sont les deux aspects exprimés dans cette périphrase verbale ? (comparez à *finir de suivre les méandres* et à *suivre les méandres*).

C. Exprimer « l'inexprimable »

7 Par quel procédé l'auteur tente-t-il de décrire ce sentiment « difficilement exprimable » qu'il a alors ressenti ? Comment reconnaît-on ce procédé ?

8 Le mot « méandres » signifie « sinuosités, c'est-à-dire tours et détours d'un cours d'eau ». Mais que désigne-t-il dans le texte ? Comment appelle-t-on cette figure ?

Réécriture (3 points)

Réécrivez le début du texte jusqu'à : … *quelques mètres d'elle »* (l. 5) comme si la scène s'était déroulée plusieurs fois. Vous commencerez en remplaçant : *Une autre fois…* (l. 1) par « Parfois… ».

Rédaction (20 points)

À la manière de G. Perec, racontez un souvenir lointain.
Consignes d'écriture. Vous exprimerez vos incertitudes sur les détails de la scène et emploierez au moins une comparaison et une métaphore.

Jouer avec le temps dans le récit

L'ambition

■ *Bonaparte, 1ᵉʳ Consul de la République couronné
par la Victoire après Marengo, gravure, fin XVIIIᵉ siècle.*

Ordre et vitesse du récit

La « grande journée » à la Pension Vauquer

1 Le lendemain devait prendre place parmi les jours les plus extraordinaires de l'histoire de la maison Vauquer. Jusqu'alors l'événement le plus saillant de cette vie paisible avait été l'apparition météorique de la fausse comtesse de l'Ambermesnil. Mais tout allait pâlir devant les péri-
5 péties de cette grande journée, de laquelle il serait éternellement question dans les conversations de madame Vauquer. D'abord Goriot et Eugène de Rastignac dormirent jusqu'à onze heures. Madame Vauquer, rentrée à minuit de la Gaîté, resta jusqu'à dix heures et demie au lit. Le long sommeil de Christophe, qui avait achevé le vin offert par Vautrin,
10 causa des retards dans le service de la maison. Poiret et mademoiselle Michonneau ne se plaignirent pas de ce que le déjeuner se reculait. Quant à Victorine et à madame Couture, elles dormirent la grasse matinée. Vautrin sortit avant huit heures, et revint au moment même où le déjeuner fut servi.

H. de Balzac, *Le Père Goriot*, 1835.

Devenir calife à la place du calife

Iznogoud a été convoqué par le diable qui lui reproche de ne pas avoir réussi à être calife à la place du calife ; il lui donne dix jours pour y parvenir…

Goscinny et Tabary,
Le Complice d'Iznogoud,
Éd. Tabary, 1985.

a Doc. 1 Quel indicateur de temps situe l'action principale ? À quel temps sont les verbes exprimant les actions qui forment le premier plan du récit (voir chap. 6) ?

b Relevez les verbes qui évoquent des événements antérieurs à la « grande journée ». À quel temps sont-ils ?

c Relevez les verbes qui évoquent des événements postérieurs à la « grande journée ». À quels temps sont-ils ?

d L'ordre des verbes dans le récit suit-il l'ordre des faits ? Justifiez.

e Transposez l'ensemble du récit au présent en remplaçant *Le lendemain* par *Aujourd'hui*. À quels temps mettez-vous les verbes relevés en b et les verbes relevés en c ?

f Doc. 2 Entre les vignettes 1 et 2, puis 2 et 3, le récit est-il continu ? Quel connecteur temporel marque une rupture dans le récit ? Quels événements ne sont pas racontés ?

g Rédigez une phrase de récit au passé pour raconter ce qui s'est passé entre les vignettes 2 et 3. Quel temps avez-vous utilisé ?

LEÇON

■ Un récit peut suivre l'**ordre chronologique** des faits (F). On raconte, dans l'ordre, F1 puis F2, etc. Il peut aussi ne pas le suivre ; on peut avoir alors :

– des **retours en arrière** (rappels de faits survenus antérieurement) ;
> → *Ordre du récit :* F2 / **F1** / F3 / F4…

– ou des **anticipations** (évocation de ce qui se passera postérieurement).
> → *Ordre du récit :* F1 / **F4** / F2 / F3…

■ Dans un **récit au passé**, les retours en arrière sont généralement au **plus-que-parfait**, les anticipations au **conditionnel**, parfois au futur périphrastique (*aller* ou *devoir* + infinitif).

■ Dans la vie, le cours du temps est régulier : une journée dure autant qu'une autre journée. Dans un récit, le déroulement du temps n'est pas régulier. Il comprend :

– des **ellipses narratives** (rien n'est dit de toute une période de temps) ;

– des **contractions** (une longue période est résumée en quelques mots, comme si le temps était accéléré) ;

– des **dilatations** (un instant est au contraire longuement décrit, comme si le temps était suspendu).

1 Oralement. Improvisez un récit selon le canevas suivant, en ajoutant tous les éléments qui vous conviennent. Observez les temps verbaux que vous avez utilisés et indiquez pour chaque phrase quel élément impose le choix du temps.

Quand je suis arrivé …, j'ai fait la connaissance de …
Je ne pouvais pas alors imaginer que plus tard …, nous …
Dans un premier temps, …, puis …
Auparavant, je … et je …
Mais ce jour-là, j'ai découvert …

2 Dites si les passages narratifs suivants contiennent une ellipse, une contraction ou une dilatation.

1. Julien est arrivé le 23 septembre. Pendant trois mois, il est resté dans sa chambre, sans parler à personne, ne sortant que pour faire les courses. Et puis un matin, alors que nous commencions à l'oublier, il a frappé à notre porte… **2.** Le marquis rentra chez lui, bouleversé par les paroles de la voyante. Un mois plus tard, il était mort. **3.** « Acceptez-vous ma proposition ? » Il n'avait pas terminé sa question que tout le continent englouti de mes années de galère, de mes projets abandonnés, de mes rêves de toujours remontait à la surface… J'eus conscience que ma vie allait basculer dans la tourmente mais refuser, c'était sombrer… Je répondis « oui » sans la moindre hésitation.

Le verbe (2) : le temps

1 Le mode indicatif

(icône) Voir tableaux de conjugaison p. 315-327.

▪ À l'**indicatif**, on présente le fait exprimé par le verbe comme réel. Le mode indicatif rassemble tous les «temps verbaux» qui permettent de **situer** le fait dans le temps (**passé, présent, futur**) par rapport au moment de l'énonciation.

→ *il voulut*   *il veut*   *il voudra*
    (passé)   (présent)   (futur)

▪ Comme toutes les formes verbales, les dix temps de l'indicatif (y compris le conditionnel) peuvent également exprimer différentes nuances de l'aspect (voir chap. 6). Leurs valeurs sont donc souvent à la fois aspectuelles et temporelles.

2 Le présent

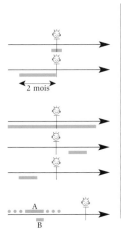

2 mois

▪ Le présent correspond au **moment de l'énonciation**, plus ou moins **élargi** à la période qui l'entoure ce moment.

→ *Je vous **félicite** pour ce projet plein d'avenir.* (présent instantané)

→ *Depuis deux mois, il ne **parle** que de ce projet.* (présent étendu)

▪ Mais il peut avoir d'autres valeur d'emploi :

– la **vérité générale** ; → *Un homme libre **choisit** son destin.*

– le **futur plus ou moins lointain** ; → *À la première occasion, je **quitte** la ville.*

– le **passé récent** ; → *Il **arrive** tout juste de sa Gascogne natale.*

– le **présent de narration**, qui apparaît dans une narration au passé.

→ *Le silence était total ; rien ne bougeait* (A). *Soudain un bras **se lève*** (B).

3 Le passé

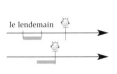

le lendemain

▪ Le **passé composé** exprime soit un temps du **passé** (on peut alors le remplacer par un passé simple), soit un **présent accompli** (valeur d'aspect).

→ *Le lendemain, ils **sont partis** (partirent) pour Sydney.* (passé)

→ *Ça y est ! nous **sommes arrivés**.* (présent accompli)

▪ L'**imparfait** marque l'aspect **non limité** (voir chap. 6). C'est le temps de la **description** au passé. Dans un récit au passé, il est généralement utilisé pour indiquer l'**arrière-plan** descriptif ou explicatif du récit.

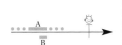

→ *Alors qu'il **était** (A) sans domicile, il vit (B) une annonce.*

▪ Le **plus-que parfait** est le temps composé qui correspond à l'imparfait. Employé seul, il exprime l'**imparfait accompli** (valeur d'aspect).

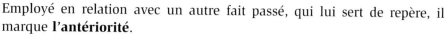

Employé en relation avec un autre fait passé, qui lui sert de repère, il marque **l'antériorité**.

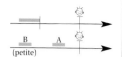

→ *Très vite, il **s'était retrouvé** chef.* (imparfait accompli)

→ *Petite, elle en **avait rêvé** (B) : enfin, elle y **était**. (A)* (antériorité dans le passé)

◼ Dans le **discours rapporté au style indirect**, l'imparfait correspond au présent du discours direct, et le plus-que-parfait au passé composé ; ils peuvent alors exprimer toutes les **valeurs** de ces temps (voir chap. 8).

→ *Elle disait qu'elle **voulait** être avocate.* (moment de l'énonciation passé)

→ *Il pensait qu'il **valait** mieux choisir son destin.* (vérité générale)

→ *Il expliquait qu'il **avait** tout **prévu**.* (accompli)

◼ Le **passé simple** exprime l'aspect **limité** (voir chap. 6). Il marque la **succession des actions** qui forment le « **premier plan** » du récit.

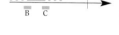

→ *C'était l'hiver, nous étions rassemblés (A) dans la cuisine, lorsque mon père **ouvrit** (B) son sac et en **sortit** (C) une superbe casquette à galons.*

Remarque. Passé simple et passé composé s'emploient tous deux dans le **récit au passé** : au passé composé, l'énoncé est ancré dans la situation d'énonciation, au passé simple, il en est **coupé**. (Voir chap. 9.)

◼ Le **passé antérieur** s'emploie le plus souvent dans une subordonnée marquant l'antériorité *(après que, dès que, quand…)* par rapport au fait principal exprimé au passé simple.

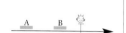

→ *Dès qu'il **eut touché** (A) sa première paye, il **s'acheta** (B) un costume.*

4 Le futur

◼ Le **futur simple** et le **futur antérieur** situent un fait postérieurement au **présent**. Le **futur antérieur** marque l'antériorité par rapport à un autre fait exprimé au futur simple.

→ *Quand j'**aurai fini** mes études, j'**écrirai** des livres de grammaire.*

Remarque. Le futur est couramment exprimé par une périphrase verbale : aller + inf. *Il va essayer et il va réussir.*

◼ Les **conditionnels présent** et **passé** peuvent situer un fait postérieurement à un **repère passé**. Ils expriment alors le **futur du passé** et le **futur antérieur du passé**.

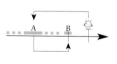

→ *Il était prévu (A) que je **serais** (B) le seul responsable de l'expédition.* (futur par rapport à l'action passé *était prévu*)

– Employés seuls, le futur antérieur et le conditionnel passé marquent respectivement le **futur accompli** et le **futur du passé accompli**.

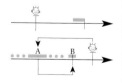

→ *Demain, il **aura atteint** son but.*

→ *Je disais (A) que demain, il **aurait atteint** (B) son but.*

– Au discours rapporté au style indirect (voir chap. 8), le **conditionnel présent** correspond au futur simple du discours direct, le **conditionnel passé** au futur antérieur.

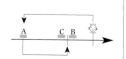

→ *Il a dit (A) qu'il nous **écrirait** (B) dès qu'il **aurait trouvé** (C) un logement.* (« Je vous **écrirai** dès que j'**aurai trouvé** un logement. »)

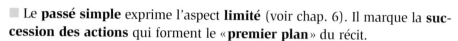

RAPPEL DU COURS

■ **L'indicatif** est le mode de l'**expression du temps** : passé, présent, futur.

■ Le **présent** marque le moment de l'énonciation, mais il peut aussi avoir une valeur atemporelle, et parfois une valeur de passé ou de futur.

■ Le **passé composé** exprime un temps lorsqu'il peut être remplacé par un passé simple ; sinon c'est un présent accompli. On emploie l'**imparfait** pour la description au passé, et le **passé simple** pour la succession des actions.

■ Le **futur simple** et le **futur antérieur** marquent une action postérieure au **moment de l'énonciation** ; le **futur du passé** (conditionnel présent) et le **futur antérieur du passé** (conditionnel passé) marquent une action postérieure à un **repère passé**.

Le mode indicatif

3 Dites à quel temps de l'indicatif chacune des formes verbales est conjuguée.

1. Avais brigué un poste **2.** aurait été écrasé **3.** réussirons **4.** ont condescendu **5.** suis parvenu **6.** veut **7.** fut conquis **8.** me suis privé **9.** quittâmes **10.** étiez enviés.

4 Recopiez le tableau suivant. Classez-y les verbes à l'indicatif que vous aurez relevés en précisant le temps auquel ils sont conjugués.

verbes	Passé	Présent	Futur

[Julien s'était placé] de l'autre côté de la scie pour éviter d'être surpris. Il voulait penser à cette annonce imprévue qui changeait son sort, mais il se sentit incapable de prudence, son imagination était tout entière à se figurer ce qu'il verrait dans la belle maison de M. de Rênal.

Il faut renoncer à tout cela, se dit-il, plutôt que de se laisser réduire à manger avec les domestiques. Mon père voudra m'y forcer ; plutôt mourir. [...] Je me sauve cette nuit.

Stendhal, *Le Rouge et le noir*, 1830.

5 Écrivez la forme verbale de l'indicatif correspondant aux indications données.

1. *Rêver*, passé simple, je **2.** *réussir*, passé antérieur, vous **3.** *s'enfuir*, passé simple, il **4.** *accepter*, futur antérieur, ils **5.** *ramper*, passé composé, tu **6.** *grimper*, plus-que-parfait, vous **7.** *voir*, présent, elles **8.** *courir*, conditionnel présent, je **9.** *remercier*, imparfait, nous **10.** *mourir*, futur, il.

Le présent

6 Oralement. Dites quelle est la valeur d'emploi du présent dans les phrases suivantes (moment de l'énonciation, moment de l'énonciation étendu, vérité générale, futur plus ou moins lointain, passé récent, présent de narration).

1. L'ambition **est** le fumier de la gloire. **2.** En deux jours, par les chemins de traverse, je **suis** à Besançon. **3.** Il **rêve** depuis son enfance d'être remarqué par ce Général. **4.** En approchant de son usine, il appela son fils deux ou trois fois de sa voix de stentor ; personne ne **répond**. **5.** Vous **savez** qu'à l'église, aujourd'hui, je ne **vois** que Dieu, ajouta Julien, avec un petit air hypocrite. **6.** Nourrir l'ambition dans son cœur, c'**est** porter un tigre dans ses bras. **7.** Son rival **sort** à l'instant. **8.** Il **possède** enfin ce vieux château à quatre tours.

7 En vous inspirant de ce document, inventez une phrase dont le verbe au présent aura la valeur d'emploi indiquée.

1. Aime (vérité générale) **2.** accède (passé récent) **3.** voit (moment de l'énonciation) **4.** dépasse (futur) **5.** surgit (présent de narration).

Ch. Chaplin, *le Dictateur*, 1940.

Le passé

8 Oralement. **Pour chacune des phrases suivantes, dites si le passé composé exprime un temps du passé ou un présent accompli. Justifiez votre réponse.**

1. Pendant deux ans, elle **a** habilement **intrigué** ; aujourd'hui, Madeleine **est parvenue** à ses fins. **2.** Gontrand, c'est sa famille qui l'**a poussé** à être sous-chef de bureau. **3.** Voilà, il l'**a obtenu**, ce merveilleux titre de chef ! **4.** Il **a** longtemps **rêvé** de devenir député : il a réalisé son rêve.

9 **Remplacez, lorsque c'est possible, le passé composé par un passé simple. Justifiez votre réponse.**

1. Le lendemain, dès sept heures, Lucien **s'est présenté** tout seul et en uniforme dans la chambre maussade du lieutenant-colonel. Là, pendant deux heures, il **a cherché** à s'habituer aux façons militaires et il **a su** lui tenir des propos flatteurs. Le voilà accepté ! On voit que cette démarche **a eu** son bon côté.

D'après Stendhal, *Lucien Leuwen*, 1855.

2. Elle **a été** si gentille la dernière fois… Pourquoi ne pas lui demander encore son aide ? Mais devant ce vague sourire, masque aimable sur l'ironie de la pensée, il rougit, adressant simplement à madame ses remerciements les plus vifs pour la chronique si charmante qu'elle lui **a** déjà **faite**. **3.** Duroy **a connu** son premier revers… Il ne dînera pas avec Forestier ce soir : il **a eu** son article à refaire ! Le patron l'**a trouvé** mauvais et **a chargé** M. Walter de le lui remettre tout à l'heure.

D'après G. de Maupassant, *Bel Ami,* 1885.

10 **Indiquez la valeur d'emploi de l'imparfait dans chacune des phrases suivantes (description au passé, cadre du récit ou discours rapporté indirectement).**

1. Sa femme ne se montra pas : ce soir-là, Charles ne recevait que des gens à argent et à ambition. **2.** Comme il gardait un silence obstiné devant l'impudence de ces jeunes hommes, on lui reprocha son mépris. **3.** Il annonça qu'il destinait l'un de ses enfants à l'épée, le second à la magistrature, et le troisième à l'Église. **4.** Il se dit qu'il était préférable de ne pas se laisser aveugler par l'ambition. **5.** Le ton et les manières de ces jeunes lions paraissaient incroyables au nouveau venu.

11 **Dites, pour chacune des phrases suivantes, si le plus-que-parfait exprime un fait antérieur à un imparfait ou bien un imparfait accompli.**

1. Il avait organisé un de ces dîners célèbres dans tout Paris. **2.** Elle prit en grippe ces choses fort innocentes, uniquement parce qu'elle les avait rencontrées, pour la première fois, chez des êtres dévorés d'ambition. **3.** Il s'étonna de la proposition singulière qu'on lui avait faite pour son fils. **4.** La vie lui avait appris à rire des arrivistes. **5.** Il finit par reconnaître qu'il n'avait pas su saisir cette opportunité.

12 **Complétez les phrases suivantes afin d'exprimer l'antériorité par rapport au fait principal.**

1. Dès que …, il apprit à calculer froidement. **2.** Depuis que …, il cachait tout sentiment vrai. **3.** Après que …, il rusa avec sa conscience. **4.** Quand ils …, ils gravissent, avec violence, de bas en haut, les étages de la hiérarchie sociale. **5.** Dès lors que vous …, vous jetterez un défi à la société.

Le futur

13 **Identifiez le temps de chaque forme verbale en caractères gras et situez-les sur l'axe du temps.**

1. Il se disait avec courage qu'il ne **se moquerait** point de ces façons d'agir. **2.** Il pensait même que, dès qu'il en **aurait trouvé** l'occasion, il les **imiterait**. **3.** J'en **passerai** par là, conclut-il, et d'ici peu, j'**aurai fait** fortune.

D'après Stendhal, *Le Rouge et le noir,* 1830.

14 **Identifiez le temps des verbes en caractères gras et représentez-les sur un schéma, selon qu'ils expriment un fait postérieur à un repère passé, ou à un repère présent.**

1. Elle ignorait qu'elle **réaliserait** son rêve. **2.** Bientôt, elle **va avoir** une boutique à elle. **3.** Quand elle aura lessivé les murs, elle les **recouvrira** de papier. **4.** Il lui avait dit qu'il l'**emmènerait** pour choisir le papier peint. **5.** Une fois chez le marchand, elle le **suppliera** d'acheter un papier luxueux.

15 **a. Employez chacune de ces formes verbales dans une phrase contenant un autre fait qui lui servira de repère. Vous préciserez ce que leur temps sert à marquer (postériorité par rapport à un fait au présent ou au passé, antériorité par rapport à un fait au futur). b.** Oralement. **Choisissez l'un des verbes au futur antérieur ou au conditionnel passé et employez-le, seul, dans une phrase.**

1. J'aurai conquis **2.** tu t'enorgueilliras **3.** tu persévérerais **4.** il aurait risqué **5.** il prétendra.

Passé simple et imparfait, futur et conditionnel

« Volontés de renommée »

1 Le goût que Lucile m'avait inspiré pour la poésie, fut de l'huile jetée sur
le feu. Mes sentiments prirent un nouveau degré de force ; il me passa
par l'esprit des volontés de renommée ; je crus un moment à mon *talent*,
mais bientôt, revenu à une juste défiance de moi-même, je me mis à
5 douter de ce talent, ainsi que j'en ai toujours douté. Je regardai mon travail comme une mauvaise tentation ; j'en voulus à Lucile d'avoir fait
naître en moi un penchant malheureux : je cessai d'écrire, et je me pris
à pleurer ma gloire à venir, comme on pleurerait sa gloire passée.

F. R. de Chateaubriand, *Mémoires d'Outre-Tombe*, 1847.

a Dites ce qu'ont de commun *je crus,* (l. 3) *je me mis,* (l. 4) *je regardai* (l. 5). En quoi la dernière forme verbale se distingue-t-elle des deux autres ?

b Relevez deux verbes conjugués au passé simple, à la troisième personne du singulier. Que remarquez-vous concernant leur terminaison ?

c Quel est le temps de *je cessai* (l. 7). Avec quelle forme risqueriez-vous de la confondre ? Proposez un moyen de les distinguer.

d *Je serai Chateaubriand ou rien*. Réécrivez la phrase en commençant par : *Je me demandais si...* Que devient la forme verbale en caractères gras ?

LEÇON

■ Au **passé simple**, les **formes en -a** se distinguent des autres (en *-i*, en *-u* et en *-in*), voir les tableaux de conjugaison pages 316-320 :

– par l'absence de *-s* à la **1ʳᵉ personne du singulier** *(-ai)* ;

→ *Je regardai mon travail comme une mauvaise tentation. (Je crus un moment à mon talent ; je me mis à douter.)*

– par l'absence de *-t* à la **3ᵉ personne du singulier** *(-a)*.

→ *Il me passa par l'esprit des vanités de renommée. (Ce fut de l'huile jetée sur le feu.)*

■ Pour **éviter la confusion** entre *-ai* et *-ais*, mettez le verbe à la 3ᵉ personne du singulier afin d'*entendre* la différence.

→ *Je la priai de venir.* (Il la pria de venir → passé simple)

→ *Chaque jour je la priais de venir.* (Chaque jour Il la priait de venir → imparfait)

■ Pour **éviter** la confusion entre *-rai* et *-rais*, mettez le verbe à la 3ᵉ personne du singulier.

→ *Je pleure ma gloire à venir, comme je **pleurerais** ma gloire passée.*
(comme on **pleurerait** sa gloire passée → conditionnel)

→ *Je pleurerai son départ.* (Il pleurera son départ → futur)

■ Les **verbes du 3ᵉ groupe** dont le radical se termine par un *-r* (mourir, acquérir, courir et ses composés) **doublent la consonne** au **futur** et au **conditionnel** (*-r* du radical + *-r* de la terminaison).

→ *Grâce à mon œuvre littéraire, je ne mourrai pas totalement.*

→ *Il savait que grâce à son oeuvre littéraire il ne mourrait pas totalement.*

16 Conjuguez chacun des verbes suivants au passé simple, à la 1ʳᵉ puis à la 3ᵉ personne du singulier.

1. Convoiter 2. gravir 3. devenir 4. abuser 5. surprendre 6. changer 7. séduire 8. aller 9. faire 10. être.

17 Employez chacun des verbes suivants à la 1ʳᵉ personne du singulier a. au passé simple b. à l'imparfait, dans une phrase ayant l'ambition pour thème.

1. ambitionner 2. tromper. 3. manigancer. 4. manipuler. 5. parer.

18 Écrivez au passé simple *(-ai)* ou à l'imparfait *(-ais)* les verbes entre parenthèses et justifiez votre réponse.

1. Je (rêver) depuis plus d'une semaine, à mon entrée dans le monde ; le grand jour arriva, enfin et je (se lever) d'excellente humeur. **2.** À cet instant, frappé de son regard bienveillant, j'(oublier) ce qui me restait de timidité. **3.** Dès lors, je ne (redouter) plus rien, ma langue se délia. **4.** J'(étonner) déjà l'assemblée et moi-même par mon aisance lorsque M. de Treffand entra.

19 Écrivez le texte suivant au passé en veillant à employer correctement les temps.

Tout à coup Julien cessa de parler de Napoléon, il (annoncer) le projet de se faire prêtre, et on le (voir) constamment, dans la scierie de son père, occupé à apprendre par cœur une bible latine que le curé lui (prêter). [...]. Qui (pouvoir) deviner que cette figure de jeune fille, si pâle et si douce, (cacher) la résolution inébranlable de s'exposer à mille morts plutôt que de ne pas faire fortune !
Pour Julien, faire fortune, c'est d'abord sortir de Verrières ; il abhorre sa patrie. Tout ce qu'il y voit glace son imagination.

D'après Stendhal, *Le Rouge et le noir*, 1830.

20 Réécrivez le texte de l'exercice précédent, mais en remplaçant *Julien* par *je*.

21 Conjuguez les verbes suivants à l'imparfait, au futur et au conditionnel présent (1ʳᵉ et 3ᵉ personnes du singulier).

1. Vouloir 2. courir 3. se nourrir 4. pourrir 5. secourir 6. pouvoir 7. acquérir 8. recourir 9. se divertir 10. croire.

22 Mettez les verbes entre parenthèses au futur ou au conditionnel. Justifiez votre choix.

1. Je m'étais dit qu'aucune dame comme il faut ne (daigner) me parler que quand j'(avoir) un bel uniforme. **2.** Quoi ! je (mourir) d'ennui à Angoulême alors que Paris et ses plaisirs m'attendent ! **3.** Dans un an, je (courir) comme tous ceux de mon âge après les honneurs. **4.** Pourquoi ne (être) [je] pas aimé de l'une de ces jolies femmes de Paris, comme Bonaparte, pauvre encore, avait été aimé de la brillante Mᵐᵉ de Beauharnais ? (Stendhal)

23 Réécrivez le texte suivant en commençant chaque phrase par Forestier m'a dit que...

Tu viendras ici tous les jours à trois heures et je te dirai les courses et les visites qu'il faudra faire, soit dans le jour, soit dans la soirée, soit dans la matinée. Je vais te donner d'abord une lettre d'introduction pour le chef du premier bureau de la préfecture de police, qui te mettra en rapport avec un des employés. Et tu t'arrangeras avec lui pour les nouvelles importantes du service de la préfecture, les nouvelles officielles et quasi officielles, bien entendu. Pour tout le détail, tu t'adresseras à saint Potin, qui est au courant, tu le verras tout à l'heure ou demain. [...] Tu toucheras pour cela deux cents francs par mois de fixe, plus deux sous la ligne également pour les articles.

G. de Maupassant, *Bel Ami*, 1885.

24 Dictée préparée (« Volontés de renommée »)

a. Conjuguez au passé simple *être* (l. 1), *passer* (l. 2) et *regarder* (l. 5).

b. Justifiez les terminaisons des participes passés du texte (*inspiré, jetée, revenu, passée*).

c. Écrivez deux formes conjuguées du verbe *naître*, l'une présentant un accent circonflexe sur le *i*, l'autre pas.

d. Cherchez le sens du nom *renommée* dans un dictionnaire, et employez ce mot dans une phrase qui en éclairera le sens.

e. Proposez deux mots de la famille de *défiance* et employez chacun d'eux dans une phrase qui en éclairera le sens.

Jouer avec le temps dans le récit

25 ✎ Intégrez aux endroits signalés une phrase d'anticipation (1), un paragraphe de dilatation (2), une phrase de contraction temporelle (3).

[Duroy] se décida à aller à son bureau toucher son mois et donner sa démission. Il tressaillait d'avance de plaisir à la pensée de la tête que feraient son chef et ses collègues. L'idée de l'effarement du chef, surtout, le ravissait. **(1)**

Il marchait lentement pour ne pas arriver avant neuf heures et demie, la caisse n'ouvrant qu'à dix heures. **(2)**

Son bureau était une grande pièce sombre, où il fallait tenir le gaz allumé presque tout le jour en hiver. Elle donnait sur une cour étroite, en face d'autres bureaux. Ils étaient huit employés là-dedans, plus un sous-chef dans un coin, caché derrière un paravent. **(3)**

G. de Maupassant, Bel Ami, 1885.

26 **a.** Oralement. Par groupes de deux, inventez quatre événements (E1, E2, E3, E4) qui permettent au personnage, Julien, de passer logiquement de la situation illustrée par l'image 1 à celle qui est illustrée par l'image 2.

b. ✎ Individuellement. Composez un bref récit au passé intégrant les événements inventés en a.

Pensez à faire apparaître au moins un retour en arrière ou une anticipation.

27 **a.** ✎ Notez, au brouillon, quatre événements constituant le cadre général du schéma narratif d'un récit qui illustrera l'une des deux maximes suivantes : *Un homme n'est pas malheureux parce qu'il a de l'ambition, mais parce qu'il en est dévoré. / Nourrir l'ambition dans son cœur, c'est porter un tigre dans ses bras.*
b. Oralement. Improvisez un récit à partir du canevas écrit en a. Veillez à faire apparaître au moins une dilatation ou une contraction.

28 ✎✎ Écrivez une suite d'une vingtaine de lignes à ce texte. Votre récit comprendra une ellipse, une dilatation ou une contraction.

Tout de suite, le baron [Hartmann] manœuvra pour emmener Mouret[1]. [...] Ils causèrent devant la fenêtre du salon voisin, debout, baissant la voix. C'était toute une affaire nouvelle. Depuis longtemps, Mouret caressait le rêve de réaliser son ancien projet, l'envahissement de l'îlot entier par le Bonheur des Dames, de la rue Monsigny à la rue de la Michodière, et de la rue Neuve-Saint-Augustin à la rue du Dix-Décembre. Dans le pâté énorme, il y avait encore, sur cette dernière voie, un vaste terrain en bordure, qu'il ne possédait point ; et cela suffisait à gâter son triomphe, il était torturé par le besoin de compléter sa conquête, de dresser, là, comme apothéose, une façade monumentale.

É. Zola, Au Bonheur des
dames, 1883.

1. Mouret est le patron d'un grand magasin, le Bonheur des dames, « temple élevé à la folie dépensière de la mode. »

C. Autant-Lara,
Le Rouge et le noir, 1954.

Le chef de bureau

Engagé dans la politique au service de Napoléon III, E. Rougon est devenu très influent ; mais victime d'une intrigue, il est contraint de démissionner.

1 Alors, M. Bouchard expliqua que les injustices le révoltaient.

– Oui, monsieur Rougon, j'ai commencé par être expéditionnaire à l'Intérieur, et je suis arrivé au poste de chef de bureau, sans rien devoir à la faveur ni à l'intrigue… Je suis chef de bureau depuis 47. Eh bien ! le poste
5 de chef de division a déjà été cinq fois vacant, quatre fois sous la République, et une fois sous l'Empire, sans que le ministre ait songé à moi, qui avais des droits hiérarchiques… Maintenant vous n'allez plus être là pour tenir la promesse que vous m'aviez faite, et j'aime mieux me retirer.

Rougon dut le calmer. La place n'était toujours pas donnée à un autre ; si
10 elle lui échappait cette fois, encore, ce ne serait qu'une occasion perdue, une occasion qui se retrouverait certainement. Puis, il prit les mains de madame Bouchard, en la complimentant d'un air paternel. La maison du chef de bureau était la première qui l'eût accueilli, lors de son arrivée à Paris. C'était là qu'il avait rencontré le colonel, cousin germain du chef de
15 bureau. Plus tard, lorsque M. Bouchard hérita de son père, à cinquante-quatre ans, et se trouva tout d'un coup mordu du désir de se marier, Rougon servit de témoin à madame Bouchard, née Adèle Desvignes, une demoiselle très bien élevée, d'une honorable famille de Rambouillet. Le chef de bureau avait voulu une jeune fille de province, parce qu'il tenait
20 à l'honnêteté.

É. Zola, *Son Excellence Eugène Rougon*, 1876.

Questions (16 points)

A. Le temps dans le discours des personnages

1 Placez sur l'axe du temps les faits exprimés par les verbes de la phrase : *Maintenant* [...] *me retirer* (l. 7-8). Quelle expression exprime un futur ? Remplacez-la par le futur simple correspondant.

2 Dans le discours de Bouchard, relevez deux verbes au présent et indiquez la valeur d'emploi de chacun d'eux.

3 À quel temps sont les formes *suis arrivé* (l. 3) et *a été* (l. 5) ? Comparez leurs valeurs d'emploi.

4 Montrez en la transposant au style direct que la phrase : *La place* [...] *certainement.* (l. 9-11) rapporte le discours de Rougon. Indiquez le temps et la valeur des verbes *serait* et *se retrouverait*.

B. Un début de roman

5 Dans la partie narrative, distinguez tout ce qui constitue un retour en arrière. À l'intérieur même de ce retour en arrière, distinguez une ellipse et un second retour en arrière. Sachant qu'il s'agit d'un début de roman, quel est le but de ces retours en arrière dans le récit principal ?

6 Quel temps est utilisé pour marquer le début de chaque retour en arrière ?

7 Relevez trois verbes au passé simple de formations différentes : en -*a*, en -*i*, en -*u*. Conjuguez-les aux autres personnes du même temps.

Réécriture (4 points)

Transformez le discours de Bouchard (l. 1-8) en un récit au passé à la 3e personne.

Rédaction (20 points)

Imaginez la « première rencontre » entre Bouchard et Eugène Rougon arrivant à Paris.

Consigne d'écriture. Votre récit contiendra au moins un retour en arrière et une anticipation.

Insérer des paroles dans le récit

Paroles de femmes

■ **Angela Davis,**
Conférence de presse, 1969.

La parole rapportée

document 1
Papotage de grandes dames

À la fin du XIXe siècle, le narrateur, le jeune Marcel, participe à la conversation de dames du grand monde.

1 Pendant ce temps la comtesse d'Arpajon qui m'avait, avant le dîner, dit que sa tante aurait été si heureuse de me montrer son château de Normandie, me disait, par dessus la tête du prince d'Agrigente, qu'où elle voudrait surtout me recevoir, c'était dans la Côte-d'Or, parce que,
5 là, à Pont-le-Duc, elle était chez elle.

– Les archives du château vous intéresseraient. Il y a des correspondances excessivement curieuses entre tous les gens les plus marquants des XVIIe, XVIIIe et XIXe siècles. Je passe là des heures merveilleuses, je vis dans le passé, assura la comtesse que M. de Guermantes m'avait pré-
10 venu être excessivement forte en littérature.

– Elle possède tous les manuscrits de M. de Bornier, reprit en parlant de Mme d'Haudicourt, la princesse.

M. Proust, *Le Côté de Guermantes* (1921), Éd. Le livre de poche, 1966.

document 2
Paroles croisées

Yslaire, *Bidouille et Violette,*
Le Journal de Spirou, n° 2452,
Éd. Glénat, 1985.

a Doc. 1 Relevez, dans ce texte, tous les fragments où le narrateur cite une autre personne.

b Dites ce qui vous a permis de repérer qu'il s'agissait de citations et de savoir qui parle.

c ✎ À quoi servent les tirets en tête des paragraphes 2 et 3 ? Quelle autre marque typographique aurait pu utiliser l'écrivain ? Réécrivez le dernier paragraphe en utilisant cette autre marque.

d Doc. 2 En quel sens peut-on dire que tous les énoncés dans ces deux images sont des citations ?

e Distinguez, dans l'énoncé du professeur, ce qu'il prend à son compte et ce qu'il attribue à un autre. Qu'est-ce qui vous permet de faire cette distinction ?

f Vous avez surpris l'échange entre les deux élèves. Vous rédigez un petit mot à un(e) camarade d'une autre classe qui ne connaît aucune de ces deux jeunes filles pour lui raconter ce que vous avez entendu.

g Observez votre texte. Pensez-vous que votre destinataire est capable de bien comprendre qui a parlé, ce qui s'est dit et dans quel contexte ? Éventuellement, améliorez votre texte pour que ces informations soient claires.

LEÇON

■ Quand il parle, un locuteur ne se contente pas de donner son propre point de vue ; il arrive souvent qu'il **cite** autrui en faisant entendre une autre voix dans son propre discours.

■ En citant un autre locuteur, on ne se présente pas comme responsable de ce qui est rapporté. Cela permet, selon le cas, de **donner davantage d'autorité** aux propos cités, ou au contraire de **montrer qu'on n'y adhère pas**.

■ Le locuteur peut se contenter d'évoquer l'opinion de quelqu'un d'autre, mais sans utiliser les mêmes mots que lui :
– en recourant à diverses formules ; → *à en croire Josette, d'après Marie, etc.*
– en recourant au **style indirect** (voir p. 102), qui est introduit par un verbe de parole suivi de *que* ou *si* ; → *Véronique a affirmé que Sophie avait tort / Elle se demande si Julie a raison.*

■ Il peut aussi présenter sa citation comme les mots mêmes qui ont été dits :
– en utilisant le **style direct** pour rapporter tout ce qui est dit (voir p. 102) ;
   → *«D'accord, ma grande, je viens»*, *m'a dit Nadège.*
– en insérant dans la phrase un mot ou un groupe de mots, **entre guillemets ou en italique**, pour les attribuer à une autre personne. → *Ma tante m'a appelé «ingrate».*

1 Dans le document 1, mettez au style direct les citations du 1er paragraphe. Quels changements avez-vous dû opérer ?

2 Mettez au style indirect le 2e paragraphe.

3 Dans le document 2, trouvez cinq expressions qui pourraient remplacer *selon...* dans la phrase : *Selon Marion, Juliette préfère le cinéma à la littérature anglaise.*

4 ✎ Rédigez un passage où vous citerez au style direct ce que le professeur dit de Shakespeare en l'attribuant à quelqu'un que vous admirez. Puis, vous citerez la même parole au style indirect en l'attribuant à quelqu'un qui vous semble ridicule.

5 Parmi les tournures suivantes, séparez celles qui montrent que le locuteur adhère aux propos qu'il cite et celles qui montrent que le locuteur n'y adhère pas.
1. *Julie prétend que...* **2.** *Contrairement à ce que dit Julie,...* **3.** *On a bien raison de dire...* **4.** *Julie a très justement fait remarquer que...* **5.** *Il serait inapproprié de dire...*

Les moyens de rapporter des paroles

Pour rapporter des paroles qui sont dites dans une autre situation d'énonciation, un locuteur peut utiliser le style **direct** et le style **indirect**. Mais il peut également employer le **style indirect libre** et le **récit de paroles.**

1 Le discours rapporté au style direct

■ Au style **direct**, le **rapporteur** – celui qui cite autrui – présente les paroles qu'il cite **comme si elles étaient authentiques** (même si ces paroles n'ont pas été effectivement prononcées).

→ *Elle a dit : « Les femmes sont d'excellents chefs d'entreprise ».*

■ Le style direct est introduit par des *verbes de parole (dire, affirmer…)* placés soit **devant** le discours rapporté, soit **à l'intérieur** ou **à la fin** sous la forme d'une **proposition incise** où le sujet est inversé.

→ *Elle m'a confié : « Il faut davantage de femmes à l'Assemblée ».*
→ *« Il faut, m'a-t-elle confié, davantage de femmes à l'Assemblée ».*
→ *« Il faut davantage de femmes à l'Assemblée », m'a-t-elle confié.*

■ Au style direct, les personnes (*je, tu, nous, vous*) et les indicateurs temporels et spatiaux ancrés dans la situation d'énonciation (déictiques) restent **les mêmes que dans leur situation d'énonciation d'origine.**

2 Le discours rapporté au style indirect

■ Au style **indirect**, le locuteur ne prétend pas rapporter les paroles mêmes, mais leur contenu.

→ *Julie m'a dit que les femmes étaient moins payées que les hommes.*

Le fragment de discours indirect : *que les femmes étaient moins payées que les hommes* restitue le contenu de ce qu'a dit Julie, **mais on ne sait pas quels mots elle a réellement employés.**

■ Le discours indirect est constitué d'une subordonnée *complétive* ou d'une subordonnée **interrogative indirecte complément d'objet direct** d'un verbe de parole.

→ *Julie affirme que les hommes doivent s'occuper des enfants.*
complétive COD

→ *Julie se demande si elle réussira.*
interrogative indirecte COD

■ Le choix des personnes et des indicateurs spatiaux et temporels des paroles rapportées se fait seulement **à partir de la situation d'énonciation du rapporteur**.

→ *Zoé a déclaré que **le lendemain elle** serait ministre.*
(discours direct : « *Je serai ministre demain* »).

Au style indirect, le *je* est devenu un *elle*, le futur un conditionnel (futur du passé).

■ Cette transformation du futur en conditionnel illustre la **concordance des temps**, qui apparaît quand le verbe de la principale est à un temps du passé :

→ « *Tu **pars*** ». (présent) ⟶ *Léa m'a dit que tu **partais**.* (imparfait)
→ « *Tu **partiras*** ». (futur) ⟶ *Léa m'a dit que tu **partirais**.* (conditionnel)
→ « *Tu **es parti*** ». (passé composé) ⟶ *Léa m'a dit que tu **étais parti**.*
(plus-que-parfait)

3 Le discours rapporté au style indirect libre

⚠ Attention

À la différence du style direct et du style indirect, le style indirect libre *ne peut pas être identifié de manière sûre en dehors du contexte.* Dans l'exemple, si on enlevait la phrase : *Juliette parla avec passion*, on ne saurait pas qu'il y a une citation.

■ Le **style indirect libre** est un type de discours rapporté particulièrement utilisé dans les récits littéraires. Il cherche à **combiner les avantages du discours direct et du discours indirect.**

→ *Juliette parla avec passion. **Elle aimait tant son travail ! Elle ne voulait pas que cet idiot de Jules l'oblige à y renoncer.** Léon l'écoutait avec inquiétude.*

Le lecteur perçoit que l'on rapporte les paroles de Juliette ; ce n'est pas du style direct car on aurait employé *je* et le présent (*J'aime mon métier*, etc.). Ce n'est pas non plus du style indirect car il n'y a pas de verbe introducteur d'une proposition complétive (*Juliette dit que…*). On a l'impression d'entendre à la fois le narrateur et Juliette.

■ Comme dans le style direct, on sent la subjectivité du personnage (ses types de phrases, sa manière de parler…). Comme au style indirect, la parole rapportée est résumée, le locuteur cité est désigné à la 3ᵉ personne et on applique la concordance des temps.

→ *Zoé protesta. **Sacrebleu ! Elle en avait assez de ces maudites voitures qui l'empêchaient de traverser les rues et polluaient l'air. Dès demain elle demanderait au maire qu'il fasse une rue piétonnière.** Le soir même la lettre fut expédiée.*

4 Le récit de paroles

Pour rapporter des paroles, on peut ne pas restituer ce qui a été dit mais raconter seulement que quelqu'un a dit quelque chose, en résumant éventuellement le contenu de ses propos ; c'est le **récit de paroles** (ou **discours narrativisé**). Dans ce cas, rien ne distingue les paroles des autres actes d'un personnage.

→ *Caroline de Monaco a raconté à Stéphanie son voyage en Chine.*

RAPPEL DU COURS

■ Au style **direct**, le locuteur présente les paroles qu'il cite **comme si elles étaient authentiques,** même si ces paroles n'ont pas été effectivement prononcées.

■ Au style **indirect**, le locuteur restitue seulement le sens des paroles rapportées. Le style indirect est constitué d'une proposition subordonnée **complétive, complément d'objet direct** d'un verbe de parole.

■ Dans les paroles rapportées au style **direct**, les personnes ainsi que les indicateurs spatiaux et temporels sont **ceux de la situation d'énonciation d'origine**. Dans les paroles rapportées au style **indirect**, les personnes et les indicateurs spatiaux et temporels prennent pour repère la **situation d'énonciation du rapporteur.**

■ Le **style indirect libre** cumule les avantages du style direct et du style indirect. Il ne peut être identifié que dans le contexte.

■ Quand on raconte que quelqu'un a parlé sans citer ses paroles, il y a **récit de paroles**.

C. Bretécher, *Agrippine et les inclus,* 1995.

Le discours rapporté aux styles direct et indirect

6 Imaginez les paroles que peuvent échanger ces femmes et rapportez-les au style direct, en utilisant ces six verbes introducteurs : *remarquer, s'enquérir, rétorquer, conclure, déplorer, annoncer.*

7 Transposez au style indirect les phrases construites au style direct pour l'exercice précédent.

8 Distinguez les paroles rapportées au style direct et les paroles rapportées au style indirect. Relevez chaque fois le verbe qui les introduit.

1. Il va de soi que mon père était rigoureusement anti-féministe. [...] Quand il déclara : «Vous mes petites, vous ne vous marierez pas, il faudra travailler», il y avait de l'amertume dans sa voix.
2. Ma cousine Jeanne était peu douée pour les études, mais très souriante et très polie ; mon père répétait à qui voulait l'entendre que son frère avait

une fille délicieuse. **3.** Mon père disait autrefois que lorsque j'aurais dix-huit ans, il m'interdirait encore les *Contes* de François Coppée. **4.** «Quel dommage que Simone ne soit pas un garçon : elle aurait fait Polytechnique». J'avais souvent entendu mes parents exhaler ce regret. **5.** Ma mère me rapporta à la fin avril que Jacques s'étonnait de ne plus me voir.

S. de Beauvoir,
Mémoires d'une jeune fille rangée, Éd. Gallimard, 1958.

9 Oralement. **Transposez au style direct les phrases de l'exercice 8 qui sont au style indirect, et au style indirect celles qui sont au style direct.**

10 Dans ces phrases de discours rapporté, mettez les verbes en caractères gras au passé simple et appliquez la concordance des temps pour les verbes des subordonnées complétives.

En Chine, pendant la Seconde Guerre mondiale, une femme met au monde sa dixième fille...

1. Miss Hsu **dit** à la mère qu'une fille vaut bien un garçon. **2.** Pendant les jours suivants, nous lui **répétons** toutes combien il est merveilleux d'être une femme, et qu'une femme désormais peut faire tant de choses, même devenir docteur. **3.** Dans la suite, le portier nous **raconte** que pendant tout le retour, la femme a raconté son histoire et sa terreur d'apporter à son mari une nouvelle fille. **4.** Elle **dit** que, chemin faisant, elle trouvera un fossé commode où elle jettera le bébé.

D'après H. Suyin, Un Été sans oiseaux, Éd. Stock, 1968.

11 Transposez au style direct les passages de l'exercice 10 qui sont au style indirect.

12 Transposez les paroles de Mme de la Trave au style indirect, en commençant par : *Elle reconnaissait qu'il ne fallait pas lui demander...* Vous serez particulièrement attentif à la concordance des temps.

Le bruit commençait de courir que le sentiment maternel n'étouffait pas Thérèse. Mais Mme de la Trave assurait qu'elle aimait sa fille à sa manière : « Bien sûr, il ne faut pas lui demander de surveiller son bain ou de changer ses couches : ce n'est pas dans ses cordes ; mais je l'ai vue demeurer des soirées entières, assise auprès du berceau, se retenant de fumer pour regarder la petite dormir... D'ailleurs, nous avons une bonne très sérieuse ; et puis Anne est là ; ah ! celle-là, je vous jure que ce sera une fameuse petite maman... »

F. Mauriac, Thérèse Desqueyroux, Éd. Grasset, 1927.

Le discours rapporté au style indirect libre

13 Oralement. Relevez les passages au style indirect libre, puis entraînez-vous à lire le texte devant le reste de la classe.

Elle se tenait assise, les mains croisées sur son sac assorti, souriante, hochant la tête, apitoyée, oui, bien sûr elle avait entendu raconter, elle savait comme l'agonie de leur grand-mère avait duré, c'est qu'elle était si forte, pensez donc, elle avait conservé toutes ses dents à son âge... Et Madeleine ? Son mari... Ah, les hommes, s'ils pouvaient mettre au monde des enfants, ils n'en auraient qu'un seul, bien sûr, ils ne recommenceraient pas deux fois, sa mère, la pauvre femme, le répétait toujours.

N. Sarraute, Tropismes, Éd. de Minuit, 1957.

14 Transposez les passages de style indirect libre de l'exercice précédent au style direct.

15 Écoutez attentivement ce passage des *Amants d'Avignon* et relevez les passages au style indirect libre. Précisez à chaque fois de quel personnage on rapporte les paroles.

16 Voici un texte au style direct. Transposez-le au style indirect libre, en commençant par : *Corinne regarda Oswald avec passion. Son discours s'enflamma... Son bonheur dépendait en entier...*

Mon bonheur dépend en entier du sentiment que vous m'avez montré depuis six mois. Éloignez de vous toute idée de devoir ; je ne connais pour l'amour ni promesse ni garantie. La Divinité seule peut faire renaître une fleur, quand le vent l'a flétrie. Un accent, un regard de vous suffiraient pour m'apprendre que votre cœur n'est plus le même, et je détesterais tout ce que vous pourriez m'offrir à la place de votre amour, de ce rayon divin, ma céleste auréole. Soyez donc libre maintenant, Oswald, libre chaque jour, libre encore, quand vous serez mon époux ; car si vous ne m'aimiez plus, je vous affranchirais, par ma mort, des liens indissolubles qui vous attacheraient à moi.

Mme de Staël, Corinne ou l'Italie, 1807.

Récit de paroles (et récapitulation)

17 Dans les extraits suivants, relevez les passages qui rapportent des paroles et précisez s'il s'agit de : style direct, indirect, indirect libre, récit de paroles. (Zaza est la fille de Mme Mabille)

1. Avec Stépha je parlais beaucoup de Zaza qui prolongeait son séjour à Laubardon. **2.** Mme Mabille, me raconta Stépha, s'était emportée et qu'elle avait déclaré : « Je hais les intellectuels ! ». **3.** Mme Mabille regrettait de l'avoir laissée fréquenter la Sorbonne ; il lui paraissait urgent de reprendre sa fille en main, et elle aurait bien voulu la soustraire à mon influence. **4.** Zaza m'écrivit qu'elle s'était ouverte de notre projet de tennis et que sa mère en avait été révoltée : « Elle a déclaré qu'elle n'admettait pas ces mœurs de Sorbonne et que je n'irais pas à un tennis organisé par une petite étudiante de vingt ans. »

D'après S. de Beauvoir,
Mémoires d'une jeune fille rangée, Éd. Gallimard, 1958.

Présentation et ponctuation du discours rapporté

Détruire, dit-elle

À la terrasse d'un luxueux hôtel, Alissa cherche à faire connaissance avec sa mystérieuse voisine, Élisabeth : elle pousse sa chaise longue vers elle pour, dit-elle, la protéger du soleil. Au loin, deux hommes, Max et Stein, les observent…

1 – Le soleil arrivait sur vous, dit Alissa.

– Je peux dormir en plein soleil.

– Je n'y arrive pas.

– C'est une habitude. Sur une plage, je dors aussi bien.

5   – Elle a parlé, dit Stein.

          Max Thor se rapproche de Stein. Il regarde.

          – Sa voix est celle qu'elle avait avec Anita, dit-il.

– Aussi bien ? demande Alissa.

– J'habite un pays froid, dit Élisabeth Alione. Alors je n'ai jamais assez de

10 soleil.

Dans l'ombre, les yeux bleus d'Alissa intriguent.

– Vous venez d'arriver.

– Non, il y a trois jours que je suis là.

– Tiens…

15 – Nous ne sommes pas loin l'une de l'autre dans la salle à manger.

– Je vois très mal, dit Élisabeth Alione – elle sourit –, je ne vois rien.

D'habitude je porte des lunettes.

– Ici, non ?

Elle fait une légère moue.

20 – Non. Ici je suis en convalescence. Ça me repose les yeux.

          – Où avez-vous rencontré Alissa, demande Stein.

          – Endormie, dit Max Thor, à mon cours.

          – Bien, dit Stein, bien.

          – C'est le cas de la plupart de mes élèves. J'ai oublié toute

25   connaissance.

          – Ah bien, bien.

– En convalescence ? demande Alissa.

Élisabeth Alione plisse les yeux pour voir cette femme qui écoute avec tant d'attention.

30 – Je suis là à cause d'un accouchement qui s'est mal passé. L'enfant est mort à la naissance. C'était une petite fille.

                        M. Duras, *Détruire dit-elle*, Éd. de Minuit, 1969.

a Vous a-t-il été facile de comprendre ces deux dialogues ? Quelles règles de présentation du dialogue Marguerite Duras ne respecte-t-elle pas ?

b Quel effet produit sur le lecteur cette présentation originale des dialogues ?

■ La présentation du discours au style direct obéit en principe aux règles suivantes : les paroles rapportées sont encadrées par des **guillemets**, notées en **italiques** ou présentées avec des tirets, en allant à la ligne à chaque nouveau locuteur. La présence de **propositions incises** permet de faire comprendre au lecteur qui prend la parole.

→ *« Je suis venue ici en convalescence », murmura-t-elle.*

■ Comme dans le texte de Marguerite Duras, l'omission volontaire de ces règles peut chercher à produire un effet particulier : mystère, impression de surprendre une conversation…

---

18 Ajoutez au texte de Marguerite Duras quelques propositions incises.

19 La présentation de ce dialogue n'a pas respecté les règles habituelles. Recopiez-le en présentant correctement les paroles rapportées au style direct. (Vous pourrez utiliser au choix et alternativement les guillemets et les tirets.)

Dialogue entre la narratrice, féministe convaincue, et une amie, qui a renoncé à sa carrière de chanteuse depuis son mariage.

Elle sourit : mon nom sur les affiches, ma photographie dans les journaux : vraiment, ça ne m'intéresse pas. Tu m'as mal comprise, ajouta-t-elle ; je ne souhaite aucune gloire personnelle ; un grand amour me semble une chose bien plus importante qu'une carrière. Mais rien ne t'oblige à choisir, dis-je. Tu peux continuer à aimer Henri, et chanter. Elle me regarda gravement : un grand amour ne laisse rien de disponible à une femme. Je sais quelle entente il y a entre Robert et toi, ajouta-t-elle, mais ce n'est pas ce que j'appelle un grand amour. Je ne voulais pas discuter son vocabulaire ni ma vie : toutes ces journées que tu passes ici, toute seule, tu aurais le temps de travailler. Ce n'est pas une question de temps ; elle me sourit avec un air de reproche : pourquoi penses-tu que j'ai renoncé au chant, il y a dix ans ? parce que j'ai compris qu'Henri m'exigeait tout entière… Tu dis qu'il t'a conseillé lui-même de te remettre à travailler.

Mais si je le prenais au mot, il serait consterné ! dit-elle gaiement. Il ne supporterait pas qu'une seule de mes pensées ne lui appartienne pas. Quel égoïsme !

S. de Beauvoir, *Les Mandarins*, Éd. Gallimard, 1954.

20 Dans les phrases au style direct de l'exercice précédent, changez la proposition incise de place (quand c'est possible), et faites toutes les transformations nécessaires.

21 **a.** Qui a prononcé chacune des paroles rapportées en italiques dans le texte ci-dessous ?
b. ✎ Imaginez et rédigez en cinq lignes une réponse à cette lettre. Vous y intégrerez des paroles rapportées en italiques.

Je suis singulièrement blessée, je l'avoue, des discours que madame de Vernon tient sur moi. [...] C'est auprès de vous, madame, que je voudrais me justifier. Madame de Vernon m'a reproché *d'avoir dit du mal d'elle,* et vous me conseillez *de la ménager* ; tous ces mots me paraissent bien étranges dans un sentiment de la nature de celui que j'avais pour madame de Vernon.

Mme de Staël, *Delphine*, 1802.

22 💿 Écoutez attentivement ce dialogue extrait de l'opéra *Carmen*. Deux bohémiennes, Mercédès et Frasquita tirent les cartes pour connaître leur avenir et rêvent chacune du mari idéal. Retranscrivez leurs paroles (de « Moi, je vois un jeune amoureux… » à « Ah ! je suis veuve et j'hérite. »), en respectant la présentation et la ponctuation d'un dialogue écrit.

23 Dictée préparée (Détruire, dit-elle)
a. Retenez la ponctuation et la présentation des dialogues : exceptionnellement, elles ne seront pas précisées pendant la dictée.
b. Justifiez l'accord des verbes et participes suivants : *intriguent* (l. 11), *repose* (l. 20), *rencontré* (l. 21), *endormie* (l. 22).
c. Justifiez le singulier de *toute connaissance* (l. 24).

Insérer des paroles dans le récit

24 ✎ Voici une « histoire sans paroles ». Complétez-la par des passages de discours rapporté, en respectant les consignes données dans les parenthèses en caractères gras.

En 1940, quand on nous installa le téléphone, j'ai tenté de parler à ma mère de Graham Bell et des faisceaux hertziens. Mais elle avait sa logique à elle. Je me contentai donc de lui indiquer le mode d'emploi. **(explications données par le fils au style indirect)** Elle souleva le cornet acoustique, le porta à l'oreille, tourna la manivelle du téléphone de toutes ses forces. **(la mère obtient le standard et demande à parler à sa cousine Meryem, dont elle ne connaît pas le numéro : passage au style direct)** Et elle obtint sa cousine Meryem un quart d'heure plus tard, lui parla comme seule ma mère pouvait le faire, sans aucune notion de temps, évoquant des souvenirs, éclatant de rire, demandant des détails et des descriptions très précises. **(paroles de la mère au style indirect libre)** Elle téléphona jusqu'à la nuit tombante. De temps à autre, régulièrement, comme un refrain aigu, s'élevait la voix de la téléphoniste. **(paroles de la téléphoniste au style indirect)** La voix de ma mère la couvrait aussitôt. **(dialogue entre la mère et la téléphoniste au style direct)** Mon père paya la communication. Il régla sans y faire allusion toutes celles que maman obtint par la suite.

D'après D. Chraïbi,
La Civilisation, ma Mère !..., Éd. Denoël, 1972.

C. Claudel, *Les Causeuses*, 1894.

25 Oralement. Formez des groupes de trois et « faites courir des rumeurs » en improvisant devant le reste de la classe de la manière suivante.

Le premier raconte brièvement quelque chose au second. *Ex. Hier, j'ai rencontré ma voisine et au moment où j'allais lui parler, elle a failli glisser sur une peau de banane.* **Le second** rapporte au troisième ces paroles, en utilisant le style indirect et en les modifiant légèrement. *Ex. Tu ne connais pas la dernière ? Guillaume m'a dit qu'il avait vu hier sa voisine et qu'elle avait glissé sur une peau de banane.* **Le troisième** rapporte à la classe les paroles du second sous forme d'un récit de paroles, en déformant encore un peu plus le message. *Ex. Tout à l'heure, il paraît que Guillaume a raconté à Sarah comment sa voisine s'était cassé la jambe en glissant sur une peau de banane.*

26 💿 ✎ Écoutez attentivement cette conversation entre deux amies. Lou vient de présenter Julien, un jeune homme séduisant mais vaniteux, à sa meilleure amie, Émérance. En utilisant le style indirect et le récit de paroles, rapportez en quelques lignes seulement ce que se disent les deux amies. Votre texte commencera de la manière suivante : *Dans ce passage, Lou demande à Émérance si...*

27 ✎ Imaginez, en une dizaine de lignes, le dialogue de ces *Causeuses*. Présentez-le à la manière de Marguerite Duras (voir texte p. 106), au style direct et avec très peu de propositions incises pour donner de la vivacité à votre texte.

28 💿 ✎✎ Choisissez l'un de ces trois extraits musicaux. Imaginez et rédigez le récit qu'il vous inspire. Votre texte comprendra au moins cinq passages de paroles rapportées, pour lesquels vous utiliserez des procédés variés : styles direct, indirect, indirect libre et récit de paroles.

29 ✎✎ Choisissez deux femmes célèbres ayant vécu à des époques différentes (Moyen Âge et XXᵉ siècle, par exemple). Imaginez qu'elles se rencontrent et discutent ensemble de la condition de la femme. Dans un récit écrit au passé, vous rapporterez leurs paroles en variant les procédés : styles direct, indirect, indirect libre et récit de paroles.

Confidences

Sous le Second Empire, Hélène, une jeune veuve, converse avec Mme Deberle, une riche bourgeoise, qui l'interroge sur le décès de son mari.

1 «Et vous débarquiez, n'est-ce pas? Vous n'étiez jamais venue à Paris… Ce doit être atroce, ce deuil chez des inconnus, au lendemain d'un long voyage, et lorsqu'on ne sait encore où poser le pied.»
Hélène hochait la tête lentement. Oui, elle avait passé des heures bien ter-
5 ribles. La maladie qui devait emporter son mari s'était brusquement décla-rée, le lendemain de leur arrivée, au moment où ils allaient sortir ensemble […].
«Votre mari, m'a-t-on dit, avait presque le double de votre âge? demanda Mme Deberle d'un air de profond intérêt, pendant que Mlle Aurélie ten-
10 dait les deux oreilles, pour ne rien perdre.
– Mais non, répondit Hélène, il avait à peine six ans de plus que moi.»
Et elle se laissa aller à conter l'histoire de son mariage, en quelques phrases: le grand amour que son mari avait conçu pour elle, lorsqu'elle habitait avec son père, le chapelier Mouret, la rue des Petites-Maries, à
15 Marseille; l'opposition entêtée de la famille Grandjean, que la pauvreté de la jeune fille exaspérait; et des noces tristes et furtives, et leur vie pré-caire, jusqu'au jour où un oncle, en mourant, leur avait légué dix mille francs de rentes environ.

É. Zola, *Une Page d'amour*, chap. II, 1877.

Questions (15 points)

A. La parole des personnages

1 Relevez toutes les marques typographiques qui indiquent que le narrateur rapporte des paroles. Quelle règle suit Zola quand il utilise ces marques?

2 Voyez-vous du discours rapporté au style indirect dans ce passage?

3 De quelle forme de discours rapporté relève le second paragraphe? Préciser sur quels indices vous pouvez vous appuyer pour répondre. Quel effet pro-duit cette manière de rapporter des paroles?

4 Relevez les verbes qui indiquent qu'une parole est prononcée; dites lesquels sont dans une proposition incise ou dans un récit de paroles. Pourquoi le narra-teur utilise-t-il des propositions incises?

B. La situation d'énonciation du narrateur et celles des personnages

5 Observez la phrase: *Votre mari, m'a-t-on dit, avait presque le double de votre âge? demanda Mme Deberle* (l. 8-9). **a.** Pourquoi Mme Deberle em-ploie-t-elle le passé composé dans la proposition: *m'a-t-on dit*? **b.** Qui dit: *demanda Mme Deberle*? **c.** Combien de situations d'énonciation différentes peut-on distinguer dans cette phrase? Dites pour chacune qui parle et à qui.

6 Transposez au style indirect: *il avait à peine six ans de plus que moi* (l. 11). Que devient le pronom *moi*? Pourquoi?

Réécriture (5 points)

Réécrivez au style indirect le premier paragraphe et au style direct le second.

Rédaction (20 points)

Dans le dernier paragraphe du texte, Hélène résume sa vie passée. Faites-lui raconter ce que le narrateur appelle sa «vie précaire» de jeune mariée.
Consigne d'écriture. La première partie sera au style direct, la fin au style indirect libre.

[Extrait 1] *La croix-de-Maufras*

1   À la Croix-de-Maufras, dans un jardin que le chemin de fer a coupé, la maison est posée de biais, si près de la voie que tous les trains qui passent l'ébranlent ; et un voyage suffit pour l'emporter dans sa mémoire, le monde entier filant à grande vitesse la sait à cette place, sans rien connaître d'elle, toujours close, lais-

5   sée comme en détresse, avec ses volets gris que verdissent les coups de pluie de l'ouest. C'est le désert, elle semble accroître encore la solitude de ce coin perdu, qu'une lieue à la ronde sépare de toute âme.

Seule, la maison du garde-barrière est là, au coin de la route qui traverse la ligne et qui se rend à Doinville, distante de cinq kilomètres. Basse, les murs lézardés,

10 les tuiles de la toiture mangées de mousse, elle s'écrase d'un air abandonné de pauvre, au milieu du jardin qui l'entoure, un jardin planté de légumes, fermé d'une haie vive, et dans lequel se dresse un grand puits, aussi haut que la maison. Le passage à niveau se trouve entre les stations de Malaunay et de Barentin, juste au milieu, à quatre kilomètres de chacune d'elles. Il est d'ailleurs très peu

15 fréquenté, la vieille barrière à demi pourrie ne roule guère que pour les fardiers[1] des carrières de Bécourt, dans la forêt, à une demi-lieue.

É. Zola, *La Bête humaine*, chapitre II, 1890.

1. Fardier : voiture à roues, très basse, servant au transport des charges lourdes.

Le discours et le texte

1 Indiquez les caractérisques qui font de ce texte une description (but du discours, thème, indicateurs spatiaux, temps des verbes…).

2 Distinguez les différents éléments qui composent la description du lieu selon l'ordre du texte. Quelle impression se dégage de cette description ?

Les phrases et le texte

3 Relevez les adjectifs et les groupes adjectivaux, y compris les participes passés employés comme adjectifs. Dites s'ils sont épithétes du nom, attribut du sujet ou apposés au GN.

4 Quels sont ceux qui marquent une évaluation du narrateur ?

5 Relevez les mots ou les expressions qui se rattachent au champ lexical de l'abandon et de la dégradation.

Exercices d'écriture

6 Réécrire pour modifier une impression. Tout en conservant les indications de lieu et les parties de la description, réécrivez la fin du texte depuis : « *Basse, les murs lézardés.* » (l. 9-16) de manière à suggérer au contraire des impressions de solidité et de sérénité.

7 Décrire pour produire une impression. À la manière de Zola, décrivez un lieu de votre choix qui dégage une impression de solitude.

L'extrait et l'œuvre

8 Dans la suite du roman, que vous aurez lu en version intégrale, quels événements auront pour cadre cette maison et ce jardin ? Expliquez l'importance de certains détails de la description par rapport à ces événements.

É. Zola, *La Bête humaine*

[Extrait 2] *La nuit sur les quais*

C'est la nuit, dans la gare du Havre. Les amants, Séverine et Jacques, s'apprêtent à tuer Roubaud, le mari de Séverine.

1   D'un geste prompt, il avait déjà ouvert le couteau. Mais il eut un juron étouffé. «Nom de Dieu! c'est fichu encore, il s'en va!»
C'était vrai, l'ombre mouvante, après s'être approchée d'eux, à une cinquantaine de pas, venait de tourner à gauche et s'éloignait, du pas régulier d'un sur-
5   veillant de nuit, que rien n'inquiète.
Alors, elle le poussa.
«Va, va donc!»
Et tous deux partirent, lui devant, elle dans ses talons, tous deux filèrent, se glissèrent derrière l'homme, en chasse, évitant le bruit. Un instant, au coin des ate-
10 liers de réparation, ils le perdirent de vue; puis comme ils coupaient court en traversant une voie de garage, ils le retrouvèrent, à vingt pas au plus. Ils durent profiter des moindres bouts de mur pour s'abriter, un simple faux-pas les aurait trahis.
«Nous ne l'aurons pas, gronda-t-il, sourdement. S'il atteint le poste de l'ai-
15 guilleur, il s'échappe.»
[...] Mais, de sa main nerveuse, brusquement elle l'empoigna au bras, l'immobilisa contre elle.
«Vois, il revient!»
Roubaud, en effet, revenait.

É. Zola, *op. cit.*, chapitre IX.

Le discours et le texte

1 Quelles caractéristiques de ce passage permettent de dire qu'il s'agit d'un récit?

2 Reconstituez le schéma narratif de cet extrait: situation initiale, élément perturbateur, actions consécutives,... Que manque-t-il pour que le schéma soit complet?

Les phrases et le texte

3 Relevez les indices temporels (adverbes et compléments circonstanciels de temps) et montrez qu'ils soulignent les étapes du schéma narratif.

4 Relevez un complément circonstanciel de temps marquant l'antériorité et une subordonnée circonstancielle de temps marquant la simultanéité.

Exercices d'écriture

5 **Changer de narrateur.** Transposez le récit à la première personne et au présent. Faites toutes les modifications nécessaires pour que le récit paraisse naturel.

6 **Écrire à la manière de... .** Racontez la tentative d'approche par deux photographes amateurs d'un cerf au milieu d'un bois. À la manière de Zola, vous décrirez leurs hésitations et intégrerez leurs paroles au récit.

L'extrait et l'œuvre

7 Relisez toute la scène de la tentative d'assassinat (fin du chapitre IX) et reconstituez le schéma narratif de cette scène. Qu'observez-vous?

Lecture suivie

[Extrait 3] *La mort de Flore*

Flore, amoureuse déçue de Jacques, après avoir provoqué le déraillement de la Lison et la mort de nombreux voyageurs, a décidé de mourir.

1   Elle aperçut, très lointain, le fanal de l'express, pareil à une petite étoile, scin-
tillante et unique au fond d'un ciel d'encre. Le train n'était pas encore sous la
voûte, aucun bruit ne l'annonçait, il n'y avait que ce feu si vif, si gai, grandissant
peu à peu. Redressée dans sa haute taille souple de statue, balancée sur ses fortes
5   jambes, elle avançait maintenant d'un pas allongé, sans courir pourtant, comme
à l'approche d'une amie, à qui elle voulait épargner un bout du chemin. Mais le
train venait d'entrer dans le tunnel, l'effroyable grondement approchait, ébran-
lant la terre d'un souffle de tempête, tandis que l'étoile était devenu un œil
énorme, toujours grandissant, jaillissant comme de l'orbite des ténèbres. Alors,
10 sous l'empire d'un sentiment inexpliqué, peut-être pour n'être que seule à mourir, elle vida ses poches, sans cesser sa marche d'obstination héroïque, posa tout
un paquet au bord de la voie, un mouchoir, des clefs, de la ficelle, deux cou-
teaux ; même elle enleva le fichu noué sur son cou, laissa son corsage dégrafé, à
moitié arraché. L'œil se changeait en un brasier, en une gueule de four vomissant
15 l'incendie, le souffle du monstre arrivait, humide et chaud déjà, dans ce roulement de tonnerre, de plus en plus assourdissant. Et elle marchait toujours, elle
se dirigeait droit à cette fournaise, pour ne pas manquer la machine, fascinée
ainsi qu'un insecte de nuit, qu'une flamme attire. Et, dans l'épouvantable choc,
dans l'embrassade, elle se redressa encore, comme si, soulevée par une dernière
20 révolte de lutteuse, elle eût voulu étreindre le colosse, et le terrasser.

É. Zola, *op. cit.*, chapitre X.

Le discours et le texte

1 Distinguez les passages descriptifs. Relevez différentes manières d'insérer les éléments descriptifs
dans le récit.

Les phrases et le texte

2 Relevez les verbes exprimant les actions effec-
tuées par Flore. Remplacez les imparfaits par des
passés simples. Quel effet produit l'imparfait ?

3 Relevez les expressions figurées qui désignent
le fanal du train. Classez-les selon qu'elles forment
une métaphore ou une comparaison.

4 Montrez qu'elles indiquent le point de vue
adopté par le narrateur pour décrire la scène.

Exercices d'écriture

5 Changer de point de vue. Faites le récit du
même événement raconté du point de vue du
conducteur du train (qui toutefois restera désigné
à la 3e personne).

6 Décrire selon un point de vue. Décrivez de façon
imagée l'arrivée d'une vague gigantesque vue de
la côte.

L'extrait et l'œuvre

7 Cherchez dans le roman d'autres scènes décri-
vant l'arrivée, le départ ou le passage d'un train.
Notez pour chacune d'elles le point de vue adopté
par le narrateur.

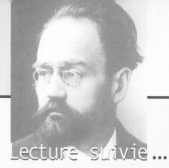

[Extrait 4] *La jalousie de Pecqueux*

Philomène a tenté de séduire Jacques. Celui-ci, pour ne pas céder à son désir de tuer, s'est enfui au moment où Pecqueux, fou de jalousie, surgissait pour les surprendre.

1 Quelques jours se passèrent. Jacques avait repris son service, évitant les camarades, retombé dans sa sauvagerie anxieuse d'autrefois. La guerre venait d'être déclarée, après d'orageuses séances à la Chambre ; et il y avait déjà eu un petit combat d'avant-poste, heureux, disait-on. Depuis une semaine, les transports de
5 troupes écrasaient de fatigue le personnel des chemins de fer. Les services réguliers étaient détraqués, de continuels trains imprévus amenaient des retards considérables ; sans compter qu'on avait réquisitionné les meilleurs mécaniciens, pour activer la concentration des corps d'armée. Et ce fut ainsi qu'un soir, au Havre, Jacques, au lieu de son express habituel, eut à conduire un train
10 énorme, dix-huit wagons, absolument bondés de soldats.

Ce soir-là, Pecqueux arriva au dépôt très ivre. Le lendemain du jour où il avait surpris Philomène et Jacques, il était remonté sur la machine 608, comme chauffeur, avec ce dernier ; et depuis ce temps, il ne faisait aucune allusion, assombri, ayant l'air de ne point oser regarder son chef.

É. Zola, *op. cit.*, chapitre XII.

Le discours et le texte

1 Relevez les indices temporels du texte. Distinguez les indications de date et les indications du durée. Laquelle de ces indications sert de point de repère du récit dans le passé ?

2 Par rapport à ce point de repère, quels passages du texte constituent des retours en arrière ?

3 Numérotez selon l'ordre chronologique les événements correspondant à chacun des indices temporels : E1, E2... Faites ainsi le schéma de l'ordre du récit.

4 Relevez un exemple de contraction du récit.

Les phrases et le texte

5 Indiquez le temps des verbes et précisez s'il-marque le premier plan du récit, l'arrière-plan explicatif, les retours en arrière.

Exercices d'écriture

6 Changer l'ordre du récit. Rédigez la suite du texte qui sera constitué d'un retour en arrière racontant ce que Pecqueux a fait durant la journée qui a précédé son arrivée « ivre » au dépôt.

7 Rédigez la fin d'un récit. À la manière de Zola, rédigez la suite du texte en changeant la fin du roman.

L'extrait et l'œuvre

8 Montrez que, dans cette partie, le narrateur rassemble un certain nombre d'informations qui vont jouer un rôle dans la catastrophe finale.

Parler en fonction de la situation

Le roman historique

■ **A. Hunebelle,**
Les Trois Mousquetaires, 1953.

Les formes de discours

document 1 — Un vallon sinistre

Vers 1830 Angélo, un jeune officier, et Pauline de Théus traversent à cheval une région ravagée par le choléra.

1   Ils entrèrent dans un vallon étroit fort sinistre où retentissait une chute
d'eau. Les chevaux pataugeaient dans une glaise sombre. Un torrent
flasque et sale encombrait le passage et tressautait entre des décombres
de rochers, des limons, des souches d'arbres, des buissons à moitié
5   noyés. Des pentes désolées, sans regard ni voix les entouraient de tous
les côtés. Les ruissellements d'un argent funèbre soulignaient le noir de
charbon des éboulis marneux qui les enfermaient. De détour en détour,
le ravin s'élargit un peu mais sans vivre autrement que par l'eau
boueuse qui les accompagnait et s'enlaçait aux jambes de leurs bêtes.
10   Enfin, ils purent aborder dans une sorte de golfe où s'était arrondie une
petite prairie rousse.

J. Giono, *Le Hussard sur le toit,* Éd. Gallimard, 1951.

document 2 — Au temps des cathares

M. Roquebert, G Forton, *Aymeric
et les cathares*, Éd. Loubatières, 1993.

a Doc. 1 Dans ce texte, quels passages vous semblent narratifs ? descriptifs ?

b Que se passerait-il si l'on supprimait les passages narratifs ?

c Même question si l'on supprimait les passages descriptifs.

d Doc. 2 Quelle idée défend le personnage de gauche dans la 2ᵉ vignette ?

e Quels arguments donne-t-il pour appuyer son idée ?

f Qu'est-ce qui vous permet de penser que le jeune garçon n'a pas encore vu d'arbalète ?

g Dans la 4ᵉ vignette à quelle question implicite répond la phrase de l'homme ?

h ✎ Vous expliquez à un adolescent d'aujourd'hui, en cinq lignes environ, ce qu'est une arbalète et comment elle fonctionne.

i Relevez les procédés que vous avez employés dans votre explication (temps des verbes, vocabulaire, étapes suivies dans votre exposé...).

LEÇON

■ Parler, ce n'est pas seulement produire des phrases isolées, mais des ensembles de phrases qui appartiennent à une même **forme de discours**.

■ Dans une forme de discours **narrative,** le locuteur enchaîne les actions de personnages dans une histoire.

■ En utilisant une forme **descriptive,** le locuteur fait entrer ce qu'il doit décrire dans une catégorie *(un homme...)*, il le décompose en parties *(la tête, les bras...)* et leur attribue des caractéristiques *(une tête qui fait peur...)*.

Le plus souvent, **la forme de discours narrative domine la forme de discours descriptive,** c'est-à-dire que les passages descriptifs sont inclus dans une histoire.

■ Quand on veut persuader quelqu'un, c'est-à-dire modifier son opinion sur un sujet, on recourt à la forme de discours **argumentative.**

Pour qu'il y ait argumentation, il faut une **thèse** (ce dont on veut persuader l'autre) accompagnée d'un ou plusieurs **arguments** destinés à appuyer cette thèse.

■ Quand il s'agit de **faire comprendre** quelque chose, on emploie la forme de discours **explicative.** Elle permet de faire comprendre comment on peut **résoudre un problème** (faire fonctionner une machine, se procurer un objet, etc.) ou **répondre à une question** (qu'est-ce qu'une hérésie ? à quoi sert un heaume ?...).

1 Dans le document 1, essayez de remplacer les phrases à l'imparfait par des phrases au passé simple. Le résultat ne vous paraît-il pas bizarre ? Si oui, pourquoi ?

2 Dans la liste de phrases qui suit, dites laquelle contient la thèse défendue par le locuteur et lesquelles contiennent les arguments en faveur de cette thèse. Un des arguments ne convient pas : lequel ?
1. Les murs sont épais. **2.** Le commandant est expérimenté. **3.** Le château est imprenable. **4.** Les soldats sont mal nourris. **5.** La garnison est nombreuse.

3 ✎ L'un des personnages du document 2 explique à l'autre ce qu'est un cathare (5 lignes). Aidez-vous d'une encyclopédie.

4 ✎ Insérez l'explication produite pour l'exercice précédent dans un court récit de votre invention (10 lignes en tout).

5 Trouvez trois situations de la vie courante où l'on peut être amené à donner une explication à quelqu'un puis trois situations où l'on peut être amené à argumenter.

Énoncés ancrés et non ancrés dans la situation d'énonciation

Le locuteur, son destinataire, le moment et le lieu de l'énonciation constituent la **situation d'énonciation**. Tout énoncé est produit dans une situation d'énonciation particulière. Le locuteur peut la **choisir ou non comme point de repère** pour désigner les **personnes**, le **moment** et le **lieu** de son énonciation.

1 Les éléments ancrés dans la situation d'énonciation

Les personnes

■ Quand le locuteur emploie *je, tu, nous, vous* et les déterminants *mon, ton, ma, ta, mes, tes*, ou les pronoms *le mien, le tien*, il prend pour **point de repère** la **situation d'énonciation** : *je* est celui qui, précisément, est en train de dire *je*. C'est pourquoi ces éléments sont **ancrés dans la situation d'énonciation**.

→ *Je peux vous confier mon destrier ?* (*je* : celui qui parle ; *vous* : celui à qui l'on parle ; *mon* : qui appartient à celui qui parle)

Le temps et le lieu

■ Pour situer un moment ou un lieu, le locuteur peut prendre comme point de repère le **moment** ou le **lieu de l'énonciation**, en utilisant des indicateurs de temps appelés **déictiques temporels** *(hier, demain)* ou des indicateurs de lieu appelés **déictiques spatiaux** *(ici, à droite)*.

■ Les **déictiques temporels** désignent un moment qui varie en fonction du moment de l'énonciation (voir les illustrations ci-contre). Ils donnent des indications portant sur le **passé** *(hier, il y a trois mois…)*, le **présent** *(aujourd'hui, maintenant, en ce moment…)*, le **futur** *(demain, dans deux jours)*.

→ *Hier j'ai gagné le tournoi ; dans deux jours je rentrerai en Italie.* (Les temps «passé» *(ai gagné)* et «futur» *(rentrerai)* sont également des déictiques temporels.)

■ Les **déictiques spatiaux** désignent un lieu qui varie en fonction du lieu où parle le locuteur. Ce sont surtout des **déterminants** *(cette chaise…)* ou des **pronoms démonstratifs** *(ça, ceci, celui-là…)*, des **adverbes** *(ici, devant…)* ou des **locutions adverbiales** *(à droite, en haut…)*.

→ *Ici, il y a le pont-levis et là-bas le donjon.*

2 Les éléments non ancrés dans la situation d'énonciation

Le locuteur peut aussi utiliser des indicateurs temporels et spatiaux **qui ne sont pas ancrés** dans la situation d'énonciation. En particulier :

■ **une date** ou **un nom propre de lieu** : quel que soit le moment ou le lieu où on les emploie, ils désignent toujours le même moment ou le même endroit. Ce ne sont pas des déictiques.

→ *Thibaud est né **le 25 avril 1472**, Mahaut **le 5 janvier 1498**.*

→ *D'Artagnan habite **à Paris** l'été et l'hiver **en Gascogne**.*

■ **un indicateur temporel ou spatial donné dans le texte** comme point de repère.

→ *Les mousquetaires ont attaqué **mardi**. **Le lendemain**, la ville était prise.*
(*le lendemain* : un jour après *mardi*)

3 Les deux types d'énoncés

■ Les énoncés qui sont coupés de la situation d'énonciation ne contiennent pas de déictique et utilisent essentiellement la 3ᵉ personne. Les énoncés ancrés contiennent des déictiques et utilisent les trois personnes.

→ *Ce matin, j'ai mis mon haubert. Demain je le ferai briller.* (texte ancré)

→ *Il était parti la veille ; quand il arriva, Cyr était fourbu.* (texte non ancré)

Le caractère **ancré** ou **non ancré** de l'énoncé a des conséquences sur l'emploi des temps de l'indicatif.

énoncés ancrés	énoncés coupés
imparfait	imparfait
passé composé	passé simple
présent d'énonciation	présent de narration ou de vérité générale
futur	

4 Hétérogénéité des textes

■ Il est **rare qu'un texte soit ancré ou non ancré** du début jusqu'à la fin.

■ On trouve souvent **dans des textes coupés** de la situation d'énonciation **des passages ancrés** dans la situation d'énonciation : c'est le cas en particulier des paroles rapportées au style direct dans un récit.

→ *L'officier rattrapa Angélo. « **Par Jupiter !** se dit-il, **j'ai oublié mon épée et il sera hors de portée demain !** » Il fit demi-tour.*

(Le passage au discours direct est ancré dans la situation d'énonciation : on y trouve un déictique temporel *(demain)*, des verbes au passé composé et au futur simple associés à *je*. Mais ce discours direct est lui-même inséré dans un texte qui est coupé de la situation d'énonciation.)

■ Il arrive également qu'un texte **ancré** dans la situation d'énonciation contienne **un passage qui en est coupé**.

→ *« **On a toujours besoin d'un plus petit que soi.** Que penses-tu de ce proverbe ?»*
(Le passage en gras constitue une vérité générale, coupée de la situation d'énonciation.)

RAPPEL DU COURS

■ Le locuteur peut **ancrer son énoncé dans la situation d'énonciation** en employant des mots comme *je, hier, ici,* etc. Ces mots désignent les **personnes**, les **moments** ou les **lieux** de l'énonciation. Les indicateurs de temps ou de lieu ancrés dans la situation d'énonciation sont des **déictiques**.

■ Pour désigner un moment ou un lieu, on peut aussi employer des **éléments** qui ne sont **pas ancrés** dans la situation d'énonciation, comme *en 1515, le lendemain,* etc.

■ On distingue **deux types d'énoncés** : ceux qui contiennent des **éléments ancrés** dans la situation d'énonciation et ceux qui ne contiennent **pas d'éléments ancrés** dans la situation d'énonciation. Mais le plus souvent, un même texte **contient ces deux types d'énoncés**.

■ Quand un locuteur produit un énoncé, il doit **choisir entre deux systèmes d'emploi des temps**, selon que le texte est ancré ou non dans la situation d'énonciation. Dans un **énoncé non ancré** dans la situation d'énonciation, on n'emploie **pas le présent d'énonciation ni le futur**.

6 Oralement. Imaginez cinq situations d'énonciation auxquelles pourrait s'appliquer la phrase suivante : *Il y a trois jours, il y avait ici un monde fou !* Attention. Ces situations d'énonciation devront correspondre à des événements historiques (prise de la Bastille, Débarquement...).

locuteur	destinataire	lieu de l'énonciation	moment de l'énonciation

Les éléments ancrés dans la situation d'énonciation

7 Relevez les éléments ancrés dans la situation d'énonciation.

1. La semaine dernière, j'ai aperçu au coin de cette rue le sosie de Richelieu. **2.** Dans deux siècles, aucun habitant de notre pays ne se souviendra de votre nom, d'Artagnan ! **3.** Si vos diamants sont ici, vous pouvez me les montrer dès maintenant ! **4.** Tout là-bas, à droite, vous apercevez le couvent où a été empoisonnée Mme Bonacieux, voilà trois cent cinquante ans. **5.** C'est avec cette épée que tu vas mourir dans deux minutes !

8 Précisez la classe grammaticale des éléments relevés dans l'exercice 7.

Les éléments non ancrés dans la situation d'énonciation

9 Dites si les éléments en caractères gras sont ancrés ou non dans la situation d'énonciation.

1. Walter Scott a écrit *Quentin Durward* **il y a presque cent quatre-vingts ans**. **2.** Il a écrit ce roman **en 1823**. **À cette date**, il avait cinquante-deux ans. **3.** Regarde **en face**, c'est Thierry la Fronde ! **4.** Ses romans historiques étaient rangés dans une large bibliothèque. **En face** se trouvaient les étagères destinées aux bandes dessinées.

10 Relevez les indicateurs de temps et de lieu non ancrés dans la situation d'énonciation.

Un profond silence régna bientôt dans la grande armée rassemblée sous les murs de Liège. Pendant un certain temps les cris des soldats répétant leurs signaux retentirent comme les aboiements de chiens égarés. Mais enfin, épuisés par les fatigues de ce jour-là, ils s'endormirent de lassitude en attendant le retour du matin. Les dangers et les espérances du lendemain cédèrent à la fatigue et au sommeil. [Soudain, on] crut entendre dans la ville un bruit semblable au bourdonnement d'abeilles. En moins d'une seconde, tous furent sur pied aussi silencieusement que possible ; et un instant après, lord Crawford était à leur tête.

W. Scott, *Quentin Durward*, 1823.

11 Complétez la bande dessinée ci-dessous, en employant cinq des expressions suivantes : *demain matin, le lendemain matin, quelques minutes plus tard, dans quelques minutes, cent ans plus tôt, il y a cent ans, au loin, là-bas.*

J. Martin, *Alix, le cheval de Troie,* Éd. Casterman, 1988.

Les deux types d'énoncés

12 Ce commentaire pour la retransmission télévisée d'un mariage royal est ancré dans la situation d'énonciation. Relevez les personnes, les temps des verbes et les indicateurs spatio-temporels qui le prouvent.

Aujourd'hui, après une semaine de pluie comme il en tombe souvent ici, à Londres, le soleil est revenu pour le mariage du siècle. Mais hier, la future mariée a tout de même préféré commander, par précaution, un parapluie en dentelle imperméable. Dans quelques instants, le cortège royal va apparaître tout là-bas, à droite. Ça y est, le voilà, je l'aperçois ! Il paraît que ce carrosse n'a jamais été restauré depuis sa fabrication, il y a cinq cents ans. La future princesse descend maintenant du carrosse. Cette robe est vraiment magnifique ! Je peux vous dire que tout le monde en a le souffle coupé !

13 Transformez le texte de l'exercice 12 en récit historique coupé de la situation d'énonciation : faites pour cela les modifications nécessaires de personnes, de temps des verbes et d'indicateurs spatiaux et temporels.

14 a. Oralement. Imaginez en quelques phrases le commentaire d'un journaliste pour un événement télévisé, à la manière de l'exercice 12 (retransmission sportive, concours de l'Eurovision...). Votre texte oral sera ancré dans la situation d'énonciation et vous utiliserez dans l'ordre qui vous convient les

éléments suivants : *dans quelques secondes, à l'endroit même où je me trouve, il y a encore dix minutes, ici, demain soir.*
b. Par écrit. Vous racontez en quelques phrases le même événement, de manière à produire un texte coupé de la situation d'énonciation.

Hétérogénéité des textes

15 Dites si ce texte est ancré ou non ancré dans la situation d'énonciation. Justifiez votre réponse.

Le premier lundi du mois d'avril 1625, le bourg de Meung semblait être dans une révolution aussi entière que si les huguenots en fussent venus faire une seconde Rochelle. En ce temps-là, les paniques étaient fréquentes. Il résulta donc que, ce susdit premier lundi du mois d'avril 1625, les bourgeois, entendant du bruit, se précipitèrent du côté de l'hôtel du *Franc Meunier.*
Arrivé là, chacun put voir et reconnaître la cause de cette humeur.

A. Dumas, *Les Trois Mousquetaires,* 1844.

16 Même consigne que pour l'exercice précédent.
C'était dans cette étroite et vieille rue du Chantre, qui naguère salissait encore les abords du Palais-Royal. De temps en temps, on entendait dire : « Un crime s'est commis là-bas, dans les profondeurs de cette nuit que le soleil lui-même ne perce qu'aux beaux jours de l'été. » Maintenant, le Palais-Royal est un bien honnête carré de maçonnerie.

P. Féval, *Le Bossu,* 1857.

17 Relevez les passages ancrés dans la situation d'énonciation et ceux qui en sont coupés. Justifiez votre réponse en relevant les personnes, les déictiques spatiaux et temporels, les verbes conjugués.
Je citerai le cas d'une malheureuse qui était en prison à Lander, avec d'autres femmes accusées de sorcellerie. Ayant été conduite sur le lieu de l'exécution, elle se leva et s'écria à voix haute : « Maintenant, vous tous qui me voyez ici, sachez que je vais mourir comme sorcière d'après mon propre aveu. Mais je déclare que je ne suis pas plus coupable de sorcellerie que l'enfant qui vient de naître. » Et ce fut ainsi qu'elle mourut. [...] La vérité de toutes ces choses est attestée par un témoin qui les a vues et entendues, et qui est encore vivant.

W. Scott, *De la démonologie et de la sorcellerie,* 1830.

Niveaux de langue et situation d'énonciation

Un étrange contexte historique

1 Le vingt-cinq septembre douze cent soixante-quatre, au petit jour, le duc d'Auge se pointa sur le sommet du donjon de son château pour y considérer, un tantinet soit peu, la situation historique. Elle était plutôt floue. Des restes du passé traînaient encore çà et là, en vrac. Sur les
5 bords du ru voisin campaient deux Huns ; non loin d'eux un Gaulois, Éduen peut-être, trempait audacieusement ses pieds dans l'eau courante et fraîche. Sur l'horizon se dessinaient les silhouettes molles de Romains fatigués, de Sarrasins de Corinthe, d'Alains seuls. Quelques Normands buvaient du calva.
10 Le duc d'Auge soupira mais n'en continua pas moins d'examiner attentivement ces phénomènes usés. Les Huns préparaient des stèques tartares, le Gaulois fumait une gitane, les Romains dessinaient des grecques, les Sarrasins fauchaient de l'avoine, les Francs cherchaient des sols et les Alains regardaient cinq Ossètes. les Normands buvaient du calva.

R. Queneau, *Les Fleurs bleues*, Éd. Gallimard, 1965.

a Quels sont les niveaux de langue employés dans ce texte ? Justifiez votre réponse en vous appuyant non seulement sur le vocabulaire, mais aussi sur la construction des phrases.

b Quel effet produit ici le mélange des niveaux de langue ?

LEÇON

■ La manière dont on s'exprime varie selon la situation de communication où l'on se trouve : on n'emploie pas le même **niveau de langue** avec son meilleur ami, un professeur ou dans un discours officiel.

■ On distingue en général trois niveaux de langue : niveau **courant**, niveau **soutenu**, niveau **familier**.
Ils sont marqués par des différences dans la prononciation, dans le vocabulaire ou dans les constructions grammaticales.
→ *Elle fait trop pitié à voir, c'te meuf !* (familier) / *Est-ce que tu as remarqué comment cette fille est habillée ?* (courant) / *As-tu noté la manière dont est vêtue cette jeune fille ?* (soutenu)

■ Il est possible, notamment en littérature, de jouer sur le décalage entre le niveau de langue employé et la situation de communication, ou bien encore de mélanger les niveaux. On peut ainsi créer un effet comique, provocateur, satirique…
→ *Le vingt-cinq septembre douze cent soixante-quatre, au petit jour, le duc d'Auge se pointa sur le sommet du donjon.* (mélange du niveau soutenu et du nouveau familier qui produit un effet comique)

18 Complétez ce tableau par des mots ou des expressions, en vous aidant au besoin d'un dictionnaire.

familier	courant	soutenu
		abhorrer
	gronder	
avoir un pépin		
		épouse
		choir
	pas content	
crever d'ennui		
	très	
	argent	
	fou	

19 Choisissez une ligne dans le tableau de l'exercice 18. Employez les trois mots dans trois textes différents (de 3-4 lignes), où le niveau de langue sera adapté à la situation de communication.

20 Oralement. En mélangeant les niveaux de langue, comme R. Queneau (p. 122), inventez à tour de rôle une phrase de récit historique évoquant l'un de ces personnages célébres.

J.-L. David, *Bonaparte franchissant le Grand Saint-Bernard*, 1800.

J.-A. D. Ingres, *Jeanne d'Arc au sacre du roi Charles VII à Reims*, 1854.

21 Dans les paroles de Gavroche, relevez les marques du niveau familier.

Gavroche sentait croître sa verve à chaque pas. Il criait, parmi des bribes de la *Marseillaise* qu'il chantait :

– Tout va bien. Je souffre beaucoup de la patte gauche, je me suis cassé mon rhumatisme, mais je suis content, citoyens. Les bourgeois n'ont qu'à bien se tenir, je vas leur éternuer des couplets subversifs. Qu'est-ce que c'est que les mouchards ? c'est des chiens. Nom d'unch ! ne manquons pas de respect aux chiens. Avec ça que je voudrais bien en avoir un à mon pistolet. Je viens du boulevard, mes amis, ça chauffe, ça jette un petit bouillon, ça mijote. En avant les hommes ! qu'un sang impur inonde les sillons ! Battons-nous, crebleu ! j'en ai assez du despotisme.

V. Hugo, *Les Misérables*, 1862.

22 Réécrivez le texte de l'exercice 21 en remplaçant toutes les marques du niveau familier par des marques du langage soutenu. Relisez les deux textes : produisent-ils le même effet ?

23 Dans chacun des passages ci-dessous, relevez les marques du langage familier (prononciation, vocabulaire, construction de phrases). À quel autre niveau de langue est-il mêlé ? Quel est l'effet produit ?

1. On jouait toujours LE BOSSU.

C'était beau et le Bossu, lui aussi, était beau, mais on ne le savait pas tout de suite ou, si on le savait, on l'oubliait bien vite. C'était un seigneur qui s'appelait Lagardère et se promenait dans les fossés de Caylus, une épée au poing et un petit enfant dans les bras. Il tuait Gonzague et tous les ennemis du nouveau-né, et Cocardas et Passepoil, deux brigands de ses amis, balançaient dans la rivière un bonhomme tout noir et méchant, et puis ils riaient et criaient : «Ce bon Monsieur de Peyrolles est-il content ? »

J. Prévert, *Enfance*, Éd. Gallimard, 1972.

2. Moi d'abord la campagne, faut que je le dise tout de suite, j'ai jamais pu la sentir, je l'ai toujours trouvée triste, avec ses bourbiers qui n'en finissent pas, ses maisons où les gens n'y sont jamais et ses chemins qui ne vont nulle part. Mais quand on y ajoute la guerre en plus, c'est à pas y tenir. Le vent s'était levé, brutal, de chaque côté des talus, les peupliers mêlaient leurs rafales de feuilles aux petits bruits secs qui venaient de là-bas sur nous.

L. F. Céline, *Voyage au bout de la nuit*, Éd. Gallimard, 1952.

3. Le lendemain avant l'aube on prend les deux barges de l'abbaye, on les met dans le filet d'eau, on va chercher des bras qui sépareront Tohu de Bohu. L'abbé Èble est de l'expédition, et Hugues est là lui aussi. Assis chacun dans une barge, et deux comparses à l'arrière de chacune, avec des perches. Les bras qu'on va chercher on les connaît un peu, ce sont ceux qui pêchent pour eux-mêmes et pour les moines, et qui habitent les îlots proches, Grues, La Dive, La Dune, Champagné, Elle, Triaize. D'une barge à l'autre dans le marigot, ils blaguent à propos de ces indigènes qui sentent le poisson.

P. Michon, *Abbés*, Éd. Verdier, 2002.

Parler en fonction de la situation

24 ✎ Léonard de Vinci vient d'inventer une « machine volante ». Imaginez une situation où, à propos de son invention, il pourrait produire à l'oral ou à l'écrit :

1. un texte relevant du discours argumentatif **2.** un texte relevant du discours narratif **3.** un texte relevant du discours explicatif **4.** un texte relevant du discours descriptif.

25 ✎ Après quelques années de bons et loyaux services comme mousquetaire du roi, d'Artagnan décide de prendre sa retraite « anticipée » et de profiter de sa liberté. Imaginez en quelques phrases comment il annonce la nouvelle dans chacune des situations suivantes. Vous emploierez le niveau de langue qui vous paraît adapté.

1. Il écrit une lettre au roi pour l'en informer. **2.** Dans une taverne, il annonce la nouvelle à ses compagnons de toujours, Athos, Portos et Aramis. **3.** Il fait un discours officiel devant toute l'assemblée des mousquetaires. **4.** Il écrit une lettre à sa mère.

26 ✎ En vous conformant aux indications ci-dessous, imaginez et rédigez quelques lignes d'un roman historique ayant pour cadre l'Égypte des Pharaons.

1. Discours narratif, énoncé coupé de la situation d'énonciation, niveau de langue courant **2.** discours descriptif, énoncé coupé de la situation d'énonciation, niveau soutenu **3.** discours narratif, énoncé ancré dans la situation d'énonciation, niveau familier **4.** discours argumentatif, énoncé ancré dans la situation d'énonciation, niveau courant **5.** discours argumentatif, énoncé coupé de la situation d'énonciation, niveau soutenu.

27 Oralement. Préparez trois enveloppes. Dans la 1re, chaque élève glisse un papier sur lequel est mentionné un événement historique (la découverte de l'Amérique, la prise de la Bastille...) ; dans la 2e, on glisse quatre papiers mentionnant les quatre principales formes de discours ; dans la 3e, quatre papiers pour les trois principaux niveaux de langue. Un élève pioche ensuite un papier dans chaque enveloppe et improvise devant le reste de la classe en se conformant aux instructions qu'il a tirées au sort. Il précisera dans quelle situation pourrait être produit un tel discours.

28 ✎ Voici une scène du *Hussard sur le toit*, adapté au cinéma. Vous écrirez en quelques lignes deux versions de cette scène : une version sérieuse (en utilisant le niveau de langue adapté, c'est-à-dire courant ou soutenu) et une version comique (en jouant sur le mélange des niveaux de langue).

J.-P. Rappeneau, *Le Hussard sur le toit,* 1995.

29 ◉ ✎✎ En vous inspirant de la bande sonore que vous allez écouter, imaginez les premiers paragraphes d'un roman historique. Votre texte mêlera au moins trois formes de discours, et sera coupé de la situation d'énonciation.

30 ✎✎ Imaginez en une trentaine de lignes la suite des aventures du duc d'Auge, que vous avez découvertes à la page 122. Votre texte aura une forme narrative, mais vous pourrez y insérer des passages descriptifs et/ou argumentatifs. À la manière de R. Queneau, vous continuerez à mélanger les niveaux de langue.

Première apparition de d'Artagnan

1 Le premier lundi du mois d'avril 1625, le bourg de Meung semblait être dans une révolution aussi entière que si les Huguenots en fussent venus faire une seconde Rochelle.

En ce temps-là les paniques étaient fréquentes, et peu de jours se passaient
5 sans qu'une ville ou l'autre enregistrât sur ses archives quelque événement de ce genre. Les bourgeois s'armaient toujours contre les voleurs, contre les loups, contre les laquais, souvent contre les seigneurs et les Huguenots ; quelquefois contre le roi. Il résulta donc de cette habitude prise que, ce susdit premier lundi du mois d'avril 1625, les bourgeois,
10 entendant du bruit, se précipitèrent du côté de l'Hôtel du Franc-Meunier. Arrivé là, chacun put voir et reconnaître la cause de cette humeur.

Un jeune homme… traçons son portrait d'un seul trait de plume : figurez-vous don Quichotte à dix-huit ans. Visage long et brun ; la pommette des joues saillantes, signe d'astuce ; les muscles maxillaires énormément
15 développés, indice infaillible auquel on reconnaît le Gascon, même sans béret ; l'œil ouvert et intelligent ; le nez crochu, mais finement dessiné ; trop grand pour un adolescent, trop petit pour un homme fait, et qu'un œil exercé eût pris pour un fils de fermier en voyage, sans la longue épée qui battait les mollets de son propriétaire quand il était à pied.

D'après A. Dumas, *Les Trois Mousquetaires*, 1844.

Questions (14 points)

A. D'une forme de discours à l'autre

1 De quelle forme de discours relève le 2e paragraphe ? Justifiez votre réponse.

2 Dans ce texte, combien de formes de discours différentes distinguez-vous ? Délimitez précisément les passages correspondant à chacune d'elles.

3 Y a-t-il une forme de discours qui vous semble dominante ? laquelle ? Justifiez votre réponse.

4 Dans le passage : *Visage long et brun ; la pommette des joues saillantes, signe d'astuce* (l. 13-14) il n'y a pas de verbe. Comment comprenez-vous cette suite de groupes nominaux ? Quelle impression a voulu produire le narrateur ?

B. La position du narrateur

5 Diriez-vous que le premier paragraphe est ancré dans la situation d'énonciation ou coupé de la situation d'énonciation ? Justifiez votre réponse.

6 En quoi le fragment : *traçons son portrait d'un seul trait de plume : figurez-vous don Quichotte à dix-huit ans* (l. 12-13) se distingue-t-il du reste du texte ?

7 Diriez-vous que ce texte relève du niveau de langue courant ? soutenu ? familier ? Pourquoi ?

8 Donnez un équivalent familier de *nez* (l. 16) et de *propriétaire* (l. 19). Quel effet cela produirait-il si on introduisait ces deux termes dans le texte ?

Réécriture (6 points)

Réécrivez au présent les deux premiers paragraphes en remplaçant : *Le premier lundi du mois d'avril 1625* par : *Nous sommes lundi 4 avril 1625*, comme si vous étiez un reporter radio envoyé sur place.

Rédaction (20 points)

Continuez le récit sur le même ton, en racontant les épisodes qui ont conduit le jeune d'Artagnan devant l'Hôtel du Franc-Meunier.

Consigne d'écriture. Votre récit sera coupé de la situation d'énonciation.

Dire
de façon expressive

La guerre de 1914-1918

■ J.N. Nash, *À l'assaut de la colline (détail)*, 1917.

Énoncé neutre, énoncé expressif

document 1 ## Distance et emphase

Le héros, Bardamu, a été blessé à la guerre de 14. Le service du professeur Bestombes où il est soigné reçoit la visite d'une actrice connue...

1 Comme elle m'interrogeait cette divine[1] sur mes actions de guerre, je lui donnai tant de détails et de si poignants qu'elle ne me quitta désormais plus des yeux. Émue durablement, elle manda licence[2] de faire frapper en vers par un poète de ses admirateurs, les plus intenses passages de mes
5 récits. J'y consentis d'emblée. Le professeur Bestombes, mis au courant de ce projet, s'y déclara particulièrement favorable. Il donna même une interview à cette occasion et le même jour aux envoyés d'un grand «Illustré National» qui nous photographia tous ensemble sur le perron de l'hôpital aux côtés de la belle sociétaire[3]. «C'est le plus haut devoir des
10 poètes, pendant les heures tragiques que nous traversons, déclara le professeur Bestombes, qui n'en ratait pas une, de nous redonner le goût de l'Épopée ! Les temps ne sont plus aux petites combinaisons mesquines ! Sus[4] aux littératures racornies ! Une âme nouvelle nous est éclose au milieu du grand et noble fracas des batailles !»

L.-F. Céline, *Voyage au bout de la nuit*, Éd. Gallimard, coll. «Folio», 1952.

1. Cette divine :
l'actrice.
2. Manda licence :
demander
la permission.
3. Sociétaire :
Acteur attitré de la
Comédie française.
4. Sus : «sus à l'ennemi» se disait
quand les soldats
partaient
à l'attaque.

document 2 ## Le drapeau

Légende de l'image :
Nicole, petite fille de la
croix rouge.
«Voilà le drapeau sauvé
par le sergent Malber !»

Couverture de *Mon Journal*,
1er avril 1916.

a Doc. 1 Ce texte peut être divisé en deux passages : lesquels ? Qualifiez l'un et l'autre à l'aide des adjectifs qui conviennent : *emphatique, distancié, grandiloquent, ironique.*

b Relevez trois caractéristiques par lesquelles s'opposent ces deux manières de s'exprimer.

c En quoi la phrase du professeur : *Sus aux littératures racornies !* (l. 13) s'applique-t-elle bien à ce qu'il est en train de dire ?

d Doc. 2 L'image est extraite d'un journal pour enfants publié en 1916. Quels indices montrent qu'il s'agit d'une image patriotique ?

e ✏ Dans le récit qu'illustre cette image, on trouve ce début de phrase : *Le sous-lieutenant, les yeux étincelants, contemple ce lambeau glorieux, percé de balles…* Imaginez la suite de cette phrase.

f Qu'est-ce qui vous permet de dire que la phrase que vous venez d'écrire n'est pas neutre ?

LEÇON

■ Quand un locuteur parle, il peut le faire de manière **neutre**, en gardant une **distance** avec ce qu'il dit, **sans s'engager personnellement**. Il peut aussi le faire de manière **expressive**, montrer qu'il **s'engage fortement** dans ce qu'il dit, de façon à **toucher** son destinataire.

→ *Il décrivit la vie des soldats.* (neutre)
→ *Il évoqua la vie pleine de sacrifices des héroïques défenseurs de la Patrie.* (expressif)

Il existe des moyens très divers de rendre expressif ce que l'on dit.

■ **Le choix de certains mots,** en particulier ceux qui relèvent d'un niveau de langue **familier** (*bidasse* pour *soldat*) ou d'un niveau de langue **soutenu** (*guerrier* pour *soldat*).

■ **Certaines constructions**.
– Les constructions **disloquées** (on dit aussi **détachées**), où un groupe de mots est placé au début ou à la fin de la phrase et repris par un pronom à l'intérieur.

→ *Le capitaine* (thème), *c'est un brave.* (propos) / *C'est un brave, le capitaine.*

– Les constructions **emphatiques** en **c'est… que** mettant de **mettre en relief** un constituant.

→ *C'est* avec une immense joie *que* je vous donne cette médaille.

– Les **inversions** dans des phrases exclamatives sans verbe.

→ *Homme admirable que cet officier ! Héroïque, cet assaut ! Sacré soldat, ce Joseph !*

■ **Certaines figures** privilégiées :
l'**hyperbole** (voir p. 170), la **métaphore** (voir p. 82), la **répétition** d'un élément.

→ *Ces soldats* qui sont partis à l'assaut, *ces soldats* qui se sont sacrifiés…

---

1 Transformez les phrases suivantes en phrases disloquées **a.** à gauche, **b.** à droite.

1. Le vaguemestre a apporté le courrier. **2.** La marraine de guerre écrit chaque semaine. **3.** Les parents des soldats sont inquiets. **4.** Les fantassins les plus courageux reçoivent une médaille. **5.** Le général a été relevé de son commandement.

2 Transformez ces phrases en phrases emphatiques en mettant en relief le groupe de votre choix.

1. Cet artilleur nettoie le canon de 75 chaque soir. **2.** L'adjudant inspecte soigneusement les chaussures. **3.** Les obus tombent sur la tranchée toutes les cinq minutes. **4.** Le fort a été repris hier. **5.** Le colonel a annulé la permission de Jules.

3 Inversez les constituants de ces phrases en transformant les phrases en exclamatives.

1. Nos soldats sont très valeureux. **2.** Ce bombardement est effrayant. **3.** Notre régiment est héroïque. **4.** La guerre est une chose épouvantable. **5.** Cette victoire est un événement capital.

4 Transformez la phrase : *La compagnie a donné l'assaut à l'aube* en une phrase expressive, telle qu'elle pourrait figurer dans l'éloge funèbre des soldats morts pendant l'attaque.

Ordre des mots et constructions de phrases

Certaines constructions **modifient les relations** entre le sujet, le verbe et les compléments d'objet, mais aussi **la place** de ces constituants dans la phrase.

1 Thème et propos

■ Une phrase ne transmet pas toutes ses informations en les mettant sur le même plan. On distingue **deux types d'informations** : celles qui sont présentées par le locuteur comme déjà connues (le **thème**), et celles qui sont présentées comme apportant une information nouvelle (le **propos**).

■ En général, le thème précède le propos. Il est placé **en tête de phrase**.
→ *Nos fantassins* (thème) *ont subi un terrible bombardement* (propos).

Mais le thème n'est pas nécessairement le sujet de la phrase, ce peut être un élément circonstanciel.
→ *Hier* (thème) *il a plu dans la tranchée* (propos).

Un propos **répond à une question implicite** où figure le thème.
→ *Qu'ont fait les fantassins ?*
→ *Que s'est-il passé hier ?*

2 Les constructions emphatiques

■ Certaines constructions, dites **emphatiques,** mettent en évidence le **thème** de la phrase :

– les constructions **disloquées** (ou **détachées**) ;
→ *Le colonel* (thème), *je l'ai vu. / Je l'ai vu,* *le colonel* (thème)**.**

– La construction en *c'est…* **que** permet d'**inverser l'ordre thème-propos**.
→ *Le général* (thème) *décore le lieutenant* (propos). *C'est le lieutenant* (propos) *que le général décore* (thème).

3 Les constructions impersonnelles

■ Beaucoup de constructions dites **impersonnelles,** ne contiennent pas de thème. *Il vient un homme* constitue seulement un propos, car tout ce que dit cette phrase apporte une information nouvelle.
→ *Il a été trouvé un casque de fantassin allemand. / Il est venu un tank.*
(Dans ces constructions, le locuteur ne pose pas l'existence d'un GN sujet pour en dire quelque chose, mais évoque un événement pris en bloc.)

▪ On trouve ce type de construction où *il* n'est pas un pronom personnel (il ne reprend aucun nom, ne varie ni en genre ni en nombre et ne désigne rien) avec :

– certains verbes **intransitifs** ;

→ *Il vient des renforts.* (des renforts viennent)

– certains verbes à la forme **passive** ;

→ *Il a été repéré une batterie.* (une batterie a été repérée)

– certains verbes à la forme **pronominale** ;

→ *Il se raconte des horreurs sur ce combat.* (des horreurs se racontent…)

– certains verbes **attributifs** (*être, devenir* + adjectif…).

→ *Il est nécessaire de résister.* (résister est nécessaire)

4 Les constructions passives

▪ Dans une phrase à l'actif, le sujet est l'**agent** (il fait l'action). **Au passif**, le complément d'objet prend la place du sujet ; le sujet devient **complément d'agent**, qu'introduit le plus souvent *par*, quelquefois *de*.

→ *Le soldat fut réconforté par le caporal.*
(Phrase passive qui correspond à la phrase active : Le caporal réconforta le soldat.)

→ *Le soldat fut réconforté.* (Le complément d'agent n'est pas exprimé.)

▪ La **relation** entre le général et le soldat est **la même** dans les deux constructions active et passive. Mais au passif, en montant le complément d'objet en position de sujet, on **change le thème de la phrase**.

▪ Le verbe d'une phrase passive associe *être* et le participe passé *(Paul **est vu** par Marie.)*. À la forme composée il associe *avoir* (conjugué au même temps que le verbe de la phrase active), le participe passé de *être* et le participe passé du verbe principal *(Le lion **a été vu** par Max.)*.

5 Les constructions pronominales

▪ À la 3ᵉ personne, le **passif** peut également être exprimé par des constructions **pronominales**.

→ *Ce canon s'est vite réparé.* (Le canon a été vite réparé.)

▪ Sont dites **pronominales** les constructions où le verbe est précédé par *se* (3ᵉ pers.), par *me* ou *nous* (1ʳᵉ pers.), par *te* ou *vous* (2ᵉ pers.) et dont le sujet est à la même personne. On utilise ce type de construction pour exprimer d'autres relations que le passif. En particulier :

– une relation **réfléchie**, où le sujet désigne la même personne que *me* ou *nous, te* ou *vous, se* ; → *Je me donne une médaille.* (je = me)

– une relation **réciproque**. → *Les soldats s'encouragent.* (l'un, l'autre)

▪ Les verbes à la forme pronominale ont le **verbe *être* pour auxiliaire**.

→ *Jules **a découragé** le général / Jules **s'est découragé**.*

RAPPEL DU COURS

Dans une phrase, on distingue le **thème**, l'information connue, et le **propos**, l'information nouvelle. En général, le thème est placé au début.

■ Les constructions **emphatiques** permettent de mettre en évidence le thème de la phrase (constructions **disloquées**) ou d'inverser l'ordre thème-propos (construction en *c'est… que*).

■ Les **constructions impersonnelles**, dont le sujet est un *il* invariable, ne contiennent pas de thème. Il existe aussi des **verbes impersonnels.**

■ Dans une construction **passive**, le complément d'objet direct devient sujet et thème de la phrase. Quant au sujet, il devient **complément d'agent**. Le verbe au passif associe l'auxiliaire *être* et le participe passé.

■ Les **constructions pronominales** peuvent exprimer en particulier un **sens passif**, un **sens réfléchi** ou un **sens réciproque**. Dans ces constructions, les verbes sont précédés de *me, te, se* et leur sujet est à la même personne.

Thème et propos

5 Oralement. **Imaginez à quelles questions pourraient répondre les phrases suivantes, dont le thème est écrit en caractères gras.**

Ex. **Il est revenu du front** : Qu'est-il arrivé à Louis ?
1. C'est la cavalerie que Paul a choisie pour s'engager. **2. L'artilleur** a été blessé hier dans la tranchée. **3. Sur le front,** les conditions de vie sont infernales. **4.** On l'a démobilisé, **Alfred. 5. Il paraît qu'on va signer l'armistice.**

6 **Faites de chacun des éléments suivants a. le thème b. un élément du propos d'une phrase de votre choix.**

1. La carte **2.** sur le sol **3.** abandonner son poste **4.** notre officier **5.** leur.

Les constructions emphatiques

7 **Pour chacune des phrases suivantes, dites si le thème de la phrase est mis en évidence. Justifiez votre réponse.**

1. Notre colonel savait peut-être pourquoi ces deux gens-là tiraient. **2.** C'était l'hiver. **3.** C'était bien l'ennemi qui avait tiré en premier. **4.** La guerre en somme, c'était tout ce qu'on ne comprenait pas. **5.** Je ne leur avais rien fait aux Allemands.

8 **Identifiez le thème de chaque phrase et mettez-le en évidence en utilisant a. une construction disloquée b. une construction en *c'est-que*.**

1. La terre est chaude ici. **2.** L'haleine de Revenaz suinte à travers une mince couche de terre. **3.** Sa voix est plus distincte. **4.** Je gratte la terre avec précaution. **5.** Enfin ce pauvre vieux Revenaz respire plus à l'aise.

Les constructions impersonnelles

9 **Dites si le sujet *il* en caractères gras est ou non le thème de la phrase.**

1. Il a été trouvé un pantalon rouge garance. **2. Il** est préférable de ne pas respirer ces gaz. **3. Il** n'a pas reçu de dépêche. **4. Il** s'agit de ne pas devenir de la chair à canon. **5. Il** s'approche du redan.

10 **Dites si chaque *il* en caractères gras est un pronom personnel. Justifiez votre réponse.**

Quand Apollinaire décide de s'engager dans l'armée française pour la durée de la guerre, **il** vient de vivre une douloureuse rupture amoureuse. **Il** est affecté au 96ᵉ régiment d'infanterie en décembre 1914. C'est deux ans plus tard qu'**il** lui arrive un autre malheur : **il** est blessé d'un éclat d'obus à la tempe ; **il** lui faut subir une trépanation.

11 **Rédigez deux phrases à partir de chacun de ces infinitifs. Dans la première, vous emploierez une construction impersonnelle, dans la seconde, une construction avec un *il* pronom personnel.**

1. Etre important **2.** arriver **3.** se produire **4.** devenir **5.** entrer.

Les constructions passives

12 Oralement. **a. Dans les phrases suivantes, relevez le sujet du verbe en caractères gras. Dites**

alors si la phrase est active ou passive. **b.** Indiquez le temps de chaque forme verbale

1. La guerre l'**avait pris** avant qu'il eût vécu. **2.** Il **avait été enlevé** à la caserne par la guerre puis rendu à la vie par la paix. **3.** Il pensait qu'il **avait été battu**, là, bien battu par la vie. **4.** Ce cœur n'**avait** vraiment **été marqué** ni par des filles ni par les dangers.

D'après L. Aragon, *Aurélien*, Éd. Gallimard, 1944.

13 Conjuguez le verbe des constructions passives suivantes en respectant le temps indiqué entre parenthèses.

1. Ce raidillon (*éclairer*, imparfait) violemment par les fusées. **2.** Soudain, il (*balayer*, passé simple) par des salves de mitrailleuses. **3.** L'avancée des soldats (*freiner*, imparfait) par des coulées de terre. **4.** Les risques (*mesurer*, plus-que-parfait)? **5.** Cinq poilus (*blesser*, passé composé).

14 En vous inspirant du document ci-contre, employez chaque forme verbale dans une phrase à l'actif puis dans sa correspondante au passif.

1. Déclarer (imparfait / plus-que-parfait) **2.** attendre (présent / passé composé) **3.** lancer (passé simple / passé antérieur) **4.** battre (passé simple / passé antérieur) **5.** pleurer (futur / futur antérieur).

S.M. Dum-dum Ier

Guillaume II, empereur allemand, caricature française, 1914-1918.

15 **a.** Transformez les phrases suivantes en phrases passives. Vous soulignerez le complément d'agent. **b.** Oralement. Chacun à votre tour, proposez une phrase sur la guerre de 14. Vos camarades diront si le sujet du verbe est ou non l'agent de l'action.

1. Les sergents montèrent de toutes pièces cette affaire. **2.** Le capitaine me sauva. **3.** Cet homme courageux et honnête me défendit envers et contre tout. **4.** Il assuma toute la responsabilité de l'affaire. **5.** Personne n'en rapportera ici les détails.

16 Pour chaque couple de phrases, dites si la phrase b correspond à l'actif de la construction passive. Justifiez votre réponse.

1. a. Les citoyens français furent mobilisés le 1er août. **b.** La France mobilisa le 1er août. **2. a.** Les offensives et les contre-offensives du début de la guerre sont connues sous le nom de «courses à la mer». **b.** C'est sous le nom de «courses à la mer» que sont connues les offensives et les contre-offensives du début de la guerre. **3. a.** Une offensive sur Verdun a été décidée par Falkenhayn en 1916. **b.** Falkenhayn décida une offensive sur Verdun en 1916.

Les constructions pronominales

17 Oralement. **Dites si les verbes des phrases suivantes sont à la forme pronominale.**

1. Nous avez-vous vus après la bataille de l'Yser? **2.** Vous vous êtes immobilisés face à face. **3.** La guerre de mouvement s'est transformée en une guerre d'usure. **4.** Les poilus ne se rasaient pas tous les jours. **5.** Il te tient pour son allié.

18 Dites si les formes pronominales suivantes expriment une relation réfléchie, réciproque ou de sens passif.

1. En 1914, l'Europe se divise en deux blocs. **2.** Ces deux soldats, blessés, se soutiennent. **3.** Tu te caches dans ce fossé pour ne pas être vu des ennemis. **4.** Pour satisfaire l'énorme demande de l'armée, une organisation rigoureuse de la production se met en place. **5.** Si nous atteignons la tranchée ennemie, nous nous y installons.

19 **a.** Relevez les verbes essentiellement pronominaux. **b.** Classez les autres selon la relation qu'ils expriment.

Blaise Cendrars, en 1914, **s'était engagé** dans la Légion. Il **se souvient**, lors de la rédaction de cette œuvre, de ses camarades de tranchée: Rossi **s'en était allé** trouver en douce le colonel pour **se plaindre** que les tranchées n'étaient pas à sa taille, et que la soupe, à cause du cuistot, **se mangeait** froide. Les soldats, souvent, **se racontaient** de bons mots pour tromper l'attente.

D'après B. Cendrars, *La Main coupée* (1946), Éd. Denoël, 2002.

20 Oralement. **Inventez une phrase contenant chaque verbe proposé, puis indiquez un synonyme de chacun d'eux.**

1. Passer / se passer **2.** montrer / se montrer **3.** précipiter / se précipiter **4.** dérouler / se dérouler. **5.** plier / se plier.

Les accords des participes passés

Le lys rouge

1 Nous avions bondi et regardions avec stupeur, à trois pas de Faval, planté dans l'herbe comme une grande fleur épanouie, un lys rouge, un bras humain tout ruisselant de sang, un bras droit sectionné au-dessus du coude […].

5 D'où venait cette main coupée ? Il n'y avait pas eu un coup de canon de la matinée. Alors nous secouâmes Faval. Les hommes devenaient fous.

– Parle, espèce d'idiot ! D'où vient cette main ? Qu'est-ce que tu as vu ?…
Mais Faval ne savait rien.

– Je l'ai vue tomber du ciel, bredouillait-il en sanglotant les mains sur
10 les yeux et claquant des dents. Elle s'est posée sur nos barbelés et a sauté à terre comme un oiseau. J'ai d'abord cru que c'était un pigeon. J'ai peur. Quelle horreur !… Tombée du ciel !

B. Cendrars, *La Main coupée* (1946), Éd. Denoël, 2002.

a Relevez deux participes passés employés sans auxiliaire et justifiez leur terminaison.

b Justifiez la terminaison de *posée* (l. 10), et de *sauté* (l. 11).

LEÇON

Accord des participes passés avec les verbes non pronominaux

■ Le participe passé employé **sans auxiliaire** s'accorde en genre et en nombre avec le **nom auquel il se rapporte**. → *Armés de mousquetons, les soldats avançaient.*

■ Le participe passé employé avec *être* s'accorde en genre et en nombre avec le **sujet**.

→ *Les grenades* (fém. plur.) *étaient dégoupillées.*

■ Le participe passé employé avec *avoir* s'accorde en genre et en nombre avec le **COD placé avant le verbe**. → *Voici les tranchées* (COD, fém. plur.) *qu'ils ont creusées.*

Accord des participes passés avec les verbes pronominaux

■ Les participes passés des verbes pronominaux s'accordent avec le **sujet**, car le pronom réfléchi *(me, te, se)* est inséparable du verbe quand il s'agit :

– de **verbes essentiellement pronominaux** comme *s'évanouir, s'enfuir, s'acharner* ;

→ *La vieille mère du général s'est évanouie.*

– de **constructions pronominales de sens passif.** → *La nouvelle s'est vite divulguée.*

■ Les participes passés des **verbes pronominaux de sens réfléchi et de sens réciproque** s'accordent avec le **COD placé avant le verbe**.

→ *Les soldats se sont battus.* (se: COD masc. plur., accord)

→ *Les sentinelles se sont préparé du café.* (se: COS, pas d'accord)

→ *Ils se sont lancé des grenades.* (des grenades: COD après le verbe, pas d'accord)

21 Justifiez l'accord des participes passés en caractères gras.

1. Ils restaient muets, comme **paralysés**. **2.** Leurs yeux, que les gaz avaient **irrités**, pleuraient. **3.** Ils ne pouvaient plus lutter contre la douleur qui les avait **envahis**. **4.** Il les a **entendus** appeler. **5.** On les a **secourus**.

22 Indiquez la terminaison des participes passés des verbes du 1er groupe en caractères gras.

1. Ils avancèrent **courb...** pour ne pas se faire remarquer. **2. Prépar...** pendant la nuit, l'attaque eut lieu au petit jour. **3.** Ils s'arrêtèrent, **exténu...** **4.** Il écrasait les puces **log...** dans les plis de son vêtement. **5.** Ici s'entassent des chemises de soldats parfois **tach...** de sang.

23 O a. Écoutez ce texte de Rosa Luxembourg et notez, convenablement accordés, les participes passés. **b.** Oralement. Justifiez leurs terminaisons.

24 Transposez, au temps composé correspondant, chaque verbe en caractères gras, en respectant les règles d'accord des participes passés.

1. Nous **construisions** des huttes de feuillage. **2.** Les obusiers **tapaient** sur Beuvraignes. (Cendrars) **3.** L'herbe **envahissait** notre parapet. **4.** L'herbe que l'on fauche **cachait** nos barbelés. **5.** La mise au point à laquelle nous **procédons** était indispensable.

25 Réécrivez le texte en mettant les formes verbales en caractères gras au passé composé afin de retrouver le texte écrit par un *Poilu*.

Peut-être cette enfant ignorante, naïve, coquette, ne le **comprend**-elle pas. Mais elle le **sent...** Son regard me **réchauffe**, son admiration me **fait tendre** le jarret, son sourire me **donne** du cœur. À mes côtés, sous son regard, mes camarades eux aussi **se redressent....** Mille rêves **caressent** peut-être leur pensée. Un charme sensible paraît les **toucher** et parce qu'une fillette les **voit**, ils **ont** un regard plus serein et plus clair, une démarche plus ferme.

D'après H. Gauthé,
Paroles de Poilus, Éd. Flammarion, coll. « Librio » 1998.

26 Transformez les phrases suivantes en phrases exclamatives, en plaçant le COD en tête. Attention aux participes passés.

Ex. Nous avons vu une chose atroce. → Quelle chose atroce nous avons vue !

1. Tu as poussé des cris lugubres. **2.** Il a fait des efforts considérables pour porter jusqu'ici son camarade blessé. **3.** Les grenades ont dégagé une odeur amère et douceâtre. **4.** À l'annonce de cette nouvelle pourtant attendue, il a éprouvé de vives émotions. **5.** Vous avez vécu des années éprouvantes.

27 Justifiez l'orthographe des participes passés en caractères gras.

1. Ils se sont **gardés** de venir. **2.** Ils se sont **gardé** quelques boîtes de conserve. **3.** La marmite qu'ils se sont **passée** était fumante. **4.** Les gamelles se sont **vidées** en moins de deux minutes. **5.** Ils se sont **couchés** dans la boue.

28 Mettez les phrases suivantes **a.** au passif sans exprimer le complément d'agent **b.** à la forme pronominale de sens passif en respectant le choix des temps.

1. On raconte beaucoup de sottises sur la guerre. **2.** On ne fabrique plus aucune arme depuis un mois. **3.** On a dressé des tentes au fond de la plaine. **4.** On a vendu aux enchères plusieurs képis de général. **5.** On a distribué des tracts pacifistes pendant la nuit.

29 Donnez, si c'est possible, la fonction des différents *se* et réécrivez les phrases au passé composé.

1. Ils ne se confient pas leur angoisse. **2.** Ils se sentent menacés. **3.** La rage et le désespoir accumulés pendant deux heures s'expriment. **4.** Ils se sacrifient pour eux. **5.** Ils se fixent de nouveaux objectifs.

30 Remplacez le pronom sujet par le GN entre parenthèses et faites les modifications orthographiques nécessaires.

1. Il s'est jeté courageusement à l'eau (le capitaine Conan et ses hommes). **2.** Il s'est enfui (les ennemis). **3.** Il s'est indigné (les pacifistes). **4.** Il s'est blessé (la sentinelle). **5.** Il s'est offert le luxe d'une guerre (l'humanité).

31 Dictée préparée (Le Lys rouge)

a. Justifiez la présence du *e* final de *vue* dans *Je l'ai vue tomber* (l. 9).

b. Relevez les participes passés employés avec l'auxiliaire *avoir* et justifiez leur accord ou leur absence d'accord.

c. Conjuguez le verbe *secouer* (l. 6) au passé simple puis au passé antérieur.

d. Relevez un verbe pronominal et expliquez l'orthographe de son participe passé.

Dire de façon neutre ou expressive

32 Oralement. **a.** Identifiez les moyens utilisés par l'auteur pour rendre ce passage expressif.

b. ✎ Reformulez cet extrait à l'aide de quelques phrases, en gardant une distance avec ce qui est dit.

Nos livres d'histoire ont trop longtemps minoré les pertes de l'une des plus grandes boucheries de l'histoire qui fit dans le monde plus de 10 millions de morts et près de 20 millions de blessés. Ils ont trop longtemps passé sous silence le véritable état d'esprit de ces poilus qui pour la plupart ne se faisaient aucune illusion sur le fondement réel du conflit, mais qui n'en accomplirent pas moins leur devoir avec un courage surhumain. Ils ont trop longtemps passé sous silence l'incompétence criminelle de certains officiers supérieurs qui n'ont pourtant pas laissé une trace négative dans la mémoire collective.

J.-P. Guéno,
Paroles de Poilus, Éd. Flammarion, coll. « Librio », 1998.

33 ✎ Réécrivez chacun des passages en caractères gras de manière à présenter la même information de façon neutre.

La moisson serait meurtrière et la vendange sanglante ; beaucoup ne survivraient pas à ce premier été : **ils tomberaient sous les balles des mitrailleuses ennemies** ; ils finiraient **crucifiés dans le piège carnivore des fils de fer barbelés** ; **ils seraient pulvérisés par des tapis d'obus**. Ils seraient les premières victimes de la guerre, mais aussi celles des erreurs d'une hiérarchie militaire incompétente **qui brillait encore par le culte du sabre et de la baïonnette,** et par le mépris de l'artillerie lourde.

J.-P. Guéno, op. cit.

34 a. ✎ Réécrivez le texte suivant en employant divers moyens expressifs.
b. Oralement. Lisez votre texte à vos camarades afin de leur faire identifier les moyens que vous aurez utilisés.

Sur tous les fronts de l'Ouest, de l'Est et du Sud, les armées conduisent désormais une guerre de position. Elle s'enterrent dans les tranchées et lancent contre l'ennemi des attaques meurtrières, pour l'user physiquement et moralement. Les Allemands essaient vainement cette stratégie à Verdun en 1916. L'année 1917 constitue un tournant. La lassitude gagne les troupes, des mutineries éclatent.

Manuel d'histoire et géographie Belin 3ᵉ, Éd. Belin, 1999.

35 💿 ✎ Prenez note des faits historiques mentionnés dans l'extrait de la chanson que vous allez entendre puis rédigez un paragraphe dans lequel vous exposerez ces mêmes faits de façon neutre.

36 ✎✎ Dans les tranchées, Maurice Maréchal découvre cet instrument, qu'un poilu a fabriqué pour lui avec les morceaux d'une porte et d'une caisse de munitions. Imaginez le texte relatant cet événement, tel que le musicien aurait pu le consigner dans son carnet.

37 💿 ✎✎ En vos aidant des documents visuel et sonore, faites, en une vingtaine de lignes, le récit expressif de ce moment vécu par les poilus.

B. Tavernier, Capitaine Conan, 1996.

Céder à la cruauté et à la haine ?

Au début de l'année 1914, les conversations tournent autour de l'éventualité d'une guerre. Celle-ci oppose Roy, partisan de la guerre, à Studler, pacifiste.

1 C'est beau, la vaillance poursuivit Roy avec un sourire conquérant qui fit briller son regard… La guerre, pour des gens de notre âge, c'est un sport magnifique, le sport noble par excellence !

– Un sport, grogna Studler indigné, qui se paie en vies humaines !

5 – Et puis après ? lança Roy. L'humanité n'est-elle pas assez prolifique pour s'offrir de temps à autre ce luxe-là, si ça lui est nécessaire ? Une bonne saignée est périodiquement nécessaire à l'hygiène des peuples. Dans les trop longues périodes de paix, le monde fabrique un tas de toxines qui l'empoisonnent et dont il a besoin d'être purgé. Une bonne

10 saignée serait, en ce moment, particulièrement nécessaire à l'âme française. Et même à l'âme européenne. Nécessaire, si nous ne voulons pas que notre civilisation d'Occident sombre dans la décadence, dans la bassesse.

– La bassesse, pour moi, c'est justement de céder à la cruauté et à la

15 haine, fit Studler.

R. Martin du Gard, « L'Été 14 » *Les Thibault*, Éd. Gallimard, 1922-1940.

Questions (16 points)

A. Une discussion vive

1 Relevez trois moyens différents utilisés par l'auteur pour rendre sensible l'enthousiasme de Roy pour ce qu'il appelle le « sport ».

2 *C'est beau, la vaillance* (l. 1). Comment appelle-t-on cette construction ? Utilisez-en une autre, qui rende expressive, elle aussi, ce jugement porté sur la vaillance.

3 a. À quoi Roy compare-t-il l'humanité (l. 5 à 11) ? Vous justifierez votre réponse et citerez le texte.
b. Comment appelle-t-on cette figure de style ?

4 Relevez deux verbes à la forme pronominale ; pour chacun d'eux, dites si la forme pronominale exprime une relation réfléchie, réciproque ou de sens passif.

B. Ordre des mots et constructions de phrases

5 Transformez la phrase suivante au passif en expliquant quelles modifications vous avez faites :

Dans les trop longues périodes de paix, le monde fabrique un tas de toxines (l. 8-9).

6 À quoi correspond *il* dans chacune des constructions suivantes ? Justifiez votre réponse.
1. *Il est révolté par ce type d'argument.* **2.** *Il lui vient une idée.* **3.** *Il est nécessaire de réagir.*

Réécriture (4 points)

Réécrivez le passage de *Un sport* (l. 4) à *européenne* (l. 11) en mettant au passé composé tous les verbes conjugués au présent et au passé simple.

Rédaction (20 points)

Roy et Studler reviennent du front en 1918. Imaginez une conversation au cours de laquelle ils évoquent leur dialogue d'autrefois et confrontent leurs points de vue actuels sur la guerre.
Consigne d'écriture. Vous emploierez différents moyens expressifs pour mettre en valeur les passages les plus dramatiques.

Nuancer et évaluer son discours

La solitude

■ P. Flandrin, *La Solitude,* fin du xixe siècle.

L'information et son commentaire

document 1 ## L'ultime ennemi

1 Il parut à Drogo que la fuite du temps s'était arrêtée. C'était comme si un charme venait d'être rompu. Les derniers temps, le tourbillon s'était fait toujours plus intense, puis, brusquement, plus rien, le monde stagnait dans une apathie horizontale et les horloges fonctionnaient inuti-
5 lement. […] Des extrêmes confins il sentait avancer sur lui une ombre progressive et concentrique, c'était peut-être une question d'heures, peut-être de semaines ou de mois ; mais même les semaines et les mois sont une bien pauvre chose quand ils nous séparent de la mort. La vie donc n'avait été qu'une sorte de plaisanterie : pour un orgueilleux pari
10 tout avait été perdu. […]
Giovanni Drogo sentit alors naître en lui un espoir extrême. Lui, seul au monde et malade, renvoyé de la forteresse comme un importun et un poids, lui qui était resté en arrière de tout le monde, lui timide et faible, osait imaginer que tout n'était pas fini ; parce que peut-être était
15 vraiment arrivée sa grande chance, la bataille définitive qui pouvait racheter sa vie entière.
Effectivement s'avançait contre Giovanni Drogo l'ultime ennemi.

D. Buzzati, *Le Désert des Tartares*, Éd. Laffont, 1949.

document 2 ## Seul

H. Gyula dit Brassaï,
*Avenue de
l'Observatoire
1932-1934.*

a Doc. 1 Relevez les mots qui expriment l'idée de possibilité.

b Relevez les mots (ou les tournures) qui présentent les faits comme des apparences.

c Qu'est-ce que les mots ou les expressions relevés en a et b révèlent sur l'état d'esprit du personnage, Giovanni Drogo ?

d Relevez, dans la 3ᵉ phrase (l.2-5), un adverbe qui exprime un jugement du personnage.

e Doc. 2 ✎ Imaginez ce qui a conduit le personnage à cette situation. Présentez-le comme une information brute, sans commentaire.

f Nuancez l'information que vous avez proposée à la question précédente, en la présentant comme incertaine, probable, hypothétique… Quels mots ou quelles expressions avez-vous utilisés pour exprimer ces nuances ?

LEÇON

■ Lorsqu'on parle, on ne se contente pas de donner une information, on manifeste souvent en même temps une **attitude** soit à l'égard de l'interlocuteur (interrogation, atténuation… voir chap. 13) soit à l'égard de **l'information** apportée par la phrase (doute, possibilité). Ainsi dans la phrase *Il préfère peut-être y aller seul*, l'adverbe *peut-être* nuance, évalue la vérité de l'information *Il préfère y aller seul*. Il constitue, de la part du locuteur, un **commentaire** (appelé aussi «modalité de l'énoncé») visant à évaluer, nuancer ou apprécier ce qu'il dit.

■ Le commentaire peut consister à :
– évaluer le degré de vérité de l'énoncé, en le présentant comme **probable**, **obligatoire**, **possible**… : ce sont les modalités **logiques** ;
→ *Il **semble** regretter son choix* (apparence). *Il a **peut-être** tort* (possibilité).
– exprimer un jugement favorable ou défavorable sur le caractère **esthétique**, **moral**, **utile**, **agréable** de ce qu'il dit : ce sont les modalités **appréciatives**.
→ *Il n'est pas seul, **heureusement**.* (jugement favorable)
– Le commentaire peut être exprimé par un mot (*éventuellement*, il *doit* dormir), une tournure (*il est possible que…*) ou par une forme verbale (le subjonctif, le conditionnel, l'imparfait…).

---

1 Dans ces phrases, relevez l'élément (mot, forme verbale ou expression) qui exprime une modalité.

1. La voiture, magnifiquement suspendue, une vraie voiture de malade, oscillait à chaque dépression du sol. **2.** La dernière fois, très probablement, pensa Drogo. **3.** Il était comme dans un brouillard. **4.** Peut-être était-ce la maladie, peut-être était-ce le balancement de la voiture. *D'après D. Buzzati.*

2 Dites si les mots et expressions en caractères gras expriment une modalité logique ou appréciative.
1. Malheureusement, il n'y avait personne. **2.** Il **doit** être dans le désert. **3. Il est possible** qu'il ne revienne pas. **4.** Ses amis ont **inutilement** essayé de l'en dissuader. **5. Dommage** que je n'aie pas eu l'occasion de le rencontrer. **6.** Je vais me retrouver, **et je m'en** réjouis, à mille kilomètres des habitations. **7.** Moi, je ne **pourrais** pas vivre comme un ermite.

3 Nuancez les affirmations suivantes de manière à exprimer la modalité indiquée entre parenthèses.
1. La solitude lui sera profitable : il pensera aux choses essentielles. (possibilité) **2.** Elle n'a pas eu de visite depuis un an. (appréciation négative) **3.** Vous n'avez pas assez d'occupations. (hypothèse) **4.** Là-bas, elle aura des voisins, elle s'occupera, elle ne sera plus seule. (probabilité). **5.** Elle va passer Noël avec ses enfants. (appréciation positive)

4 Oralement. Vous annoncez un spectacle qui devrait avoir lieu prochainement dans votre collège, mais vous n'êtes pas sûr(e) de vos informations.

Textes et discours : mise en jeu

Modes et valeurs modales

Seul l'indicatif situe dans le temps. Les **modes subjonctif** et **impératif** n'expriment pas le temps mais une attitude du locuteur par rapport à ce qu'il dit (incertitude, souhait…) ou à son destinataire (ordre) : leur valeur est uniquement **modale**. Mais les «temps» de l'indicatif (y compris le conditionnel) peuvent aussi avoir des **valeurs modales** (probabilité, hypothèse…).

1 Le subjonctif

■ Le subjonctif est le mode du **virtuel** : il ne présente pas l'action ou l'état exprimé par le verbe comme une réalité, mais comme une idée, une **éventualité**.

→ *Nous **trouverons** une ferme isolée.* (présenté comme une réalité : indicatif)

→ *Il veut que nous **trouvions** une ferme.* (présenté comme une idée : subjonctif)

■ Dans une proposition **indépendante ou principale**, le mode subjonctif s'emploie après *que* pour exprimer un **souhait** (phrases exclamatives) ou un **ordre indirect** (phrases injonctives).

→ *Que le meilleur **gagne** !* (souhait) *Qu'on me **laisse** seul !* (ordre indirect)

■ Dans une proposition **subordonnée**, il s'emploie obligatoirement :

– après certains verbes signifiant un sentiment, un ordre ou une obligation ;

→ *Elle souhaite/apprécie/exige que vous lui **parliez** de son passé.*

– après certaines conjonctions de subordination exprimant le but *(pour que, afin que, de peur que…)*, la concession *(bien que, quoique…)*, le temps *(avant que, jusqu'à ce que…)*, la condition *(à moins que, à condition que…)* ;

→ *Bien qu'elle **soit** connectée à Internet, elle se sent toujours seule.*

– dans les subordonnées complétives sujet ou attribut et après un superlatif.

→ *Qu'elle ne se **soit** jamais appelée Aline importe peu.* (complétive sujet)

→ *Ce sera l'endroit le plus silencieux que je **connaisse**.* (superlatif)

Remarque. Dans une subordonnée complétive dépendant d'un verbe principal à la forme négative, on peut employer l'indicatif ou le subjonctif.

→ *Je ne crois pas qu'il **pourra** / …qu'il **puisse**…*

> **! Attention**
>
> Le subjonctif comprend quatre formes : le **présent**, le **passé**, très courants, mais aussi l'**imparfait** et le **plus-que-parfait** (voir tableaux de conjugaison p. 315-327), propres à l'écrit et au niveau de langue soutenu.
>
> → *Il était peu probable qu'il **acceptât** leur proposition.* (subjonctif imparfait)

2 L'impératif

■ L'**impératif** est le mode du **dialogue** (il n'existe qu'aux personnes incluant le destinataire). C'est le mode de l'ordre, de la prière ou du conseil.

→ ***Restez** avec moi. **Prenez** donc des vacances en club.*

– Coordonné à une proposition au futur, il peut exprimer l'**hypothèse**.

→ ***Essayez**, et vous verrez que c'est impossible !*

3 Les valeurs modales de l'indicatif

■ **L'hypothèse** s'exprime par l'**imparfait** ou le **plus-que-parfait** dans la proposition subordonnée en *si*, et au **conditionnel** dans la proposition principale ou dans les propositions indépendantes (voir chap. 19).

→ *Si je la **retrouvais**, je l'**inviterais**. Je la **retrouverais**, je l'inviterais.*
(L'imparfait *retrouvais* n'exprime pas un temps du passé mais une hypothèse.)

L'imparfait aussi peut exprimer une conséquence non réalisée.

→ *Un jour de plus sans boire et il **mourait**.* (conséquence non réalisée)

Remarque. Dans le discours enfantin, l'imparfait remplace parfois le conditionnel présent pour exprimer une situation imaginaire.

→ *Moi, j'**étais** le chef de la bande, et toi tu **étais** tout seul.*

■ La **probabilité** peut être exprimée par le **futur antérieur**.

→ *Clara n'est pas venue : elle **aura** encore **oublié** mon anniversaire !*
(Elle a probablement oublié mon anniversaire.)

■ **L'incertitude** d'une information peut être marquée par le **conditionnel** qui signifie alors que le locuteur n'assume pas la responsabilité de ce qu'il dit.

→ *Selon les voisins, elle n'**aurait** pas **supporté** tout ce monde.*

■ **L'atténuation** d'un désir, d'une demande ou d'un conseil (en particulier avec les verbes *devoir, pouvoir,…*) peut se faire au moyen du **conditionnel** ou de l'**imparfait**.

→ *Vous ne **devriez** pas rester seule ici ! Je **voulais** vous offrir ces fleurs.*

■ **L'ordre** s'exprime parfois par le **futur simple**.

→ *Tu **iras** voir Mamie et tu lui **porteras** cette galette.*

4 Les modes non personnels

■ **L'infinitif** *(rester, se taire)*, comme les autres modes non personnels : **participe** *(restant, resté, se taisant, s'étant tu)* et **gérondif** *(en restant, en se taisant)* n'a pas de valeur modale propre, il prend celle que le contexte lui donne.

→ *Il aime **partir** seul en forêt.* (*partir* = fait réel)
→ *Il aimerait un jour **partir** seul en forêt.* (*partir* = fait d'hypothétique)

■ Quand il est noyau de proposition indépendante ou principale, **l'infinitif** peut exprimer :

– un **ordre** ou un conseil en phrase injonctive (il équivaut à un impératif) ;

→ *Ne pas dépasser la dose prescrite.*

– l'**indignation** ou l'**étonnement** en phrase exclamative.

→ *Moi, accepter ce genre d'invitation !*

■ Dans une périphrase verbale, c'est le « semi-auxiliaire » qui exprime les valeurs modales :

– la **probabilité** → *Le premier village **doit être** à cent kilomètres.*

– la **possibilité** → *Il **peut regagner** la terre par une navette hebdomadaire.*

– l'**apparence** → *Les Touaregs **semblent** apprécier sa présence.*

RAPPEL DU COURS

■ Le mode **subjonctif** présente le fait exprimé par le verbe comme une idée ou une **éventualité**. Dans une proposition subordonnée, le subjonctif est obligatoire après certains verbes et certaines conjonctions de subordination.

■ Certains temps de l'**indicatif** peuvent avoir des **valeurs modales** : l'**imparfait** et le **conditionnel** peuvent exprimer une situation imaginaire, une hypothèse, l'atténuation d'un discours ; le **futur antérieur** peut exprimer la probabilité, et le **futur simple** un ordre.

■ Les **modes non personnels**, infinitif, participe, gérondif, prennent les valeurs que le contexte leur donne.

Modes et valeurs modales

5 ◎ Le Docteur Foldingue donne des conseils contre la solitude sur la station de radio « SOS solitude ». Relevez tous les verbes et précisez à quel mode et à quel temps ils sont employés.

Le subjonctif

6 Conjuguez les verbes suivants au subjonctif, en tenant compte de la personne et du temps indiqués entre parenthèses.

1. Faire (présent, 1re pers. du plur.) **2.** se souvenir (présent, 1re pers. du sing.) **3.** surprendre (présent, 3e pers. du plur.) **4.** payer (présent, 2e pers. du plur.) **5.** sourire (présent, 1re pers. du sing.) **6.** devoir (présent, 2e pers. du sing.) **7.** savoir (présent, 3e pers. du sing.) **8.** rentrer (passé, 3e pers. du plur.) **9.** pouvoir (présent, 2e pers. du plur.) **10.** remplir (passé, 1re pers. du sing.).

7 Mettez le verbe de la proposition principale à l'imparfait, puis celui de la subordonnée au subjonctif imparfait ou plus-que-parfait.

1. Alceste veut que Célimène l'accompagne dans le désert. **2.** Quoiqu'il soit misanthrope, Alceste aime Célimène. **3.** Je souhaite que vous sortiez de votre isolement. **4.** Il faut qu'ils soient partis à mon retour. **5.** Il comprend très bien que je n'aime pas la foule.

8 Relevez les verbes au subjonctif, en précisant s'ils sont employés dans une principale (ou une indépendante) ou dans une subordonnée. Justifiez alors l'emploi de ce mode.

1. J'aimerais que vous lisiez *Robinson Crusoë* de Daniel Defoe. **2.** Que tous ceux qui m'aiment me suivent dans mon île déserte ! **3.** S'il ne veut pas répondre au téléphone, qu'au moins il écoute son répondeur ! **4.** Je te poserai des questions jusqu'à ce que tu m'aies répondu ! **5.** J'exige qu'il soit descendu de sa chambre avant ce soir !

9 Mettez les verbes entre parenthèses, comme il convient, à l'indicatif ou au subjonctif présent, en précisant à chaque fois quel mode vous avez employé.

1. Quelqu'un me dit que la solitude (être) mauvaise pour l'homme. **2.** Je sais bien que l'esprit de meurtre (s'enflammer) merveilleusement dans les solitudes. **3.** Mais il est possible que cette solitude ne (être) dangereuse que pour l'âme oisive et divagante. **4.** Je demande qu'on ne (décréter) pas d'accusation contre les amoureux de la solitude et du mystère. **5.** Je désire surtout qu'on me (laisser) m'amuser à ma guise.

D'après Ch. Baudelaire, « La solitude », *Le Spleen de Paris*, 1869.

10 Oralement. Complétez les propositions subordonnées suivantes, en justifiant le choix du mode.

1. On peut se sentir seul dans une grande ville, parce que … . **2.** Il a conseillé à sa grand-mère de se connecter à Internet, afin que … . **3.** Cet homme a toujours l'air très occupé, bien que … . **4.** Pour sortir de sa solitude, il s'est inscrit à un cours de tango argentin après que … . **5.** Avant que …, il ne se sentait jamais seul.

L'impératif

11 Conjuguez les verbes suivants à la 2ᵉ personne du singulier de l'impératif présent.

1. Aller dans sa chambre **2.** s'en aller **3.** prendre la fuite **4.** envoyer une fusée de détresse **5.** y aller sans attendre **6.** descendre jusqu'à la cave **7.** sortir de son isolement **8.** s'en occuper tout de suite **9.** parcourir cette île déserte **10.** se souvenir de ses amis.

12 Relevez les verbes à l'impératif et indiquez la nuance de sens qu'ils expriment : ordre (ou défense), prière, conseil ou hypothèse.

1. Débranche ton téléphone, et tu verras si tu aimes vraiment la solitude ! **2.** Tu t'ennuies ? Viens donc à mon anniversaire samedi prochain ! **3.** Ne laissez sous aucun prétexte un enfant seul dans un bain ! **4.** Laisse-moi tranquille ! **5.** Ne me quitte pas, ne me quitte pas !

Les valeurs modales de l'indicatif

13 Relevez les verbes à l'imparfait et dites si celui-ci a une valeur temporelle (action au passé) ou bien une valeur modale que vous préciserez.

1. Je voulais vous demander si vous ne vous sentez pas trop seul dans ce gratte-ciel. **2.** Quand j'étais petit, je rêvais d'être ermite. **3.** Si vous deviez partir, aimeriez-vous habiter la campagne ? **4.** Tu habitais tout seul, et moi, je te sauvais de la solitude. **5.** La star se promenait incognito en pleine campagne, lorsqu'elle fut reconnue par un berger. **6.** Un mot de toi, et il laissait tout tomber.

14 Relevez, dans les phrases suivantes, les verbes au conditionnel, et dites si celui-ci a une valeur temporelle (futur dans le passé) ou modale.

1. Si l'île avait été peuplée, je serais voyageur de commerce, mais comme elle est déserte, je voyage pour mon plaisir. **2.** Vendredi ! Qui que tu sois, tu es le bienvenu. Sans toi, ma semaine aurait boité pour le reste de mes jours. **3.** Robinson, j'attendais ce jour depuis ma naissance. Je savais que vous finiriez par venir. **4.** Qu'on est tranquille dans une île / Quand on n'est que trois imbéciles / Pour l'habiter à leur façon, / Et comme ce serait moins facile / D'y être quarante millions.

J. Supervielle, *Robinson*, Éd. Gallimard, 1948.

15 Quelle est la valeur des verbes au conditionnel dans les phrases suivantes : l'hypothèse, l'atténuation d'une demande ou l'incertitude de l'information ?

1. Ils apportent des nouvelles, / Ils auraient vu Robinson / Au fond des îles sans nom. **2.** Parfois ils regardent au loin, / dans l'espoir d'un voilier humain, / Qui viendrait vers le rivage. **3.** Sais-tu que nous serions riches / Partout ailleurs qu'en notre île ? **4.** Ah ! je voudrais bien t'embrasser / Mais six mois de navigation / Et de tempêtes nous séparent. **5.** Attention à votre tête, Robinson, ces troncs d'arbres bas sur l'eau vous tueraient.

J. Supervielle, *op. cit.*

16 L'animateur de la station de radio « SOS solitude » que vous allez entendre a parfois une façon un peu brusque de parler à ses interlocuteurs. Formulez de manière atténuée ses conseils ou ses demandes en utilisant le conditionnel ou l'imparfait.

17 Dans chacune de ces phrases, par quel mode et par quel temps l'ordre est-il exprimé ? Trouvez à chaque fois une autre formulation possible.

1. Vous traverserez l'océan Atlantique sans vous arrêter. **2.** Ne pas déranger les marins pendant leur traversée en solitaire. **3.** Admirez le courage de ces loups de mer ! **4.** Vous vous efforcerez de vous raser tous les matins. **5.** Annoncez avec précision l'heure de votre arrivée pour que les journalistes puissent vous accueillir !

Les modes non personnels

18 Dans chacune des phrases suivantes, distinguez les infinitifs noyaux de proposition indépendante ou principale des autres infinitifs. Précisez si les premiers expriment un ordre (ou un conseil) ou bien l'indignation ou l'étonnement.

1. Ne pas donner à manger aux requins. **2.** Je te conseille d'emporter un bon roman sur cette île déserte. **3.** Partir avec toi sur une île déserte ! Tu plaisantes ? **4.** Je suis folle de joie de partir aux Îles Kerguelen ! **5.** Prononcer au moins une phrase par jour pour éviter d'oublier sa langue maternelle.

Subjonctif imparfait et passé simple. Les formes en *-ant*

Une mère solitaire

1 Alors, elle ne sortit plus, elle ne remua plus. Elle se levait chaque matin à la même heure, regardait le temps par sa fenêtre, puis descendait s'asseoir devant le feu dans la salle. Elle restait là des jours entiers, immobile, les yeux plantés sur la flamme, laissant aller à l'aventure ses lamentables
5 pensées et suivant le triste défilé de ses misères. Les ténèbres peu à peu envahissaient la petite pièce sans qu'elle fît d'autre mouvement que pour remettre du bois au feu. […] Elle était souvent poursuivie d'idées fixes qui l'obsédaient et torturée par des préoccupations insignifiantes, les moindres choses, dans sa tête malade, prenant une importance extrême.

G. de Maupassant, *Une Vie,* 1883.

a Dans la 4ᵉ phrase (l. 5-7), mettez le verbe de la principale au présent. À quel mode et à quel temps est alors le verbe de la subordonnée? Précisez le mode et le temps de ce verbe dans le texte original.

b Relevez les formes en *-ant* issues d'un verbe. Dites si elles sont variables ou invariables. Justifiez votre réponse.

LEÇON

Subjonctif imparfait et passé simple

■ Attention à ne pas confondre, pour la 3ᵉ personne du singulier, les formes verbales au subjonctif imparfait et celles qui sont au passé simple de l'indicatif.

Astuce. Remplacez par un verbe du 3ᵉ groupe au présent et observez quel mode (indicatif ou subjonctif) vous avez employé.

→ *Il fallait qu'il s'exilât.* (*parte* = subjonctif)
→ *Je crois qu'il s'exila.* (*part* = indicatif)

■ De même, ne confondez pas le subjonctif plus-que-parfait *(bien qu'il fût parti)* et l'indicatif passé antérieur *(lorsqu'il fut parti).*

Participe présent et adjectif verbal

■ Le participe présent et l'adjectif verbal sont deux formes en *-ant* issues d'un verbe. Le participe présent, qui est une forme verbale, reste invariable, tandis que l'adjectif verbal, qui est devenu une forme adjectivale, est variable.

→ *Robinson avala les bananes,* **épuisant** *toutes ses provisions.* (participe présent)
→ *La vie de Robinson est* **épuisante**. (adjectif verbal)

Astuce. Si vous pouvez mettre la forme en *-ant* au féminin, il s'agit d'un adjectif verbal, qu'il faut accorder avec le nom qu'il complète.

■ Participes présents et adjectifs verbaux se distinguent parfois aussi par leur orthographe :

→ *précéd**ant*** (participe présent) / *précéd**ent*** (adj. verbal) ;
→ *communi**qu**ant* (participe présent) / *communi**c**ant* (adj. verbal).

19 Mettez les verbes en caractères gras à l'imparfait et faites toutes les autres transformations nécessaires.

1. Seul, malade et délaissé dans mon lit, j'y **peux** mourir de froid et de faim, sans que personne s'en mette en peine. **2.** Moi, je ne m'**inquiète** de rien ; quoi qu'il puisse arriver, tout m'**est** indifférent. **3.** Je me **compare** à ces grands voyageurs qui découvrent une île déserte : sans doute je **suis** le premier mortel qui ait pénétré jusqu'ici. **4.** Je **veux** qu'on me fasse de cet asile une prison perpétuelle, qu'on m'y enferme pour toute ma vie.

J.-J. Rousseau, *Les Rêveries du promeneur solitaire*, 1782.

20 Mettez le verbe, comme il convient, au passé simple ou au subjonctif imparfait.

1. Le jour où il (décider) de faire la traversée en solitaire de la mare, tout le monde vint l'encourager. **2.** Bien que la mare ne (faire) que dix mètres de diamètre, l'expédition était dangereuse. **3.** C'est pourquoi il exigea qu'un hélicoptère (survoler) la mare pendant la traversée. **4.** Lorsqu'il (avoir) achevé son périple, il donna tant d'interviews qu'on (avoir) dit un héros national.

21 Relevez, en les distinguant, les participes présents et les adjectifs verbaux.

1. Robinson s'approcha, la barbe longue et ses cheveux tombant sur les yeux. **2.** Les épaules tombantes, il regarda Vendredi d'un air fatigué. **3.** Celui-ci lui adressa un sourire réconfortant. **4.** En le réconfortant, Vendredi se mit à le raser avec un silex bien taillé. **5.** Heureusement, cela ne lui sembla pas du tout humiliant.

22 Oralement. Écoutez successivement ces trois extraits du *Misanthrope*. Voici des mots qui manquent : *étant, complaisants, penchant, méchants* (deux fois), *autant, portant, malfaisants, médisant, obligeants, éclatant, prenant, cependant*. Soufflez-les aux comédiens, en vous aidant du nombre de syllabes des mots (les vers sont des alexandrins) et des accords. Puis précisez s'il s'agit d'un participe présent, d'un adjectif verbal ou d'un mot d'une autre classe.

23 Faites les accords qui conviennent.

1. Pendant les derniers mois de 1833, les passants clairsemés du Marais remarquaient un vieillard qui, tous les jours, à la nuit (tombant), entrait dans la rue Saint-Louis. Là, il marchait à pas lents, ne (voyant) rien, n'(entendant) rien. **2.** Chaque pas qu'il faisait en (allant) d'un meuble à l'autre l'exténuait : c'était la vie épuisée qui s'égoutte dans des efforts (accablant). **3.** « Cosette ! » dit Jean Valjean, et il se dressa sur sa chaise, les bras ouverts et (tremblant). Marius et Cosette, muets d'angoisse, ne (sachant) que dire à la mort, désespérés et (chancelant), étaient debout devant lui, Cosette (donnant) la main à Marius. **4.** Sans doute, dans l'ombre, quelque ange immense était debout, les ailes déployées, (attendant) l'âme de Jean Valjean.

V. Hugo, *Les Misérables*, 1862.

24 En vous aidant d'un dictionnaire, donnez le participe présent des verbes suivants, puis l'adjectif verbal qui en est issu. Soulignez à chaque fois la différence orthographique entre les deux formes.

1. Fatiguer **2.** convaincre **3.** différer **4.** influer **5.** naviguer **6.** provoquer **7.** négliger **8.** précéder **9.** suffoquer **10.** exceller.

25 Oralement. Employez chacun des participes présents et des adjectifs verbaux de l'exercice précédent dans une phrase. Précisez comment vous accorderiez les adjectifs verbaux à l'écrit.

26 Décrivez la scène représentée par ce tableau. (5 lignes) Vous emploierez au moins un subjonctif imparfait, un adjectif verbal et un participe présent.

27 Dictée préparée (Une mère solitaire)
a. Expliquez l'accord des mots suivants : *immobile* (l. 3), *poursuivie* (l. 7), *torturée* (l. 8).

b. Conjuguez le verbe *asseoir* aux trois premières personnes du présent de l'indicatif. Que devient le *-e* de l'infinitif ?

J. Bosch,
La Tentation de Saint-Antoine, 1510.

Nuancer et évaluer son discours

28 ✎ Dans chacune de ces phrases, introduisez un «commentaire» (voir leçon p. 141), en vous conformant aux indications entre parenthèses.

1. Cet homme vit dans la solitude depuis la mort de son hamster (commentaire appréciatif défavorable). **2.** Après ces semaines de surmenage, je vais vivre dans la solitude (commentaire appréciatif favorable). **3.** On se sent perdu dans la solitude du désert (commentaire logique portant sur la probabilité). **4.** À la veille d'une décision capitale, un homme d'État se sent solitaire (commentaire logique portant sur la nécessité). **5.** J'ai appris qu'il vivait dans la solitude d'une petite maison située loin du village. (commentaire appréciatif favorable).

29 Oralement. Par groupes de trois. Pour chacun de ces énoncés, introduisez le plus possible de «commentaires» différents (voir leçon p. 141). Variez également le plus possible les tournures.

1. La solitude touche plus les femmes que les hommes. **2.** Le chalet de mes parents est isolé au milieu de la montagne. **3.** J'ai passé mon enfance seul au milieu des moutons du Larzac.

30 💿 ✎ Écoutez attentivement ce passage de *Crime et châtiment* de Dostoïevski. Relevez au moins cinq mots ou tournures qui présentent comme incertaines, mais probables, les informations données dans le texte. En reprenant ces mêmes tournures, évoquez à votre tour en quelques lignes une scène de terrible solitude.

31 💿 ✎✎ Écoutez ce passage de l'ouverture du *Hollandais volant*, de Wagner, qui raconte l'histoire d'un capitaine de navire condamné par le diable à errer éternellement sur les océans. Rédigez en une quinzaine de lignes ce qu'évoque pour vous cette musique. Vous introduirez dans votre texte des «commentaires» variés, en vous inspirant de l'exemple suivant.

Ex. Au début de l'ouverture, l'orchestre semble évoquer la mer grondant sous la tempête. Au milieu de cette orchestration furieuse, apparaît un autre motif. C'est sans aucun doute le Hollandais Volant. On a l'impression que son ombre se dresse au milieu des éléments déchaînés...

32 ✎✎ En observant ce tableau de Caspar David Friedrich, imaginez quelle pourrait être la vie d'un être humain, solitaire dans ce décor sauvage. Rédigez un premier texte dans lequel vous évoquerez sa vie de manière neutre, sans commentaire. Dans un second texte, introduisez des «commentaires» appréciatifs, afin de faire sentir à votre lecteur si ce mode de vie vous paraît positif ou négatif.

D.C. Friedrich, *Paysage d'hiver*, 1811.

Lettre à un frère

René reçoit une lettre de sa sœur Amélie qui l'a quitté précipitamment quelques jours auparavant…

1 À René

Le ciel m'est témoin, mon frère, que je donnerais mille fois ma vie pour vous épargner un moment de peine ; mais, infortunée que je suis, je ne puis rien pour votre bonheur. Vous me pardonnerez donc de
5 m'être dérobée de chez vous comme une coupable ; je n'aurais pu résister à vos prières, et cependant il fallait partir… Mon Dieu, ayez pitié de moi !

Vous savez, René que j'ai toujours eu du penchant pour la vie religieuse ; il est temps que je mette à profit les avertissements du ciel. […]
10 Mais mon frère, sortez au plus vite de la solitude, qui ne vous est pas bonne : cherchez quelque occupation. Je sais que vous riez amèrement de cette nécessité où l'on est en France de *prendre un état*[1]. Ne méprisez pas tant l'expérience et la sagesse de nos pères. Il vaut mieux, mon cher René, ressembler un peu plus au commun des hommes, et avoir un
15 peu moins de malheur.

Peut-être trouveriez-vous dans le mariage un soulagement dans vos ennuis. Une femme, des enfants occuperaient vos jours. Et quelle est la femme qui ne chercherait pas à vous rendre heureux !

F.R. de Chateaubriand, *René*, 1803.

1. Prendre un état : s'installer, se marier.

Questions (15 points)

A. Le destinataire dans le texte

1 Amélie écrit à son frère pour accomplir un acte de langage, lui annoncer une nouvelle, lui faire une suggestion. Distinguez ces trois parties de la lettre.

2 Relevez quatre verbes à l'impératif. Expriment-ils un ordre ? Lequel des quatre a une valeur différente ? Quelle est cette valeur ?

3 *Vous me pardonnerez* (l. 4). À quel temps est le verbe ? A-t-il une valeur temporelle ou une valeur modale ? Justifiez votre réponse.

B. Une information précautionneuse

4 Relevez, dans le dernier paragraphe, deux moyens d'expression par lesquels Amélie atténue son propos.

5 Indiquez le temps et la valeur modale des formes verbales *donnerais* (l. 2) et *aurais pu* (l. 5).

6 En respectant la règle de concordance des temps, et en remplaçant *je* par *elle*, mettez au passé la phrase : *il est temps que je mette à profit les avertissements du ciel* (l. 9). À quel temps et quel mode avez-vous mis le verbe *mettre* ?

Réécriture (5 points)

Réécrivez les lignes 1 à 9 à la 3e personne au passé en commençant par : *Quelques jours plus tard, René reçut une lettre d'Amélie dans laquelle…* Faites les modifications nécessaires.

Rédaction (20 points)

Vous écrivez à un proche (parent, ami…) pour l'informer d'une décision importante que vous venez de prendre et qui risque de le choquer.

Consigne d'écriture. Rédigez votre lettre en prenant soin de nuancer votre propos.

S'adresser à un interlocuteur

Au tribunal

■ H. Meyer, *Le Réquisitoire,* « Le Petit Journal », 1898.

Les actes de parole

Un curieux procès

Cette scène de comédie montre le début d'un procès qui oppose, devant le juge Brid'oison qui bégaie, un valet, Figaro, à Marceline. Double-main, le greffier[1], lit le dossier. Le comte, président du tribunal, est le maître de Figaro.

1 DOUBLE-MAIN – Barbe-Abar-Raab-Madeleine-Nicole-Marceline de Verte-Allure, fille majeure (*Marceline se lève et salue*) ; contre Figaro… nom de baptême en blanc.

FIGARO – Anonyme.

5 BRID'OISON – A-nonyme ? Qué-el patron[2] est-ce là ?

FIGARO – C'est le mien.

DOUBLE-MAIN *écrit* – Contre *Anonyme Figaro*. Qualités ?

FIGARO – Gentilhomme.

LE COMTE – Vous êtes gentilhomme ? (*Le greffier écrit*).

10 FIGARO – Si le ciel l'eût voulu, je serais le fils d'un Prince.

LE COMTE, *au greffier* – Allez.

L'HUISSIER, *glapissant* – Silence, Messieurs !

DOUBLE-MAIN *lit…* – Pour cause d'opposition faite au mariage dudit Figaro par la dite *de Verte-Allure*. Le Docteur Bartholo plaidant pour la

15 demanderesse[3], et ledit Figaro pour lui-même, si la Cour le permet […] Avancez, Docteur, et lisez la promesse […].

BARTHOLO *lit* – Je soussigné reconnais avoir reçu de Damoiselle, etc. Marceline de Verte-Allure, dans le château d'Aguas-Frescas, la somme de deux mille piastres […] ; laquelle somme je lui rendrai à sa réquisition[4],

20 dans ce château, et je l'épouserai.

Beaumarchais, *Le Mariage de Figaro*, Acte III, scène 15, 1784.

1. Le greffier : l'assistant du juge.
2. Saint patron : dans la religion catholique, chaque prénom est associé à un saint.
3. Demanderesse : dans le langage juridique, la femme qui intente le procès.
4. Sa réquisition : sa demande.

Au tribunal

H.G. Clouzot,
La Vérité, 1960.

a Doc. 1 L'adjectif *anonyme* forme à lui seul un énoncé dans les répliques 2 et 3 (l. 4 et 5). Est-ce que le locuteur les emploie dans les deux cas pour produire le même effet sur le destinataire ?

b Pour la justice, quel acte a accompli Figaro quand il a écrit : *Je reconnais avoir reçu deux mille piastres* ? À quoi l'engage cet acte ?

c Qu'y a-t-il de commun entre *Allez* (l. 11) et *Silence, Messieurs !* (l. 12) du point de vue de l'effet que veut produire le locuteur ?

d Doc. 2 Identifiez, sur cette photo, les avocats, l'accusé, les jurés. Quel est le rôle de chacun ? Dites quel énoncé convient le mieux à chacun de ces rôles. **1.** *Je vous supplie de ne pas condamner une jeune fille innocente !* **2.** *Ce procès est interminable.* **3.** *Ils me regardent tous avec un air méchant.*

e Qu'y a-t-il de commun entre le 2e et le 3e énoncé ?

f ✏ L'accusée prend la parole (6 lignes) : elle commence par s'excuser de ce qu'elle a fait, puis elle promet de ne pas recommencer et demande l'indulgence du tribunal.

g Observez votre texte. Quel temps avez-vous employé ? Pourriez-vous en utiliser un autre ? Justifiez votre réponse.

LEÇON

■ Chaque fois qu'un locuteur adresse une phrase à un destinataire **dans un contexte particulier**, il effectue un **acte de parole** : *demander, conseiller, souhaiter, insulter, affirmer…*

■ Un acte de parole est un acte qui, à travers le langage, permet au locuteur d'agir sur le destinataire. Un tel acte ne s'accomplit que **dans des conditions appropriées** : pour *s'excuser*, il faut être coupable et que le destinataire ait été lésé ; pour *affirmer quelque chose*, il faut disposer d'informations à ce sujet, etc.

■ Les **types de phrases** (voir p. 154) aident le destinataire à comprendre de quel acte de parole il s'agit. Mais souvent ils ne donnent pas des indications assez précises. Par exemple, la phrase déclarative *Paul vient*, selon le contexte et l'intonation, peut être interprété comme un constat, une menace, un ordre…

■ Pour qu'il n'y ait pas d'ambiguïté, l'acte de parole est quelquefois explicité par un verbe appelé **verbe de parole** : *je te conseille de…, j'affirme que…* Le verbe qui explicite un acte de parole est en général à la 1re personne et au présent d'énonciation. Si le locuteur dit : *Je te conseille de partir*, c'est un acte de conseil ; mais s'il dit : *Hier je t'ai conseillé de partir*, ce n'est plus un acte de conseil, c'est seulement l'évocation d'un événement passé.

1 Dites si les énoncés suivants constituent ou non un acte de parole, et si oui lequel.
1. Nous vous condamnons à cinq mois de prison avec sursis. **2.** Il a déclaré qu'il m'aimait. **3.** Je vous accuse de corruption active. **4.** Il a plaidé non coupable. **5.** Je te suggère de prendre un bon avocat.

2 Rédigez un texte (6 lignes environ) où le président du tribunal énonce trois phrases exprimant des constats, puis deux phrases exprimant des accusations.

3 Faites un énoncé à la 1re personne du présent de l'indicatif à l'aide des verbes suivants ; vos énoncés doivent pouvoir être dits dans un procès : *accuser, supplier, reprocher, promettre, condamner.*

4 Oralement. Faites varier l'intonation de la phrase : *Vous condamnez cette femme à un mois de prison* de manière à ce qu'elle exprime un constat, un reproche, un ordre.

5 Dans les lignes 11 à 16 du texte de Beaumarchais, remplacez toutes les phrases par des phrases déclaratives (c'est-à-dire qui affirment quelque chose de vrai ou de faux) commençant par un verbe de parole en rapport avec le contexte. *Ex. Sortez !* peut être remplacé par : *Je vous ordonne de sortir.*

Types et formes de phrases

1 Les types de phrases

▪ À travers sa parole, le locuteur définit une **certaine relation avec son destinataire**. On peut distinguer **quatre grands types**, qui correspondent à des constructions différentes et à des intonations différentes :

– la phrase **déclarative** ou **assertive**   → *Zoé accuse Marie.*

– la phrase **interrogative**   → *Est-ce que Zoé accuse Marie ?*

– la phrase **injonctive** ou **impérative**   → *Accusé, levez-vous !*

– la phrase **exclamative**   → *Quel crime affreux !*

2 Interrogation totale et interrogation partielle

▪ Il faut distinguer **interrogation totale** et **interrogation partielle**.

→ *Paul l'accuse-t-il ? Paul l'accuse ?* (interrogation totale)

→ *Qui l'accuse ?* (interrogation partielle)

Dans le 1er exemple, l'interrogation est **totale** parce qu'elle porte sur l'**ensemble de la phrase** ; on y répond par *oui* ou par *non*. Dans le 2e exemple, l'interrogation est **partielle** parce qu'elle porte seulement sur **un élément de la phrase**, ici sur le sujet. On ne peut pas y répondre par *oui* ou par *non*.

▪ Ce n'est pas parce qu'une phrase a une construction interrogative qu'elle sert nécessairement à poser une question. Souvent on a affaire à de « fausses » questions, dites **questions rhétoriques**, qui sont en fait des phrases **déclaratives** déguisées ou des ordres atténués.

→ *Dois-je retracer sa vie exemplaire ?* (*Ce n'est pas la peine de retracer…*)

→ *Peux-tu m'emmener au tribunal ?* (*Emmène-moi…* : ordre atténué)

3 Les formes de phrases

Le locuteur ne se contente pas d'adopter un type de phrase, il doit aussi choisir une **forme** pour sa phrase.

▪ Une forme **positive** ou une forme **négative**.

→ *Paul est coupable.* (forme positive)

→ *Paul n'est pas coupable.* (forme négative)

▪ Une forme **neutre** ou une forme **emphatique** s'il veut **mettre en relief** un élément de la phrase.

→ *Paul est venu avec Luc.* (forme neutre, où aucun élément n'est mis en relief)

→ ***C'est*** *Zoé* **qui** *l'a tué.* / ***C'est*** *avec Léon* **que** *Zoé l'a tué.* (forme emphatique)

Remarque. Au lieu d'encadrer l'élément mis en relief par *c'est... que/qui*, à l'oral on peut seulement insister sur lui, le souligner dans l'intonation.

→ ***Paul*** (et non un autre) *est venu.*

■ Une forme **active** ou une forme **passive**.

→ *L'avocat défend Paul.* (actif) / *Paul est défendu par l'avocat.* (passif)

■ Une forme **personnelle** ou une forme **impersonnelle**.

→ *Il se trouve qu'il a tué.* (impersonnel) / *Paul se trouve seul.* (personnel)

4 La forme de phrase négative

■ Pour construire une phrase à la forme **négative**, il faut ajouter à la phrase à la forme positive un élément *ne* placé devant le verbe et un autre élément de valeur négative, qui peut être un **pronom** *(personne, nul, rien)*, un **déterminant** *(aucun, nul)*, un **adverbe** *(pas, point, jamais, plus, guère)* ou une **locution adverbiale** *(nulle part)*.

→ ***Personne n'****a vu l'assassin.* (*personne* est un pronom)

→ *Le juge **n'**a convoqué **aucun** témoin.* (*aucun* est un déterminant)

→ *Les jurés **n'**ont **plus** de soupçon.* (*plus* est un adverbe)

■ Les négations peuvent être **totales** ou **partielles**. En effet, la négation peut porter sur la **phrase dans son ensemble** (négation totale) ou sur **un seul élément** de la phrase (négation **partielle**). La négation **totale** est marquée par *pas* (*point* dans la langue soutenue et dans certaines régions) et la négation **partielle** par les autres éléments négatifs *(rien, jamais...)*.

→ *Le greffier **n'**a **pas** de papier.*

Cette phrase est une négation **totale**. Elle répond à l'interrogation totale *Le greffier a-t-il du papier?* et signifie à peu près: *Il est faux de dire que le greffier ait du papier.*

Mais si l'on dit: *Le témoin **n'**a vu **personne** dans l'escalier,* la négation est **partielle**, elle ne porte que sur un seul élément, le complément d'objet *(personne)*. Elle répond à une interrogation partielle comme *Qui le témoin a-t-il vu?*

■ On trouve parfois *ne* employé tout seul et **sans valeur de négation**. Ce *ne*, qui n'est pas obligatoire, est dit **explétif**.

→ *Je crains qu'il **ne** vienne.* (*Je crains qu'il vienne.*)

5 Combinaison des types et des formes de phrases

■ Les **types** et les **formes de phases se combinent entre eux**.

→ *Paul a vu l'assassin.* (type déclaratif + forme positive)

■ Les phrases dites **interro-négatives** combinent le type de phrase interrogatif avec la forme de phrase négative.

→ *N'a-t-il pas volé?* (type interrogatif + forme négative)

■ Les **formes de phrase** aussi peuvent se combiner **entre elles**.

→ *Il a été précisé le nom du coupable.* (forme impersonnelle + forme passive)

RAPPEL DU COURS

■ Les phrases se classent en différents **types**, selon la relation qu'elles établissent entre le locuteur et le destinataire : phrase **déclarative** ou **assertive**, phrase **interrogative**, phrase **injonctive** ou **impérative**, phrase **exclamative**.

■ Il existe des **interrogations partielles** et des **interrogations totales**. À une interrogation totale on répond par *oui* ou par *non*.

■ Pour chaque phrase verbale, le locuteur doit choisir entre diverses **formes de phrase** : **positive** ou **négative**, **neutre** ou **emphatique**, **active** ou **passive**, **personnelle** ou **impersonnelle**.

■ La **négation** d'une phrase s'exprime avec *ne* et un mot négatif. Elle peut être **totale** (marquée par *ne... pas*) ou **partielle** (marquée par *personne, rien*, etc).

■ Les **types et les formes de phrase se combinent** entre eux ; les **formes de phrase se combinent** aussi entre elles.

Les types de phrases

6 Oralement. **Relevez, dans le texte suivant, une phrase déclarative, une interrogative, une injonctive et une exclamative.**

– Grâce ! s'écria le vieillard d'une voix rauque ; grâce ! N'es-tu pas satisfaite ? Cette feuille… que j'avais brûlée… comment as-tu fait pour la lire ?… Orlanduccio, tu n'as rien pu lire contre lui…

– Va, ne te plains pas ; tu n'as pas longtemps à souffrir. Moi, j'ai souffert deux ans !

D'après P. Mérimée, *Colomba*, 1840.

7 Oralement. **Identifiez, grâce à l'intonation, le type de chacune des phrases que vous allez entendre.**

8 **Dites si les phrases suivantes sont injonctives ou exclamatives.**

1. Et dire qu'il fut un temps où j'exerçais le beau métier d'avocat ! **2.** Si vous rencontrez Maître Filou, n'oubliez pas de trinquer avec lui ! **3.** Va-t-en, et sois exact à l'assignation ! **4.** Ne soyez pas si sévère envers un pauvre berger, un malheureux, aussi nu qu'un ver ! **5.** Voilà un bel honneur de plaider contre un fou ! *La Farce de maître Pathelin.*

Interrogation totale et interrogation partielle

9 Oralement. **Tentez de répondre par oui ou par non aux questions suivantes, afin d'indiquer si l'interrogation est totale ou partielle.**

1. Avocat, convient-on de la validité du titre ?

2. Qu'opposez-vous à cette lecture ? **3.** Y a-t-il *ET* dans l'acte ? **4.** Comment juger pareille question ? **5.** Bartholo croit-il que j'aie oublié ma syntaxe ?

10 **Transformez les phrases suivantes a. en interrogations totales b. en interrogations partielles.**

1. Il a suivi le procès Papon. **2.** Les journalistes n'étaient pas autorisés à prendre des photos pendant les audiences. **3.** Les témoignages des familles des victimes ont été publiés. **4.** Vous savez tous ce que l'on entend par « crime contre l'humanité ». **5.** Nous avons fait un exposé sur le procès.

11 **a. Dites si les interrogations du texte suivant sont totales ou partielles. b. Remplacez chaque interrogation partielle par une interrogation totale et inversement.**

On aborde les faits : d'où vient le couteau ? Où a-t-il été « piqué » ? Pourquoi ces déchirures ? T. en voulait-il à tel camarade ? Pourquoi avoir continué ? T. s'est-il rendu compte des dégâts, du tort causé, de l'ambiance de l'école ?

J. Zermatten, *Tribunal des mineurs*, Éd. Saint-Augustin, 2002.

12 **Distinguez, dans ces constructions interrogatives, les « vraies » questions, les questions rhétoriques et celles qui expriment une hypothèse ou une requête.**

1. L'avocat de la défense ouvre-t-il la bouche ? le public tout entier a les larmes aux yeux. **2.** La balance n'est-elle pas le symbole de la justice ? **3.** Connaissez-vous le gentleman cambrioleur ? **4.** Voltaire ne s'est-il pas constamment élevé contre l'injustice et l'intolérance ? **5.** Maître, pouvez-vous défendre ma cause ?

13 Oralement. **Le créateur de Frankenstein se trouve au banc des accusés pour avoir donné vie à un monstre. Inventez cinq phrases interrogatives que son avocat pourrait formuler au cours d'un entretien avec lui, avant le début du procès. Ces phrases devront avoir des valeurs différentes, que vous préciserez.**

Les formes de phrases

14 a. **Indiquez si chacune des phrases suivantes est à la forme positive ou négative.** b. **Mettez à la forme emphatique l'élément en caractères gras.**

1. J.-J. Rousseau, enfant, fut accusé **à tort. 2. Un des peignes de M**^{lle} **Lambercier, mis à sécher dans la cuisine** se trouva cassé. **3.** L'enfant était entré seul **dans la chambre**, pièce contiguë à la cuisine. **4.** On ne put arracher à l'enfant **l'aveu exigé. 5.** Mais il fut puni **parce que la conviction était trop forte.**

D'après J.-J. Rousseau, *Les Confessions*, 1782.

15 Oralement. **Dans le texte suivant, identifiez la forme de chaque proposition en caractères gras.**

Il chercha Javert, mais **il ne le vit pas. Le banc des témoins lui était caché par la table du greffier.** Et puis, nous venons de le dire, la salle était à peine éclairée. **Au moment où il s'était assis,** l'avocat de l'accusé achevait sa plaidoirie. L'attention de tous était excitée au plus haut point ; **l'affaire durait depuis trois heures.** Depuis trois heures, cette foule regardait plier peu à peu sous le poids d'une vraisemblance terrible un homme, un inconnu, une espèce d'être misérable, profondément stupide ou profondément habile.

V. Hugo, *Les Misérables,* 1862.

16 **Rédigez cinq phrases à la forme emphatique à partir de ce portrait d'avocat.**

D'après H. Daumier, *La Plaidoirie*, XIXe siècle.

La forme de phrase négative

17 **Complétez les phrases avec un élément de valeur négative. Indiquez sa classe grammaticale.**

1. N'oublions donc … de nous servir de notre raison pour discerner les nuances de l'honnête et du déshonnête. (Voltaire) **2.** … système judiciaire, hélas, n'est parfait ! **3.** Il ne lui restait … de chance d'échapper à l'échafaud. **4.** Poursuivis par la justice internationale, ils ne trouveront asile … **5.** Je reconnais que je suis justement puni, je n'ai donc … à ajouter.

18 a. **Dans chaque phrase, relevez les deux éléments de négation et précisez si la négation est totale ou partielle.** b. **Écrivez l'interrogation à laquelle répond chacune de ces phrases.**

1. Les juges, n'avaient pas l'air hostile. **2.** Les jurés, qui avaient veillé toute la nuit, ne parvenaient plus à cacher leur fatigue. **3.** Aucun sentiment ne se lisait sur leurs visages. **4.** Rien ne laissait présager une telle sentence. **5.** L'avocat n'avait jamais envisagé les travaux forcés à perpétuité.

19 **Dans les phrases suivantes, dites si *ne* a valeur de négation. Justifiez votre réponse.**

1. Je n'osais regarder autour de moi. **2.** Je craignais que la peine ne fût très lourde. **3.** Mon regard se voilait, je ne discernais personne. **4.** Soudain, je n'entendis plus rien et m'appuyai au mur pour ne pas tomber.

Combinaison des types et des formes de phrases

20 Oralement. **Transformez chacune de ces phrases injonctives en une phrase interrogative de sens voisin.**

1. Avocat, de votre ton vous-même adoucissez l'éclat. (Racine) **2.** Avouez votre faute, elle sera à demi pardonnée. **3.** Faisons la lumière sur cette affaire tant qu'il est encore temps ! **4.** Songez aux victimes ! songez-y, je vous en conjure ! **5.** Méfiez-vous des faux témoignages !

21 a. **Identifiez le type et la forme de chacune des phrases suivantes.** b. **Modifiez chacune d'elles afin que deux formes se combinent.**

1. Où en suis-je ? **2.** Est-ce que je ne rêve pas ? **3.** Que peut être ce Champmathieu ? **4.** Nous nous ressemblons donc ! **5.** Quand je pense qu'hier j'étais si tranquille et si loin de me douter de rien !

V. Hugo, *Les Misérables,* 1862.

Les mots qui explicitent les actes de parole

Six mois de prison…

Javert condamne Fantine à six mois de prison : elle vient d'injurier un « élégant bien pensant », M. Bamatabois, qui, pour s'amuser, lui a jeté dans le dos une poignée de neige.

1 Monsieur Javert, dit-elle, je vous demande grâce. Je vous assure que je n'ai pas eu tort. Si vous aviez vu le commencement, vous auriez vu ! je vous jure le bon Dieu que je n'ai pas eu tort. C'est ce monsieur le bourgeois que je ne connais pas qui m'a mis de la neige dans le dos. Est-ce
5 qu'on a le droit de nous mettre de la neige dans le dos quand nous passons comme cela tranquillement sans faire de mal à personne ? Cela m'a saisie. Je suis un peu malade, voyez-vous ! Et puis il y avait déjà un peu de temps qu'il me disait des raisons. Tu es laide ! tu n'as pas de dents ! Je le sais bien que je n'ai plus mes dents. Je ne faisais rien, moi ;
10 je disais : c'est un monsieur qui s'amuse. J'étais honnête avec lui, je ne lui parlais pas. C'est à cet instant-là qu'il m'a mis de la neige. Monsieur Javert, mon bon monsieur l'inspecteur ! est-ce qu'il n'y a personne là qui ait vu pour vous dire que c'est bien vrai ? J'ai peut-être eu tort de me fâcher. Vous savez, dans le premier moment, on n'est pas maître.
15 On a des vivacités. Et puis quelque chose de froid qu'on vous met dans le dos à l'heure que vous ne vous y attendez pas ! […] Faites-moi grâce pour aujourd'hui cette fois, monsieur Javert.

V. Hugo, *Les Misérables*, 1862.

a Dans quel but Fantine s'adresse-t-elle à Javert ?

b À quoi servent les verbes *demander* et *assurer* (l. 1) ?

c Quel type de relation Fantine tente-t-elle d'instaurer avec l'expression *mon bon monsieur l'inspecteur* (l. 12) ?

LEÇON

Un **acte de parole** peut être **explicité par un verbe à la 1re personne du présent** ou **par un nom.** Cette explicitation a très souvent valeur d'insistance.

Verbes à la 1re personne du présent et noms pour expliciter :

■ **l'assertion** – verbes : *assurer, affirmer, nier, jurer, admettre, reconnaître…* ;

– noms : *affirmation, suggestion, aveu…* ;

→ *je vous **jure** que je n'ai pas eu tort. / J'ai envie de l'étrangler, triste **aveu**, non ?*

■ **l'interrogation** – verbes : *demander, questionner, interroger…* ;
  – noms : *requête, interrogation…* ;
→ *Je vous **demande** votre identité. / Voici ma **requête** : « Me pardonnerez-vous ? »*

■ **l'injonction** – verbes : *ordonner, commander, exiger, imposer, interdire…* ;
  – noms : *sommation, ordre…* ;
→ *Je vous **ordonne** de vous rendre. / « Rendez-vous », tel est mon **ordre**.*

Remarque. En plus des noms et des verbes qui explicitent son acte de parole, le locuteur peut avoir recours à l'**apostrophe** pour **souligner la relation** qu'il entend établir avec son interlocuteur et ainsi mieux agir sur lui. → *Monsieur Javert, **mon bon Monsieur l'inspecteur**…*

---

22 **a.** Reliez le verbe (liste A) à sa définition (liste B).
b. Employez chacun de ces verbes dans une phrase où il viendra expliciter l'acte de parole exprimé.

A **1.** admettre **2.** conjurer **3.** inciter **4.** nier **5.** admonester.

B **a.** Encourager quelqu'un à faire quelque chose. **b.** Demander avec insistance. **c.** Reconnaître une vérité à l'aide de preuves. **d.** Déclarer que quelque chose n'existe pas ou n'est pas vrai. **e.** Avertir sévèrement.

23 **a.** Reliez le nom (liste A) à sa définition (liste B).
b. Oralement. Inventez une phrase correspondant à l'un des actes de parole proposés en A. et faites identifier cet acte par l'un de vos camarades.

A **1.** Sommation **2.** revendication **3.** suggestion **4.** adjuration **5.** requête.

B **a.** Idée ou projet que l'on propose en laissant la liberté d'accepter ou de rejeter **b.** demande instante, verbale ou écrite **c.** invitation impérative **d.** demande par un appel aux sentiments religieux **e.** action de réclamer ce que l'on considère comme un droit, comme un dû.

24 Cherchez, dans un dictionnaire, deux synonymes pour chacun des termes suivants et employez-les dans des phrases qui en éclairent le sens.
1. Exhorter **2.** conseiller **3.** affirmer **4.** suggérer **5.** ordonner.

25 Complétez les phrases suivantes en employant un verbe (au présent de l'indicatif) qui explicitera l'acte de parole.
1. Vous connaissez comme moi tous les faits ; mon client est innocent, je … . **2.** Croyez-moi, croyez-moi, je … , je n'ai rien à voir avec cette sombre affaire. **3.** Bizarre, bizarre, vous n'étiez pas, … -je ce soir-là,

au 6 boulevard du Crime ? **4.** Vous nous faites perdre notre temps ; répondez clairement à nos questions, je … ! **5.** Puisque nous sommes dans notre droit, voici ce que je … , agissons rapidement !

26 **a.** Quel type de relation à l'interlocuteur (hostilité / bienveillance, supériorité / infériorité…) les apostrophes en caractères gras supposent-elles ?
b. Proposez, pour chaque phrase, une autre apostrophe qui modifie la relation à l'interlocuteur.
1. Je vous en prie, **mon bon monsieur**. **2.** Je ne te parle pas à toi, **monstre de maire** ! **3.** Pars, seulement n'y reviens plus, **drôlesse** ! **4.** Pourquoi ne vous êtes-vous pas adressée à moi, **pauvre femme** ! **5.** **Monsieur l'avocat général**, je crois devoir vous rappeler ce qui a été dit.

D'après V. Hugo, *Les Misérables*, 1862.

27 Choisissez cinq noms et cinq verbes de la leçon ou des exercices 22 à 24. En vous inspirant de la photo ci-dessous, employez-les dans des phrases qui en éclaireront le sens.

J. Delannoy, *Chiens perdus sans collier*, 1955.

S'adresser à un interlocuteur

1   2   3

28 ✎ Formulez, en un paragraphe, l'intervention de l'avocate pour chacune de ces trois situations, en tenant compte à chaque fois de sa relation à l'interlocuteur :

a. elle persuade son interlocuteur de prendre un avocat ;

b. elle dissuade son interlocuteur de faire appel à un détective privé.

29 ✎ **a.** Par groupe de trois, transformez le texte suivant en une courte scène de théâtre. **b.** Jouez la scène que vous avez inventée.

Pour tout dire, la séance se déroula mal. Roberto dut d'abord quitter son couvre-chef, pour laisser apparaître une touffe de cheveux roux assez rebelles ; sa mère le pria de cracher son chewing-gum et quand le juge lui demanda pourquoi il avait besoin de deux téléphones portables, il admit que l'un était factice. Il commença à se tasser sur sa chaise et sa superbe disparut. Seules ses bottes, trop bien cirées, brillaient encore. Le héros s'était effondré et demeurait prostré. Son langage se résumait à quelques onomatopées, qui n'avaient rien à voir avec les éclats des bars de l'Ouest américain. Roberto était devenu lui-même, en quelques minutes.

L'essentiel des renseignements fut donné par la mère, dans un long monologue où elle parut à la fois soulagée de pouvoir s'exprimer et à la fois complètement déstabilisée, comme si la fatalité était tombée sur elle, sa famille, son fils, et qu'il était impossible d'y échapper.

J. Zermatten, *Tribunal des mineurs,* Éd. Saint-Augustin, 2002.

30 ✎ Relisez l'extrait des *Misérables* présenté à la page 158 et rédigez un paragraphe dans lequel M. Bamatabois, amené à s'expliquer s'adressera à son tour à Javert pour se disculper. (Pensez à utiliser des constructions interro-négatives, exclamatives, injonctives et le vocabulaire étudié dans le chapitre.)

31 ✎✎ Vous avez été témoin de la querelle entre Fantine et M. Bamatabois. Vous intervenez en faveur de Fantine auprès de l'inspecteur Javert. Rédigez votre « plaidoirie » dans laquelle se trouveront de vraies questions, des questions rhétoriques, des mises en garde, des exclamations émouvantes, des injonctions.

32 ✎✎ Un de vos camarades s'est montré injuste envers vous. Vous lui écrivez une lettre pour lui faire part de votre indignation. Imaginez, en une vingtaine de lignes, les propos que vous lui adressez, dans le but de lui faire reconnaître ses torts et d'obtenir de lui une promesse. Vous penserez à utiliser différents verbes qui expliciteront vos actes de parole.

Évaluation

Gwynplaine à la chambre des Lords

Gwynplaine, enfant, a été enlevé à sa famille et défiguré par des hommes qui ont marqué son visage d'un rire perpétuel ; il est le fils d'un baron, pair du Royaume. Devenu adulte, il fait ici pour la première fois son entrée à la chambre des lords.

1 Un vieillard vénéré de toute la chambre, qui avait vu beaucoup d'hommes, et qui était désigné pour être duc, Thomas, comte de Warton, se leva effrayé.

– Qu'est-ce que cela veut dire ? cria-t-il. Qui a introduit cet homme dans
5 la chambre ? Qu'on mette cet homme dehors.

Et apostrophant cet homme avec hauteur :

– Qui êtes-vous ? d'où sortez-vous ?

Gwynplaine répondit :

– Du gouffre.
10 Et, croisant les bras, il regarda les lords.

– Qui je suis ? je suis la misère. Milords, j'ai à vous parler.

Il y eut un frisson, et un silence. Gwynplaine continua. […]

– Je viens vous avertir. Je viens vous dénoncer votre bonheur. Il est fait du malheur d'autrui. Milords, je suis l'avocat désespéré, et je plaide la cause
15 perdue. Cette cause, Dieu la regagnera. Moi, je ne suis rien, qu'une voix. Le genre humain est une bouche, et j'en suis le cri. Vous m'entendrez. Je viens ouvrir devant vous pairs, d'Angleterre, les grandes assises du peuple, ce souverain, qui est patient, ce condamné, qui est le juge. Je plie sous ce que j'ai à dire. Par où commencer ? Je ne sais.

V. Hugo, *L'Homme qui rit*, 1869.

Questions (16 points)

A. Un lord hors du commun

1 *Qu'on mette cet homme dehors* (l. 5) *Vous m'entendrez.* (l. 16) Qu'y a-t-il de commun entre ces deux phrases, du point de vue de l'effet que veut produire le locuteur ?

2 a. Qu'exprime la construction interrogative : *Qui a introduit cet homme dans la chambre ?* (l. 4-5)
b. Relevez une construction interrogative qui ne pose pas réellement une question et reformulez cet acte de parole à l'aide d'un autre type de phrase.

3 Intégrez une apostrophe méprisante à la phrase : *Qui êtes-vous ?* (l. 7)

4 Mettez à la forme emphatique la phrase : *Je viens vous avertir.* (l. 13) afin que le sujet soit mis en valeur.

5 Proposez un nom explicitant chacun des deux derniers actes de parole de Gwynplaine (l. 11 et 13-19)

B. Types et formes de phrases

6 Relevez les interrogatives du texte et dites s'il s'agit d'interrogations partielles ou totales.

7 a. Indiquez le type et la forme de la phrase : *Le genre humain est une bouche.* (l. 16). **b.** Transformez-la en une phrase d'un autre type et d'une autre forme.

Réécriture (4 points)

Lignes 4 à 7. Remplacez les phrases interrogatives par des phrases déclaratives commençant par un verbe de parole en rapport avec le contexte.

Rédaction (20 points)

Rédigez, à la manière de Victor Hugo, un récit au cours duquel un personnage inattendu prend la parole de façon à défendre une cause.
Consigne d'écriture. Vous varierez les actes de parole et les types de phrases.

Ménager
son interlocuteur

Inégalités

■ J. Genet, *Les Bonnes,*
mise en scène d'A. Arias, 2001.

Atténuer ses propos

document 1 ## De l'inconvénient d'être sincère

Un jeune homme pauvre, Gil Blas, est devenu secrétaire du puissant archevêque de Grenade. Ce dernier lui a fait promettre de lui signaler quand la qualité de ses sermons baisserait. Ce moment arrive.

1 Je ne savais de quelle façon entamer la parole. Heureusement, l'orateur lui-même me tira de cet embarras, en me demandant ce qu'on disait de lui dans le monde, et si l'on était satisfait de son dernier discours. Je répondis qu'on admirait toujours ses homélies mais qu'il me semblait
5 que la dernière n'avait pas si bien que les autres affecté l'auditoire. […]
– Monseigneur, puisque vous m'avez recommandé d'être franc et sincère, je prendrai la liberté de vous dire que votre dernier discours ne me paraît pas tout à fait de la force des précédents. Ne pensez-vous pas cela comme moi ?
10 – Je vous entends, répliqua-t-il. Je vous parais baisser, n'est-ce pas ? Tranchez le mot. Vous croyez qu'il est temps que je songe à la retraite.
– Je n'aurais pas été si hardi, lui dis-je, pour vous parler si librement, si Votre Grandeur ne me l'eût ordonné. Je ne fais donc que lui obéir, et je la supplie très humblement de ne me point savoir mauvais gré de ma
15 hardiesse.

A. R. Lesage, *Gil Blas de Santillane*, 1724.

document 2 ## Dominant, dominé

Illustration pour la fable de
La Fontaine, *Le Corbeau et le Renard*,
début du XXe siècle.

a Doc. 1 Pourquoi Gil Blas ne sait-il pas comment *entamer la parole* (l. 1) ?

b Pourquoi le locuteur utilise-t-il des tournures comme : *il me semblait que...* (l. 4-5) et *ne me paraît pas* (l. 7-8) ? Sont-elles nécessaires ?

c Commentez l'emploi du futur dans : *je prendrai la liberté de vous dire* (l. 7).

d Comment comprenez-vous la subordonnée : *puisque vous m'avez demandé d'être franc et sincère* (l. 6) ? Dans quelle intention le locuteur l'utilise-t-il ?

e Comparez la manière dont Gil Blas s'exprime avec celle de l'archevêque. Comment expliquez-vous ce contraste ?

f Doc. 2 Le corbeau est en haut avec un fromage et le renard est en bas. Qu'est-ce que cela signifie ? Dans le monde d'aujourd'hui, qui pourrait être le corbeau ? et le renard ?

g Oralement. Parmi les apostrophes suivantes qu'il pourrait adresser au corbeau, dites lesquelles vous semblent appropriées à la situation du renard et pourquoi : *monseigneur, mon jeune ami, votre Grandeur, mon garçon, cher collègue.*

h Remplacez la phrase : *Donne-moi ton fromage* par trois autres, qui expriment toutes trois la même idée, mais de manière détournée, plus polie.

i Observez les trois phrases que vous venez de produire. Relevez les procédés qui vous ont permis d'atténuer vos propos.

LEÇON

■ La parole la plus directe et la plus simple n'est pas toujours la plus appropriée. Bien souvent, on est obligé de s'exprimer de manière moins directe, d'**atténuer ses propos**.

■ Le locuteur peut le faire parce qu'il ne veut **pas avoir l'air trop sûr de lui** *(Je peux me tromper, mais il me semble qu'il est malade)*, mais aussi parce qu'il veut **ménager son destinataire**, ne pas le froisser *(Je vous serais reconnaissant de me dire ce que vous en pensez.)*. C'est la fonction des **formules de politesse**.

■ On doit donc **distinguer deux niveaux** dans une phrase : l'**information** proprement dite et tous les **procédés d'atténuation** qu'utilise le locuteur. On peut dire simplement : *Vous avez tort* ou : *Il me semble qu'en un sens on pourrait dire que vous avez tort...*

■ Ces procédés sont très divers. On peut utiliser certains **temps** *(Je voulais vous demander, j'aimerais vous parler...)* ; on peut aussi insérer des **adverbes** *(apparemment...)*, des **verbes** *(Je me permets de vous dire...)*, des **propositions** plus ou moins figées *(à ce qu'il paraît, si l'on peut dire, je ne sais pas si je dois le dire, mais...)*, etc.

1 Trouvez une situation appropriée pour employer chacune des expressions suivantes puis insérez chacune d'elles dans une phrase qui convienne.

1. Soit dit sans vous offenser. **2.** Si je peux me permettre. **3.** Si vous me passez l'expression. **4.** En un sens. **5.** À mon humble avis.

2 ✎ Rédigez un dialogue de six répliques entre un maire de grande ville et un jeune sportif inconnu qui lui demande un soutien financier pour participer à une course. Le sportif utilisera des expressions de l'exercice précédent.

3 Parmi les phrases suivantes, précisez celles qui permettent de ménager l'interlocuteur.

1. Puis-je me permettre de vous demander de me prêter votre voiture ? **2.** À mon avis, c'est impossible. **3.** Il a eu tort, pour dire les choses un peu brutalement. **4.** Il dirige le club efficacement. **5.** Je souhaiterais vous entretenir d'un problème urgent.

4 Les verbes *froisser, heurter, choquer, blesser* ont plusieurs sens. Employez chacun d'eux dans deux phrases différentes : dans l'une il aura un sens concret, dans l'autre un sens opposé à l'idée de ménager son interlocuteur.

Les adverbes

Les commentaires du locuteur sur son propre discours peuvent se faire au moyen d'**adverbes** (*apparemment…*) ou de **locutions adverbiales** (*en quelque sorte, en un sens…*). Mais ce n'est pas le seul rôle des adverbes.

1 Qu'est-ce qu'un adverbe ?

■ La catégorie de **l'adverbe** recouvre des termes très variés : *peu, très, longtemps, lentement, sur-le-champ, peu à peu,* etc. Ils sont **invariables** ; ils n'introduisent **pas de compléments** ; ils **modifient le sens d'un autre terme** : un mot (sauf un nom), un groupe de mots, une phrase.

→ *Paul agit **tyranniquement**.* (*Tyranniquement* modifie le sens d'*agir*.)

■ Certains énoncés changent de sens selon la place qu'occupe l'adverbe.

→ *Paul a obéi **stupidement**.*
(L'adverbe modifie *a obéi* ; le locuteur juge stupide la manière dont Paul a obéi.)

→ ***Stupidement**, Paul a obéi.*
(L'adverbe modifie la phrase *il a obéi* ; le locuteur juge stupide le fait d'obéir.)

Les adverbes sont donc de **deux types** : les uns modifient un **constituant** de la phrase (1er ex.), les autres modifient l'**ensemble** de la phrase (2e ex.).

2 Les adverbes modifiant un constituant de la phrase

■ Un grand nombre d'adverbes modifient le sens d'**un seul mot** : un verbe, un adjectif, une préposition ou même un autre adverbe. Dans ce cas ils se trouvent alors placés **juste à côté** de ce mot. Beaucoup d'entre eux expriment l'**intensité**, le **degré** *(très, si, trop, moins, plus…)* ou la **manière**.

→ *Paul gouverne **prudemment**.*
(*prudemment*, manière, modifie le sens du verbe *gouverne*)

→ *Paul est **plus** poli.* (*plus*, degré, modifie le sens de l'adjectif *poli*)

→ *Paul est tout **prés du** général* (*tout*, intensité, modifie la préposition *contre*)

→ *Paul gouverne **très** prudemment.*
(*très*, intensité, modifie le sens de l'adverbe *prudemment*)

■ La plupart des **adverbes de manière** sont formés à partir du féminin de l'adjectif, auquel on ajoute le suffixe *-ment*, qui veut dire «de manière… » (*fièrement* veut dire «de manière fière»). Mais certains n'ont pas ce suffixe *-ment* ; il ne faut pas les confondre avec des adjectifs.

→ *Le duc est **fort*** (adj. attribut, variable : *la duchesse est forte*)

→ *Le duc parle **fort*** (adv. de manière, invariable : *elle parle fort*)

■ D'autres adverbes jouent un rôle de **complément circonstanciel**. C'est en particulier le cas des adverbes de temps et de lieu : *hier, demain, ici…* Comme n'importe quel complément circonstanciel, ces adverbes peuvent occuper **diverses places** dans la phrase.

→ ***Longtemps*** *le prince a gouverné **ici** sans difficulté.*

→ ***Ici*** *le prince a **longtemps** gouverné sans difficulté.*

Remarque. Les adverbes de négation sont un cas particulier. Ils sont placés à côté du verbe, mais peuvent modifier le sens de toute la phrase (*Les esclaves **ne** commandent **pas** aux maîtres*) ou modifier un élément de la phrase (*Les esclaves **ne** travaillent **pas** à midi*) (*…mais le soir*).

3 Les adverbes modifiant l'ensemble de la phrase

Les adverbes modaux

■ Les adverbes modaux modifient le **sens de la phrase dans son ensemble**. Ils peuvent occuper **diverses places** dans la phrase.

■ Les adverbes modaux **logiques** *(sans doute, sûrement, éventuellement…)* indiquent comment le locuteur évalue le degré de probabilité pour qu'un événement se réalise.

→ *Jules règnera **peut-être**. (Il est **possible** que Jules règne.)*

→ ***Probablement**, il va régner. (Il est **probable** qu'il va régner.)*

■ Les adverbes modaux **appréciatifs** permettent au locuteur d'exprimer des **jugements de valeur** ou des **sentiments** sur ce qu'il dit.

→ ***Heureusement**, il ne règne plus. (Je trouve heureux qu'il ne règne plus.)*

→ *Paul, **curieusement**, a été réélu. (Je trouve curieux que Paul ait été réélu.)*

Les adverbes d'énonciation

■ Certains adverbes ne portent pas sur le contenu de la phrase mais sur la **manière dont le locuteur la dit ou veut qu'elle soit comprise** par le destinataire.

→ *Honnêtement, ce n'est pas un chef.*
(Je te parle honnêtement en disant : ce n'est pas un chef.)

→ *Franchement, tu veux régner ? (Réponds franchement à ma question…)*

Comme les adverbes modaux, ces adverbes n'ont **pas de place fixe**, mais le plus souvent ils sont placés en tête de phrase.

Les adverbes connecteurs

■ Un grand nombre d'adverbes et de locutions adverbiales servent à **organiser les textes**, à établir la relation entre deux phrases. C'est le rôle de ceux qui servent de **connecteurs**. Ils permettent d'établir diverses relations : opposition, addition, cause, etc. (voir chap. 17). Ils se placent **souvent en tête de phrase**, mais ils sont déplaçables.

→ *Il est influent. Il a **cependant** perdu son poste. (**Cependant** porte sur il a perdu son poste : il indique que cet énoncé s'oppose à celui qui précède.)*

→ *Il est influent. **En outre** il est efficace. (**En outre** modifie il est efficace : il indique que cet énoncé va dans le même sens que celui qui précède.)*

RAPPEL DU COURS

■ Les **adverbes** sont **invariables**, ils n'ont **pas de complément** et **modifient** un autre mot ou une phrase.

■ Les adverbes qui modifient un **mot** sont placés **à côté** de lui. Les adverbes **circonstanciels** sont **mobiles** dans la phrase.

■ Les adverbes de **manière** modifient le **verbe**; la plupart se forment avec le suffixe *-ment*.

■ Les adverbes **modaux** portent sur la **phrase**. Ils peuvent être **logiques** ou **appréciatifs**.

■ Les adverbes d'**énonciation** permettent de préciser **de quelle manière la phrase doit être dite ou comprise**.

■ Les adverbes **connecteurs** servent à relier deux phrases.

Qu'est-ce qu'un adverbe ?

5 Dites si les mots en caractères gras sont ou non des adverbes.

1. Je veux donner l'idée d'un **divertissement** innocent. 2. Sur une route, **derrière** la grille d'un vaste jardin, se tenait un enfant **beau** et frais, habillé de ces **vêtements** de campagne **si/pleins** de coquetterie. 3. **Derrière**, gisait sur l'herbe un joujou splendide, verni, doré. 4. De l'autre côté de la grille, il y avait un enfant sale, chétif qui montrait à l'enfant riche son propre joujou, que celui-ci examinait **avidement** comme un objet rare et inconnu. 5. **Or**, ce joujou, c'était un rat vivant ! 6. Et les deux enfants se riaient l'un à l'autre **fraternellement**, avec des dents d'une égale blancheur.

Ch. Baudelaire, «Le joujou du pauvre», *Le Spleen de Paris*, 1869.

6 Oralement. **De quel(s) mot(s) ou groupe(s) de mots les adverbes de l'exercice précédent modifient-ils le sens ? Justifiez votre réponse.**

Les adverbes modifiant un constituant de la phrase

7 **a. De quel mot les adverbes en caractères gras modifient-ils le sens ? b. Expriment-ils la manière ou l'intensité ?**

1. Sur un signe du marquis, Julien était resté **tout** près de la table. 2. Pour se donner une contenance, il se mit à tailler **tranquillement** des plumes. 3. On parlait **assez** doucement. 4. Le jeune évêque d'Agde parut, il eut l'air **fort** étonné quand ses yeux arrivèrent à Julien. 5. Quoi donc, se disait celui-ci, tous ces grands seigneurs que je n'ai jamais vus ne m'intimident **nullement**, et le regard de ce jeune évêque me glace ! Il faut convenir que je suis un être **bien** singulier.

Stendhal, *Le Rouge et le noir*, 1830.

8 **Dans le texte suivant, modifiez le sens des mots en caractères gras en ajoutant un adverbe, dont la valeur vous est indiquée entre parenthèses.**

1. **Saluons**-le (manière), ce **beau** (intensité) vingtième siècle qui possédera nos enfants, et que nos enfants posséderont. 2. La question politique est résolue ; la République est faite, et rien ne la défera. La question sociale reste ; elle est **terrible** (intensité), mais elle est **simple** (degré) ; c'est la question de ceux qui ont et de ceux qui n'ont pas. 3. Il faut que le second de ces deux termes **s'évanouisse** (manière). Sachons vouloir le bien pour tous.

D'après V. Hugo, *Discours pour le congrès ouvrier de Marseille*, 1879.

9 Formez des adverbes de manière en *-ment* à partir de ces adjectifs. Précisez pour chacun comment il a été formé.

Ex. Dangereux → dangereusement: adj. fém. *dangereuse + -ment.*

1. Lent 2. vif 3. doux 4. précis 5. sec 6. immense 7. bref 8. violent 9. puissant 10. grave (deux adverbes différents) 11. méchant 12. gentil.

10 Tout le monde n'est pas égal devant la beauté ! Écoutez attentivement cette tirade de *Cyrano de Bergerac*, où le personnage évoque sur tous les tons la longueur de son nez. **a.** Relevez les adjectifs qui précèdent chacune des variations (*Ex. agressif, amical...*). Cherchez le sens de ceux que vous ne connaissez pas. **b.** Trouvez, quand c'est possible, l'adverbe de manière correspondant (*Ex. agressivement, amicalement...*). **c.** Quels adjectifs n'en ont pas ?

11 Trouvez les terminaisons (-*emment* ou -*amment*) des adverbes en caractères gras, en vous appuyant sur les terminaisons des adjectifs correspondants.

1. Il souhaite **ard...** prendre la place de son patron. **2.** Il se croit obligé de parler **sav... 3.** Elle ne s'habille pas aussi **élég...** que sa secrétaire. **4.** Il demande **prud...** une augmentation. **5.** Il sait **pertin...** qu'il faudra batailler pour l'obtenir.

12 Dites si les mots en caractères gras sont des adjectifs ou des adverbes.

1. C'est **clair** : personne n'osera dire au chef de service qu'il ne chante pas **juste** ! **2.** Les compliments qu'il fait à son patron sonnent **faux**. **3.** « Ce n'est pas **juste** ! » se plaint l'employé. Le patron coupe **court** à sa colère en l'invitant à déjeuner. **4.** Prière de parler **bas** : le chef fait une **courte** sieste ! **5.** Je vois très **clair** dans son attitude : il a recours à de **bas** procédés pour se faire **bien** voir.

13 Oralement. **Dans les expressions suivantes, précisez quel est l'adverbe. Puis utilisez son homonyme adjectif dans une autre phrase.**

Ex. Taper fort (fort : adv.) / Mon père est plus fort que le tien ! (fort : adj.)

1. Claquer sec **2.** sonner creux **3.** tenir bon **4.** ne pas tourner rond **5.** peser lourd.

14 Relevez les adverbes (ou locutions adverbiales) compléments circonstanciels de temps et de lieu.

Ah ! criait Thénardier, je vous retrouve, monsieur le millionnaire râpé ! Je vous ai reconnu sur-le-champ dès que vous avez fourré votre mufle ici. Ah ! on va voir enfin que ce n'est pas tout rose d'aller comme cela dans les maisons des gens, avec des habits minables, leur prendre leur gagne-pain, et qu'on n'en est pas quitte pour rapporter après, quand les gens sont ruinés, deux méchantes couvertures d'hôpital. Parbleu ! vous vous êtes moqué de moi autrefois. Revanche. C'est moi qui ai l'atout aujourd'hui ! Vous êtes fichu, mon bonhomme !

V. Hugo, *Les Misérables*, 1862.

Les adverbes modifiant l'ensemble de la phrase

15 Complétez les phrases suivantes avec les adverbes appréciatifs qui conviennent au contexte : *malheureusement, heureusement, bizarrement, bêtement.*

1. ..., j'ai dit au PDG que je n'aimais pas sa nouvelle cravate. ..., il l'a bien pris. **2.** Aujourd'hui, ..., mon insupportable collègue m'a dit bonjour en arrivant. ... sa bonne humeur n'a pas duré.

16 Tous ces adverbes peuvent servir à évaluer la probabilité qu'un événement arrive. Classez-les dans le tableau ci-dessous, que vous aurez recopié : *sans doute, certainement, éventuellement, logiquement, nécessairement, forcément, immanquablement, assurément, inévitablement, inéluctablement, vraisemblablement, évidemment.*

réalisation certaine	réalisation probable

17 Oralement. **Choisissez cinq adverbes dans la liste de l'exercice précédent, et utilisez chacun d'eux dans une phrase.**

18 Relevez les adverbes d'énonciation. Attention. **Ne les confondez pas avec les adverbes de manière qui se sont glissés dans ces phrases !**

1. Sérieusement, tu vas lui répondre aussi insolemment ? **2.** Ce serait bien, sincèrement, de le remettre calmement à sa place. **3.** Bref, il est parti en claquant violemment la porte du directeur ! **4.** Simplement, il me semble qu'il faudrait lui parler plus poliment. **5.** Franchement, tu devrais le lui dire haut et fort !

19 Transformez le texte de La Fontaine en ajoutant les adverbes connecteurs qui conviennent : *donc, cependant, en effet, par ailleurs, alors.*

Le chêne un jour dit au roseau : « Vous avez bien sujet d'accuser la Nature ; ... un Roitelet pour vous est un pesant fardeau. ... le moindre vent qui d'aventure fait rider la face de l'eau, vous oblige à baisser la tête : ... mon front, au Caucase pareil, non content d'arrêter les rayons du soleil, brave l'effort de la tempête. [...] La Nature envers vous me semble ... bien injuste. – Votre compassion, lui répondit ... l'arbuste, part d'un bon naturel, mais quittez ce souci. Les vents me sont moins qu'à vous redoutables. Je plie, et ne romps pas ».

J. de La Fontaine, « Le Chêne et le roseau », *Fables*, 1668.

Hyperbole, litote, euphémisme

Un grand seigneur méchant homme est une terrible chose !

> *Sganarelle est le valet de Dom Juan, qui vient d'épouser Done Elvire, avant de l'abandonner. Sganarelle explique à l'envoyé de Done Elvire qui est réellement son maître.*

1 SGANARELLE – Si tu connaissais le pèlerin, tu trouverais la chose assez facile pour lui. Je ne dis pas qu'il ait changé de sentiments pour Done Elvire, je n'en ai point de certitude encore ; mais par précaution, je t'apprends, *inter nos*[1], que tu vois en Dom Juan, mon maître, le plus grand
5 scélérat que la terre ait jamais porté, un enragé, un chien, un diable, un Turc, un hérétique, qui ne croit ni Ciel, ni Enfer, ni loup-garou, qui passe cette vie en véritable bête brute. […] Tu me dis qu'il a épousé ta maîtresse : crois qu'il aurait plus fait pour sa passion, et qu'avec elle il aurait encore épousé toi, son chien et son chat. Si je te disais le nom de
10 toutes celles qu'il a épousées en divers lieux, ce serait un chapitre à durer jusqu'au soir. Suffit qu'il faut que le courroux du Ciel l'accable quelque jour ; qu'il me vaudrait bien mieux d'être au diable que d'être à lui, et qu'il me fait voir tant d'horreurs, que je souhaiterais qu'il fût déjà je ne sais où. Mais un grand seigneur méchant homme est une ter-
15 rible chose ; il faut que je lui sois fidèle, en dépit que j'en aie.

Molière, Dom Juan, Acte I, scène 1, 1665.

1. *Inter nos* : entre nous.

a Sganarelle parlerait-il de la même façon s'il pensait que Dom Juan pouvait l'entendre ?

b Le discours de Sganarelle vous semble-t-il nuancé ou exagéré ? Relevez toutes les expressions qui justifient votre réponse.

LEÇON

■ L'**hyperbole** permet de mettre en relief une idée par une **formulation exagérée**.
> → *C'est le maître le plus extraordinaire du monde !*

Elle consiste à utiliser des termes excessifs *(génial, horrible)*, le superlatif ou le degré absolu *(le plus, très, excessivement)*, des comparaisons irréalistes *(fort comme un bœuf)*, des évaluations déraisonnables *(une tonne de)*.

■ Par la **litote**, il s'agit de **dire «moins»**, pour en réalité **exprimer «plus»**. Si un serviteur trouve que son maître est un très bon maître, il dira par exemple :
> → *Ce n'est pas un mauvais maître !*

■ L'**euphémisme** cherche à **atténuer** une idée, pour masquer ce que l'expression directe aurait de déplaisant ou de choquant. Quelqu'un qui regrette le décès de l'un de ses plus chers amis dira, par exemple :
> → *Malheureusement, il n'est plus parmi nous.* (pour ne pas dire : *Il est mort.*)

20 Identifiez les mots ou les tournures hyperboliques.

1. On a une tonne de devoirs! **2.** C'est ignoble de lui dire que tu n'aimes pas son blouson! **3.** Dans ce collège, on travaille comme des esclaves. **4.** Je suis furieux : j'ai eu une punition d'au moins un million de lignes! **5.** Je viens d'écrire la rédaction la plus géniale de toute l'histoire de l'humanité!

21 Dans le texte suivant, relevez les termes et les tournures hyperboliques qui traduisent le dégoût de l'auteur pour le monde dans lequel il vit.

L'avachissement contemporain est à opérer des miracles. Oui, des miracles, je ne crains pas de le proclamer. Alors que l'Exposition[1] se préparait et que toutes les vanités, toutes les sottises, toutes les concupiscences de l'univers se précipitaient vers Paris devenu plus cochon, plus bête, plus inane[2] qu'il ne fut jamais, – si quelque chose parut certain, ce fut la Culbute, la Dégringolade inouïe.

Dans le même temps, les quatre ou cinq parties du monde mugissaient contre l'Angleterre dont l'ignominie étonne les océans et décourage toute hyperbole.

L. Bloy, *Quatre ans de captivité à Cochons-sur-Marne*, 1905.
1. L'Exposition : l'exposition universelle.
2. Inane : inutile.

22 Reformulez les énoncés suivants, empruntés à la langue orale ou familière, en utilisant des litotes.

Ex. Il est fou d'elle → *Il ne la déteste pas !*

1. Le nouveau a l'air hyper intelligent. **2.** J'ai trouvé un boulot génial pour cet été. **3.** Le festin que tu nous prépares sent trop trop bon. **4.** Cette robe est super belle. **5.** On s'est complètement éclatés !

23 Reformulez les phrases suivantes, en remplaçant les litotes par des hyperboles.

1. Ça n'est pas malin! **2.** Cette fille ne lui déplaît pas. **3.** Il n'a pas sa langue dans sa poche. **4.** Il n'a pas froid aux yeux. **5.** Ce blouson n'a rien de rare !

24 Remplacez les termes en caractères gras par des euphémismes que notre société a pris l'habitude de leur substituer.

1. Des services sont mis en place pour **les aveugles**. **2.** C'est une école pour **sourds**. **3.** Cette semaine se tient une conférence où sont invités **les pays pauvres**. **4.** Est-ce que tu as appris **la mort** du voisin? **5.** D'après les médecins, il est **fou**. **6.** Les plus **pauvres** obtiennent des aides de l'État. **7.** Cette nuit, un **clochard**/**est mort**. **8.** Les gens **riches** souffrent peu de la crise. **9.** Excusez-moi, où se trouvent les **cabinets** ?

25 Oralement. Reformulez les phrases suivantes en utilisant des euphémismes.

1. Je déteste la couleur de la moquette que vous avez demandée pour mon bureau. **2.** Je suis mécontent de votre travail. **3.** Mais vous ne comprenez rien du tout! **4.** C'est bon, vous pouvez vous en aller. **5.** Ce que vous me demandez de faire est absolument impossible!

26 Oralement. Identifiez les figures en caractères gras : hyperbole, litote ou euphémisme.

1. Chimène à Rodrigue : *Va, **je ne te hais point**.* (Corneille) **2.** **Ô nuit désastreuse, ô nuit effroyable, où retentit tout à coup, comme un éclat de tonnerre,** cette étonnante nouvelle : Madame se meurt, Madame est morte! (Bossuet) **3.** Dans la plupart des hommes, les changements se font peu à peu, et la mort les prépare ordinairement à son dernier coup. **Madame cependant a passé du matin au soir,** ainsi que l'herbe des champs. (Bossuet) **4.** Avant que le comte Rodrigue m'épousât, **il n'y avait amour ancien ni moderne qui pût figurer auprès du sien.** (Marivaux) **5. L'aventure n'a pas été mauvaise pour vous,** car sans moi vos affaires, avec votre permission, étaient fort délabrées, et mon argent a servi à reboucher d'assez bons trous. (Molière)

27 Oralement. Improvisez quelques phrases, devant le reste de la classe, sur l'un des sujets suivants, en utilisant au choix des hyperboles, des litotes ou des euphémismes. Vos camarades devront identifier les figures utilisées.

1. Un camarade de classe est extrêmement gâté par ses parents. **2.** Vous trouvez injuste qu'une autre classe organise un voyage et pas la vôtre. **3.** Vous trouvez anormalement élevé le salaire de certains sportifs. **4.** Vous dénoncez les inégalités de salaire entre les hommes et les femmes.

28 En une ou deux phrases chaque fois, évoquez l'un des personnages représentés par cette caricature de trois manières différentes : **a.** avec une hyperbole, **b.** avec une litote, **c.** avec un euphémisme.

La Famine en Irlande, gravure, XIXe siècle.

Ménager son interlocuteur

29 Oralement. Pour chacune des situations suivantes, imaginez un bref dialogue (trois ou quatre répliques), en nuançant quand il le faut les propos des personnages.

1. Le secrétaire d'un homme politique doit lui dire que, dans sa conférence de presse, il a interverti les chiffres du chômage avec ceux des touristes en France. **2.** Un élève remarque que son professeur a mis son pull à l'envers. **3.** Un jeune metteur en scène demande à la star qui joue dans son film de refaire une scène pour la vingtième fois.

30 Les conseils de classe approchent et les professeurs font un bilan de fin de trimestre avec leurs élèves. Choisissez l'un de ces professeurs imaginaires, puis inventez en quelques lignes son dialogue avec la classe. Vous veillerez à nuancer les propos des élèves.

C. Lapointe, *« Ah les profs »*, Bayard Presse Jeunesse.

31 Oralement. Par groupes de deux. Une chaîne de télévision décide de faire un reportage sur les adolescents. Vous recevez chez vous, avec un(e) ami(e) de votre âge, le journaliste chargé de l'enquête. Écoutez les questions qu'il vous pose et répondez-y en vous répartissant les rôles de la manière suivante : l'un de vous répond aux questions de manière excessive, tandis que l'autre nuance ses propos.

32 Dans ce passage de *Germinal*, Étienne Lantier expose à ses camarades grévistes son rêve d'une société plus libre et plus égalitaire. **a.** En une dizaine de lignes, rédigez au style direct le discours de Lantier devant ses camarades. Vous utiliserez les figures d'exagération étudiées. **b.** On propose à Lantier d'exposer ses idées dans une page d'un grand quotidien national. Il sait qu'il doit atténuer ses propos s'il veut être publié et lu. Imaginez et rédigez son article en une dizaine de lignes, en utilisant les figures d'atténuation étudiées.

« D'abord il posait que la liberté ne pouvait être obtenue que par la destruction de l'État. Puis, quand le peuple se serait emparé du gouvernement, les réformes commenceraient : retour à la commune primitive, substitution d'une famille égalitaire et libre à la famille morale et oppressive, égalité absolue, civile, politique et économique, garantie de l'indépendance individuelle grâce à la possession et au produit intégral des outils de travail, enfin instruction professionnelle et gratuite, payée par la collectivité. Cela entraînait une refonte totale de la vieille société pourrie ; il attaquait le mariage, le droit de tester[1], il réglementait la fortune de chacun. »

É. Zola, *Germinal*, 1885.

1. Tester : faire un testament.

33 Dans de nombreuses situations, il semble préférable de ne pas présenter son opinion de manière trop abrupte ou excessive. Mais pensez-vous qu'il soit toujours bon de nuancer ainsi ses propos ? Vous développerez ces deux idées (thèse et antithèse) en donnant vos arguments et en les illustrant d'exemples précis.

Attention. N'oubliez pas que le « sujet de réflexion » fait partie de ces cas où il est bon de nuancer – mais sans excès – ses propos.

De la difficulté d'épouser une jeune fille noble

Dorante, qui n'est pas noble, veut se marier avec Angélique, une jeune aristocrate qui ne veut épouser qu'un homme de sa condition.

1 DORANTE – Oserais-je, sans être importun, Madame, vous demander un moment d'entretien ?

ANGÉLIQUE – Importun, Dorante ! pouvez-vous l'être avec nous ? Voilà un début bien sérieux. De quoi s'agit-il ?

5 DORANTE – D'une proposition que Monsieur le Marquis m'a permis de vous faire, qu'il vous rend la maîtresse d'accepter ou non, mais dont j'hésite à vous parler, et que je vous conjure de me pardonner, si elle ne vous plaît pas.

ANGÉLIQUE – C'est donc quelque chose de bien étrange ? Attendez ; ne
10 serait-il pas question d'un certain mariage, dont Lisette m'a déjà parlé ?

DORANTE – Je ne l'avais pas priée de vous prévenir ; mais c'est de cela même, Madame.

ANGÉLIQUE – En ce cas-là, tout est dit, Dorante ; Lisette m'a tout conté. Vos intentions sont louables, et votre projet ne vaut rien. Je vous promets
15 de l'oublier. Parlons d'autre chose. […]

DORANTE – Je me tais, Madame, pénétré de douleur de vous avoir déplu.

ANGÉLIQUE, *riant* – Pénétré de douleur ! C'en est trop. Il ne faut point être si affligé, Dorante – Vos expressions sont trop fortes ; vous parlez de cela comme du plus grand des malheurs.

Marivaux, *Le Préjugé vaincu*, 1746.

Questions (15 points)

A. Ne pas blesser son interlocuteur

1 Donnez un équivalent plus court de la 1re réplique de Dorante. Est-ce que l'effet qu'il produirait sur Angélique serait le même ?

2 Que signifie *sans être importun* (l. 1) ? Avec quelle intention Dorante le dit-il ?

3 Comparez les constructions des phrases des deux 1res répliques de Dorante et de la 3e réplique d'Angélique. Lesquelles vous semblent plus compliquées ? Expliquez cette différence.

B. Marquer l'intensité

4 Quelle est la nature et le sens de *bien* dans *bien sérieux* (l. 4) et *bien étrange* (l. 9) ? Trouvez deux mot synonymes.

5 Ajoutez à la phrase d'Angélique : *Vos expressions sont trop fortes* (l. 18) un adverbe d'énonciation, un adverbe connecteur de cause et un adverbe modal logique.

6 *Le plus grand des malheurs* (l. 19) est-il plutôt une hyperbole, un euphémisme ou une litote ?

Réécriture (5 points)

Réécrivez le passage de la ligne 1 à la ligne 12 en remplaçant les phrases de type interrogatif, injonctif et exclamatif par des phrases déclaratives de même sens. Conservez les atténuations du discours.

Rédaction (20 points)

Dorante est un employé d'une grande entreprise et Angélique sa patronne. Il vient lui proposer un projet qui lui tient à cœur, mais elle est très réticente. Imaginez leur conversation.

Consigne d'écriture. Vous la présenterez sous la forme d'un dialogue de théâtre.

Lecture suivie

[Extrait 1] *Elle s'appelle Antigone*

> *Un décor neutre. Trois portes semblables. Au lever du rideau, tous les personnages sont en scène. Ils bavardent, tricotent, jouent aux cartes.*
> *Le Prologue se détache et s'avance.*

1 LE PROLOGUE – Voilà. Ces personnages vont vous jouer l'histoire d'Antigone. Antigone, c'est la petite maigre qui est assise là-bas, et qui ne dit rien. Elle regarde droit devant elle. Elle pense. Elle pense qu'elle va être Antigone tout à l'heure, qu'elle va surgir soudain de la maigre jeune fille noiraude et renfermée
5 que personne ne prenait au sérieux dans la famille et se dresser seule en face du monde, seule en face de Créon, son oncle, qui est le roi. Elle pense qu'elle va mourir, qu'elle est jeune et qu'elle aussi, elle aurait bien aimé vivre. Mais il n'y a rien à faire. Elle s'appelle Antigone et il va falloir qu'elle joue son rôle jusqu'au bout… Et, depuis que ce rideau s'est levé, elle sent qu'elle s'éloigne à une
10 vitesse vertigineuse de sa sœur Ismène, qui bavarde et rit avec un jeune homme, de nous tous, qui sommes là bien tranquilles à la regarder, de nous qui n'avons pas à mourir ce soir.
Le jeune homme avec qui parle la blonde, la belle, l'heureuse Ismène, c'est Hémon, le fils de Créon. Il est le fiancé d'Antigone.

> J. Anouilh, *Antigone*, Éd. de la Table Ronde, 1946.

Le discours et le texte

1 Cherchez dans le dictionnaire la définition du mot *prologue*. Pourquoi l'auteur a-t-il choisi ce nom pour son personnage ?

2 Quelles différences y a-t-il, du point de vue de l'énonciation (locuteur, destinataire), entre le texte du *Prologue* et le passage en italique ? Comment appelle-t-on ce dernier ?

3 Relevez les déictiques spatiaux et temporels dans la tirade du *Prologue*. À quel lieu et à quel moment renvoient-ils ?

Les phrases et le texte

4 Indiquez deux types de progression thématique utilisés dans le premier paragraphe. Justifiez votre réponse.

5 a. Relevez un verbe à la forme pronominale et une construction impersonnelle.
b. Mettez à la forme passive la proposition : *que personne ne prenait au sérieux dans la famille* (l. 5).

Exercice d'écriture

6 Rédiger un texte coupé de la situation d'énonciation. Réécrivez la présentation d'Antigone dans un texte rédigé au passé, comme pourrait le faire un historien.

L'extrait et l'œuvre

7 Trouvez, dans l'œuvre, deux autres passages où un personnage commente l'action. Quel est le thème commun aux trois passages ?

Jean Anouilh, *Antigone*

[Extrait 2] *Faire ce que l'on peut*

1 ANTIGONE – Il faut que j'aille enterrer mon frère que ces hommes ont découvert.

CRÉON – Tu irais refaire ce geste absurde ? Il y a une autre garde autour du corps de Polynice et, même si tu parviens à le recouvrir encore, on dégagera son cadavre, tu le sais bien. Que peux-tu donc, sinon t'ensanglanter encore les

5 ongles et te faire prendre ?

ANTIGONE – Rien d'autre que cela, je le sais. Mais cela, du moins, je le peux. Et il faut faire ce que l'on peut.

CRÉON – Tu y crois donc vraiment, toi, à cet enterrement dans les règles ? À cette ombre de ton frère condamnée à errer toujours si on ne jette pas sur le

10 cadavre un peu de terre avec la formule du prêtre ? Tu leur as déjà entendu réciter, aux prêtres de Thèbes, la formule ? Tu as vu ces pauvres têtes d'employés fatigués écourtant les gestes, avalant les mots, bâclant ce mort pour en prendre un autre avant le repas de midi ?

ANTIGONE – Oui, je les ai vus.

15 CRÉON – Est-ce que tu n'as jamais pensé alors que si c'était un être que tu aimais vraiment, qui était là, couché dans cette boîte, tu te mettrais à hurler tout d'un coup ? À leur crier de se taire, de s'en aller ?

ANTIGONE – Si, je l'ai pensé.

CRÉON – Et tu risques la mort maintenant parce que j'ai refusé à ton frère ce pas-

20 seport dérisoire, ce bredouillage en série sur sa dépouille, cette pantomime dont tu aurais été la première à avoir honte et mal si on l'avait jouée. C'est absurde !

ANTIGONE – Oui, c'est absurde.

J. Anouilh, *op. cit.*

Le discours et le texte

1 Qu'est-ce que Créon essaie d'obtenir d'Antigone dans cet extrait ? Précisez comment il s'y prend.
a. Indiquez quel type de phrase il emploie le plus souvent et avec quelle particularité. Quelle intention a-t-il en employant ce type de phrase ? **b.** Résumez ses arguments successifs.

2 Étudiez les répliques d'Antigone du point de vue de leur longueur et de leur contenu.

Les phrases et le texte

3 Dans la 3e et la 4e répliques de Créon, relevez les constructions emphatiques. Reformulez ces phrases en utilisant une construction neutre.

4 a. Justifiez l'emploi du subjonctif *aille* (l. 1).
b. Relevez les verbes au conditionnel, indiquez leur temps et expliquez leur valeur d'emploi.

5 Justifiez l'accord du participe *vus* (l. 14).

Exercice d'écriture

6 Rédiger un dialogue argumentatif. À la manière de Créon, vous décrirez une coutume pour mieux convaincre votre interlocuteur qu'elle est ridicule.

L'extrait et l'œuvre

7 La suite de la discussion entre Antigone et Créon va manifester leur opposition : énumérez tout ce qui les oppose dans leurs idées, leur comportement, etc.

[Extrait 3] *Maître avant la loi*

1 HÉMON, *entre en criant*. – Père !

CRÉON, *court à lui, l'embrasse*. – Oublie-la, Hémon ; oublie-la, mon petit.

HÉMON – Tu es fou, père. Lâche-moi.

CRÉON, *le tient plus fort*. – J'ai tout essayé pour la sauver, Hémon. J'ai tout essayé,

5 je te le jure. Elle ne t'aime pas. Elle aurait pu vivre. Elle a préféré sa folie à la mort.

HÉMON, *crie, tentant de s'arracher à son étreinte*. – Mais, père, tu vois bien qu'ils l'emmènent ! Père, ne laisse pas ces hommes l'emmener !

CRÉON – Elle a parlé maintenant. Tout Thèbes sait ce qu'elle a fait. Je suis obligé

10 de la faire mourir.

HÉMON, *s'arrache de ses bras*. – Lâche-moi !

Un silence. Ils sont l'un en face de l'autre. Ils se regardent.

LE CHŒUR, *s'approche*. – Est-ce qu'on ne peut pas imaginer quelque chose, dire qu'elle est folle, l'enfermer ?

15 CRÉON – Ils diront que ce n'est pas vrai. Que je la sauve parce qu'elle allait être la femme de mon fils. Je ne peux pas.

LE CHŒUR – Est-ce qu'on ne peut pas gagner du temps, la faire fuir demain ?

CRÉON – La foule sait déjà, elle hurle autour du palais. Je ne peux pas.

HÉMON – Père, la foule n'est rien. Tu es le maître.

20 CRÉON – Je suis le maître avant la loi. Plus après.

J. Anouilh, *op. cit.*

Le discours et le texte

1 **a.** Qu'essaient d'obtenir Hémon et le Chœur ? Quelle réponse leur fait Créon ?

b. Trouvez dans le texte des énoncés qui correspondent aux actes de parole suivants : ordre, conseil, suggestion, prière, indignation, justification.

Les phrases et le texte

2 **a.** Quel(s) type(s) de phrase(s) emploie le plus souvent chacun des interlocuteurs ? Tirez-en des conclusions sur leur état d'esprit ou (et) leurs relations.

b. Relevez les formes négatives dans les trois dernières répliques de Créon. En quoi leur emploi est-il révélateur de son attitude ?

3 Relevez une expression explicitant un acte de parole et une autre indiquant une obligation.

Exercice d'écriture

4 **Rédiger un dialogue en ménageant son interlocuteur.** Deux adolescents essaient d'obtenir la permission de rentrer tard. L'un est plus diplomate que l'autre. Vous rédigerez ce dialogue en utilisant des types de phrases adaptés à chaque interlocuteur.

L'extrait et l'œuvre

5 Montrez qu'Hémon s'oppose ensuite à Créon pour les mêmes raisons qu'Antigone.

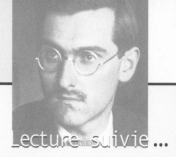

[Extrait 4] *Ô tombeau !*

1 ANTIGONE – Comment vont-ils me faire mourir ?

LE GARDE – Je ne sais pas. Je crois que j'ai entendu dire que pour ne pas souiller la ville de votre sang, ils allaient vous murer dans un trou.

ANTIGONE – Vivante ?

5 LE GARDE – Oui, d'abord.

Un silence. Le garde se fait une chique [1]

ANTIGONE – O tombeau ! O lit nuptial ! O ma demeure souterraine ! *(Elle est toute petite au milieu de la grande pièce nue. On dirait qu'elle a un peu froid. Elle s'entoure de ses bras. Elle murmure.)* Toute seule…

10 LE GARDE, *qui a fini sa chique.* – Aux cavernes de Hadès, aux portes de la ville. En plein soleil. Une drôle de corvée encore pour ceux qui seront de faction. Il avait d'abord été question d'y mettre l'armée. Mais, aux dernières nouvelles, il paraît que c'est encore la garde qui fournira les piquets. Elle a bon dos, la garde ! Étonnez-vous après qu'il existe une jalousie entre le garde et le sergent d'active…

15 ANTIGONE, *murmure, soudain lasse.* – Deux bêtes…

LE GARDE – Quoi, deux bêtes ?

ANTIGONE – Deux bêtes se serreraient l'une contre l'autre pour se faire chaud. Je suis toute seule.

LE GARDE – Si vous avez besoin de quelque chose, c'est différent. Je peux appeler.

J. Anouilh, *op. cit.*

1. Chique : morceau de tabac qu'on met dans la bouche.

Le discours et le texte

1 Qu'est-ce qu'un aparté ? Relevez ceux du texte.

2 Indiquez ce qui, dans les didascalies et les paroles des personnages, montre la solitude d'Antigone.

Les phrases et le texte

3 Dans les propos du garde, relevez trois expressions appartenant au niveau de langue familier.

4 **a.** Relevez les adverbes de temps.

b. Justifiez l'orthographe de *toute* dans *Je suis toute seule* (l. 17-18).

5 Dans les propos du garde, relevez :

a. deux expressions qui montrent qu'il n'est pas sûr de certaines informations **b.** un euphémisme.

Exercice d'écriture

6 **Raconter de manière expressive.** Après la mort d'Antigone, le garde raconte à un collègue la conversation qu'il a eue avec elle dans cet extrait. Rédigez leur dialogue, dans lequel le garde évoquera aussi les sentiments qu'il a éprouvés pendant cette conversation.

L'extrait et l'œuvre

7 **a.** Dans ce texte, comment Antigone réagit-elle face à la mort ? Regrette-t-elle son acte ?

b. Quelle va être son attitude dans la suite de ce passage ? Quelle signification Anouilh semble-t-il donner au destin d'Antigone ?

Expliquer

L'art et la technique

■ J. Carelman, *Le Sèche-cheveux solaire*,
pastiche de L. de Vinci.

L'explication

document 1 ## Une chimère textuelle

1 Soit un *texte-source* : on le vide – au sens que ce terme prend dans l'expression «vider un poulet» – de ses substantifs, de ses adjectifs et de ses verbes, en marquant toutefois la place de chaque substantif, adjectif et verbe. On dira alors que le texte est préparé. […]

5 Soit trois *textes-cibles* K, L, M : on extrait les substantifs de K, les adjectifs de L et les verbes de M.

Reprenant le texte A préparé, on remplace les substantifs supprimés par les substantifs de K, dans l'ordre où ils ont été extraits : même opération pour les adjectifs de L et les verbes de M.

10 Après avoir rectifié, aussi légèrement que possible, le texte ainsi obtenu pour éliminer certaines incompatibilités, on aboutit à un *texte-accommodé*.

F. Le Lionnais, «Chimères», *Oulipo, la littérature potentielle*, Éd. Gallimard, 1973.

document 2 ## Un tour : la bague magique

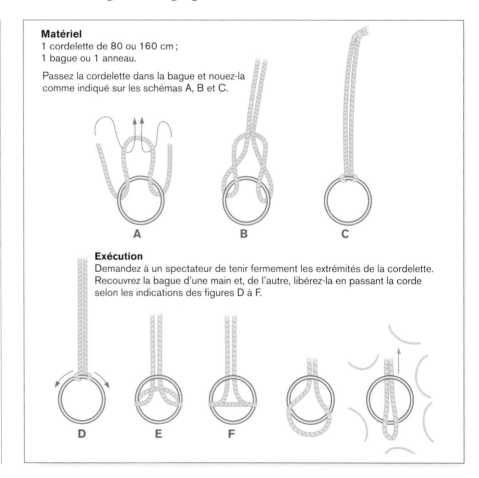

Matériel
1 cordelette de 80 ou 160 cm ;
1 bague ou 1 anneau.

Passez la cordelette dans la bague et nouez-la comme indiqué sur les schémas A, B et C.

A   B   C

Exécution
Demandez à un spectateur de tenir fermement les extrémités de la cordelette. Recouvrez la bague d'une main et, de l'autre, libérez-la en passant la corde selon les indications des figures D à F.

D   E   F

a Doc. 1 Quel est le but de ce texte ? Donnez-lui un titre plus complet qui mette en évidence ce but.

b Dressez la liste des « ingrédients » nécessaires à la confection d'une « chimère textuelle ». Puis récapitulez dans l'ordre (à l'infinitif) toutes les actions à accomplir pour parvenir au résultat.

c À quel genre de texte se rattache ce doc. 1 ?

d Doc. 2 Quel est le but de cette « page » ? À quelle question permet-elle de répondre ? À quel genre de texte appartient-elle ?

e Comment l'information est-elle présentée ? Parmi les deux parties du texte, laquelle constitue à proprement parler une explication ? À quelle forme de discours se rattache l'autre partie ?

f À la place des schémas, rédigez des phrases qui apporteront la même information.

LEÇON

■ Le discours **explicatif** a pour but de **faire comprendre** quelque chose. Il transmet un savoir, en **répondant à une question** *(Pourquoi ? Comment ?)*. Par exemple, les textes documentaires (encyclopédies, manuels scolaires) sont explicatifs.

■ Les règles d'un jeu, les modes d'emploi sont des textes explicatifs indiquant une **procédure** (Ils répondent à la question *comment faire ?...*).

■ Une explication indiquant une procédure doit généralement :

– **nommer** et **décrire** les objets utilisés (partie descriptive) ;

– indiquer leur **fonction** (partie proprement explicative) ;

– **prescrire** les règles ou l'ordre des actions à accomplir (partie prescriptive).

La partie descriptive peut être remplacée par un schéma ou une image.

---

1 Oralement. Expliquez le fonctionnement d'un compas à quelqu'un qui n'en aurait jamais vu.

2 Dans l'extrait suivant, distinguez la partie descriptive de la partie prescriptive.

Le matériel comprend 181 pions bleus et 180 pions blancs ainsi qu'un plan appelé damier, avec 2 fois 19 lignes qui se croisent, obtenant ainsi 361 points d'intersection (que nous appellerons « mé ») et sur lesquels se posent les pions (voir fig. 23).

La marche du jeu consiste à placer à tour de rôle un pion sur chaque « mé » quelconque (point d'intersection des lignes). Il est défendu de poser les pions dans les cases ou de les déplacer d'un « mé » à l'autre — bien que par habitude, on parle ici de « coups ». Les pions bleus sont réservés au joueur le plus faible. Il commence toujours en posant le premier pion ou les pions accordés comme handicap.

D'après la règle du Jeu de GO.

3 Vous préparez la rédaction du mode d'emploi de cet objet inventé par l'humoriste J. Carelman. **a.** Faites la liste des objets nécessaires à la fabrication de cette « machine ». **b.** Indiquez, dans l'ordre, les actions à accomplir pour qu'elle fonctionne.

J. Carelman, *Machine à coudre à moteur animal.*

Les expansions du nom

1 Les expansions du nom

■ Au **groupe nominal minimal**, constitué par le nom commun et son déterminant, il est toujours possible d'ajouter des informations sous la forme d'**expansions**, qui complètent le sens du nom.

→ *La **grande** exposition **du Modern Art Circus** a commencé.*
(GN minimal: *L'exposition*)

■ Les expansions du nom sont directement **liées** au nom qu'elles complètent ; elles forment avec lui le **groupe nominal** (GN). Au contraire, l'**apposition** (voir chap. 15) est une construction **détachée**, qui dépend d'un GN, ou d'un pronom, et en est séparée par une pause.

→ <u>*Un automate* **perché sur une échelle**</u> *déclame des poèmes.*
GN sujet (dét + N + expansion)

→ <u>*Un automate,*</u> ***perché sur une échelle****, déclame des poèmes.*
GN sujet   **apposition**

■ Parmi les expansions du nom, on distingue les adjectifs et noms épithètes, les groupes prépositionnnels compléments du nom, les relatives épithètes.

2 Les épithètes

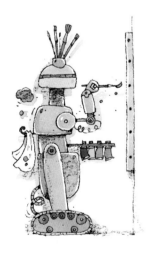

■ « Épithète » vient du grec *epithêton* (« ce qui s'ajoute »). Le mot désigne traditionnellement la fonction de l'adjectif qualificatif « ajouté » à un nom. Un adjectif ou un groupe adjectival **épithète** peut être antéposé (placé avant) ou postposé (placé après) au nom qu'il complète. (voir chap. 5)

→ <u>*Un tableau* **très réaliste**</u> *est peint sur un mur par* <u>un **étrange** robot</u>*.*

■ Mais la fonction épithète peut être assumée par **d'autres expansions**, qui sont des équivalents de l'adjectif.

→ *Ce robot est* <u>un type **bien**</u>*.* (adverbe employé comme adjectif)

→ *On voit* <u>des danseuses **suspendues à un fil**</u>*.* (groupe participial)

→ <u>*La danseuse* **qui tourne en l'air**</u> *porte des plumes.* (prop. sub. relative)

■ Un **nom** peut aussi être **épithète** s'il est placé directement, c'est-à-dire sans déterminant, après le nom qu'il complète (son emploi s'apparente alors à celui d'un adjectif).

→ *Un défilé **phare**, un sculpteur **acrobate**, un vaisseau **fantôme**.*

■ Certaines épithètes nominales (autrefois appelées « appositions liées ») servent à **identifier en la nommant** la personne ou la chose désignée par le nom noyau du GN, soit en construction directe, soit en construction indirecte (après la préposition *de*).

→ *Le peintre **Picasso**, le mot **art**, la ville de **Milan**, le métier d'**artiste**.*

3 Les groupes prépositionnels compléments du nom

■ Les **groupes introduits par une préposition** qui complètent un nom occupent la fonction de **complément du nom**.

*L'hologramme **d'une jeune femme** court sur un King-Kong **en carton**.*

■ Après certains noms, le complément du nom peut être un **groupe infinitif**.

*Vous aurez la possibilité **de parler à des personnages virtuels**.*

(de parler à… est un groupe infinitif prépositionnel, complément du nom possibilité)

■ Les compléments du nom sont le plus souvent introduits par les **prépositions *de*, *à*, *en***. Mais d'autres prépositions sont possibles, elles donnent alors une **valeur circonstancielle** au complément du nom.

→ *Nous créerons une exposition **pour les chats*** (but)*, un tableau **sans support*** (moyen)*, un programme **contre la bêtise*** (opposition)…

Remarque. Un complément du nom peut être **complexe** et comporter lui-même un groupe prépositionnel (ou plusieurs).

→ *Voici l'auteur **du Tour du monde en quatre-vingts jours**.*

■ Quand le nom, dérivé d'un verbe, exprime une action, le complément du nom peut exprimer le **sujet** ou l'**objet** de l'action.

→ *J'aime l'interprétation **de cette sonate**.*
(On interprète **cette sonate** → COD : valeur **objective**.)

→ *J'aime l'interprétation **de Paul**. (**Paul** a interprété… → sujet : valeur **subjective**)*

4 Les relatives épithètes : déterminatives et explicatives

> **!** Attention
>
> Comme l'adjectif, une subordonnée relative peut aussi être **attribut** (du complément d'objet).
>
> → *Je vois les acteurs **qui montent en scène**. (Je les vois **qui montent en scène** → relative attribut)*

■ Les **propositions subordonnées relatives** (prop. sub. rel.) ont généralement les mêmes fonctions qu'un adjectif ou un groupe adjectival. Le nom qu'elles complètent est appelé **antécédent**.

→ *Les motos **qui ont été compressées** étaient neuves.*
(*motos* est l'antécédent de la prop. sub. rel.)

■ Une relative épithète est dite **déterminative** lorsqu'elle est nécessaire pour savoir ce que désigne le GN. Si on la supprime, le GN désigne alors un ensemble plus large que le GN avec la relative.

→ *Les musiciens **qui dansent** sont en rouge.* (une partie des musiciens)
→ *Je cherche un musicien **qui sache danser**.* (pas n'importe lequel)

Remarque. Les relatives déterminatives ne sont jamais séparées du nom par une virgule.

■ Une relative est dite **explicative** lorsqu'elle peut être supprimée sans rien changer de ce que désigne le GN. Les relatives explicatives sont le plus souvent **apposées** (voir chap. 15) ; mais certaines peuvent être **épithètes**, en particulier si elles complètent un nom précédé d'un déterminant indéfini.

→ *Je reviens d'un spectacle **qui m'a laissé une étrange impression**.*
(Je reviens d'un spectacle, et ce spectacle m'a laissé…)

RAPPEL DU COURS

■ Un **groupe nominal** est constitué par un nom commun et son déterminant, et éventuellement des **expansions**, qui complètent le sens du nom.

■ Parmi les **expansions du nom**, on distingue principalement les adjectifs et noms épithètes, les groupes prépositionnels compléments du nom, les relatives épithètes.

■ Un adjectif ou un groupe adjectival **épithète** peut être antéposé ou postposé au nom. Un **nom** peut aussi être **épithète** s'il est placé, sans déterminant, après le nom qu'il complète.

■ Les **groupes introduits par une préposition** (nominaux ou infinitifs) qui complètent un nom occupent la fonction de **complément du nom**.

■ Une **proposition subordonnée relative** épithète est dite **déterminative** si elle est nécessaire pour savoir ce que désigne le groupe nominal. Elle est dite **explicative** lorsqu'elle peut être supprimée sans modifier la compréhension du groupe nominal.

Les expansions du nom

4 Oralement. **Complétez chacun des noms en caractères gras par trois expansions, afin de donner une image personnelle de la scène évoquée.**

Sur ce tableau, une **femme** tient un **ustensile**.

5 **Relevez les mots ou groupes de mots qui complètent les noms en caractères gras. Distinguez ceux qui sont en construction liée et ceux qui sont en construction détachée.**

1. Le Corbusier, fils d'un **graveur** de montres et d'une musicienne, naît en 1887. **2.** Il suit d'abord une **formation** de graveur (il obtient un prix pour une **montre** de poche ciselée), mais il se dirige, dès 1904, vers l'architecture et la peinture. **3.** En 1930, il réalise pour un riche **couple** de Parisiens qui souhaite s'installer à Poissy **la villa Savoye**, l'une de ses plus fameuses constructions. **4.** Les commanditaires donnent carte blanche à l'**architecte**, déjà célèbre, et imposent une unique **contrainte** : la propriétaire ne veut pas faire de marche arrière pour entrer ou sortir sa voiture ! **5.** Peintre, architecte, urbaniste, **Le Corbusier** meurt en 1965, au cours d'une **baignade** en Méditerranée.

Les épithètes

6 **Parmi les adjectifs (ou participes) en caractères gras, dites lesquels sont épithètes. Quelle est la fonction des autres ?**

Rien ou presque rien n'a encore été prévu pour les loisirs hebdomadaires. Dans la région entourant la ville, de **vastes** espaces seront retenus ou aménagés. On les rendra **accessibles** par des moyens de transport suffisamment **nombreux** et **commodes**. Il ne s'agit plus ici des **simples** pelouses, plus ou moins **plantées** d'arbres, mais de **véritables** prairies, de forêts, de plages **naturelles** ou **artificielles** constituant une **immense** réserve, soigneusement **protégée**. Chaque ville possède des lieux **capables** de répondre à ce programme et qui, moyennant une organisation bien **étudiée** des moyens de communication, deviendront facilement **accessibles**.

Le Corbusier, *La Charte d'Athènes*, Éd. de Minuit, 1957.

7 **Relevez les éléments en fonction épithète et précisez leur nature : groupe adjectival, nom ou GN, participe ou subordonnée relative.**

1. Ce vernissage à minuit, c'est un événement, et une invention inouïe. **2.** Aurélien est arrivé beaucoup trop tôt. Les quatre salles de la galerie Marco-Polo sont encore à peu près vides. **3.** Une fois qu'Aurélien a présenté ses hommages à Mrs Goodman, bleu pâle, grand décolleté, il faut bien qu'il fasse mine de regarder la peinture. **4.** On connaît déjà tout ça, ces tableaux manifestes qui ont été aux Indépendants, le grand tableau qui y a été refusé à cause du mot qu'on y lit au milieu, ces inventions exaspérées et exaspérantes.

L. Aragon, *Aurélien*, Éd. Gallimard, 1944.

8 **Dites si les épithètes nominales en caractères gras jouent le rôle d'un adjectif ou servent à nommer la personne ou la chose désignée par l'autre nom.**

1. le peintre **Picasso** **2.** un sujet **bateau** **3.** un livre **choc** **4.** l'architecte **Jean Nouvel** **5.** une girafe **mâle**

6. un élève **modèle 7.** la fée **électricité 8.** le Centre Beaubourg **9.** une tarte **maison 10.** la station **Bruxelles-Midi**.

Les groupes prépositionnels compléments du nom

9 Parmi les groupes en caractères gras, relevez les compléments du nom. Donnez la fonction des autres groupes.

1. Le samedi, **à onze heures**, le professeur Strasser fait un cours **pour artistes**. **2.** Aujourd'hui, j'ai fait une jolie expérience. J'ai recouvert une plaque **de verre / d'une couche d'asphalte**, y ai tracé avec une pointe **d'aiguille** quelques lignes que j'ai pu recopier photographiquement. Le résultat équivaut **à une gravure**. **3.** Préparer un fond de peinture **avec de la couleur pulvérisée** et de l'eau **à la colle**, et l'étaler comme un fond de craie. **4.** Plus important que ne le sont la nature et les études **d'après nature** est l'accord de l'artiste **avec le contenu de sa boîte à couleurs**.

P. Klee, *Journal,* Éd. Grasset, 1959.

10 Complétez par des compléments du nom qui soient des groupes infinitifs.

1. As-tu eu l'occasion de … ? **2.** Très tôt, le peintre éprouva le besoin de … **3.** Le modèle émit le souhait de … **4.** En pénétrant dans la salle d'exposition, j'eus la surprise de … **5.** Chers amis, j'ai le plaisir … .

11 Relevez les groupes prépositionnels compléments du nom et précisez leur valeur (lieu, cause…).

1. Le bâtiment moderne près de Denfert-Rochereau a été construit par l'architecte Jean Nouvel. **2.** Voici un sujet d'exposé : l'architecture sous Louis XIV. **3.** Cet artiste a d'abord été coiffeur pour dames. **4.** Les folles par amour ont beaucoup inspiré les artistes. **5.** J'ai vu un tableau sans formes ni couleurs.

12 Parmi les groupes en caractères gras, distinguez les épithètes nominales en construction indirecte et les compléments du nom.

1. La Grande Arche **de la Défense** a été inaugurée au mois **de juillet 1989**. **2.** La ville **de Paris** a vu naître récemment de grands bâtiments **d'architecture moderne**. **3.** « Cet imbécile **de peintre** a été acclamé au cri **de** *Vive l'avant-garde !* » **4.** Des cris **de réprobation** ont accueilli la création **de ce nouvel opéra**. **5.** Le nom **d'**imposteur lui conviendrait bien ! **6.** Connais-tu le nom **de cet artiste** ?

Les relatives épithètes : déterminatives et explicatives

13 Recopiez les subordonnées relatives du texte. Entourez les pronoms relatifs, puis relevez leur antécédent.

1. Avec moi-même qui suis son meilleur ami, Picasso, dont les jugements artistiques et littéraires sont si justes, n'a jamais tenu un discours sur l'art. **2.** Jamais il n'a exposé sa doctrine, jamais il ne s'est vanté d'avoir un système et ceux qui ont eu l'occasion de voir les tableaux des différentes époques de sa vie d'artiste ont pu se rendre compte de la logique avec laquelle son œuvre entière s'est développée. **3.** Il m'a dit : « La première chose que j'ai faite au monde, c'est de dessiner, comme tous les gosses d'ailleurs, mais beaucoup ne continuent pas. »

G. Apollinaire,
Picasso/Apollinaire Correspondance, Éd. Gallimard, 1992.

14 Quelle est la fonction, dans la subordonnée relative, des pronoms relatifs de l'exercice 13 ?

15 Oralement. Lors d'une première audition, relevez les subordonnées relatives dans les passages que vous allez entendre. Au cours d'une seconde audition, en vous aidant en particulier des pauses, précisez lesquelles sont épithètes et lesquelles sont apposées.

16 Relevez les subordonnées relatives épithètes. Dites si elles sont déterminatives ou explicatives.

1. Les premières couleurs qui aient fait sur moi une grande impression étaient du vert clair et plein de sève, du blanc, du rouge carmin, du noir et de l'ocre jaune. J'ai vu ces couleurs sur différents objets que je ne me représente pas aujourd'hui aussi clairement que les couleurs elles-mêmes. **2.** Dans une chambre assez petite, il n'y avait qu'une horloge accrochée au mur. Je restais tout seul devant elle, à contempler le blanc du cadran et le rouge carmin de la rose qui y était peinte. **3.** De ces impressions naquirent les tableaux que je fis plus tard. **4.** Ces impressions me procuraient une joie qui me bouleversait jusqu'au fond de l'âme.

W. Kandinsky,
Regards sur le passé (1913), Éd. Hermann, 1974.

Les accords
dans le groupe nominal

La sonorité jaune

Le peintre Kandinsky a également composé des œuvres pour la scène, où musique et peinture interagissent. «La sonorité jaune» est l'une d'elles.

1   Premier tableau
Très loin derrière, une large colline verte. Derrière la colline, un rideau lisse, mat, bleu, d'une teinte assez foncée.
Bientôt, la musique commence, d'abord dans les aigus. Ensuite elle passe
5   directement et très vite aux sons graves. En même temps, la colline devient bleu sombre et de larges bords noirs l'entourent. Derrière la scène **un chœur sans paroles** devient perceptible ; il a **des résonances sans âme**, sèches comme du bois et mécaniques. À la fin du chœur, pause générale : plus de mouvement, plus de son. Puis tout devient sombre.
10   Un peu plus tard, la même scène, éclairée. De droite à gauche, cinq géants jaune cru sont projetés sur la scène. Ils restent debout en file indienne – certains avec les épaules haussées, d'autres les épaules affaissées, avec de curieux visages jaunes qu'on distingue mal. Là-dessus **le chant très grave et sans paroles** des géants devient perceptible. De
15   gauche à droite passent en volant rapidement des êtres vagues, rouges, qui rappellent un peu les oiseaux. La colline, derrière, grandit lentement et s'éclaircit graduellement. A la fin, elle est blanche. Le ciel devient tout noir. Derrière la scène **le même chœur aux sonorités de bois sec** redevient perceptible. On n'entend plus les géants.

D'après W. Kandinsky,
«La Sonorité jaune», *Le Cavalier bleu* (1912), Éd. Hermann, 1974.

a Relevez les adjectifs de couleur et justifiez leur terminaison.

b Relevez les autres adjectifs et participes employés comme adjectifs. Expliquez leur terminaison.

c Relevez les compléments du nom dans les GN en caractères gras dans le texte et expliquez pourquoi ils sont au singulier ou au pluriel.

LEÇON

■ L'adjectif qualificatif s'accorde en genre et en nombre avec le nom qu'il complète. Attention :
– de nombreux adjectifs voient leur radical modifié au féminin (voir la Boîte à outils, p. 303) ;
→ *bref / brève ; vengeur / vengeresse*

– les adjectifs de couleur composés (*bleu vert*), nuancés par un autre adjectif (*bleu foncé*) ou issus d'un nom (*turquoise*) restent invariables, sauf *rose, mauve, fauve, écarlate, pourpre* ;
→ *Des robes ni rouge vif, ni cerise, mais roses.*

– les adjectifs devenus adverbes sont invariables.
→ *Les musiciens jouent fort.*

■ Très souvent, le nom-noyau du complément du nom n'a pas de déterminant. C'est alors le bon sens qui permet d'en connaître le nombre.

→ *Un homme sans cœur* (avec **un** cœur), *une voiture sans roues* (avec **des** roues).

17 Oralement. **Épelez le féminin des adjectifs suivants et employez-les dans un groupe nominal.**

1. Laïc, cruel, nul, général, nippon, afghan, paysan, grognon, muet, complet. **2.** Vieillot, idiot, frais, grec, caduc, public, aigu, meilleur, salvateur, maximum.

18 Oralement. **Quel est le masculin des adjectifs suivants ? Employez-les dans une phrase avec le genre et le nombre de votre choix.**

1. Naïve **2.** utile **3.** rousse **4.** douce **5.** franche **6.** bénigne **7.** obtuse **8.** favorite **9.** oblongue **10.** enchanteresse.

19 **Accordez comme il convient les adjectifs de couleur entre parenthèses.**

1. Des étoffes (rouge foncé) **2.** des chevaux (isabelle) ou (pie) **3.** des chaussures (marron) et (orange) **4.** des lumières (rouge), (orangé) **5.** des robes (mauve), (écarlate) et (cerise) et des costumes (beige).

20 ✎ **Décrivez, en quelques phrases, le tableau de Kandinsky ci-dessous, en étant le plus précis possible dans le choix des adjectifs de couleur.**

21 **Le personnage de ce roman découvre le jardin de Claude Monet, à Giverny. Documentez-vous sur les tableaux de ce peintre, et inspirez-vous de leurs coloris pour compléter les noms en caractères gras par des adjectifs de couleur.**

Quand elle fut devant le beau jardin que partageait le chemin, elle s'arrêta et regarda à gauche le pont, **l'eau**, les **arbres** légers, la tendresse des **bourgeons**, les plantes **aquatiques**. Puis se tourna du côté de la **maison** qu'habitait ce grand vieillard qu'elle avait vu souvent de loin, et dont tout le pays parlait. Celui qui ne pouvait voir les fleurs fanées. Elle vit les **fleurs**. A leur pied, la **terre** fraîchement remuée. Des **fleurs** partout. La petite allée vers la maison. Le **gazon**. Et d'autres **fleurs**.

D'après Aragon, *Aurélien*, Éd. Gallimard, 1944.

22 **Accordez comme il convient les noms et les adjectifs entre parenthèses.**

1. Un sac de (pomme) de (terre) **2.** des doigts de (pied) **3.** un artiste sans (vocation) **4.** un homme sans (état) d'(âme) **5.** des pompes à (eau) **6.** des livres pour (enfant) **7.** une baignoire à (jet) (bouillonnant).

23 **Accordez comme il convient les mots entre parenthèses, dans cette évocation d'œuvres d'art « naturelles ».**

Une lance (persan), un encensoir, une idole (païen) et une couronne (d'immortelle), la proue d'un bateau de (pirate). La peinture des rues de (village) et des ruines, les hourras d'une attaque de (cavalier) et la parure de (guerre) des Indiens, le sifflet (aigu) de la locomotive et une forêt de (hêtre) en (forme) de (cathédrale).

D'après A. Macke,
« Les Masques », *Le Cavalier bleu*, Éd. Klincksieck, 1987.

24 **Dictée préparée (La sonorité jaune)**

a. Expliquez la terminaison de *debout* (l. 11) et de *mal* (l. 13).
b. Expliquez l'accord des verbes : *entourent* (l. 6), *distingue* (l. 13), *passent* (l. 15), *rappellent* (l. 16).
c. Cherchez des mots de la même famille que *résonances* (l. 7). Que constatez-vous ?
d. Donnez un synonyme de *graduellement* (l. 17).

V. Kandinsky, *Improvisation VI, Africaine*, 1909.

Donner des explications

Expression écrite et orale

25 ✎ Voici un extrait du manuel d'utilisation d'un jeu video, *Prince of Persia*. Complétez-le en respectant les indications entre parenthèses sur le type d'informations et d'explications à fournir.

Comment reconnaître les pièges

Lorsque tu as besoin de quelque chose, ou si tu dois aller quelque part, tu peux être sûr de trouver des pièges mortels sur ton chemin.

Terrains dangereux

Le sol lui-même peut représenter un danger. Des charbons ardents, des chausse-trappes, … (nommer et décrire d'autres dangers au sol) attendent le voyageur inattentif. Souvent, la seule manière d'éviter d'être blessé est de … (prescrire des actions à accomplir).

Lames truquées

Des faux montées sur des pieux rotatifs ou …, ou bien encore … (nommer et décrire différents types de lames truquées). La plupart de ces pièges terrifiants peuvent cependant être évités en … . Tu peux aussi … (prescrire des actions pour éviter ces lames).

Lances, flèches et autres projectiles

Si des lances surgissent sur ton chemin, … (prescrire des actions pour éviter les lances), mais s'il s'agit de flèches, … (prescrire des actions pour éviter les flèches).

26 ✎ Vous adressez à un extra-terrestre, qui n'en a jamais vu, un ensemble complet de couverts pour la table. Rédigez, en une dizaine de lignes, le mode d'emploi qui accompagnera votre cadeau, en distinguant trois parties : description, disposition et fonctionnement, conseils.

27 ✎ Chacun des noms suivants désigne un phénomène naturel, un instrument scientifique ou artistique, une technique... Choisissez l'un d'eux et rassemblez une documentation sur ce phénomène ou cet instrument. Servez-vous des informations recueillies pour rédiger un texte explicatif de quelques lignes, accompagné d'une illustration.

1. Une caldeira **2.** des lunettes apochromatiques **3.** un polypore écailleux **4.** les ondes Martenot **5.** *arte povera*.

28 Oralement.

a. Vous avez donné rendez-vous à des amis au parc Astérix. Grâce à ce plan, que vous avez sous les yeux, vous leur expliquez au téléphone comment s'y rendre, en voiture, à partir de Paris.

b. Votre oncle de Marseille souhaite se joindre à vous : expliquez-lui les différentes possibilités qu'il a pour se rendre au parc.

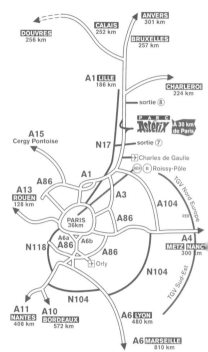

29 ✎✎ Choisissez l'une de ces attractions du Parc Astérix, et imaginez en quoi elle peut consister. Rédigez ensuite un texte explicatif d'une vingtaine de lignes à son sujet, afin de présenter l'attraction à de futurs visiteurs. Votre texte devra comprendre une partie descriptive, une partie proprement explicative et une partie prescriptive. (La partie descriptive peut être remplacée par une illustration ou un schéma.)

1. Tonnerre de Zeus : 1 km 30 de sensations fortes avec sept loopings. À plus de 80 km/h, affrontez cette gigantesque montagne russe en bois ! **2.** Menhir Express : Une chute de 13 m ! **3.** Oxygénarium : vous reprendrez bien un bol d'air ? **4.** Les chaudrons.

30 ✎✎ Dans le roman *L'Écume des jours*, Boris Vian imagine le «pianocktail», piano capable de préparer des cocktails. Sur ce modèle, imaginez un instrument (de musique ou scientifique) totalement fantaisiste, et inventez une page explicative à son sujet, constituée d'un texte explicatif d'une vingtaine de lignes et d'au moins une illustration.

Une recette de 1890

1 Le livre est posé sur un pupitre à musique. Il est ouvert sur une illustration représentant une réception donnée en 1890 par Lord Radnor dans les salons de Longford Castle. Sur la page de gauche, encadrée de fleurons modern-style et d'ornements en guirlande, est donnée une
5 recette de

MOUSSELINE AUX FRAISES

Prendre trois cents grammes de fraises des bois ou des quatre-saisons. Les passer au tamis de Venise. Mélanger avec deux cents grammes de sucre en glace. Mélanger et incorporer à l'appareil[1] un demi-litre de
10 crème fouettée très ferme. Remplir de cet appareil de petites caisses rondes en papier et mettre à rafraîchir deux heures dans une cave à glace sanglée. Au moment de servir, placer une grosse fraise sur chaque mousseline.

Yoshimitsu lui-même est assis sur ses talons, sans être gêné par les dés.
15 Il tient entre ses paumes une petite bouteille de jus d'orange de laquelle émergent plusieurs pailles enfilées les unes aux autres de manière à arriver jusque dans sa bouche.

G. Perec, *La Vie mode d'emploi*, Éd. Hachette, 1978.

1. Appareil : «préparation» en cuisine.

Questions (15 points)

A. Un texte composite

1 Ce texte se compose de deux parties distinctes : lesquelles ? À quelles formes de discours elles appartiennent-t-elles ?

2 Dans la recette, distinguez les éléments descriptifs des éléments prescriptifs. Quels types de phrases sont utilisés dans chaque partie ?

B. La précision de la description

3 Indiquez la nature et la fonction de : *modern-style* (l. 4), *en guirlande* (l. 4), *très ferme* (l. 10).

4 Relevez, dans la 2e phrase, le GN dont le nom *illustration* est le noyau. Indiquez la nature de son expansion, puis remplacez-la par une proposition subordonnée relative épithète.

5 Relevez, dans le dernier paragraphe, la subordonnée relative et indiquez son antécédent.

6 Justifiez l'accord ou l'absence d'accord des mots en caractères gras dans les GN suivants : *encadrée de **fleurons modern-style** et d'**ornements** en **guirlande*** (l. 4), *une cave à **glace sanglée*** (l. 12).

Réécriture (5 points)

Réécrivez la recette en dissociant nettement la partie descriptive (liste des ingrédients) de la partie prescriptive (ordre des actions à accomplir).

Rédaction (20 points)

Au milieu d'une boutique de brocante, vous découvrez le mode d'emploi d'une machine extraordinaire ou une recette magique. À la manière de G. Perec, vous décrirez la boutique en intégrant à votre description le texte du mode d'emploi ou de la recette.

Consigne d'écriture. Pour que votre description et votre explication soient précises, enrichissez les groupes nominaux de nombreuses expansions.

Ajouter
une explication

Les années soixante

■ Les *Beatles*, 1964.

Les textes didactiques

document 1 Mai 68

MAI 68 EN FRANCE
L'année 1968 avait mal commencé : depuis novembre 1967, **l'université de Nanterre** était en grève pour protester contre l'organisation des études ; en janvier 1968, deux conflits, à **Fougères** et à **Caen**, déclenchent la violence policière. Le 22 mars 1968, les étudiants fondent le **«mouvement du 22 mars»**, dirigé par **Daniel Cohn-Bendit**. La tension ne cesse ensuite de monter : le 3 mai, la **Sorbonne**, où se réunissent les courants contestataires,

est fermée par la police et les premiers affrontements éclatent dans la soirée (ci-dessus, barricade dans le **Quartier latin** à Paris). L'agitation gagne les universités de province et toute la semaine est marquée de manifestations et de répression sauvage et aveugle de policiers débordés. A partir du 14 mai, les grèves ouvrières se succèdent et culminent, le 28, avec neuf millions de grévistes. Des négociations syndicales calment la colère ouvrière, et le mouvement étudiant s'essouffle en juillet : «La vacance des grandes valeurs vient de la valeur des grandes vacances» pouvait-on lire sur les murs de la faculté de **Strasbourg**...

Grand Larousse junior, tome 10, *Vers le III⁰ millénaire*, Éd. Gallimard-Larousse, 1991.

L'année de la contestation

Curieusement, au milieu des années 60, l'ordre établi est remis en cause, à la fois dans les pays occidentaux, dans certains états communistes et dans différents pays du tiers-monde.

Les différents mouvements à travers le monde contestent tous l'idéologie et la culture imposées par les grandes puissances.

Le mouvement occidental, par exemple, né sur les campus américains, est marqué par le rejet du capitalisme, accusé d'aliéner les individus et d'empêcher leur épanouissement, et par la condamnation du cynisme des politiques étrangères, qui acceptent la guerre du Viêt-nam alors même qu'elle trahit les idéaux humanistes de l'Occident. A l'Est, la contestation s'attaque au modèle bureaucratique soviétique, étouffant et totalitaire, qui interdit l'indépendance nationale des pays dits «frères», comme la Tchécoslovaquie et la Pologne.

a Quel est le but de la page ci-contre ? À quelle question non exprimée répond-elle ?

b Distinguez les différentes parties qui composent visuellement la page. Dans la partie rédigée, combien distinguez-vous de textes ? À quelle question répond chacun d'eux ?

c Quel effet est produit par la différence dans la taille des caractères ? Quel est le rôle des caractères gras ?

d À quoi servent les images qui accompagnent le texte ? Sous quelle forme les auteurs indiquent-ils le lien entre le texte et les images ?

e À quelle forme de discours appartient la plus grande partie du texte de droite ? Justifiez votre réponse.

f Observez de quelle manière sont présentées dans le texte principal : l'origine du « mouvement occidental », la cause du « rejet du capitalisme », les raisons de la condamnation des « politiques étrangères », les raisons de la contestation du « modèle bureaucratique soviétique ». Comment appelle-t-on cette construction ?

LEÇON

■ Le **texte didactique** (du grec *didaskein*, enseigner) vise à **enseigner quelque chose**. Les ouvrages didactiques (manuels scolaires, encyclopédies…) répondent à des questions *(comment ? pourquoi ?)*. Il s'agit donc de textes **explicatifs**.

■ Un texte didactique mêle des **passages narratifs** (récits historiques), **descriptifs** (portraits, fiches techniques…) et **explicatifs** (causes, raisons des phénomènes ou des événements).

■ Il se caractérise par des explications claires, une **présentation** aérée qui hiérarchise l'information et facilite la mémorisation, le recours à des **illustrations** : schémas, cartes, photos…

■ Les **informations secondaires**, rappels d'événements antérieurs, identification des personnes, définitions, sont souvent intégrées à la phrase sous forme d'**appositions**.

1 Cherchez, dans votre manuel d'histoire, la page consacrée aux événements de Mai 1968 en France. Distinguez les passages descriptifs, les passages narratifs et les passages proprement explicatifs. Justifiez le choix des illustrations par rapport au texte.

2 Oralement. Expliquez, comme si vous vous adressiez à un public qui le découvrirait, un exemplaire en main, l'organisation d'un chapitre de votre livre de grammaire. Comment avez-vous procédé (ordre, manière de présenter les informations, types d'information…) ?

3 Distinguez, parmi ces trois textes, le texte explicatif et indiquez à quelles formes de discours appartiennent les deux autres. Justifiez vos réponses.

1. Je considère l'ordinateur comme la plus belle invention du xxe siècle : d'abord il donne à tous la possibilité de réaliser des projets, des calculs ou des créations qui étaient impossibles auparavant ; ensuite il permet de gagner du temps sur les tâches pénibles ; et surtout il remplace la machine à écrire, l'imprimerie, la planche à dessin, les livres de comptes, etc.

2. Si l'ordinateur, dont le premier modèle fut créé en 1937, s'est développé dans les entreprises au cours des années soixante-dix, c'est grâce à deux innovations qui ont permis de réduire considérablement son encombrement et d'augmenter sa puissance : le circuit intégré, inventé en 1960 par Kilby et Noyce, et le microprocesseur, inventé en 1971 par Hoff.

3. C'est un petit appareil gris foncé qui ne prend pas plus de place qu'un gros livre. L'écran, très plat, occupe la partie supérieure, tandis que la partie inférieure se compose d'un clavier standard et d'un petite zone sensible au contact digital.

Les appositions

1 La fonction apposition

■ L'**apposition** est une construction détachée du GN qu'elle complète (ou d'un équivalent de GN : nom propre ou pronom). L'apposition est placée entre **deux virgules à l'écrit**, correspondant à deux pauses à l'oral. Elle n'appartient pas au GN (contrairement aux expansions) et constitue une sorte de parenthèse dans l'énoncé principal.

→ *John Lennon, **le plus célèbre des Beatles**, est mort assassiné.*
  (John Lennon – il était le plus célèbre des Beatles – est mort…)

→ *Le chanteur des Beatles, **John Lennon**, est mort assassiné.*
  (Le chanteur des Beatles – il s'appelait John Lennon – est mort…)

Remarque. Un groupe **apposé** peut être déplacé dans la phrase, antéposé ou postposé au GN, plus ou moins éloigné du nom ou du GN qu'il complète.

→ ***Bondissant, lyrique**, N. Armstrong a posé le pied sur la lune.*

→ *En 1969, deux hommes ont marché sur la lune : **Armstrong et Aldrin**.*

– Il ne faut pas confondre l'apposition avec d'autres constructions détachées : apostrophes, énumérations, compléments circonstanciels, qui ne complètent pas un groupe nominal.

→ *N. Armstrong, **en 1969**, a été le premier homme à marcher sur la lune.* (CC de temps de la phrase)

– Il ne faut pas confondre la juxtaposition de noms dans une énumération avec l'apposition.

→ *La vie domestique est transformée par l'apparition des appareils ménagers : **réfrigérateur, machine à laver, aspirateur**…*
  (les trois GN sont juxtaposés entre eux et apposés à *appareils ménagers*)

2 Les appositions nominales

> **! Attention**
>
> Ne confondez pas les pronoms apposés avec les pronoms « **détachés** », qui insistent sur la personne ou la chose désignée, mais n'apportent pas d'information supplémentaire.
>
> → ***Moi**, je travaille ; **eux**, ils défilent.* (pronoms personnels détachés)

■ La **fonction apposition** peut être occupée par un nom commun, un GN ou un nom propre.

→ *Martin Luther King, **le leader de la lutte contre le racisme aux États-Unis**, est assassiné en 1968.* (GN apposé)

■ Devant un GN apposé, le déterminant peut être supprimé.

→ *Martin Luther King, **leader de la lutte contre le racisme**…*

■ Des équivalents grammaticaux du GN peuvent être apposés :

– un pronom ou un groupe pronominal ;

→ *Un modèle en formica, **celui-ci par exemple**, conviendrait mieux.*

– un groupe infinitif ;

→ *Nous avions un but : **en finir avec les discriminations raciales**.*

– une proposition subordonnée conjonctive introduite par *que* (séparée du GN par deux-points).

→ *Michel avait une obsession* **: que les Beatles se réconcilient.**

– Certains GN détachés, qui caractérisent un nom en désignant une de ses parties, s'interprètent comme des appositions à valeur circonstancielle de manière.

→ *Le rockeur s'avança,* **les jambes écartées, la mèche en bataille.**

Tandis que les autres appositions correspondent à un attribut du sujet avec être *(Son obsession* **est** *que les Beatles…),* ces appositions nominales à valeur circonstancielle s'apparentent à une construction à attribut du complément d'objet avec avoir *(Le rocker* **avait** *les jambes écartées).*

3 Les appositions adjectivales

■ La fonction apposition peut aussi être occupée par l'**adjectif** ou le **groupe adjectival**.

→ *Le guitariste,* **complètement déchaîné,** *cassait sa guitare.*

■ Des équivalents du groupe adjectival peuvent être apposés :

– un **groupe participial** ;

→ *Les grandes surfaces apparaissent,* **modifiant les habitudes de consommation.**

– un **groupe prépositionnel**.

→ *La télévision,* **en noir et blanc,** *s'installe dans les salles à manger.*

4 Les subordonnées relatives apposées

■ Une subordonnée **relative apposée** est toujours **explicative** : si on la supprime, le GN désigne la même chose qu'avec la relative. Comme les autres appositions, elle forme une sorte de parenthèse dans la phrase.

→ *La télévision,* **qui n'a alors qu'une chaîne,** *supplante la radio.*

■ Les relatives explicatives apposées expriment souvent une **nuance circonstancielle**.

→ *Les Américains menacent l'URSS,* **qui a installé des fusées à Cuba.**
(*parce qu'elle a installé…* : cause)

→ *A. Einstein,* **qui avait découvert le principe de la bombe atomique,** *était pacifiste.* (*bien qu'il ait découvert…* : concession)

■ Une subordonnée relative peut être apposée à toute une phrase lorsqu'elle est introduite par *ce que, ce qui*.

→ *Les Russes installent des ogives nucléaires à Cuba,* **ce qui provoque la réaction des Américains.**

RAPPEL DU COURS

■ **L'apposition** est une construction détachée qui complète un GN ou un pronom. Contrairement aux expansions, elle n'appartient pas au GN, et en est séparée par **une virgule** à l'écrit.

■ Un groupe **apposé** peut être déplacé dans la phrase, plus ou moins loin du GN qu'il complète.

■ La **fonction apposition** peut être exercée par un nom sans déterminant ou un GN, ainsi que par ses équivalents : pronom ou groupe pronominal, groupe infinitif, subordonnée conjonctive introduite par *que*.

■ Une subordonnée **relative apposée** (placée entre deux virgules) est toujours **explicative**.

La fonction apposition

4 Relevez les appositions dans les phrases suivantes.

1. Les années de Gaulle ont vu l'essor de la télévision en France, au point qu'on a pu parler d'une véritable « télécratie ». Le président, virtuose du petit écran, tantôt gouailleur, tantôt grandiloquent, fascine presque toujours son auditoire par ses formules inédites, déroutantes et habiles. **2.** Instrument politique, la télévision a tout de même été autre chose : une extraordinaire mutation culturelle.

M. Winock, *Chronique des années soixante,* Éd. du Seuil, 1987.

5 Parmi les groupes en caractères gras, précisez lesquels sont des appositions.

1. En 1965, éclate la « bombe » Courrèges. **Dominée par le blanc et les couleurs acidulées**, c'est une collection très courte, **très structurée**, avec des bottines laissant les orteils apparents. **2. Objet privilégié de la société de consommation**, le vêtement perd sa fonction de barrière sociale ; le partage est désormais générationnel et individuel. On ne s'habillera pas de la même manière selon qu'on est yé-yé, **spoutnik**, néo-romantique. **3. Toile de Gênes, / revenue vers nous dans les ballots des surplus américains**, tu as été le plus grand agent réconciliateur entre les groupes, **les générations**, les sexes. **4.** Des boutiques fleurissent un peu partout à Paris, **surtout rive gauche, / bientôt concurrencées par les grandes surfaces et le « style Prisu »**.

M. Winock, *op. cit.*

B. Bardot   J. Hallyday   I. Gandhi   F. Castro

Les appositions nominales

6 Oralement. **Présentez chacun des personnages ci-dessus en utilisant une apposition nominale, puis rédigez une phrase contenant ce GN et son apposition.**

Ex. Neil Armstrong : *Neil Armstrong, astronaute américain, est le premier homme à avoir marché sur la Lune.*

7 Relevez les appositions, précisez leur nature (nom ou GN, groupe infinitif, subordonnée conjonctive introduite par *que*) et dites quel GN elles complètent.

1. En octobre 1962, le monde entier n'a qu'une crainte : que la guerre éclate. **2.** En mai 1963, le « roi Pelé », footballer, marque trois buts contre la France. **3.** En juin 1965, le groupe anglais le plus célèbre du monde, les *Beatles*, se produit au palais des Sports à Paris. **4.** En janvier 1966, les premières communautés hippies apparaissent en Californie et affichent leurs valeurs : non-violence et amour. **5.** En mai 1969, l'ancien bagnard Henri Charrière réussit un exploit : vendre en moins d'un mois 120 000 exemplaires de son livre intitulé *Papillon*.

8 Distinguez les pronoms apposés des pronoms détachés.

1. En 1964, on a attribué le Prix Nobel de littérature à Sartre, mais **lui**, il l'a refusé ! **2. Moi**, je n'ai pas lu *Les Mots*. **3.** Au début de ce roman, il parle d'un enfant, **lui,** et de sa mère. **4. Elle,** il en parle comme d'une étrangère. **5.** À Cherbourg, Jean-Baptiste fit la connaissance d'Anne-Marie Schweitzer, l'épousa, lui fit un enfant au galop, **moi.** (Sartre)

9 Complétez les pronoms ou les GN en caractères gras par des GN détachés, à valeur circonstancielle de manière.

Ex: Marguerite Duras relit le manuscrit du *Vice-Consul.* → Marguerite Duras, ses célèbres lunettes carrées sur le nez, relit le manuscrit du *Vice-Consul.*
1. Ce soir, à Calcutta, **l'ambassadrice Anne-Marie Stretter** tend une coupe de champagne. **2. Elle** regarde autour d'elle. **Des barmen en turban** la servent. **3.** Voici, **elle** ouvre le bal avec l'ambassadeur. **4. Les ventilateurs du plafond** font un bruit d'oiseaux effarouchés.

M. Duras, *Le Vice-Consul,* Éd. Gallimard, 1966.

Les appositions adjectivales

10 Dites si les groupes adjectivaux ou participiaux en caractères gras sont apposés ou épithètes.
1. L'œil, d'abord, glisserait sur la moquette **grise** d'un **long** corridor, **haut et étroit. 2.** Ce serait une salle de séjour, **longue de sept mètres environ, large de trois. 3.** Au-delà d'une **petite** table **basse,** sous un tapis de prière en soie, **accroché au mur par trois clous de cuivre à grosse têtes,** un autre divan, **perpendiculaire au premier, recouvert de velours brun clair,** conduirait à un **petit** meuble **haut sur pieds, laqué de rouge sombre. 4.** Tout serait **brun, ocre, fauve.**

G. Perec, *Les Choses,* Éd. Julliard, 1965.

11 Relevez les appositions et précisez leur nature : groupe adjectival, participial ou prépositionnel.
1. Ils vivaient dans un appartement minuscule et charmant, au plafond bas, qui donnait sur un jardin. **2.** Et, se souvenant de leur chambre de bonne, ils y vécurent d'abord dans une sorte d'ivresse, renouvelée chaque matin par le pépiement des oiseaux. **3.** Ils ouvraient les fenêtres, et, pendant de longues minutes, parfaitement heureux, ils regardaient leur cour. **4.** Entre deux grands arbres et cinq jardinets minuscules, de formes irrégulières, mais riches de gazon rare, circulait une allée de gros pavés irréguliers.

G. Perec, *op. cit.*

Les subordonnées relatives apposées

12 Dans le texte ci-dessous, distinguez les relatives épithètes et les relatives apposées.

Mon adolescence avait été charmée par Brassens, Ferré, Gréco, Trenet, Montand… Or, brusquement, je sentis ces rengaines, dont on ignore parfois « le nom de l'auteur », mais qui bercent le chagrin du moment, noyées dans le tintamarre de guitares électriques, autour desquelles des jeunes gens faisaient foule. L'important, que je ne savais pas voir, était évidemment ailleurs. C'était l'éclosion d'une génération qui rompait avec les valeurs de ses aînés, créait ses nouveaux mots de passe, voulait exister par elle-même.

M. Winock, *op. cit.*

13 Relevez les relatives apposées et précisez leur valeur circonstancielle : cause, conséquence ou concession.

1. Le chanteur Antoine, qui veut se moquer de Johnny Halliday, écrit une chanson contre lui, *Les Élucubrations.* **2.** Johnny Halliday, qui cherche une revanche, réplique avec *Cheveux longs, idées courtes.* **3.** Jacques Dutronc, qui dénonce l'individualisme et l'égoïsme de ses contemporains dans *Et moi, et moi, et moi,* est porté aux nues par ceux-là mêmes qu'il critique ! **4.** En 1962, *Belles, belles, belles* fait de Claude François un chanteur célèbre, qui enchaîne alors titre sur titre.

14 Oralement. En s'aidant éventuellement des pages de son manuel d'histoire consacrées aux années 60, chaque élève inscrit sur un papier un GN, en rapport avec cette décennie (*Sylvie Vartan, la mini jupe…*). Tous les papiers rassemblés, chacun en tire un à tour de rôle et adjoint au GN l'apposition de son choix (*la mini jupe, véritable révolution vestimentaire*), avant de construire une phrase simple (*la mini jupe, véritable révolution vestimentaire, fait son apparition dans les années 60*). Les autres doivent alors préciser la nature de l'apposition.

15 Écoutez attentivement ce questionnaire de jeu radiophonique. Par groupes de deux, relevez le plus possible d'appositions, et classez-les selon leur nature : appositions nominales, adjectivales ou relatives.

Accords des adjectifs apposés, accords dans la subordonnée relative

La mode des chemises à long col

1 Puis, ce fut presque une des grandes dates de leur vie, ils découvrirent le marché aux Puces. Des chemises Arrow ou Van Heusen, admirables, à long col boutonnant, alors introuvables à Paris, mais que les comédies américaines avaient popularisées (du moins parmi cette frange restreinte

5 qui trouve son bonheur dans les comédies américaines), s'y étalaient en pagaille, à côté de *trench-coats*[1] réputés indestructibles, de jupes, de chemisiers, de robes de soie, de vestes de peau, de mocassins de cuir souple. Ils y allèrent chaque quinzaine, le samedi matin, pendant un an ou plus, fouiller dans les caisses, dans les étals, dans les amas, dans les cartons,

10 dans les parapluies renversés, au milieu d'une cohue […] de touristes américains qui, sortis des yeux de verre et des chevaux de bois du marché de Vernaison, erraient, un peu effarés, dans le marché Malik.

G. Perec, *Les Choses*, Éd. Julliard, 1965.

1. *Trench-coat*: imperméable.

a Relevez les adjectifs (ou participes) apposés du texte en précisant le nom qu'ils complètent. Justifiez leur accord.

b Relevez les subordonnées relatives du texte et observez la terminaison des verbes : avec quoi s'accordent-ils ?

c L'une de ces subordonnées relatives contient un verbe au plus-que-parfait. Expliquez l'accord de son participe passé.

LEÇON

Accords des adjectifs apposés

■ L'adjectif apposé peut être éloigné du nom qu'il complète. Il faut donc vérifier que l'on a correctement accordé cet adjectif.

→ *Ils rapportaient des **chemises** à grand col du marché aux Puces, **enveloppées** dans du papier journal.*

Accords dans la subordonnée relative

■ Le verbe s'accorde avec l'antécédent de *qui*.

→ *Ils achetaient même des **vêtements** qui ne leur plais**aient** pas.*

Si cet antécédent est un pronom, il faut accorder le verbe avec la personne de ce pronom.

→ ***Toi** qui aimes tant ce genre de chemises, va donc aux Puces !*

■ Le participe passé employé avec l'auxiliaire *avoir* s'accorde en genre et en nombre avec l'antécédent du pronom relatif *que* (COD placé avant l'auxiliaire).

→ ***Les chemises** des années 60 que j'**ai** gard**ées** reviennent à la mode.*

■ Les pronoms relatifs composés *(lequel, auquel, duquel)* s'accordent avec leur antécédent.

→ ***Les chemises auxquelles** je tiens ont un grand col.*

16 Accordez comme il convient les appositions entre parenthèses.

1. S'ouvrant sur une musique romantique, (violent), (passionné), le générique est d'abord de type assez classique : des noms en lettres peu ornées, (noir), sur fond blanc ou (blanc) sur fond gris. **2.** Au cours du générique, la musique s'est transformée peu à peu en une voix d'homme, (lent), (chaud), assez (fort). **3.** Le mouvement de caméra, (amorcé) sur la fin du générique, se poursuit, (lent), (uniforme), le long d'une galerie, (éclairé) seulement par des fenêtres régulièrement espacées, (placé) de l'autre côté. **4.** Le décor est vide de personnages. (Seul), peut-être, çà et là à l'angle d'une salle, une domestique immobile, (figé), très (habillé), et une statue.

A. Robbe-Grillet,
L'Année dernière à Marienbad, Éd. de Minuit, 1961.

17 Conjuguez au temps indiqué les verbes entre parenthèses et accordez-les comme il convient.

1. Toi qui (*voir*, passé composé) le film *Baisers volés*, que penses-tu de l'acteur principal, Jean-Pierre Léaud ? **2.** Ceux qui, depuis *Les Quatre Cents Coups*, (*s'intéresser*, présent) aux aventures d'Antoine Doinel, vont probablement aimer ce film. **3.** Moi qui, malgré toutes les critiques dont ils font l'objet, (*être*, présent) un inconditionnel des cinéastes de la « Nouvelle Vague », je vous recommande À *bout de souffle,* de Jean-Luc Godard. **4.** Vous qui (*dire*, présent) que ces films sont trop intellectuels, allez donc voir *Blanche Neige* ! **5.** Je t'assure, à toi qui (*être*, présent) un fan de Dorothée, qu'elle joue dans *L'Amour en fuite* de François Truffaut.

18 Accordez les verbes entre parenthèses.

1. *L'Express* était sans doute l'hebdomadaire dont ils (faisai...) le plus grand cas. **2.** [Mais] vraiment, en face de ce style où (régnai...) les sous-entendus, les mépris cachés, les envies mal digérées, les faux enthousiasmes, en face de cette foire publicitaire qui (étai...) tout *l'Express*, en face de ces hommes d'affaires qui (comprenai...) les vrais problèmes, de ces techniciens qui (savai...) de quoi ils parlaient et le (faisai...) bien sentir, de ces penseurs audacieux qui, la pipe à la bouche, (mettai...) enfin au monde le XXe siècle, ils songeaient qu'il n'était pas certain que *l'Express* fût un journal de gauche, mais qu'il était sans aucun doute possible un journal sinistre. **3.** Toutefois, ils s'écartaient assez sensiblement des modes d'achat que *l'Express* (proposai...).

G. Perec, *op. cit.*

19 Accordez comme il convient les participes passés entre parenthèses.

1. Les données chiffrées sur les prix en 1967, que j'ai (lu) récemment dans un livre d'histoire, m'ont beaucoup étonné. **2.** Le kilo de steack, que vous auriez (acheté) chez un boucher de quartier et non au supermarché, valait 16, 25 francs. **3.** La baguette, que la boulangère m'a (vendu) ce matin 90 centimes d'euros, valait alors 75 centimes (à peu près 12 centimes d'euros). **4.** Quant aux journaux quotidiens, qui ont énormément (augmenté), ils étaient vendus environ 40 centimes. **5.** La rémunération minimale horaire (ou Smig), que les politiciens ont depuis (rebaptisé) Smic, était de 2,15 francs.

20 Complétez par des pronoms relatifs composés, que vous accorderez comme il convient.

1. Le soviétique Youri Gagarine et l'américain John Glenn, ... il faut rendre hommage, sont les premiers à avoir accompli des vols spatiaux autour du globe. **2.** Le 18 mars 1965, les cosmonautes soviétiques Pavel Beliaiev et Alexei Leonov, ... se trouvent à bord de « Voskhod II », doivent mener à bien la sortie de Leonov dans l'espace. **3.** Le 3 juin 1965, l'astronaute Edward White sort pendant vingt minutes de la capsule « Gemini IV », à ... il n'est relié que par un cordon de sécurité. **4.** Le 2 juin 1966, après un alunissage en douceur, la sonde « Surveyor I » a commencé à transmettre des vues de la surface lunaire, ... se sont immédiatement intéressés tous les chercheurs de la NASA. **5.** Le premier pas des humains sur la Lune, ... assistent en direct 500 millions de téléspectateurs, a eu lieu le 16 juillet 1969.

21 Dictée préparée (La mode des chemises à long col)

a. Relevez les adjectifs ou les participes épithètes et justifiez leur accord.

b. Expliquez l'accord de *étalaient* (l. 5) et de *indestructibles* (l. 6).

c. Rappelez le sens de *trench-coat* (l. 6) et de *étal* (l. 9), et expliquez leur terminaison au pluriel.

Ajouter des explications

22 ✎ En vous aidant d'une encyclopédie, ajoutez des explications et des informations à cette brève biographie de Martin Luther King (par exemple sur sa naissance, sa profession, sur certaines de ses actions, sur son assassin...). Vous utiliserez en particulier des appositions.

Martin Luther King lutta pour la reconnaissance des droits des Noirs aux États-Unis. Il recommanda toujours la non-violence. Il fut assassiné le 4 avril 1968 par un Blanc.

23 Oralement. En 1960, un groupe d'écrivains, parmi lesquels Raymond Queneau, crée un atelier de littérature, l'Oulipo, qui explore de nouvelles techniques d'écriture. Parmi celles-ci, la « littérature définitionnelle » consiste à remplacer les noms d'une phrase par leur définition du dictionnaire.

Ex. **Le chat a bu le lait :** *Le petit mammifère familier à poil doux, aux yeux oblongs et brillants, à oreilles triangulaires a bu le liquide blanc, opaque, très nutritif, qui sert à l'alimentation naturelle des jeunes mammifères.*

À votre tour, adoptez la même technique pour chacune des phrases suivantes. Attention, dans chaque définition, vous devrez introduire au moins une apposition.

1. Astérix a détrôné Tintin. **2.** Le nez de Cléopâtre a séduit Jules César. **3.** Les chaussettes de l'archiduchesse ne vont pas dans la machine à laver. **4.** Tous les garçons et les filles de mon âge se promènent la main dans la main.

24 **a.** Montrez que le texte de l'encadré ci-contre est un texte didactique : relevez un passage narratif et un passage descriptif ; relevez également les appositions qui servent à donner des explications.

b. ✎ En reprenant au moins trois des appositions relevées en a., rédigez un texte didactique de quelques lignes, évoquant tout autre chose qu'une robe. Vous pourrez ajouter d'autres éléments explicatifs de votre choix.

25 ✎✎ À votre tour, imaginez une tenue fantaisiste et représentez-la sous forme d'un document visuel (dessin, collage réalisé à partir de photographies de magazines...). À la manière du document ci-dessous, imaginez ensuite une page didactique, contenant au moins un texte didactique et votre document visuel.

26 ✎✎ Choisissez un chanteur ou un groupe des années 60 et rassemblez sur lui une documentation (informations biographiques, photographies, textes de chansons...). Écrivez une page sur ce sujet en l'organisant comme une page d'encyclopédie.

Francoise Hardy, star des années 60

Françoise Hardy, icône *sixties* « relookée » Barbarella par Paco Rabanne.

En 1968, à l'occasion de l'inauguration de l'exposition internationale de diamants, Françoise Hardy porte une autre création fameuse de Paco Rabanne, « la robe la plus chère du monde ». Elle consiste en une mini-robe, confectionnée avec neuf kilos d'or et trois cents carats de diamants. Constituée de mille plaquettes et de cinq mille anneaux d'or fin, elle est aussi ornée de vingt-deux diamants énormes, qui bordent l'encolure et dont l'un a appartenu à l'empereur Rodolphe II d'Autriche. Un célèbre joaillier, Arnaud Clair, a effectué la réalisation de cette robe, dont le prix est estimé alors à 12 057 700 francs !

Cuba et l'«affaire des fusées»

1   Persuadé que la lutte contre les Soviétiques passe par l'expansion économique et les réformes sociales, Kennedy voudrait intégrer le monde sous-développé dans la sphère de prospérité des nations occidentales. Mais le Congrès ne débloquant pas l'argent nécessaire, les États-Unis engagent une autre stratégie, l'«interventionnisme».

5   En 1964, la CIA mène en Amérique latine une guerre générale contre la guérilla. En 1967, en Bolivie, la CIA réussit à éliminer «Che» Guévara (1928-1967) (ci-dessous), argentin d'origine et compagnon de Fidel Castro, parti continuer la guerre révolutionnaire en Amérique latine après la révolution à Cuba. Fidel Castro a en effet pris le pouvoir à Cuba en janvier 1959, après avoir renversé le colonel

10   Batista, protégé des Américains. Ceux-ci reconnaissent d'abord le nouveau pouvoir, mais la volonté de Castro de libérer son pays de la tutelle économique américaine conduit à la rupture: Castro engage une réforme agraire et projette de partager les 136 000

15   hectares de la très puissante compagnie américaine United Fruit. Mieux encore, Cuba s'offre aux Soviétiques. Ceux-ci s'engagent à acheter le sucre de l'île et tentent d'y installer en 1962 une base de missiles nucléaires. La fermeté de Kennedy, qui se dit

20   prêt à engager les hostilités contre l'URSS, fait reculer Khrouchtchev, qui ordonne le démontage de la base de fusées.

Grand Larousse junior, tome 9, *Le monde en marche*, Éd. Gallimard-Larousse, 1991.

Questions (14 points)

A. Du récit à l'explication

1 Quel est le but de ce texte? Pourquoi peut-on dire qu'il s'agit d'un texte explicatif?

2 Relevez les éléments narratifs du texte.

3 Indiquez au moins trois caractéristiques qui le distinguent par exemple d'un récit.

B. Une information hiérarchisée

4 Quels passages du texte expliquent **a.** les causes de la stratégie interventionniste des États-Unis à partir des années soixante **b.** les causes de l'installation des fusées soviétiques à Cuba **c.** les causes de leur retrait?

5 Relevez, dans le 1er paragraphe, deux groupes apposés. Indiquez leur nature et le GN auquel ils sont apposés.

6 Analysez la proposition: *qui se dit prêt à engager les hostilités contre* l'URSS (l. 20).

Réécriture (6 points)

a. Réécrivez la dernière phrase en remplaçant «Kennedy» par «les Américains» et «Khrouchtchev» par «les Russes». Justifiez les changements.

b. En reprenant des informations données ailleurs dans le texte, réécrivez le passage *Castro engage ... Cuba s'offre aux Soviétiques.* (l.13-17) en intégrant trois subordonnées, respectivement apposées à *Castro, Cuba* et *les Soviétiques*.

Rédaction (20 points)

En le présentant comme un extrait d'une encyclopédie, rédigez une page pour «expliquer» un événement réel ou imaginaire en rapport avec les années 60.

Consigne d'écriture. À chaque nom propre utilisé (lieu ou personnage), vous ajouterez des informations secondaires explicatives sous forme d'appositions.

Présenter une opinion

Le travail

■ Atelier de couture en Grande Bretagne, 1998.

Comment exprimer son opinion

document 1 ## Éloge des travaux modestes

En 1902, l'écrivain socialiste Charles Péguy, qui publie des « Cahiers », se justifie de consacrer beaucoup de temps à des travaux qui ne sont pas d'ordre intellectuel.

1 Je commence à m'apercevoir qu'il vaux mieux exercer de petits métiers que de n'exercer aucun métier du tout, c'est-à-dire d'être un homme poli- tique, parlementaire ou journaliste. Il serait déplorable qu'un jeune auteur me méprisât. Je sais que je fais de la cuisine, en ce sens que je fais

5 de l'économique. Je suis un économe, un gérant, un intendant, un cuisi- nier, un employé, un commis. Mais je me suis laissé dire que le socia- lisme revenait à restaurer dans leur dignité morale ces modestes fonctions de la vie économique sans quoi l'univers de la pensée s'arrêterait de fonc- tionner aussi […].

10 Je constate que la vie économique est l'indispensable soutien de la vie mentale. Je crois que l'on doit assurer loyalement la vie économique pour assurer loyalement la vie intellectuelle. Sans quoi on tombe dans le parasitisme, qui est en un sens le pire des crimes sociaux, le plus contraire au socialisme.

15 C'est pour cette raison, parmi beaucoup de raisons, que j'attribue au tra- vail économique des cahiers tout ce que je peux de temps et de forces.

C. Péguy, *Cahiers de la quinzaine*, 1902.

document 2 ## « Travailleurs, Travailleuses… »

Discours
de Jean Jaurès,
25 mai 1913.

a Doc. 1 Dans le premier paragraphe, quelle proposition exprime l'opinion de l'auteur sur le travail ? À quoi la reconnaissez-vous ?

b Que signifie *je me suis laissé dire* (l. 6) ? Pourquoi l'auteur n'exprime-t-il pas directement son opinion ?

c Quelle différence de sens y a-t-il entre *je constate que* et *je sais que* ? entre *je crois que* et *je constate que* ?

d Doc. 2 Dans quelle situation de communication se trouve le locuteur de la photo ? En vous aidant d'un dictionnaire, dites quel mot convient le mieux pour décrire ce qu'il fait : *un exposé, un cours, une harangue, un sermon* ?

e Rédigez quatre phrases commençant par *Je* + verbe + *que…* qui pourraient être prononcées par cet orateur (sur le thème du travail). Utilisez quatre verbes principaux différents.

f Que signifient les verbes que vous avez employés ? En quoi vous semblent-ils convenir à cette situation ?

LEÇON

■ Quand on parle, on peut présenter ce que l'on dit comme un **fait,** une donnée objective (observation, savoir…) : *Jules est dans son atelier.* On peut aussi exprimer son **opinion,** en **prenant position** sur un sujet débattu : *Le travail est bon pour la santé.*

■ On peut exprimer son opinion **sans indiquer explicitement** quelle **attitude** on adopte à l'égard de ce qu'on dit : *Travailler, c'est formateur.* Mais on peut aussi **expliciter son attitude** à l'aide d'un verbe placé le plus souvent avant *(Je pense que travailler est formateur),* en incise *(Travailler, je pense, est formateur),* ou à la fin *(Travailler est formateur, je pense).*

■ Ces **verbes d'opinion** la plupart du temps sont employés à la **1ʳᵉ personne** : *je crois que…, je suis convaincu que…* On peut aussi employer d'autres moyens que des verbes : des expressions comme *à mon avis, selon moi, mon opinion est que…*

■ Plutôt que d'exprimer directement son opinion, on peut **s'abriter derrière l'opinion commune** : *en général on dit que…, comme chacun sait…* ou derrière **l'opinion de plusieurs personnes** : *pour certains, il y en a qui pensent que…* On peut aussi **la présenter comme une vérité déjà établie** : *je constate que…, je sais que…*

1 Parmi les phrases suivantes, distinguez les faits et les opinions.

1. Le travail, croyez-moi, est une activité indispensable à l'homme. 2. Les hommes des cavernes ne cultivaient pas la terre. 3. À mon avis, il faut allonger la durée du travail. 4. Les artisans ont été remplacés par des usines. 5. Chacun sait que l'homme a besoin de travailler.

2 Imaginez qu'un homme politique du XIXᵉ siècle dise : *Un jour, dans la République socialiste universelle, le travail n'existera plus.* Parmi les expressions suivantes, relevez celles qui sont les mieux adaptées pour rapporter cette opinion.

1. *Sa conviction profonde est que…* 2. *Il fait l'hypothèse que…* 3. *Il constate que…* 4. *Il soutient que…* 5. *Tout le monde sait que….*

3 Présentez l'idée qu'au XIXᵉ siècle les paysans travaillaient davantage qu'aujourd'hui.

1. Comme un fait historique 2. comme une opinion largement partagée 3. comme une conviction personnelle 4. comme une vérité déjà établie 5. comme l'opinion de quelques personnes.

4 Trouvez cinq expressions différentes qui renvoient à l'opinion commune. Employez-les dans des phrases qui concernent le travail.

Les subordonnées compléments d'objet

Quand on présente son opinion, on utilise souvent des propositions subordonnées compléments de verbes de parole ou d'opinion : des conjonctives introduites par *que*, appelées aussi **complétives**, des **interrogatives indirectes**, parfois des **exclamatives indirectes.**

1 Les propositions subordonnées complétives

■ On a vu (chap. 7) que la proposition subordonnée **conjonctive introduite par *que*,** ou **complétive**, peut avoir les diverses fonctions **d'un groupe nominal.**

– Sujet → ***Que Luc parte*** *a surpris Marie.*

– Complément d'objet direct → *Je dis **qu'il est venu.***

– Attribut → *Le problème est **que Jules n'est pas venu.***

– Apposition → *Son projet, **que Jules vienne,** est insensé.*

La fonction la plus fréquente des subordonnées complétives est **complément d'objet direct** ou **indirect.**

■ Les complétives compléments d'objet **indirect** sont introduites par le subordonnant *ce que.*

→ *Paul se plaint de **ce que** Luc ne fait rien.*

→ *Jules travaille à **ce que** tout soit prêt.*

Certains verbes utilisent au choix les subordonnants *ce que* et *que.*

→ *Paul se réjouit **qu'elle soit active** / **de ce qu'elle raccourcisse ses vacances.***

Remarque. Il ne faut pas confondre :

– la conjonctive introduite par *que* (complétive) avec la relative introduite par *que* ;

→ *Je crois **que Paul travaille**.* (complétive)

→ *Le maçon **que j'ai vu** travaille bien.* (relative)

– la complétive en *ce que* et les relatives en *ce que.*

→ *Paul se plaint de **ce que Luc n'a pas fait**.* (relative : *toutes les choses que...*)

→ *Paul se plaint de **ce que je travaille trop tard**.* (complétive)

2 Le mode dans la complétive

Le verbe d'une complétive objet peut être **au subjonctif ou à l'indicatif.** Le choix du mode dépend du verbe de la proposition principale.

On emploie **l'indicatif** après des verbes d'opinion ou de parole *(juger, penser, dire, affirmer…)*.

→ *J'estime qu'il **a** tort de rester au lit toute la journée.* (verbe d'opinion: indicatif)

On emploie le **subjonctif** après des verbes de sentiment *(regretter, aimer…)* ou de volonté *(souhaiter, désirer…)*.

→ *Je **m'étonne** que Jules **soit** si bricoleur.* (verbe de sentiment: subjonctif)

Après un verbe qui appelle normalement l'indicatif le verbe de la complétive peut également être mis au **subjonctif** si la proposition principale est de **type interrogatif** ou à la **forme négative**.

→ *Je crois que Paul **est** vendeur. / Croit-il que Paul **soit/est** vendeur?*

→ *J'affirme qu'il **est** là. / Je n'affirme pas qu'il **soit/est** là.*

3 La subordonnée interrogative indirecte

Les propositions subordonnées que l'on appelle **interrogatives indirectes** dépendent de verbes qui marquent une question, ou plus largement une incertitude: *ignorer, se demander, chercher…*

→ *J'ignore **qui a été embauché**.* (interrogation indirecte)

→ *Qui a été embauché?* (interrogation directe)

Si elles correspondent à une interrogation **totale**, à laquelle on répond par *oui* ou *non*, elles sont introduites par *si*.

→ *J'ignore **si Max est comptable**. (Est-ce que Max est comptable?)*

Attention

Ne confondez pas la subordonnée circonstancielle de temps *(Nous arrêtons le travail **quand il fait nuit**.)* avec la subordonnée interrogative indirecte *(Tom ignore **quand il fait nuit**)*.

Quand l'interrogative **indirecte** correspond à une interrogation **partielle** (voir chap.12), on emploie les mêmes mots interrogatifs que dans les interrogations directes: *comment, où, quand, quel* + nom.

→ *Tu te demandes **quel boucher** a préparé le gigot.* (interrogation indirecte)

→ ***Quel boucher** a préparé le gigot?* (interrogation directe)

Il y a une exception: l'interrogation directe avec *que* ou *qu'est-ce que* correspond à une interrogation indirecte en *ce que*.

→ ***Que** fais-tu? / **Qu'est-ce que** tu fais? → Je demande **ce que** tu fais.*

4 La subordonnée exclamative indirecte

Comme il existe des subordonnées interrogatives indirectes, il existe des **subordonnées exclamatives indirectes** compléments d'objet qui expriment des **émotions**, des **appréciations, l'intensité d'une propriété ou d'une quantité**.

→ *Elle admire **comme il est actif**. (Comme il est actif!)*

Les exclamatives indirectes sont introduites en particulier par *comme, combien, quel, ce que, si*. Certains de ces mots **peuvent aussi introduire des interrogatives indirectes**.

→ *Regarde **s'il est actif**!* (exclamation: *Comme il est actif!*)

→ *Regarde **s'il a ses outils**.* (interrogation: *Les a-t-il ou non?*)

RAPPEL DU COURS

■ La subordonnée **conjonctive introduite par** *que* (ou **complétive**) peut avoir les fonctions d'un GN. Le plus souvent elle est **complément d'objet direct ou indirect**.

■ Le verbe de la complétive complément d'objet se met à l'**indicatif** ou au **subjonctif**, selon le verbe de la principale. L'indicatif s'emploie surtout après les **verbes d'opinion ou de parole** ; le subjonctif après les **verbes de sentiment ou de volonté**.

■ Les subordonnées **interrogatives indirectes** dépendent de verbes comme *se demander, ignorer…* Elles sont introduites par *si* ou par des mots interrogatifs.

■ Les subordonnées **exclamatives indirectes** ont une fonction de complément d'objet. Elles sont introduites par un mot exclamatif et expriment l'intensité d'une propriété ou d'une quantité.

Les propositions subordonnées complétives

5 **Dans les phrases suivantes, retrouvez les cinq** *que* **introduisant une proposition subordonnée complétive. Vous justifierez votre réponse.**

1. Ils se laissaient tomber, abrutis, sales, sur leur divan, et ne rêvaient plus que de longs week-ends, de journées vides, de grasses matinées. **2.** Ils croyaient encore que tant et tant de choses pouvaient leur arriver que la régularité même des horaires, la succession des jours, des semaines, leur semblaient une entrave qu'ils n'hésitaient pas à qualifier d'infernale. **3.** Combien de fois se répétèrent-ils qu'ils étaient stupides, qu'ils avaient tort, qu'ils n'avaient, en tout cas, pas plus raison que les autres. **4.** Ils savaient, bien sûr, que tout cela était faux. **5.** Que pensez-vous des vacances ?

G. Perec, *Les Choses,* Éd. Julliard, 1965.

6 **Relevez les propositions subordonnées complétives et indiquez leur fonction.**

1. Il répète qu'il faut montrer plus d'ardeur au travail. **2.** Que sa grand-mère ait travaillé chez un bijoutier dès l'âge de treize ans le laisse rêveur. **3.** Le problème est qu'il faut travailler pour vivre. **4.** Dans *Candide,* Martin affirme que travailler sans raisonner est le seul moyen de rendre la vie supportable. **5.** Son projet, que le carrelage soit posé, ne peut se faire avant la venue du plombier.

7 **Complétez ces phrases à l'aide de propositions subordonnées complétives introduites par** *à ce que,* **ou** *de ce que.*

1. La directrice se prépare … . **2.** Le boucher pense … . **3.** Les grévistes contribuent … . **4.** Les contrôleurs s'attendent … . **5.** Le salarié s'étonne … .

8 **a.** Oralement. **Dites, pour chaque** *que* **en caractères gras, s'il introduit ou non une proposition subordonnée. b. Pour les propositions subordonnées identifiées, distinguez les relatives des complétives.**

Il pénétra d'un air vainqueur dans la salle de travail **qu'**il connaissait bien. […]Le sous-chef, M. Potel, l'appela : « Ah ! c'est vous monsieur Duroy ? Le chef vous a déjà demandé plusieurs fois. Vous savez **qu'**il n'aime pas **qu'**on soit malade deux jours de suite sans attestation du médecin. » Duroy, qui se tenait debout au milieu du bureau, préparant son effet, répondit, d'une voix forte : « Je m'en fiche un peu, par exemple ! » « Vous avez dit ? » « J'ai dit **que** je m'en fichais un peu. Je ne viens aujourd'hui **que** pour donner ma démission ».

G. de Maupassant, *Bel Ami,* 1885.

9 **Relevez les propositions subordonnées et distinguez les relatives des complétives.**

1. Vous critiquez systématiquement ce que les architectes proposent. **2.** Tu te demandes ce que nous construisons. **3.** Expliquez-nous ce que vous pensez dire à vos fournisseurs. **4.** Elle n'écoute plus ce que les assureurs expliquent. **5.** Nous nous plaignons de ce que ces petits travaux durent des mois.

Le mode dans la complétive

10 Quel est le mode du verbe de la complétive complément d'objet ?

1. Vous estimez qu'elles travaillent vite. **2.** Il souhaite pourtant qu'elles se montrent encore plus rapides. **3.** Reconnaît-il que cette cadence déshumanise le travail ? **4.** Je ne pense pas qu'il s'en préoccupe.**5.** Vous n'appréciez pas que l'on applique les principes de Taylor.

11 Transformez, lorsque c'est nécessaire, le type ou la forme des phrases de l'exercice précédent pour que tous les verbes des complétives soient au subjonctif.

12 **a.** Relevez les verbes en caractères gras qui introduisent une complétive et justifiez le mode du verbe de la subordonnée. **b.** Employez chacun des autres verbes dans une principale qui sera suivie d'une complétive.

Vous voyez, je **me plains** pas, mais j'**aimerais** pas qu'elles se retrouvent comme moi toute la sainte journée à tirer l'aiguille, je m'excuse, je le **dis** comme je le **pense**, mais c'est une vie pas bien intéressante… Non, je **préférerais** carrément qu'elles apprennent à coudre à la machine.

J.-C. Grumberg, *L'Atelier,* Éd. Stock, 1979.

13 Inventez une phrase à partir de chacun des couples de verbes proposés : le premier sera le verbe de la principale, le second celui de la subordonnée complétive. Vous préciserez le mode du verbe de la subordonnée.

Ex. Vouloir / repasser → *Je veux que vous repassiez* (subjonctif) *une chemise en trois minutes.*
1. Exiger / livrer **2.** croire / démolir **3.** prétendre / vendre **4.** espérer / guérir **5.** dire / promouvoir.

La subordonnée interrogative indirecte

14 Dites si les subordonnées en caractères gras sont des interrogatives indirectes. Vous justifierez votre réponse.

Au moment de se mettre à écrire, il s'aperçut **qu'il n'avait chez lui qu'un cahier de papier à lettres.** Il se demanda **s'il l'utiliserait.** Il finit par ouvrir la feuille dans toute sa grandeur, trempa sa plume dans l'encre et écrivit en tête, de sa plus belle écriture : *Souvenirs d'un Chasseur d'Afrique.* Puis il chercha

comment il commencerait son article. Il restait le front dans sa main, les yeux fixés sur le carré blanc déployé devant lui. Il ne savait **ce qu'il allait dire.** Il ne trouvait plus rien maintenant **de ce qu'il avait raconté tout à l'heure,** pas une anecdote, pas un fait, rien.

G. de Maupassant, *Bel Ami,* 1885.

15 **a.** Indiquez si les subordonnées interrogatives indirectes suivantes correspondent à des interrogations totales ou partielles. **b.** Formulez la phrase interrogative directe correspondante.

1. On ne sait pas si chacun se mit à exercer ses talents. **2.** On se demande comment Cunégonde devint une excellente pâtissière. **3.** On ignore ce que Paquette broda. **4.** Personne ne peut dire jusqu'à quand la vieille eut soin du linge. **5.** On cherche quel genre de service le frère Giroflée put rendre.

D'après Voltaire, *Candide,* 1758.

16 Transformez les interrogations directes suivantes en propositions subordonnées interrogatives indirectes.

Ex. Léa a-t-elle obtenu ce poste ? → *Je me demande si Léa a obtenu ce poste.*

1. Leur travail aurait-il pu leur plaire ? **2.** Qu'y ont-ils appris ? **3.** Quelles responsabilités avaient-ils ? **4.** Leurs conditions de travail étaient-elles agréables ? **5.** Quand ont-ils démissionné ?

La subordonnée exclamative indirecte

17 **a.** Indiquez si les subordonnées en caractères gras sont des interrogatives ou des exclamatives indirectes. **b.** Écrivez l'exclamation ou l'interrogation directe correspondante.

1. Vous remarquerez **combien l'uniforme des pompiers fascine les enfants. 2.** Demande **si on peut essayer un casque. 3.** Tu vois **avec quelle rapidité ils ont sauté dans le fourgon** ! **4.** Nous voudrions savoir **combien d'interventions ont eu lieu la nuit de la Saint-Jean. 5.** Tu ignores **dans quel hôpital les pompiers ont conduit les grands brûlés.**

18 Transformez les exclamations directes suivantes en subordonnées exclamatives indirectes.

1. Que ce travail est dangereux ! **2.** Ce que les heures passées à écrire passent vite ! **3.** Comme elle est active ! **4.** Combien d'échelons ils ont gravi ! **5.** Quel courage ont les infirmières !

Les verbes
qui introduisent les complétives

Une augmentation de salaire ?

Les mineurs rendent visite à leur directeur, M. Hennebeau, pour demander une augmentation de salaire. M. Hennebeau prend la parole.

1 – Croyez-vous que la Compagnie n'a pas autant à perdre que vous, dans la crise actuelle ? Elle n'est pas maîtresse du salaire, elle obéit à la concurrence, sous peine de ruine. Prenez-vous-en aux faits, et non à elle… Mais vous ne voulez pas entendre, vous ne voulez pas comprendre !

5 – Si, dit le jeune homme, nous comprenons très bien qu'il n'y a pas d'amélioration possible pour nous, tant que les choses iront comme elles vont, et c'est même à cause de ça que les ouvriers finiront, un jour ou l'autre, par s'arranger de façon à ce qu'elles aillent autrement. […]

Un découragement les accabla, Étienne lui-même eut un haussement 10 d'épaules pour leur dire que le mieux était de s'en aller ; tandis que M. Hennebeau tapait amicalement sur le bras de Maheu, en lui demandant des nouvelles de Jeanlin.

– Vous réfléchirez, mes amis, vous comprendrez qu'une grève serait un désastre pour tout le monde. Avant une semaine, vous mourrez de faim : 15 comment ferez-vous ?… Je compte sur votre sagesse d'ailleurs, et je suis convaincu que vous redescendrez lundi au plus tard.

É. Zola, *Germinal*, 1885.

a Proposez un synonyme de *Croyez-vous*. (l. 1)

b Remplacez *nous comprenons* (l. 5) par *nous regrettons*. Quelle différence observez-vous dans la subordonnée ?

c Réécrivez la phrase : *je suis convaincu […] plus tard* (l. 16) en remplaçant *je suis convaincu que* par *je veux que*. Quelle différence de sens notez-vous entre les deux tournures ?

LEÇON

■ La **manière de présenter l'information** contenue dans la subordonnée complétive dépend du choix du **verbe de la principale** qui peut être un **verbe de parole, d'opinion, de sentiment** ou **de volonté**.

■ On dispose de nombreux verbes pour exprimer à la fois le fait de dire et la façon dont le locuteur présente les propos rapportés par la complétive (*expliquer, affirmer, prétendre, clamer, nier, soutenir, rapporter…*). Le verbe de la principale est alors un **verbe de parole**.

→ Étienne **affirma** que le mieux était de s'en aller.

■ Pour présenter un avis ou une pensée dans la subordonnée complétive, on l'annonce dans la principale par un **verbe d'opinion** : *croire, considérer, penser, juger, estimer…*

→ *Nous **considérons** qu'il n'y a pas d'amélioration possible pour nous.*

■ Pour indiquer l'état d'esprit dans lequel on se trouve face au fait évoqué dans la subordonnée complétive, on choisit pour la principale un **verbe de sentiment** : *aimer, regretter, se réjouir, craindre, s'étonner…*

→ *Le directeur **craint** que les mineurs ne partagent pas son avis.*

■ Si la complétive exprime une injonction, on utilise un **verbe de volonté** pour la principale : *vouloir, exiger, ordonner, interdire…*

→ *Les mineurs **exigent** que leurs revendications soient entendues.*

---

19 Oralement. **Associez à chacun des verbes sa définition.**

1. Suggérer **2.** proclamer **3.** estimer **4.** exiger **5.** prétendre.

a. Annoncer ou déclarer hautement auprès d'un vaste public. **b.** Demander impérativement ce que l'on croit avoir le droit, l'autorité ou la force d'obtenir. **c.** Faire concevoir ou penser quelque chose sans l'exprimer ni le formuler explicitement. **d.** Oser donner quelque chose pour certain (sans nécessairement convaincre autrui). **e.** Avoir une opinion sur une personne, une chose.

20 **Employez chacun des verbes de l'exercice précédent dans une phrase où il introduira une complétive.**

21 **a. Dites si ces verbes sont des verbes de parole, d'opinion, de sentiment ou de volonté.**

1. Exiger **2.** déclarer **3.** croire **4.** se réjouir **5.** appréhender **6.** accepter **7.** insinuer **8.** témoigner **9.** prescrire **10.** apprécier **11.** penser **12.** désapprouver **13.** révéler **14.** désirer **15.** s'opposer à.

22 **Transformez chacune des phrases du texte suivant afin que les paroles des personnages soient rapportées sous forme d'une complétive complément d'objet. Vous utiliserez, pour la principale, un autre verbe que *dire*.**

– Tu vois, dit Colin, [ce médecin] est un grand spécialiste. Les autres maisons n'ont pas une si complète décoration.

– Ça prouve seulement qu'il a beaucoup d'argent, dit Chloé.

– Ou que c'est un homme de goût, dit Colin ; c'est très artistique.

– Oui, dit Chloé, ça rappelle une boucherie moderne.

B. Vian, *L'Écume des jours*, Éd. J.-J. Pauvert, 1979.

23 Oralement. **a. Proposez un synonyme et un antonyme pour chacun des verbes suivants. b. Employez l'un d'eux dans une phrase où il introduira une subordonnée complétive complément d'objet.**

1. Affirmer **2.** refuser **3.** murmurer **4.** regretter **5.** se réjouir.

24 **Imaginez que vous êtes celui qui va subir une opération. En quelques phrases comprenant des complétives introduites par différents verbes de la leçon, comparez et commentez ces deux façons de pratiquer une intervention chirurgicale.**

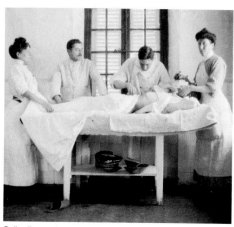
Salle d'opération vers 1900.

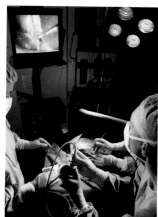
Microchirurgie, 2000.

Présenter une opinion

25 Oralement Exprimez brièvement votre opinion personnelle en répondant aux cinq questions du texte ci-dessous. Vous veillerez à employer des verbes variés pour présenter votre point de vue.

Et pendant quatre ans, peut-être plus, ils explorèrent, interviewèrent, analysèrent. Pourquoi les aspirateurs-traîneaux se vendent-ils si mal ? Que pense-t-on, dans les milieux de modeste extraction, de la chicorée ? Aime-t-on la purée toute faite, et pourquoi ? [...] Que pense-t-on, franchement, de la retraite des vieux ? Que pense la jeunesse ? Que pensent les cadres ? Que pense la femme de trente ans ? Que pensez-vous des vacances ?

G. Perec, Les Choses, Éd. Julliard, 1965.

26 ✏️ Écoutez attentivement l'opinion qu'expriment, sur le travail, ces personnages de *L'Écume des jours*. En quelques lignes, présentez votre point de vue sur les propos tenus par l'un d'eux.

27 ✏️ Développez, en un court paragraphe, l'objection qu'esquisse Lucien (*non mais... »*). Vous utiliserez des tournures qui expliciteront l'opinion personnelle du personnage mais aussi l'opinion commune derrière laquelle, parfois, il préférera s'abriter.

Il m'arriva de lui proposer un emploi dans les maisons qui me faisaient travailler. **« Non, mais... »** me rabrouait Lucien avec ce mépris particulier à ceux qui, n'ayant jamais travaillé, passent leur vie dans l'attente d'une occupation digne d'eux.

C. Etcherelli,
Élise ou la vraie vie, Éd. Gallimard,
coll. « Folio », 1967.

28 Lucien écrit à sa soeur Élise qu'il a choisi de travailler à l'usine.

✏️ Imaginez en un paragraphe comment Elise défend l'opinion de son frère face à une amie qui s'étonne du choix de Lucien.

Je me suis trouvé dans la nécessité matérielle d'accepter un boulot pénible, mais combien exaltant. Je vais me mêler aux vrais combattants, partager la vie inhumaine des ouvriers d'usine. Au milieu des Bretons, des Algériens, des Polonais exilés, ou des Espagnols, je vais trouver le contact avec la seule réalité en mouvement. Et quand j'aurai fini la journée d'usine, je retrouverai mes papiers, mes cahiers, car, ma vieille Élise, je témoignerai pour ceux qui ne peuvent le faire.

C. Etcherelli, Élise ou la vraie vie,
Éd. Galimard, coll. « Folio », 1967.

29 ✏️ Élise rapporte, dans une lettre qu'elle adresse à son frère, le point de vue de leur amie pour laquelle travailler à l'usine est avant tout pénible. Pensez à varier les verbes qui introduisent les complétives.

30 ✏️✏️ Développez, en une trentaine de lignes, le point de vue d'un passant en accord avec la revendication présentée par l'affiche ci-dessous ou bien celui d'un passant qui la désapprouverait.

Affiche de la CGT, 1er Mai 1912.

Les prévenir ?

Après la Seconde Guerre mondiale, de lointains cousins polonais ont écrit à ce couple dans l'espoir qu'il les aide à venir s'établir en France pour y travailler.

1 LÉON – Tu crois qu'on doit les prévenir qu'ici aussi c'est dur, très dur, qu'il faut travailler, enfin je sais pas moi, qu'est-ce qu'ils espèrent, pourquoi ils partent de là-bas ?

HÉLÈNE – On va pas revenir là-dessus, ils partent parce qu'ils ne sup-
5 portent plus de vivre là-bas…

LÉON (*approuvant de la tête*) – Ils supportent plus… Et ça c'est une raison sérieuse pour tout quitter et débarquer chez des gens et dans un pays qu'on connaît à peine ?

HÉLÈNE – Tu veux pas qu'ils viennent ? C'est simple : tu leur écris que
10 tu ne peux pas les recevoir, un point c'est tout, mais ne me rends pas folle, on en a déjà parlé et reparlé, s'il te plaît !

LÉON – Je demande s'il ne faut pas les prévenir, c'est tout, qu'ici aussi ça sera dur, qu'il faut travailler dur ; surtout, qu'ils ne se fassent pas d'illusions…

15 HÉLÈNE – Qui se fait des illusions ?

LÉON – Je ne sais pas, peut-être qu'ils s'imaginent qu'ici y a qu'à se baisser pour ramasser du pognon ?

HÉLÈNE (*se levant*) – Écris ce que tu veux, je vais me coucher.

J.-C. Grumberg, *L'Atelier*, Éd. Stock, 1979.

Questions (16 points)

A. Présenter son opinion

1 a. Relevez dans le texte une opinion présentée comme personnelle **b.** comme une vérité déjà établie.

2 Faites de la phrase : *Ils se font des illusions* une subordonnée complétive introduite **a.** par un verbe d'opinion **b.** par un verbe de sentiment **c.** par un verbe de volonté.

B. Toutes sortes de complétives

3 Relevez une subordonnée complétive complément d'objet.

4 Dans les phrases : *Tu veux pas qu'ils viennent ?* (l. 9) et *Tu leur écris que tu ne peux pas les recevoir.* (l. 9-10), justifiez le temps et le mode des verbes soulignés.

5 Relevez une phrase comprenant une interrogation indirecte totale. Remplacez celle-ci par une interrogation indirecte partielle.

6 Dans la phrase : *Je sais pas moi, qu'est-ce qu'ils espèrent ?* (l. 2), transformez l'interrogation directe en subordonnée interrogative indirecte.

Réécriture (4 points)

Rapportez au style indirect les propos de Léon : *Et ça c'est une raison sérieuse pour tout quitter et débarquer chez des gens et dans un pays qu'on connaît à peine ?* (l. 6-8). Le verbe de la principale sera un verbe de sentiment ou d'opinion.

Rédaction (20 points)

Rédigez, en une vingtaine de lignes, la lettre que Léon finit par écrire à ses lointains cousins pour les dissuader de venir s'installer en France.

Consigne d'écriture. Tantôt Léon s'abritera derrière l'opinion commune, tantôt il aura recours à des verbes de sentiment et d'opinion pour exprimer son avis personnel.

L'oiseau qui tue le chasseur.

L'homme et la femme marchent les jambes en l'air.

Raisonner

Raison et déraison

■ *Le Monde renversé,* image d'Épinal, XIXe siècle.

Qu'est-ce qu'un raisonnement ?

document 1 ## Alice et la logique du Pigeon

> *Sous l'effet de champignons, Alice subit des changements physiques : son cou vient de s'allonger considérablement. Elle est attaquée par le Pigeon qui croit protéger ses œufs contre un serpent.*

1 – Eh bien, parlez ! Dites-moi ce que vous êtes ! vociféra le Pigeon. Je vois bien que vous essayez d'inventer quelque chose !

– Je… je suis une petite fille, dit Alice d'une voix hésitante, car elle se rappelait tous les changements qu'elle avait subis ce jour-là.

5 – Comme c'est vraisemblable ! s'exclama le Pigeon d'un ton profondément méprisant. J'ai vu pas mal de petites filles dans ma vie, mais aucune n'avait un cou pareil ! Non, non ! Vous êtes un serpent, inutile de le nier. Je suppose que vous allez me raconter aussi que vous n'avez jamais goûté à un œuf !

10 – J'ai certainement goûté à des œufs, répliqua Alice, qui était une enfant très franche, mais voyez-vous, les petites filles mangent autant d'œufs que les serpents.

– Je n'en crois rien. Pourtant, si c'est vrai, alors les petites filles sont une espèce de serpent, un point c'est tout.

L. Carroll, *Alice au Pays des Merveilles*, 1865.

document 2 ## Carmen ergote

Lelong, Éd. *Fluide glacial*, n° 3 «*Vie et mœurs*», 1985.

a Doc. 1 Quelle est la conviction du Pigeon concernant Alice ? Quelles sont les « preuves » qu'il avance pour justifier cette conviction ?

b Reconstituez le raisonnement du Pigeon sous la forme : *Toutes les… ; or… ; donc…*

c Le raisonnement final du Pigeon repose sur une proposition non-dite, laquelle des trois suivantes ? **1.** Les serpents aiment les œufs. **2.** Seuls les serpents mangent des œufs. **3.** Il existe des serpents qui ne mangent pas d'œufs.

d Pourquoi le raisonnement du Pigeon est-il faux ?

e Relevez, dans les discours d'Alice et du Pigeon, un connecteur identique qui marque une étape de leur raisonnement. Relevez dans la dernière réplique un autre connecteur de même sens.

f Doc. 2 Résumez le raisonnement de Carmen Cru sous la forme *Si … alors …, mais comme … alors …*

g À quelle conclusion aboutit-elle ? Qu'en pensez-vous ? Quelle erreur comique fausse son raisonnement ?

LEÇON

■ **Raisonner**, c'est établir des liens entre les faits exprimés dans les propositions pour aboutir à des **conclusions**. Les étapes du raisonnement sont généralement marquées par des **connecteurs logiques** *(mais, alors, par conséquent…)*.

■ Lorsque partant d'une idée générale, (ou d'une hypothèse), et d'une observation, on tire des conclusions, on raisonne par **déduction**.

→ *Les oiseaux pondent des œufs, cet animal ne pond pas d'œuf, donc ce n'est pas un oiseau.*

■ Lorsqu'à partir d'un ou plusieurs exemples, on dégage une idée générale, on procède par **induction**.

→ *Les cygnes que j'ai vus sont blancs, donc tous les cygnes sont blancs.*

■ Dans un raisonnement, on part souvent du constat d'une proposition pour en tirer une conclusion ; toute relation qui peut se résumer par *si… alors…* est une **implication**.

→ *C'est un oiseau, donc il pond des œufs.* (conséquence)

→ *Comme (Puisque) c'est un oiseau, il pond des œufs.* (cause)

→ *Si c'est un oiseau, il pond des œufs.* (condition)

Toutes ces phrases reposent sur la même relation : *[être un oiseau]* → *[pondre des œufs].*

1 Dites si les raisonnements suivants sont déductifs ou inductifs.

1. Je viens d'arriver à Londres, vous êtes la quatrième femme rousse : toutes les Anglaises sont rousses ! **2.** Ce magasin est interdit aux Wisigoths et aux araignées ; cet homme est Wisigoth : il ne pourra donc pas entrer.

2 Oralement. **Vous cherchez à convaincre quelqu'un de la nécessité de porter un bonnet rouge. Argumentez selon un des schémas suivants.**

1. Si … alors… . **2.** Si … alors … mais … Donc …

3 Reformulez les deux raisonnements en caractères gras selon le schéma suivant : *Si … alors … Or … Donc …*

– Plaise à Votre majesté, déclara le Valet de Cœur, **je n'ai pas écrit ces vers, et personne ne peut prouver que je les ai écrits : ils ne sont pas signés.**

– Si vous ne les avez pas signés, rétorqua le Roi, alors cela ne fait qu'aggraver votre cas. **Si vous n'aviez pas eu de mauvaises intentions, vous auriez signé de votre nom, comme un honnête homme.**

L. Carroll, *Alice au Pays des Merveilles*, 1865.

Les connecteurs logiques

1 Définitions

■ Les **connecteurs** sont des mots qui marquent un **rapport de sens** entre des propositions, des ensembles de propositions ou entre les phrases d'un texte.

> → *Va-t'en au couvent. Adieu!* ***Ou, si*** *tu veux absolument te marier, épouse un imbécile;* ***car*** *les hommes sensés savent trop bien quels monstres vous faites d'eux. (Shakespeare)*

■ Certains connecteurs (logiques, temporels ou spatiaux) jouent un rôle-clé dans l'**organisation du texte** (voir chap. 2) dont ils soulignent les **articulations**.

> → *Je vois trois raisons à cela :* ***d'abord*** *je ne suis pas d'accord;* ***ensuite*** *il fait froid;* ***enfin*** *je n'ai pas compris de quoi il s'agit.*

■ Les connecteurs **logiques** ou **argumentatifs** (*car, mais, pourtant, puisque*...) marquent des relations établies par le locuteur entre deux idées ou deux événements. Ils servent à organiser surtout les **textes argumentatifs** et **explicatifs**, mais aussi parfois des **passages narratifs**.

– Certains connecteurs logiques s'utilisent en **corrélation**, se répartissant dans les deux membres du raisonnement : *si... alors..., si... c'est que..., non seulement... mais (encore)..., certes... mais..., non que... mais...*

> → ***Non seulement*** *son discours était très long,* ***mais*** *il n'avait aucun sens.*

2 Les classes de connecteurs logiques

Les **connecteurs** sont des mots invariables appartenant à différentes classes.

■ Les **adverbes connecteurs** (ou **adverbes de liaison**) peuvent être supprimés ou déplacés dans la phrase. Ils relient des propositions indépendantes, des phrases, des ensembles de phrases, ou des paragraphes. Ce sont des **adverbes simples** (*soudain, cependant, alors, donc, certes, néanmoins*...) ou des **locutions adverbiales** (*par conséquent, en outre, par la suite, en bref*...).

> → *Cette nouvelle l'a dérangé; je crois* ***cependant*** *qu'il s'en remettra.*

■ Les **conjonctions de coordination** relient deux groupes ou deux propositions de même fonction, deux phrases ou même deux parties de texte. Elles ne peuvent pas se combiner entre elles et occupent une place fixe.

– Les conjonctions simples (*mais, ou, et, or, ni, car,* auxquelles on peut ajouter *puis*) sont obligatoirement placées entre les deux éléments qu'elles relient.

> → *Il faut implorer Mnémosyne* ***car*** *elle a le pouvoir de ressusciter le passé.*

– Les conjonctions redoublées *(ni… ni, ou… ou, soit… soit)* se placent devant chacun des deux éléments coordonnés.

> → *De deux choses l'une :* **ou** *tu ne l'as jamais vue,* **ou** *tu l'as oubliée.*

■ Les **conjonctions de subordination** (voir chap. 18 à 21) sont des connecteurs **internes à la phrase** : elles subordonnent une proposition à une autre, en marquant un rapport particulier (cause, concession, but…).

Ces conjonctions sont simples *(que, si, quand, comme)* ou formées avec *que (puisque, lorsque, quoique)*, ou bien ce sont des locutions conjonctives en *que (pour que, alors que…)*, *si (même si, comme si)*, ou *quand (quand bien même)*.

Remarque. *Que* est la seule conjonction de subordination qui ne marque pas un rapport de sens ; ce n'est donc pas un connecteur.

3 Valeurs des connecteurs logiques

👁 Voir tableau récapitulatif des connecteurs logiques p. 313.

■ Les différents types de connecteurs permettent d'exprimer, par coordination ou par subordination, les principales valeurs logiques (voir chap. 18 à 21) :

– la **cause** : *en effet, car, parce que, puisque…* ;

– la **conséquence** : *donc, alors, c'est pourquoi, par conséquent., si bien que…* ;

– l'**opposition** : *mais, en revanche, au contraire, alors que, tandis que…* ;

– la **concession** : *certes, pourtant, cependant, bien que…* ;

– la **condition** : *si, pourvu que, à condition que….*

■ Mais les adverbes et les conjonctions de coordination en particulier permettent d'exprimer de nombreuses autres nuances argumentatives :

– l'**alternative** *(ou, ou bien, soit… soit…)* ;
> → *Être* **ou** *ne pas être, là est la question. (Shakespeare)*

– la **conclusion** *(ainsi, finalement, donc, en somme, en définitive…)* ;
> → *Nous lui avons fait passer quantité de tests et d'examens.* **En définitive**, *nous n'avons rien trouvé d'inquiétant.*

– la **reformulation** : *c'est-à-dire, autrement dit, en résumé, bref* (avec une idée conclusive), *à vrai dire, en fait* (avec une correction du propos)… ;
> → *Il ne m'a pas salué,* **autrement dit** *il ne m'a pas reconnu ; il ne sait pas où il est, ni pourquoi il s'est retrouvé là.* **Bref**, *il est amnésique.*

– l'**addition** ou le **renchérissement** : addition d'un autre argument *(et, ni)*, d'un argument décisif *(or)*, ou d'un argument présenté comme supplémentaire *(d'ailleurs, du reste, en outre, et même, ni même, de plus…)* ;
> → *Il est impossible que tu te souviennes d'elle : tu ne l'as vue qu'une fois,* **de plus** *tu avais trois ans.* **D'ailleurs** *tu ne m'en a jamais reparlé.*

– l'**ordre des arguments** dans le discours : *d'une part…, d'autre part…* ; les adverbes ordinaux *(premièrement…, deuxièmement…, troisièmement…)* ; des adverbes d'origine temporelle *(d'abord…, ensuite…, puis…, enfin).*

■ Les **connecteurs** sont des mots qui marquent un **rapport de sens** entre des propositions, des ensembles de propositions ou entre les phrases d'un texte.

■ Les **connecteurs logiques** organisent les textes **argumentatifs**, explicatifs et parfois narratifs.

■ Ils appartiennent à diverses classes de mots : **adverbes de liaison**, **conjonctions de coordination**, **conjonctions de subordination**.

■ En plus des valeurs courantes (**cause, conséquence, opposition, concession, condition**), les connecteurs logiques peuvent exprimer l'**alternative, la conclusion, la reformulation, le renchérissement ou la mise en ordre des arguments**.

Définitions

4 Précisez si les connecteurs en caractères gras sont temporels, spatiaux ou logiques.

1. Ici, on est à l'ombre, **là** le soleil est trop chaud. **Finalement,** on n'est bien nulle part. (J.-L. Fournier)

2. Si un homme dit : « Je dis un mensonge » et qu'il dit la vérité, **en ce cas**, il ment effectivement, et **par conséquent** ne dit pas la vérité ; **mais** s'il ne dit pas la vérité, **alors** il ne ment pas, et par conséquent dit la vérité. (L. Carroll)

3. Le matin, un peu de géométrie dans l'espace ; **ensuite**, marché sous la pluie jusqu'à Studley ; **le soir**, réception à la résidence. (L. Carroll)

5 Dites si les mots ou les groupes de mots en caractères gras jouent ou non le rôle de connecteur dans ce texte.

1. La scène : un jardin **chez** *Anna Petrovna Voinitzev.* **Au premier plan,** *un massif avec un sentier circulaire.* **En son centre,** *une statue porte une lanterne allumée. Chaises* **et** *tables de jardin.* **À gauche,** *la façade d'une grande maison.*
2. PLATONOV : Tout est **tellement** simple lorsqu'on est jeune. Un corps vif, un esprit clair, une honnêteté inaltérable, le courage et l'amour de la liberté, de la vérité et de la grandeur. *(Il rit.)* **Mais** voilà que surgit la vie quotidienne. Elle vous enveloppe **toujours** plus étroitement de sa misère. Les années passent, **et** que voyez-vous **alors** ? Des millions de gens dont la tête est vidée **par l'intérieur**. Eh bien, **cependant**, que nous ayons su vivre ou non, il y a

quand même une petite compensation : l'expérience commune, la Mort. **Alors**, on se retrouve à son point de départ : pur.

A. Tchekhov, *Ce fou de Platonov*, 1882.

6 Relevez les connecteurs logiques dans chacun de ces trois textes, dont vous préciserez s'ils sont narratifs, explicatifs ou argumentatifs.

1. Si une boule en touche une autre, le joueur peut s'en servir pour roquer la sienne ; mais il ne peut pas la déplacer. Par ailleurs, il ne peut pas roquer deux fois en un tour avec la même boule, à moins qu'il ait fait entre temps l'une des choses mentionnées dans la règle IV. (L. Carroll)

2. Il est vrai, dit Pangloss, que vous m'avez vu pendre ; je devais naturellement être brûlé : mais vous vous souvenez qu'il plut à verse lorsqu'on allait me cuire : l'orage fut si violent qu'on désespéra d'allumer le feu ; je fus pendu, parce qu'on ne put mieux faire. (Voltaire, *Candide*)

3. Élisabeth n'est pas Élisabeth. Donald n'est pas Donald. [En effet], l'enfant dont parle Donald n'est pas la fille d'Élisabeth, ce n'est pas la même personne. La fillette de Donald a un œil blanc et un autre rouge tout comme la fillette d'Élisabeth. Mais tandis que l'enfant de Donald a l'œil blanc à droite et l'œil rouge à gauche, l'enfant d'Élisabeth, lui, a l'œil rouge à droite et le blanc à gauche ! Ainsi tout le système d'argumentation de Donald s'écroule.

(E. Ionesco)

7 Oralement. Dites si les connecteurs de l'exercice 6 relient deux propositions ou deux phrases.

8 Complétez les phrases suivantes par la deuxième partie du raisonnement, en utilisant le connecteur qui convient dans cette liste : *de même, mais* (3 fois), *alors.*

1. Certes, durant le bicentenaire de Mozart, les chocolats Mozart se sont aussi bien vendus que les quatuors à cordes, … . **2.** Non seulement l'assiette anglaise que j'ai mangée n'était pas en glaise, … . **3.** Si je suis la reine d'Angleterre, … . **4.** Non que je veuille remporter le rallye des landaus, … . **5.** De même que, par pacifisme, elle refuse de battre les œufs, … .

Les classes de connecteurs logiques

9 Précisez à quelle classe appartiennent les connecteurs logiques en caractères gras : adverbes, conjonctions de coordination, conjonctions de subordination.

1. Ne te tourmente pas, mon père, **parce qu'**on m'appelle chien. **2. En effet**, il ne vaut pas la peine de te tourmenter pour ce genre de choses, il faut **plutôt** t'en réjouir, **dans la mesure où** ton fils se contente de peu et **qu'**il est affranchi de l'opinion à laquelle tout le monde est asservi. **3. En effet**, ce nom, **outre qu'**il n'a pas de rapport naturel avec les choses et **qu'**il n'est qu'un symbole, est glorieux d'une certaine manière. **4. Car si** on m'appelle chien, c'est celui du ciel, et non de la terre, parce que c'est à lui que je me rends semblable en vivant selon la nature.

Diogène, *Lettres*, IIe siècle av. J.-C.

10 Complétez les phrases suivantes par les connecteurs qui conviennent : *en effet, mais, ou* (2 fois), *donc* (2 fois).

1. Tous les hommes sont mortels, Socrate est un homme, … Socrate est mortel. **2.** Pour moi, satisfaisant mes appétits gloutons, / J'ai dévoré force moutons. Je me dévouerai …, s'il le faut, … je pense / Qu'il est bon que chacun s'accuse ainsi que moi. (La Fontaine). **3.** Il n'y a pas cinquante solutions : … tu pars, … je te chasse. **4.** Il ne lui a pas répondu : …, il est muet.

11 Précisez à quelle classe appartiennent les connecteurs que vous avez ajoutés à l'exercice précédent. Puis remplacez-les par un connecteur de sens équivalent, mais d'une autre classe (que vous préciserez).

Valeurs des connecteurs logiques

12 Indiquez la valeur des connecteurs en caractères gras : cause, conséquence, condition ou reformulation.

1. Un homme qui est déprimé **parce qu'**il a connu la ruine et **qu'**il risque de se ruiner à nouveau, se lève toujours à cinq heures du matin. **2. Si** Amédée est avec sa femme – **c'est-à-dire** dans le même groupe que sa femme – et Barnabé avec la sienne, ainsi qu'Eusèbe avec Mme Hyacinthe, Casimir doit être avec Mme Désiré. **3.** Les gens populaires et dignes d'éloge sont, **soit** des bienfaiteurs du peuple, **soit** des gens sans prétention. **4.** Je résume **donc**, dit Oncle Joe. **Si** Clotaire est absent, ces deux hypothétiques sont vraies simultanément. Or, nous savons qu'il est impossible qu'elles soient vraies simultanément. **Par conséquent**, il est impossible que Clotaire soit absent.

L. Carroll, *Logique sans peine*, 1896.

13 Indiquez la valeur des connecteurs logiques relevés à l'exercice 6 : cause, conséquence, opposition, concession, condition, addition.

14 a. Pour redonner un sens à cette argumentation, remettez à leur place les connecteurs en caractères gras. **b.** Précisez la valeur de chacun d'eux.

J'aimerais aller à la fête de Mathilde samedi prochain. **Donc** ça fait un mois que je ne suis pas sorti, **premièrement** j'avais trop de travail. **Finalement**, j'ai besoin de prendre l'air. **Autrement dit**, elle compte sur moi pour la sono, **car** je n'ai pas le choix. **Deuxièmement**, qu'est-ce que tu décides ?

15 Oralement. **Choisissez un thème de débat pour toute la classe. À tour de rôle, chaque élève énonce un argument en employant un connecteur logique, dont il précise la valeur.**

Ex. Débat sur le clonage.
Élève 1 : *Le clonage est dangereux, car on risque de ne vouloir créer que des êtres intelligents* (cause).
Élève 2 : *Toutefois, le clonage pourra servir à guérir des maladies aujourd'hui incurables* (opposition) etc.

16 Précisez la valeur des connecteurs en caractères gras et complétez les phrases comme il convient.

1. Il se prend pour Charlemagne. **En outre** … . **2.** Il se prend pour Charlemagne. **D'ailleurs** … . **3.** Il se prend pour Charlemagne. **Bref** … . **4.** Il se prend pour Charlemagne. **À vrai dire** … . **5. D'abord**, il se prend pour Charlemagne … .

Les différentes valeurs de *et, mais, donc*

Leçon de logique

1 BÉRENGER *(à Jean)* – La solitude me pèse. La société aussi.

JEAN *(à Bérenger)* – Vous vous contredisez. Est-ce la solitude qui pèse ou est-ce la multitude ? Vous vous prenez pour un penseur et vous n'avez aucune logique.

5 LE VIEUX MONSIEUR *(au Logicien)* – C'est très beau, la logique.

LE LOGICIEN *(au Vieux Monsieur)* – À condition de ne pas en abuser.

BÉRENGER *(à Jean)* – C'est une chose anormale de vivre.

JEAN – Au contraire. Rien de plus naturel. La preuve : tout le monde vit.

BÉRENGER – Les morts sont plus nombreux que les vivants. Leur

10 nombre augmente. Les vivants sont rares.

JEAN – Les morts, ça n'existe pas, c'est le cas de le dire !... Ah ! Ah ! ... *(Gros rire.)* Ceux-là aussi vous pèsent ? Comment peuvent peser des choses qui n'existent pas ?

BÉRENGER – Je me demande moi-même si j'existe !

15 JEAN *(à Bérenger)* – Vous n'existez pas, mon cher, parce que vous ne pensez pas ! Pensez, et vous serez.

LE LOGICIEN *(au Vieux Monsieur)* – Autre syllogisme[1] : tous les chats sont mortels. Socrate[2] est mortel. Donc Socrate est un chat.

LE VIEUX MONSIEUR – Et il a quatre pattes. C'est vrai, j'ai un chat qui

20 s'appelle Socrate.

LE LOGICIEN – Vous voyez…

JEAN *(à Bérenger)* – Vous êtes un farceur, dans le fond. Un menteur. Vous dites que la vie ne vous intéresse pas. Quelqu'un, cependant, vous intéresse !

25 BÉRENGER – Qui ?

JEAN – Votre petite camarade de bureau, qui vient de passer. Vous en êtes amoureux !

LE VIEUX MONSIEUR *(au Logicien)* – Socrate était donc un chat !

LE LOGICIEN *(au Vieux Monsieur)* – La logique vient de nous le révéler.

E. Ionesco, *Le Rhinocéros*, Éd. Gallimard, 1959.

1. Syllogisme : raisonnement déductif à trois propositions. Le syllogisme type est : *Tous les hommes sont mortels. Or, Socrate est un homme. Donc Socrate est mortel.*
2. Socrate : philosophe grec.

a Relevez les trois phrases du texte contenant *et*. Ont-ils tous les trois la même valeur ? Remplacez chaque *et* par le connecteur qui convient : *alors, de plus, pourtant.*

b Par quelle conjonction de coordination, de sens équivalent, pourriez-vous remplacer *cependant* à la ligne 23 ?

c Relevez, dans le texte, les deux phrases contenant *donc*. Précisez la valeur de ce connecteur. Rédigez une phrase où *donc* aura une autre valeur, que vous indiquerez.

LEÇON

■ *Et* peut exprimer :

– l'addition ; → *Bérenger parle avec Jean* ***et*** *le vieux monsieur discute avec le logicien.*

– la succession dans le temps *(puis)* ; → *Le logicien énonce son syllogisme* ***et*** *s'en va.*

– la conséquence *(donc)* ; → *Il croit qu'il suffit de prononcer un syllogisme,* ***et*** *que l'on devient logicien !*

– l'opposition *(mais, pourtant…)*. → *Le logicien se croit logique,* ***et*** *il est fou !*

■ *Mais* peut exprimer :

– l'opposition *(cependant)* ; → *Il parle,* ***mais*** *ne raisonne pas.*

– une rectification (après une négation) ; → *Il n'est pas stupide,* ***mais*** *seulement un peu fou !*

– un renchérissement. → *Il est bête,* ***mais*** *bête !*

■ *Donc* peut exprimer :

– la conséquence ou la conclusion ; → *Je pense,* ***donc*** *je suis. (Descartes)*

– le renforcement d'une expression (dans ce cas, ce n'est pas un connecteur logique).

→ *Viens* ***donc*** *par ici !*

---

17 Précisez la valeur des *et* en caractères gras.

1. Quand l'un a volé l'autre, qu'il le dédommage, **et** que le coupable paie l'amende ! *(Le Roman de Renart)* **2.** Ce méfait, si nous ne l'étouffons, pourra prendre des proportions considérables, car on peut bien encourager au mal, le répandre et le semer, **et** se montrer incapable de l'arrêter. *(Le Roman de Renart)* **3.** C'est assez fort… Pourtant, vous me permettrez de vous avouer que cela ne me satisfait pas, mademoiselle, **et** je ne vous féliciterai pas. (Ionesco) **4.** En réalité, les véritables fous sont au pouvoir. **Et** les sains d'esprit, les héros, les martyrs sont dans l'opposition. (Ionesco) **5.** C'est comme notre petite fille qui ne boit que du lait **et** ne mange que de la bouillie. (Ionesco)

18 Complétez les phrases suivantes, afin que *et* ait la valeur indiquée entre parenthèses.

1. Il se présente aux élections des délégués de classe, et … . (opposition). **2.** Il s'est présenté aux élections des délégués de classe, et … . (succession temporelle). **3.** Il s'est présenté aux élections des délégués de classe, et … . (conséquence). **4.** Il s'est présenté aux élections des délégués de classe et … . (adjonction).

19 Précisez la valeur des *donc* et *mais* en caractères gras.

1. Le sabbat a fini tôt. Nous avons **donc** pu nous coucher de bonne heure. **2.** Pour une fois, les sor-cières ne buvaient pas de jus de grenouille, **mais** du champagne. **3.** L'Élève a l'air d'une fille polie, bien élevée, **mais** bien vivante, gaie, dynamique. (Ionesco) **4.** L'Élève : Je connais mes saisons, n'est-ce pas, monsieur ? Le Professeur : Oui, mademoiselle… ou presque. **Mais** ça viendra. (Ionesco) **5.** Tenez, à la rubrique des chats écrasés ! Lisez **donc** la nouvelle, monsieur le chef ! (Ionesco)

20 Oralement. **Rédigez quelques phrases contenant deux fois *et* avec des valeurs différentes, deux fois *mais* avec des valeurs différentes, une fois *donc*, afin de proposer une suite au commentaire de cette vignette.**

CHARLEMAGNE FIT LA GUERRE AUX SAXOPHONES.

Jean-Charles, *L'Histoire vue par les cancres*, Éd. Calmann-Lévy, 1984.

Bâtir un raisonnement

21 ✎ Formulez chacune de ces implications, parfois fantaisistes, de deux autres manières.

Ex. *C'est une poule, donc elle va traverser au moment où passe la voiture.* → *Comme c'est une poule, elle va traverser au moment où passe la voiture. Si c'est une poule, elle va traverser au moment où passe la voiture.*

1. C'est une fille, alors elle aime la glace à la vanille. **2.** Si je sais faire cet exercice d'expression écrite, tout le monde saura le faire ! **3.** Puisque Socrate n'est pas un chat, il n'a pas de moustaches. **4.** Comme je ne suis pas fou, ce sont tes raisonnements qui n'ont pas de sens. **5.** Je pense, donc je suis.

22 ✎ Oralement. **Dans ce passage d'***Hamlet***, deux hommes sont chargés de creuser la tombe d'Ophélie, morte noyée. Ils se demandent s'il s'agit ou non d'un suicide. Relevez les connecteurs logiques, puis, en les conservant dans le même ordre, inventez un autre raisonnement sur un sujet totalement différent.**

PREMIER FOSSOYEUR – Laisse-moi t'expliquer, camarade : ici est la rivière, fort bien ; là est l'homme, bon. Si l'homme va trouver la rivière et se noie lui-même, c'est lui qui y va volontairement, remarque bien ; mais si c'est l'eau qui vient à lui, et qui le noie, ce n'est plus lui qui se noie lui-même. Donc celui qui n'est pas coupable de sa mort n'a pas abrégé sa vie.

W. Shakespeare, *Hamlet*, 1598-1602.

23 ✎ **Dans « Les animaux malades de la peste », le lion et ses sujets cherchent quel animal a pu susciter la colère du ciel et déclencher une terrible peste. Chacun des grands de la cour fait mine de s'accuser, tout en cherchant des excuses aux pires forfaits. Puis c'est au tour de l'âne de se confesser... Imaginez en quelques lignes (ou quelques vers) et sous forme d'un raisonnement le discours du loup contre l'âne. Vous emploierez des connecteurs logiques pour souligner les étapes de ce raisonnement.**

L'âne vint à son tour et dit : « J'ai souvenance
Qu'en un pré de moines passant,
La faim, l'occasion, l'herbe tendre, et je pense,
Quelque diable aussi me poussant,
Je tondis de ce pré la largeur de ma langue.
Je n'en avais nul droit, puisqu'il faut parler net. »

À ces mots on cria haro sur le baudet.
Un loup quelque peu clerc prouva par sa harangue
Qu'il fallait dévouer ce maudit animal,
Ce pelé, ce galeux, d'où venait tout leur mal.
Sa peccadille fut jugée un cas pendable.
Manger l'herbe d'autrui ! quel crime abominable !
Rien que la mort n'était capable
D'expier son forfait : on le lui fit bien voir.

Selon que vous serez puissant ou misérable,
Les jugements de Cour vous rendront blancs ou noirs.

J. de La Fontaine, « Les animaux malades de la peste »,
Fables, 1678.

24 ✎✎ **Sages ou fous ? Imaginez le raisonnement que pourraient tenir ces deux hommes pour justifier le fait de porter un âne sur leur dos.**

F. Goya, *Tu que no puedes (Toi qui ne peux pas)*, 1797.

25 ✎✎ **Choisissez l'une de ces propositions de loi, sérieuse ou fantaisiste, et imaginez des raisonnements, afin de convaincre (en une vingtaine de lignes) un parlement imaginaire de l'adopter.**

1. Interdiction des voitures dans les villes. **2.** Obligation de la pause-café au milieu de chaque cours. **3.** Obligation pour chaque citoyen d'apprendre à jouer d'un instrument de musique. **4.** Interdiction de porter sa casquette à l'envers.

vers le
brevet

Aujourd'hui est le 11

La scène se passe dans une maison isolée en Russie en 1907. Le narrateur qui se croyait le 10 juin vient d'apprendre par son ami Moravagine qu'« aujourd'hui est le 11 ».

1 Ma parole, je perds la boussole. J'ai relu les dernières pages de mon journal. Les dates et les heures y sont indiquées. Si Moravagine dit vrai, si, réellement, nous sommes aujourd'hui le 11 comme il l'affirme et non pas le 10 comme je le crois, alors… alors je suis plus gravement atteint
5 que je ne le pensais moi-même. Je sais bien que je suis touché puisque je ressens ma fatigue jusque dans les moelles. Mais, tout de même, avoir dormi vingt-quatre heures sans s'en rendre compte, sans le savoir, ça c'est grave. Un cas clinique. Sommeil de grand détraqué. Prostration nerveuse. Trou. Abîme épileptique. Commotion. Syndrome.
10 Il est vrai que je sens ma fatigue jusque dans les os.
Mais à quel moment situer ce sommeil ? J'ai relu mon journal en entier. J'ai dû m'endormir tout de suite, en arrivant ici, immédiatement après le départ d'Ivanoff. En effet, je me suis étendu sur le poêle[1] ; mais je croyais n'avoir pas dormi…
15 Alors, j'ai dû dormir debout ou les yeux grands ouverts…

B. Cendrars, *Moravagine*, Éd. Grasset, 1926.

1. Gros poêle rustique utilisé dans les maisons russes et sur lequel on peut dormir.

Questions (16 points)

A. La raison et le raisonnement

1 Relevez les mots (au moins 4) qui indiquent que le narrateur forme un raisonnement. Comment appelle-t-on ces mots ?

2 Dans ce passage, le narrateur part d'une hypothèse et aboutit à une conclusion. Dites lesquelles.

3 Relevez deux exemples de raisonnement fondés sur une implication que vous reformulerez sous la forme : proposition 1 → proposition 2.

B. Les outils logiques

4 Relevez les *mais* du texte. Dites s'ils relient deux propositions ou deux phrases et indiquez lesquelles. Proposez deux adverbes connecteurs de même sens.

5 Relevez une conjonction de subordination exprimant la cause. Remplacez-la par une conjonction de coordination de même sens.

6 Indiquez la classe grammaticale des mots suivants : *si* (l. 2), *alors* (l. 4), *ou* (l. 15).

7 Expliquez la différence de sens entre les deux *et* du texte (l. 2 et 3).

Réécriture (4 points)

Si Moravagine ment, si réellement nous sommes le 10… En raisonnant sur cette hypothèse inverse, réécrivez le premier paragraphe tout en gardant la même organisation (en particulier les mêmes connecteurs) que dans celui de B. Cendrars.

Rédaction (20 points)

Comme tous les matins, vous sortez de chez vous pour partir au collège. La porte à peine refermée vous vous apercevez que vous avez oublié un devoir : vous rouvrez la porte et découvrez que tout a changé… Vous raisonnez alors pour essayer d'expliquer ce phénomène.

Consigne d'écriture. Avant de raisonner, vous ferez une brève description des changements.

Bâtir une argumentation

Écrivains à la pointe du combat

■ Caricature représentant Émile Zola, XIXᵉ siècle.

L'argumentation

document 1 ## Victor Hugo contre la peine de mort

Victor Hugo s'adresse ici aux députés qui venaient d'abolir la «flétrissure», c'est-à-dire le marquage des condamnés au fer rouge mais conservaient la peine de mort.

1 La peine de mort est une amputation barbare. Or, flétrissure, bagne, peine de mort, trois choses qui se tiennent. Vous avez supprimé la flétrissure, si vous êtes logiques, supprimez le reste. Le fer rouge, le boulet et le couperet[1], c'étaient les trois parties d'un syllogisme[2]. Vous avez ôté 5 le fer rouge, le boulet et le couperet n'ont plus de sens. […]

Démontez cette vieille échelle boiteuse des crimes et des peines, et refaites-la. Refaites votre pénalité, refaites vos codes, refaites vos prisons, refaites vos juges. Remettez les lois au pas des mœurs.

Messieurs, il se coupe trop de têtes par an en France. Puisque vous êtes 10 en train de faire des économies, faites-en là-dessus. Puisque vous êtes en verve de suppressions, supprimez le bourreau. Avec la solde de vos quatre-vingts bourreaux, vous paierez six cents maîtres d'école.

V. Hugo, *Claude Gueux*, 1834.

1. *Boulet* et *couperet* sont respectivement les symboles du bagne et de la guillotine.
2. Syllogisme : raisonnement en trois propositions logiquement liées.

document 2 ## Appel au peuple

Yslaire, *Sambre,* «Révolution, Révolution», Éd. Glénat, 1993.

a Doc. 1 Quel est le but du discours de Victor hugo ? À quelle conclusion veut-il conduire son auditoire ?

b Généralement, une conclusion se place à la fin ; est-ce le cas ici ? À quel endroit du texte est-elle exprimée ? Relevez une autre phrase qui reprend la même idée d'une façon plus générale.

c Relevez deux arguments qui, selon le locuteur, devraient conduire à cette conclusion.

d Relevez dans le dernier paragraphe un connecteur qui établit une relation de cause.

e Doc. 2 D'après les détails de l'image, à quelle époque se situe la scène ? Quel est selon vous le but recherché par l'orateur ? dans ce cas à quelle forme se rattachera son discours ?

f ✏ Rédigez son discours en trois phrases : les deux premières exprimeront un constat et la troisième la conclusion que l'orateur en tire. Quels connecteurs avez-vous utilisés ?

LEÇON

■ Le discours **argumentatif** vise à **convaincre** l'interlocuteur, à le faire changer d'opinion ou à lui faire adopter une idée. Dans un **texte argumentatif**, on peut distinguer :

– la **thèse**, c'est-à-dire l'idée principale défendue par le locuteur, la conclusion à laquelle il veut conduire son interlocuteur ;

– les **arguments**, c'est-à-dire les idées avancées par le locuteur pour appuyer, justifier sa thèse ; ils peuvent être illustrés par des **exemples**, empruntés à l'histoire, la littérature, l'actualité.

■ La thèse peut être annoncée dès le début ou présentée à la fin ; elle peut aussi ne pas être exprimée explicitement et se déduire des arguments.

■ Les **connecteurs logiques** assurent l'unité du texte argumentatif en marquant les étapes de l'argumentation (annonce d'une justification, d'un exemple, d'une conclusion) ou en établissant des liens entre les arguments (**cause**, conséquence, **concession**, opposition…).

1 Dans ce texte, distinguez la thèse (exprimée indirectement), deux arguments, deux exemples.

Un enseignant « qui ne sait rien » explique aux parents de son élève Jeannot que les connaissances sont inutiles. Madame Jeannot insiste.

– Je m'imagine pourtant qu'il ne serait pas mal qu'il sût un peu d'histoire.

– Hélas ! madame, à quoi cela est-il bon ? répondit-il ; il n'y a certainement d'agréable et d'utile que l'histoire du jour. Toutes les histoires anciennes, comme le disait un de nos beaux esprits, ne sont que des fables convenues ; et, pour les modernes, c'est un chaos qu'on ne peut débrouiller. Qu'importe à monsieur votre fils que Charlemagne ait institué les douze pairs de France, et que son successeur ait été bègue ?

Voltaire, Jeannot et Colin, 1764.

2 Trouvez deux arguments et deux exemples pour permettre à Madame Jeannot de soutenir contre cet « enseignant » la thèse de l'utilité de l'enseignement de l'histoire.

3 Dans le texte suivant, V. Hugo conteste l'idée que le « spectacle » d'une exécution incite le peuple à la vertu. Distinguez l'argument et l'exemple qui l'illustre.

Loin d'édifier le peuple, il le démoralise, et ruine en lui toute sensibilité, partant toute vertu. Les preuves abondent, et encombreraient notre raisonnement si nous voulions en citer. Nous signalerons pourtant un fait entre mille, parce qu'il est le plus récent. Au moment où nous écrivons, il n'a que dix jours de date. Il est du 5 mars, dernier jour du carnaval. À Saint-Pol, immédiatement après l'exécution d'un incendiaire nommé Louis Camus, une troupe de masques est venue danser autour de l'échafaud encore fumant. Faites des exemples ! le mardi gras vous rit au nez.

V. Hugo, Préface au Dernier jour d'un condamné, 1832.

L'expression de la cause et de la concession

1 Les relations de cause et de concession

■ La **cause** d'un événement est ce qui le provoque, ce qui en est à l'origine.
> → *Voltaire a défendu Calas **parce qu'il était innocent**.*
> (Calas était innocent→ Voltaire l'a défendu.)

■ **La concession** désigne un événement qui aurait dû provoquer le contraire de ce qui est réellement arrivé. C'est donc une cause qui n'a pas eu d'effet.
> → ***Bien qu'ils n'aient aucune preuve**, ils l'ont condamné.*
> (*Ils n'ont aucune preuve [donc ils ne devraient pas le condamner]* ; or en réalité *ils l'ont condamné.*)

■ La **cause** et la **concession**, de même que la condition (voir chap. 19), expriment diverses formes d'antériorité logique par rapport à un autre fait.
> → *Il en parle **parce que c'est injuste**.* (cause)
> → ***Bien que ce soit injuste**, il n'en parle pas.* (concession)
> → ***Si c'est injuste**, il en parle.* (condition)
> Dans les trois cas : *C'est injuste ⟶ Il (n')en parle (pas)*

> **! Attention**
>
> L'antériorité logique n'est pas l'antériorité temporelle.
> → *Candide marche* (B) *depuis qu'on l'a chassé* (A) :
>
> (antériorité temporelle de A sur B)
> → *Candide chante* (B) *parce qu'il est heureux* (A).
> (A ⟶ B : antériorité logique de A sur B)

2 L'expression de la cause

Les subordonnées circonstancielles de cause

■ Les **propositions subordonnées circonstancielles de cause** sont introduites par *parce que, comme, puisque, étant donné que, dès lors que, vu que, sous prétexte que, d'autant plus que* (+ indicatif), *non que* (+ subjonctif).
> → *Je défendrai Calas **parce que sa condamnation est injuste**.*

L'**indicatif** est utilisé lorsque la cause est présentée comme réelle, tandis que le **subjonctif** s'emploie pour une cause rejetée ou incertaine.
> → *Il n'en parle pas : **non qu'il ait peur**, mais il s'en moque.*

– La conjonction ***puisque*** introduit une cause considérée par le locuteur comme acceptée par le destinataire.
> → ***Puisque ce monde est le meilleur possible**, il ne faut rien y changer.*

– ***Sous prétexte que*** sous-entend que le locuteur met en doute la vérité de la cause (un *prétexte* est une fausse cause invoquée pour se justifier).
> → *Il reste passif **sous prétexte que c'est le meilleur des mondes**.*

– La relation de cause peut être souligné par *Si..., c'est (parce) que...*
> → ***S'il s'engage, c'est (parce) qu**'il est convaincu de son innocence.*
>   principale   subordonnée

> **! Attention**
>
> Dans cet emploi, *si* ne doit pas être confondu avec le *si* de condition. (voir chap. 17)

Les autres moyens d'exprimer la cause

■ Les prépositions *par, à cause de, grâce à…* (mais aussi *pour, sur…*) peuvent introduire des **groupes prépositionnels** compléments circonstanciels de cause.

→ *Les juges ont condamné Calas **par fanatisme, sur des rumeurs**.*

■ Entre deux propositions indépendantes, la cause peut être exprimée :

– par la **conjonction de coordination** *car* ou l'adverbe de liaison *en effet* ;

→ *L'affaire est exemplaire **car** elle résulte de l'intolérance religieuse.*

– par **juxtaposition**, les deux propositions étant séparées par une pause marquée à l'écrit par une virgule, un point-virgule ou deux-points.

→ *L'affaire est exemplaire : elle résulte de l'intolérance religieuse.*

3 L'expression de la concession

Les subordonnées circonstancielles de concession

■ Les **subordonnées concessives** sont le plus souvent introduites par des conjonctions de subordination ; leur **mode** est variable : le **subjonctif** après *bien que, quoique, sans que, malgré que…* ; l'**indicatif** après *même si, alors (même) que* ; le **conditionnel** après *quand bien même*.

→ ***Même s'**il n'**est** pas d'accord…*
→ ***Quand bien même** on me **menacerait**, je continuerais de publier.*

Remarque. *Bien que* et *quoique* admettent l'ellipse du sujet et du verbe.

→ ***Bien que menacé**, il continue d'écrire* (Bien qu'il soit menacé…)

■ Certaines concessives, toujours au **subjonctif**, se construisent avec :

– des pronoms relatifs composés *(qui que, quoi que, où que, quel que…)* ;

→ ***Quoi que** je dise, **où que** j'aille, il m'attaque et me persécute.*

– un relatif *(que)* en corrélation avec un adverbe *(quelque, tout, si…)* ;

→ ***Quelque** patient **que** je sois, un jour je lui demanderai des comptes.*
→ ***Tout** président **qu'**il soit, je lui dirai ce que je pense.*

Les autres moyens d'exprimer la concession

■ **Les prépositions** *malgré, en dépit de* introduisent des **groupes prépositionnels nominaux** compléments circonstanciels de concession.

→ ***En dépit de son âge**, il a été condamné à mort.*

■ **Les adverbes connecteurs** *pourtant, cependant, toutefois* peuvent exprimer un rapport de concession en renvoyant (par anaphore) à la phrase ou au paragraphe qui précède.

→ *Les juges n'avaient aucune preuve. Ils l'ont **cependant** condamné au supplice de la roue.* (malgré cela)

RAPPEL DU COURS

■ La **cause** est un fait qui en provoque un autre. La **concession** est un fait qui aurait dû provoquer le contraire de ce qui arrive réellement. C'est une cause qui n'a pas d'effet.

■ Les **subordonnées circonstancielles de cause** sont introduites par *parce que, comme, puisque, dès lors que, vu que, sous prétexte que, d'autant plus que, non que…* La cause peut aussi être exprimée par un **groupe prépositionnel** *(par…, à cause de…)*, ou bien, entre deux propositions par **coordination** ou **juxtaposition.**

■ Les **subordonnées circonstancielles de concession** sont introduites par des conjonctions de subordination *(bien que, quoique, même si…)* ou par des pronoms relatifs composés *(qui que…, où que…)*. La concession peut aussi être exprimée par des **groupes prépositionnels** *(malgré…)* ou par **des adverbes** *(pourtant, cependant…)*.

Les relations de cause et de concession

4 Dites si les éléments écrits en caractères gras expriment la cause ou la concession.

1. Voltaire connut en 1716 un premier exil à Sully-sur-Loire **parce qu'il avait écrit des vers impertinents contre le Régent. 2. Même si tous ces textes irrévérencieux n'étaient pas de lui,** Voltaire fut jugé coupable. **3.** Il fut emprisonné pendant près d'un an à la Bastille **pour cette raison. 4. Bien que ses premiers vers contre le Régent l'aient conduit à la Bastille,** Voltaire est introduit quelques années plus tard à la Cour. **5. Sans avoir réellement une « Philosophie de l'Histoire »,** Voltaire a considérablement amélioré la manière d'écrire l'Histoire.

5 Oralement. **a. Relevez les subordonnées exprimant la concession. b.** Remplacez chacune d'elles par une subordonnée exprimant la cause.

Ex. Quoiqu'il ait raison, on l'oblige à se taire. (concession) / cause : *Parce qu'il pourrait menacer l'ordre établi, on l'oblige à se taire.*

1. Quoiqu'il ne leur ait pas recommandé le secret, ses compagnons ne le trahissent pas. **2.** Il est emprisonné, bien qu'il ne soit pas l'auteur de ce texte. **3.** Même s'il est amnistié, il refuse de retourner dans son pays. **4.** Bien que son courage et son génie soient reconnus, tu ne le soutiens pas. **5.** Sans avoir connu la prison, il a fait l'expérience de la privation de la liberté.

6 Dites si les éléments en caractères gras expriment une antériorité temporelle ou logique.

1. Zola prend la défense de Dreyfus en 1897, **après qu'il a eu connaissance de documents qui font clairement apparaître les faits. 2. Dès qu'il a eu la preuve de la machination qui a entouré le procès,** Zola écrit divers articles. **3.** Zola, **parce qu'il a dénoncé cette machination,** est condamné à un an de prison. **4. Bien qu'il soit en Angleterre,** Zola continue à correspondre en langage codé avec d'autres défenseurs de Dreyfus dont le procès va être révisé. **5. Par une nouvelle machination des bureaux militaires,** Dreyfus est déclaré coupable une deuxième fois.

L'expression de la cause

7 Transformez chaque couple de phrases en une phrase complexe contenant une subordonnée de cause. Vous n'utiliserez pas deux fois la même conjonction.

1. a. En 1761, Jean Calas, négociant français de religion protestante, rentre chez lui bouleversé. **b.** Il découvre son fils aîné pendu dans son magasin. **2. a.** Il dissimule le suicide. **b.** Il veut sauvegarder l'honneur de sa famille. **3. a.** On l'accuse d'avoir tué son fils. **b.** Il aurait voulu l'empêcher de se convertir au catholicisme. **4. a.** Il est condamné au supplice de la roue par le Parlement de Toulouse et exécuté en 1762. **b.** Le fanatisme religieux fait rage. **5. a.** En

1764, le Conseil du roi casse l'arrêt du parlement et réhabilite Calas à titre posthume. **b.** Voltaire, instruit de l'affaire, est intervenu énergiquement et a fait appel aux grands.

8 **a.** Relevez les subordonnées circonstancielles de cause et leurs subordonnants. **b.** Justifiez le mode du verbe de chacune de ces subordonnées.

1. Si Voltaire écrit pour la malheureuse famille Calas, c'est parce que l'injustice le révolte. **2.** Comme Calas, Sirven est condamné, non qu'on prouve l'infanticide, mais on le sait protestant. **3.** Étant donné qu'il s'occupe de défendre Calas et Sirven, Voltaire interrompt des travaux qu'il aime. **4.** L'opinion admet le principe de la tolérance religieuse, d'autant plus que Voltaire mène brillamment le combat en faveur des deux protestants injustement condamnés. **5.** Comme Voltaire se révèle le « Don Quichotte des malheureux », il connaît alors une immense popularité.

9 Complétez ces phrases à l'aide d'une subordonnée circonstancielle de cause. Utilisez une conjonction différente par phrase.

1. Il faut les contraindre à renoncer à la torture … . **2.** Le peuple se tait … . **3.** Les philosophes de ce siècle ont combattu pour les libertés … . **4.** Nous lisons aujourd'hui encore des contes philosophiques … . **5.** Les écrivains s'engagent … .

10 Relevez les différents moyens d'exprimer la cause et nommez-les (juxtaposition, conjonction de coordination, connecteur, groupe prépositionnel).

Nous avons déjà parlé du directeur des ateliers en raison de ce qu'il appelait sa tyrannie. Cet homme, haï des prisonniers, était souvent obligé, pour se faire obéir d'eux, d'avoir recours à Claude Gueux : ce dernier en était aimé. Dans plus d'une occasion, lorsqu'il s'était agi d'empêcher une rébellion ou un tumulte, l'autorité sans titre de Claude Gueux avait prêté main-forte à l'autorité du directeur. En effet, pour contenir les prisonniers, dix paroles de Claude valaient dix gendarmes. Claude avait maintes fois rendu ce service, aussi le directeur le détestait-il cordialement. Il fit quelque chose de terrible car Il était jaloux de ce voleur.

D'après V. Hugo, *Claude Gueux*, 1834.

11 Exprimez la cause par un autre moyen que la juxtaposition, en pensant à varier les tournures.

1. Un hiver, le travail manqua : pas de feu ni de pain dans le galetas. **2.** L'homme, la fille et l'enfant eurent froid et faim : l'homme vola. **3.** Il avait volé de quoi manger pour trois jours, il fut condamné à cinq ans de prison. **4.** Le directeur de l'atelier du dépôt fit connaissance avec lui, le reconnut bon ouvrier : il le traita bien. **5.** Le prisonnier était fort triste ; il pensait toujours à celle qu'il appelait sa femme.

D'après V. Hugo, *Claude Gueux*, 1834.

L'expression de la concession

12 **a.** Mettez à la forme qui convient le verbe entre parenthèses et indiquez le mode et le temps utilisés. **b.** Dans chaque phrase ainsi obtenue, relevez les subordonnées concessives.

1. Candide trouvait mademoiselle Cunégonde extrêmement belle quoiqu'il ne … (*prendre*) jamais la hardiesse de le lui dire. **2.** On demande à Candide de dire s'il aime le roi des Bulgares bien qu'il ne le … (*connaître*) pas. **3.** Alors que Dieu ne leur … (*donner*) ni canons de vingt-quatre, ni baïonnettes, les hommes se sont fait des baïonnettes et des canons pour se détruire. **4.** Pangloss fut pendu quoique ce ne … (*être*) pas la coutume. **5.** Même s'il … (*plaire*) à monsieur l'inquisiteur de célébrer un autodafé pour détourner le fléau des tremblements de terre, le même jour, la terre trembla de nouveau avec un fracas épouvantable.

D'après Voltaire, *Candide,* 1759.

13 Dites par quel moyen la concession se trouve exprimée dans les phrases suivantes.

1. Il avait l'air pensif plutôt que souffrant ; il avait pourtant bien souffert. **2.** Claude Gueux avait trente-six ans, toutefois, par moments, il en paraissait cinquante. **3.** Quand arriva l'heure du repas, quoiqu'il pensât retrouver Albin au préau, il ne le vit pas. **4.** Malgré sa demande, il n'obtint rien. **5.** Quelque malheureux qu'il fût, il ne se plaignait pas.

D'après V. Hugo, *Claude Gueux*, 1834.

14 **a.** Transformez chacune des phrases de l'exercice 16 pour exprimer la concession à l'aide d'un autre moyen : adverbe connecteur ou groupe prépositionnel nominal. **b.** Oralement. Vous lirez vos phrases à vos camarades pour qu'ils identifient ce moyen.

La concession : difficultés orthographiques

Visite chez le seigneur Pococuranté

1 Candide, après le déjeuner, se promenant dans une longue galerie, fut surpris de la beauté des tableaux. Il demanda de quel maître étaient les deux premiers. «Ils sont de Raphaël, dit le sénateur ; je les achetai fort cher par vanité, il y a quelques années ; on dit que c'est ce qu'il y a de
5 plus beau en Italie, mais il ne me plaisent point du tout : la couleur en est très rembrunie, les figures ne sont pas assez arrondies, et ne sortent point assez ; les draperies ne ressemblent en rien à une étoffe : en un mot, quoi qu'on en dise, je ne trouve point là une imitation vraie de la nature. Je n'aimerai un tableau que quand je croirai voir la nature elle-
10 même : il n'y en a point de cette espèce. J'ai beaucoup de tableaux, mais je ne les regarde plus.»
Pococuranté, en attendant le dîner, se fit donner un concerto. Candide trouva la musique délicieuse. «Ce bruit, dit Pococuranté, peut amuser une demi-heure ; mais s'il dure plus longtemps, il fatigue tout le
15 monde, quoique personne n'ose l'avouer.»

Voltaire, *Candide*, 1759.

a Pourrait-on remplacer *quoi que* par *bien que* dans *quoi qu'on en dise* (l. 8) ?

b Pourrait-on remplacer *quoique* par *bien que* dans *quoique personne n'ose l'avouer* (l. 15) ?

c À quel mode *dise* (l. 8), *ose* (l. 15), *croirai* (l. 9) sont-ils conjugués ? Justifiez le choix de ce mode.

d Transformez en une proposition subordonnée la concession exprimée par une coordination dans la phrase : *J'ai beaucoup de tableaux, mais... .*

LEÇON

■ Ne confondez pas *quoique* et *quoi que*, **différents** par leur **sens** et par leur **orthographe**.

– **Quoique** s'écrit **en un mot** quand il peut être remplacé par **bien que**.

→ *Il fatigue tout le monde **quoique** personne n'ose l'avouer. (**bien que** personne n'ose l'avouer.)*

– **Quoi que** s'écrit **en deux mots** quand il peut être remplacé par *quelle que soit la chose que ou qui*.

→ ***Quoi qu'**on en dise, je ne trouve point là une imitation vraie de la nature.*
*(**Quelle que soit la chose qu'**on en dise...)*

■ *Quoique*, *bien que* sont **synonymes** ; le verbe conjugué qui les suit est au **subjonctif**.

→ ***Quoiqu'**il **puisse** profiter de ce que la civilisation offre de meilleur, Pococuranté est dégoûté de tout.*

■ Seuls *bien que* et *quoique* peuvent être suivis d'un participe présent, d'un gérondif ou d'un participe passé dont le sujet non exprimé est le même que celui du verbe principal. Ils peuvent aussi s'employer en sous-entendant le verbe être et son sujet.

→ ***Quoique** possédant beaucoup de tableaux, Pococuranté ne les regarde pas.*

■ Si la concession porte sur une qualité exprimée à l'aide d'un **adjectif** ou d'un participe, on peut utiliser les constructions : *tout* + adjectif + *que* + sujet + *être* au subjonctif ou *quelque* + adjectif + *que* + sujet + *être* au subjonctif.

→ ***Toute*** *délicieuse **qu'elle soit**, cette musique fatigue Pococuranté.*

→ ***Quelque*** *délicieuse **qu'elle soit**, cette musique fatigue Pococuranté.*

(Pour l'orthographe de *tout* et de *quelque,* voir pp. 58-59)

---

15 **Complétez ces phrases en y introduisant une idée de concession à l'aide de a.** *quoique* **b.** *quoi que.* **Attention aux formes du subjonctif.**

1. ..., il ne lit jamais. **2.** ..., rien ne peut le faire changer d'avis. **3.** ..., il feint d'être d'accord. **4.** ..., il n'a jamais eu de chagrin. **5.** ..., il continue à écrire en secret.

16 **a. Dans ces tournures concessives, accordez comme il convient les termes en caractères gras. b. Inventez à votre tour une phrase reprenant chacune des constructions proposées.**

1. Quoique ne **possédant**... pas soixante-douze quartiers de noblesse, Candide désire épouser Cunégonde. **2.** Bien que **fait**... pour porter des lunettes, tous les nez n'en sont pas munis. **3.** Quoiqu'**enchanté**... par l'Eldorado, Candide et son valet Cacambo s'apprêtent à partir. **4.** Bien qu'**âgé**... respectivement de dix-huit et de vingt-huit mille ans, Amazan et l'oiseau qui l'accompagne sont d'une saisissante beauté. **5.** Quoique **transporté**... de colère, la princesse attend le moment favorable pour agir.

17 **Lorsque cela est possible, allégez les phrases suivantes en supprimant le sujet et le verbe de la subordonnée.**

1. Bien qu'il soit certain de commettre une action violente, Claude Gueux croit ne pas avoir tort. **2.** Bien qu'il croie ne pas se laisser entraîner par le ressentiment, le prisonnier supplie ses amis de lui dire s'il se trompe. **3.** Bien que nous soyons d'accord avec toi, nous te demandons d'essayer une dernière fois de parler au directeur pour le faire fléchir. **4.** Il sourit tranquillement à ses compagnons d'infortune, bien qu'il soit appelé à ne plus jamais les revoir. **5.** Bien qu'ils soient doux et honnêtes, de tels hommes peuvent devenir des criminels.

18 **Complétez chacune de ces phrases avec une construction de type** *tout* **+ adjectif +** *que* **+ sujet + *être* au subjonctif.**

1. ... (ignorant) ..., je m'en trouve bien, dit-il. **2.** ... (confiant) ..., les trois rois pâlirent lorsqu'ils le virent entrer. **3.** ... (respectueux) ..., les filles se marient elles-mêmes quand on ne les marie pas. **4.** ... (innocente) ..., la princesse poussée par le besoin se montra capable de recourir à la ruse. **5.** ... (simple) ..., ce raisonnement est juste.

19 *1848. Le poète Lamartine a accepté de diriger le gouvernement issu de la révolution ; il proclame la République.*

En vous inspirant de ce document, inventez cinq phrases que Lamartine pourrait prononcer dans son discours. Dans chacune d'elles, vous emploierez l'une des tournures de la leçon : *quoi que, quoique, bien que, tout ... que, quelque ... que.*

20 **Dictée préparée (Visite chez le seigneur Pococuranté)**
a. Expliquez la différence orthographique entre *quoi qu'* (l. 8) et *quoique* (l. 15).
b. Identifiez puis justifiez le temps et le mode du verbe *achetai* (l. 3).
c. Justifiez la terminaison de *étaient* (l. 2).
d. Relevez les participes passés du texte et justifiez chaque fois leur accord.
e. Donnez le sens de *vanité* (l. 4).

Lamartine devant l'Hôtel de Ville de Paris, 25 février 1848.

Bâtir une argumentation

21 **a.** Oralement. Insérez dans le dialogue suivant trois arguments auxquels Claude Gueux aurait pu avoir recours pour faire revenir le directeur de la prison sur sa décision.

b. Rédigez en quelques phrases l'argumentation que le directeur de la prison pourrait développer pour justifier cette décision.

– Monsieur, est-ce qu'il n'y aurait pas moyen de faire remettre Albin dans le même quartier que moi ?
– Impossible. Il y a décision prise.
– Par qui ?
– Par moi.
– Monsieur D., reprit Claude, c'est la vie ou la mort pour moi, et cela dépend de vous.
– Je ne reviens jamais sur mes décisions.
– Monsieur, est-ce que je vous ai fait quelque chose ?
– Rien.
– En ce cas, dit Claude, pourquoi me séparez-vous d'Albin ?
– Parce que, dit le directeur.

V. Hugo, *Claude Gueux,* 1834.

22 Rédigez un paragraphe argumentatif visant à dénoncer la barbarie de la guerre. Le point de départ de votre paragraphe sera l'exemple suivant, extrait de l'article « guerre » du *Dictionnaire philosophique* de Voltaire.

Mes yeux, qui s'ouvrent pour la dernière fois, voient la ville où je suis né détruite par le fer et par la flamme, et [...] les derniers sons qu'entendent mes oreilles sont les cris des femmes et des enfants expirant sous les ruines.

23 Choisissez l'une de ces deux thèses : **1.** *Mieux vaut risquer de se tromper que de rester inactif devant l'injustice.* **2.** *Les grands hommes ne sont pas toujours reconnus par leurs contemporains.*

Rédigez un paragraphe argumentatif dont les éléments seront ordonnés selon le schéma suivant : un exemple, un argument, la thèse.

24 À partir de la thèse : *Malheureux les peuples qui ont besoin de héros,* rédigez un paragraphe argumentatif bâti selon le schéma : concession, thèse adverse, un argument, deux exemples.

25 Rédigez un discours argumentatif d'une vingtaine de lignes qui soutienne la thèse ci-dessous ou la thèse adverse. Pensez à varier les tournures pour exprimer la cause ou la concession.

Il est impossible, dans notre malheureux globe, que les hommes vivant en société ne soient pas divisés en deux classes, l'une d'oppresseurs, l'autre d'opprimés.

Voltaire, article « Égalité », *Dictionnaire philosophique,* 1765.

26 En vous inspirant de cette photographie, rédigez une argumentation d'une vingtaine de lignes ayant pour conclusion : *« Le rôle d'un écrivain, c'est aussi de prendre position dans les débats politiques de son temps ».*

J.-P. Sartre s'adresse aux ouvriers de chez Renault, 1er octobre 1970.

Pourquoi la République...

Février 1848. Après plusieurs jours d'émeutes, la République est de nouveau proclamée, cinquante ans après la Révolution française. Le poète Lamartine, porté au pouvoir par les révolutionnaires, justifie ce choix devant les députés.

1 Nous nous sommes dit: «Faut-il reconstruire un faible simulacre de monarchie? faut-il proclamer la République»? Nous avons proclamé la République, nous avons voulu organiser cette forme de gouvernement, parce qu'en envisageant précisément les immenses difficultés de tous les
5 gouvernements modernes, parce qu'en contemplant les chutes successives, réitérées[1], inopinées[2] de toutes les formes de monarchies [...], nous avons reconnu, avec l'espoir qu'on le reconnaîtra comme nous, que cette forme, quoiqu'elle fût en apparence la plus unitaire, n'était pas au fond la plus solide, la plus permanente et la plus capable de pourvoir à tous les
10 dangers, non seulement du gouvernement, mais de l'ordre social. Les doctrines sacrées de la famille, de l'État, de la propriété, pouvaient être menacées tous les jours; il fallait rallier l'universalité des forces sociales dans le faisceau du gouvernement; voilà pourquoi nous avons étendu les limites de la République aussi loin que les limites de la population; voilà pour-
15 quoi nous avons fait entrer, avec tout son droit, avec toute sa moralité et avec toute sa raison, mûrie par cinquante années de discussion et de travail d'esprit, ce peuple qui s'en montre aujourd'hui plus digne que vous ne savez.

A. de Lamartine, «Discours à l'assemblée du 12 juin 1848»,
Trois Mois au pouvoir, 1849.

1. Réitérées: répétées.
2. Inopinées: imprévisibles

Questions (16 points)

A. Un discours argumentatif

1 En prenant en compte sa situation d'énonciation et son but, montrez que le discours de Lamartine est de type argumentatif.

2 Quelle est la «thèse» défendue par Lamartine? Distinguez au moins deux arguments distincts qu'il avance pour justifier son choix politique?

3 Montrez que ses arguments visent à rassurer son auditoire qui comprend beaucoup de députés modérés.

B. Explication et justification

4 Relevez deux connecteurs différents exprimant la cause. Précisez leur classe grammaticale.

5 Relevez une subordonnée circonstancielle de cause. Encadrez la conjonction de subordination.

6 Analysez la subordonnée: *quoiqu'elle fût en apparence la plus unitaire* (l. 8). Indiquez le mode et le temps du verbe.

7 Indiquez un moyen pour justifier que *quoique* (l. 8) s'écrive en un seul mot. Inventez une phrase dans laquelle *quoi que* s'écrira en deux mots.

Réécriture (4 points)

Réécrivez la dernière phrase du texte (l. 14-18) de manière à transformer les deux premières propositions en subordonnées circonstancielles de cause.

Rédaction (20 points)

Vous êtes représentant(e) d'une classe ou d'une association, vous avez pris une décision qui engage tout le groupe. Vous vous adressez à l'ensemble du groupe pour justifier votre choix.

Consigne d'écriture. Vous rappellerez votre choix avant de le justifier.

Argumenter par l'hypothèse

Les origines de l'homme

■ J. Balog, *Homme âgé et chimpanzé.*

Les arguments par hypothèse

Une supposition

Des anthropologues ont découvert vivants au fond d'une vallée de Nouvelle-Guinée des « hommes-singes » qu'ils ont baptisés « tropis ». Sybil, une jeune anthropologue, refuse de s'interroger sur l'appartenance des tropis à l'espèce humaine. Doug, le narrateur, insiste…

1 J'ai répondu :

– Bon. Mais supposez demain qu'il me prenne envie de chasser et de les utiliser comme gibier. Me laisserez-vous faire ?

– Vous êtes idiot, Doug. Vous n'avez pas plus le droit de les occire que 5 des chimpanzés ou des ornithorynques. La loi protège toutes les espèces en voie de disparition.

– Si j'étais vous, je ne serais pas fière de cette réponse-là. Je vais donc vous poser la question autrement : si nous nous trouvions affamés, sans vivres, et sans autre gibier alentour, mangeriez-vous un tropi sans 10 remords ?

Elle se leva en protestant : « Doug, vous êtes ignoble ! » et quitta la tente aussitôt. Mais elle n'avait pas répondu.

Vercors, *Les Animaux dénaturés*, Éd. Albin Michel, 1952.

Lucie vivante !

J. Malaterre, *L'Odyssée de l'espèce*, 2003.

a Doc. 1 La question de Doug repose sur une hypothèse : laquelle ? Dans quel but forme-t-il cette hypothèse ?

b Quelles sont les deux réponses possibles à la question finale de Doug ? Quelles conclusions peuvent être tirées de chacune d'elles ?

c Quelle est, semble-t-il, l'opinion de Doug sur le sujet ?

d Qu'est-ce qui, dans l'attitude de Sybil, montre qu'un des arguments a porté ?

e Doc. 2 Deux paléontologues viennent de rencontrer une australopithèque vivante (ancêtre de l'homme il y a 4 millions d'années). Ils hésitent entre deux attitudes : chercher à communiquer ou la laisser vivre sans rien dire. Imaginez quelles conséquences pourraient avoir chacune des deux attitudes pour les humains et pour l'australopithèque.

f Résumez, le plus simplement possible, le choix qui se pose aux paléontologues avec les conséquences de leur choix. Quel(s) connecteur(s) avez-vous utilisé(s) pour introduire vos hypothèses, pour exprimer le choix ?

LEÇON

■ Parmi les nombreux types d'arguments utilisés pour soutenir une thèse, on distingue les **arguments par hypothèse** : ils consistent à examiner les **conséquences possibles** d'un fait ou d'une idée pour montrer son caractère **positif** (avantages) ou **négatif** (inconvénients).

→ *Si vous acceptez cette offre, vous y gagnerez* (positif) / *vous cesserez d'être libre.* (négatif)

■ Un argument qui met en opposition deux solutions est une **alternative**.

→ *Si c'est noir, alors je descends ; mais si c'est blanc, alors je reste.*

■ Dans une argumentation, l'alternative est souvent **contrainte** : l'une des solutions est présentée de manière plus positive, le choix n'est qu'apparent.

→ *Soit nous descendons de notre arbre et nous évoluerons vers l'humanité, soit nous y restons, et alors notre espèce disparaîtra.*

■ Lorsque l'alternative présente deux solutions aux conséquences négatives, il s'agit d'un **dilemme**. Dans une argumentation, le dilemme sert souvent à mettre l'interlocuteur dans une impasse.

→ *Si tu descends, tu te fais manger et si tu montes, tu tombes.*

1 Oralement. Vous voulez prouver à vos parents ou à un(e) ami(e) que vous leur êtes absolument indispensable. Cherchez plusieurs arguments fondés sur une hypothèse.

2 **a.** Dites si ces deux hypothèses sont présentées de façon négative ou positive pour l'interlocuteur. **b.** Laquelle est un dilemme ? laquelle est un chantage ?

1. Si nous les protégeons, ils vont perdre leur instinct de défense et peu à peu dépérir, et si nous ne les protégeons pas, les braconniers vont les exterminer. **2.** Si vous ne me cédez pas à bas prix ce joli crâne de Néandertalien, je vous dénonce à la police pour profanation de sépulture.

3 Dites si les alternatives suivantes forment un vrai choix, une alternative contrainte ou un dilemme.

1. Soit nous lançons une expédition de fouilles au Kenya, soit nous partons pour le Tchad. **2.** Si je donne mon avis, on me reprochera d'influencer sur la décision, si je ne dis rien, on me reprochera de me désintéresser de cette affaire. **3.** Ou bien nous restons pour creuser maintenant ou bien nous renonçons définitivement à toute découverte.

4 Votre ami a gagné un concours ; il a le choix entre un voyage au Kenya et une mobylette. Aidez-le dans son choix en lui présentant sous forme d'hypothèses **a.** les avantages de chaque solution **b.** leurs inconvénients respectifs.

L'expression de l'hypothèse

La condition est ce qui permet qu'un événement se réalise. On appelle **système hypothétique**, le couple formé par deux propositions dont l'une est la condition de l'autre.

> *S'ils acceptent mon projet, je pars sur-le-champ.*
> **condition**   **fait principal soumis à condition**

1 Les propositions subordonnées hypothétiques

> ### ❗ Attention
>
> On ne confondra pas la conjonction *si* avec l'adverbe d'intensité *si* (remplaçable par *tellement*).
>
> → *Il est **si** (tellement) proche de l'homme qu'on ne peut plus y voir un singe.*

Les subordonnées hypothétiques introduites par *si*

■ Les **subordonnées circonstancielles de condition (hypothétiques)** sont le plus souvent introduites par la conjonction *si*, toujours suivie de l'indicatif (le conditionnel excepté). Selon le temps du verbe principal, l'hypothèse est **hors du réel** (purement imaginaire) ou **dans le réel** (située dans le temps).

■ Quand le **verbe principal est au conditionnel**, l'hypothèse est située **hors du réel** : elle est d'ordre imaginaire : le verbe principal et celui de la subordonnée ont donc des valeurs modales (voir chap. 11). Deux constructions sont possibles.

– *Si* + **sub. à l'imparfait / principale au conditionnel présent** : selon le contexte, il s'agit du **potentiel** (l'hypothèse reste réalisable dans l'avenir) ou de l'**irréel du présent** (hypothèse contredite par la réalité) ;

> → *Si demain je le **pouvais**, je **partirais** au Kenya.* (potentiel)

> → *Si j'en **avais** le pouvoir, je **remonterais** le temps.* (irréel du présent)

– *Si* + **sub. au plus-que-parfait / principale au conditionnel passé** : c'est l'**irréel du passé** (hypothèse imaginaire tournée vers le passé).

> → *Si j'**avais vécu** en ce temps-là, j'**aurais chassé** l'auroch.* (irréel du passé)

Autrefois, on pouvait exprimer l'irréel du passé au moyen du subjonctif plus-que-parfait dans la subordonnée et/ou dans la principale.

> → *Si le climat **eût été** différent, le sort des hommes **eût été** changé.*

Remarque. Il est possible d'exprimer un rapport temporel entre une condition à l'irréel du passé et un fait principal à l'irréel du présent.

> → *Si l'homme de Néandertal n'**avait** pas **disparu**, il y **aurait** deux espèces d'hommes.*

■ Quand le **verbe principal n'est pas au conditionnel**, l'hypothèse est située **dans le réel**, les verbes de la principale et de la subordonnée ont donc des valeurs temporelles.

– *Si* + **sub. à l'imparfait / principale à l'imparfait** : marque une condition qui s'est répétée dans le passé.

> *Si je **sortais** de la tente, il me **suivait** immédiatement.*

– *Si* + **sub. au présent / principale au présent** : marque une condition toujours vraie.

> → *Si on __cherche__ des explications, on __finit__ par en trouver.*

– *Si* + **sub. au présent / principale au futur** (ou présent à valeur de futur ou impératif) : marque une condition située dans l'avenir, proche ou lointain.

> → *__S'il le peut__, il __retournera__ (__retourne__) en Éthiopie.*
> → *__Si vous cherchez__ un australopithèque, __venez__ me voir.*

Ne pas confondre les subordonnées de condition avec les interrogatives indirectes. Seules les premières se déplacent en tête de phrase.

> → *__Si c'est possible,__ je lance le projet.* (subordonnée de condition)
> → *Je me demande __si c'est possible__.* (interrogative indirecte totale)

Les autres subordonnées hypothétiques

■ D'autres conjonctions peuvent introduire des subordonnées hypothétiques :

– *pourvu que, à condition que, pour peu que* sont suivies du **subjonctif** ;

> → *__Pour peu qu'il le veuille__, rien ne l'empêchera de repartir au Kenya.*

– *au cas où* marque une éventualité, elle est suivie du **conditionnel**.

> → *__Au cas où tu trouverais__ un fossile, laisse-le en place.*

2 Les autres moyens d'exprimer l'hypothèse

■ Un système hypothétique peut être formé de **deux propositions indépendantes juxtaposées** ; dans ce cas, c'est la première proposition qui exprime la condition, elle est au même temps que la seconde.

> → *Ils n'__auraient__ pas __quitté__ la forêt, nous ne __serions__ pas bipèdes.*
> → *Il me __propose__ une place dans son équipe : je __pars__ sur-le-champ.*

■ La condition est parfois exprimée dans la 1re proposition par une tournure interrogative ou un verbe à l'impératif (suivi d'une proposition au futur).

> → *__Lui parlait-on de Lucy,__ aussitôt il se fâchait.* (langage soutenu)
> → *__Réfléchissez,__ et vous verrez que c'est possible.*

■ En phrase simple, l'idée de condition peut aussi être exprimée par :

– **un groupe prépositionnel** ;

> → *__Sans une autorisation,__ vous ne pourrez pas faire de fouilles.*
> *(Si vous n'obtenez pas une autorisation…)*

– **un groupe gérondif** ;

> → *__En survolant les zones désertiques__, on peut voir des traces.*
> *(Si l'on survole les zones…)*

– **un adverbe connecteur** *(sinon, autrement…)* ;

> → *Heureusement qu'ils sont ici, __sinon__, ce serait une catastrophe.*

Remarque. Par sa formation, *sinon* équivaut à toute une proposition hypothétique négative *(s'ils __n'__étaient __pas__ ici)*.

RAPPEL DU COURS

■ On appelle **système hypothétique**, le couple formé par deux propositions dont l'une est la condition de l'autre. Les propositions subordonnées hypothétiques sont introduites par les conjonctions *si, à condition que, pourvu que, au cas où…*

■ Dans un système **hypothétique** en *si*, quand le **verbe principal est au conditionnel**, l'hypothèse est située **hors du réel** (potentiel, irréel du présent ou irréel du passé) ; quand le **verbe principal n'est pas au conditionnel**, l'hypothèse est située **dans le réel** (répétition dans le passé, vérité générale, condition dans le futur).

■ Deux **propositions indépendantes juxtaposées** peuvent également exprimer une relation de condition. En phrase simple, l'hypothèse peut être exprimée par un groupe prépositionnel, un groupe gérondif ou certains adverbes.

5 Pour chaque couple de propositions, **a.** indiquez laquelle est la condition de l'autre **b.** formez un système hypothétique par subordination.

1. Le larynx des singes serait placé moins haut / ils pourraient parler. **2.** On ne pourrait pas dater aussi précisément les fossiles / W. Libby n'aurait pas inventé la datation au carbone 14. **3.** Darwin aurait été enthousiasmé par la découverte des Australopithèques / Darwin aurait vécu à notre époque. **4.** Le Yeti serait moins connu dans le monde / Il n'y aurait pas eu *Tintin au Tibet*.

Les subordonnées hypothétiques

6 Complétez les propositions suivantes par une subordonnée hypothétique en *si*. Indiquez à quel temps vous avez mis le verbe.

1. Je partirai en expédition … . **2.** Je partirais en expédition … . **3.** Nous aurions sans doute rencontré le yéti, … . **4.** …, nous passions des heures à parler du chaînon manquant. **5.** …, on risque de détruire des informations précieuses.

7 Relevez les propositions subordonnées et indiquez leur nature : subordonnées interrogatives indirectes ou subordonnées hypothétiques. (Test : les interrogatives indirectes sont COD et ne sont donc pas déplaçables.)

1. Si, plus tard, quelqu'un lui demandait de résumer en un mot ce qu'étaient les gens de notre ère, il répondrait : ils étaient lourds. **2.** Le chef ne sait pas s'il doit rire ou sévir. **3.** Si d'aventure Hardi-le-petit donnait un ordre, chacun faisait mine de l'interpréter à sa façon. **4.** Dis-moi si Adam respecte leur âge et leur expérience, s'il donne des preuves d'affection…

La Clavetine, *Demain la veille*, Éd. Gallimard, 1995.

8 Indiquez la nature de *si* : conjonction de subordination introduisant une subordonnée hypothétique, conjonction de subordination introduisant une interrogative indirecte, adverbe d'intensité.

1. À l'heure qu'il est j'ignore totalement où il se trouve, ce qu'il fait, ni même **s'**il est encore vivant. **2.** Se peut-il cependant qu'il existe ici, dans ces montagnes reculées, […] un animal **si** proche de l'homme que sa découverte, **si** elle devait se confirmer, renverserait les catégories communément établies depuis Darwin et Linné ? **3.** Avant de s'en débarrasser, il voudrait savoir **si** cela peut avoir une quelconque valeur. **4. Si** étrange que cela puisse paraître, je me demande **si** ce n'est pas ce qu'il recherchait. **5.** Mais aucun homme, même revenu pour quelque obscure raison au stade le plus sauvage, n'aurait ce faciès vide et épais de brute, cette absence d'expression **si** complète.

J. P. Arrou-Vignod,
L'Homme du cinquième jour, Éd. Gallimard, 1997.

9 Relevez les propositions subordonnées hypothétiques, relevez le temps du verbe principal et dites si l'hypothèse est située hors du réel ou dans le réel.

1. Tu as raison, frérot, dit-il, s'ils nous ressemblent le moins du monde, ils commenceront par nous embrocher et nous poseront des questions ensuite. **2.** Il serait meilleur à manger s'il n'était ni trop cru, ni trop consumé. **3.** Si les autres hordes veulent mettre un feu en route, il faut qu'elles soient obligées d'en passer par nous et par nos conditions. **4.** Si père s'était montré furieux, s'il s'était démené, s'il nous avait battus, j'aurais su que tout allait bien. **5.** Si, au lieu de leur montrer qu'il ne faut pas être sorcier pour faire le feu, nous leur avions fait croire le contraire, ces pauvres sauvages eussent été bien trop terrifiés pour oser nous attaquer.

R. Lewis, *Pourquoi j'ai mangé mon père* (1960),
Éd. Actes Sud, 1990.

10 Indiquez la valeur de l'hypothèse : irréel du passé, irréel du présent, potentiel.

1. S'ils n'avaient pas le corps couvert de ce poil fauve et ras, si leur attitude fléchie n'était assez pareille à celle du gorille, s'ils n'avaient enfin quatre mains et ces jambes trop courtes, ces bras trop longs, ce front fuyant et ces crocs, on croirait voir travailler quelque artisan, quelque sculpteur primitif. **2.** Si le jeune homme eût voulu triompher, combien c'eût été facile ! **3.** Si ce que je vais faire devait vous paraître, plus tard, un geste théâtral, puéril, ou romantique, je serais mortifié. **4.** Si l'on pouvait répondre, ça se saurait.

Vercors, *Les Animaux dénaturés*, 1952.

11 Indiquez la valeur de l'hypothèse : condition répétée dans le passé, vérité générale, condition dans le futur.

1. Si le tropi n'est pas visiblement un singe, c'est donc un homme. **2.** Quant à moi, je refuse d'être complice d'une pareille profanation. Si vous vous y décidez quand même, vous en porterez seuls l'irrémédiable scandale. **3.** Si la chose réussit, eh bien nous serons fixés. Nous ne le serons pas moins si elle rate. **4.** Chaque soir, Derry s'endormait sagement dans sa chambrette, si la porte de Doug était ouverte. **5.** S'il est prouvé que les tropis sont des bêtes, la Société de Takoura l'emportera.

Vercors, *op.cit.*

12 Indiquez la valeur des systèmes hypothétiques de l'exercice 9.

13 Complétez par une proposition principale de votre choix et indiquez la valeur de l'hypothèse.

1. Si nous n'avions pas accepté d'évoluer, … . **2.** Si un jour vous devenez anthropologue, … . **3.** Si un jour vous deveniez anthropologue, … . **4.** Si Darwin n'avait pas formulé la théorie de l'évolution, … . **5.** Si j'avais dix ans de moins, … .

14 Indiquez la valeur des systèmes hypothétiques obtenus à l'exercice 6 : irréel du passé, irréel du présent ou potentiel, condition répétée dans le passé, condition toujours vraie, condition dans le futur.

15 Remplacez la conjonction *si* par la locution conjonctive indiquée et modifiez le verbe en conséquence. Précisez le mode et le temps de ce verbe.

1. Si nous réussissons à monter cette expédition, je serai contente. (*pourvu que*) **2.** Je vous emmène avec moi si vous gardez le secret de cette expédition. (*à condition que*) **3.** Si vous passez par Paris, allez donc saluer Lucie de ma part. (*au cas où*) **4.** Si nous trouvons au moins quelques traces d'hominidés, nous serons satisfaits. (*pour peu que*)

Les autres moyens d'exprimer l'hypothèse

16 Relevez le groupe ou la proposition qui exprime la condition et dites par quel moyen autre que la subordination l'hypothèse est exprimée : verbe à l'impératif, groupe prépositionnel, gérondif, adverbe.

1. Avec un peu d'audace, nous aurions pu poursuivre nos recherches. **2.** Elle resta à mes côtés, et sans elle, je me demande si nous aurions abouti. **3.** En observant la couche géologique dans laquelle il se trouve, on peut dater un fossile. **4.** Il y est question de nos origines ; autrement, cela ne m'intéresserait pas. **5.** Montrez-lui ce crâne et vous verrez qu'il vous dira la même chose.

17 Reprenez les phrases formées à l'exercice 13 et remplacez le rapport de subordination par un rapport de juxtaposition. Attention au mode des verbes.

18 Reformulez la phrase en remplaçant *sinon* par la proposition hypothétique négative dont elle est l'équivalent.

1. Vous devez convenir que la sagesse, avec tout ce feu alentour, c'est de ne pas partir à la chasse. Sinon vous risquez de ne pas pouvoir revenir. **2.** J'étais trop jeune alors, sinon je ne t'aurais jamais laissé divulguer notre secret en allant dire aux gens comment faire du feu avec des morceaux de bois. **3.** Et comme ils ont, eux aussi, des familles nombreuses, ils nous disent de décamper, sinon il nous en cuira.

Les valeurs de la conjonction *si*

Les précurseurs de Darwin

1 En fait, sans vouloir faire du patriotisme abusif, les premières formes, embryonnaires bien entendu, de la théorie de l'évolution apparaissent en France au milieu du XVIIIe siècle, essentiellement chez Maupertuis, quoique d'une façon extrêmement rapide, et plus complètement chez 5 Buffon. C'est Buffon qui a affirmé la variation des espèces. S'il n'est jamais allé jusqu'à une véritable théorie de l'évolution, il a fourni aux naturalistes d'excellentes raisons de croire à la variabilité des espèces et même d'y croire sur une échelle beaucoup plus large que lui-même. Lamarck a été personnellement en relation avec Buffon, il a été son pro- 10 tégé. Si par la suite il s'écarte des idées de Buffon, c'est tout de même à partir de Buffon que Lamarck commence à travailler et à réfléchir.

Entretien avec J. Roger, *Le Darwinisme aujourd'hui*, Éd. du Seuil, 1979.

a Relevez les propositions subordonnées introduites par si ; indiquez leur proposition principale.

b Peut-on exprimer la relation entre subordonnée et principale par « Si P1, alors P2 » ? Qu'en concluez-vous ?

c Par quelles conjonctions (ou locutions conjonctives) de subordination peut-on remplacer *si* dans les emplois du texte ?

LEÇON

■ La conjonction *si* n'introduit pas toujours un système hypothétique. Dans le **discours argumentatif**, les propositions en *si* peuvent :

– exprimer l'**opposition** entre deux énoncés (on peut ajouter *en revanche*) ;

→ *Si l'homo habilis est complètement bipède, l'australopithèque s'appuie parfois sur ses mains.*
(les deux propositions sont vraies indépendamment l'une de l'autre : L'homo habilis…, en revanche, *l'australopi-thèque…*)

– introduire une **concession**, en corrélation avec un adverbe dans la principale : *Si (s'il est vrai que)…, … pas moins… ; si…, toutefois… ;*

→ **Si** *les arguments de Paul sont forts, Pierre n'en a* **pas moins** *raison.*
(Bien que les arguments de Paul soient forts, Pierre a raison.)

– préparer une **explication**, en corrélation avec *c'est* : *Si … c'est (que…, parce que…, par…, pour…)* ; la proposition en *si* présente un fait dont la principale exprime la **cause**.

→ *Si Darwin fit scandale, c'est parce que sa théorie était révolutionnaire.*

■ Certaines nuances sont liées à la formation d'une locution conjonctive : *même si* (**concessive hypothétique**), *sauf si* (**restrictive hypothétique**), *comme si* (**comparative hypothétique**), *si ce n'est que* (**restriction**).

■ Certaines propositions en *si*, placées entre virgules *(si je puis dire, si je comprends bien, si j'en juge par..., si tant est que..., etc.)* expriment un commentaire du locuteur visant à faire une **restriction** ou à **atténuer** son propos. (voir chap. 13)

→ *Selon vous, **si je comprends bien**, les gorilles sont nos cousins !*

19 Dites si la conjonction *si* exprime une hypothèse ou bien une autre valeur que vous préciserez (concession, opposition, préparation d'une explication, atténuation).

1. Si l'on a dit que Lucy était une femelle, c'est parce que son bassin, au regard des bassins actuels des hommes et des femmes, était de nature féminine. **2.** Si en Europe le silex, résistant et facile à tailler, a fourni l'essentiel de la matière première, l'homme a utilisé bien d'autres ressources locales. **3.** Si l'ardipithèque s'avérait être un grand singe, il viendrait bousculer bon nombre d'idées reçues sur l'histoire des préhumains. **4.** S'il est facile d'établir la parenté entre deux langues proches, il est plus difficile de prouver l'origine commune de deux langues séparées depuis longtemps.

Les Origines de l'homme,
les dossiers *Historia*, n° 50, nov-déc. 1997.

20 Indiquez la valeur de la relation exprimée par *si* : opposition, préparation d'une explication, restriction, atténuation du discours.

1. Si l'espèce a survécu ici, c'est qu'elle y a trouvé un abri sûr contre la poussée de notre civilisation. **2.** Son traité de primatologie est remarquable, une somme presque définitive, si tant est qu'il y ait quelque chose de définitif dans notre humble travail. **3.** Il se sentait à l'étroit partout, il fallait sans cesse qu'il secoue les barreaux. Le gorille dans sa cage, si je puis risquer cette image. **4.** Si je vous comprends bien, cette main ne peut appartenir ni à un homme ni à un singe, c'est ça ? **5.** Le Gigantopithécus. Sa découverte remonte au début des années 50, si je ne m'abuse,

quelque part en Chine. **6.** S'il était très bien porté d'être matérialiste au XVIIIᵉ siècle, cela devient beaucoup moins bien porté au XIXᵉ siècle.

21 Employez la proposition suivante dans une phrase complexe de manière à en faire une proposition subordonnée **a. concessive hypothétique** **b. comparative hypothétique** **c. restrictive hypothétique.**

Ex. Même s'il avait découvert le chaînon manquant, je ne le suivrais pas en Afrique. (concessive hypothétique)
Il avait découvert le chaînon manquant... .

22 Au moyen de la conjonction *si* (ou l'une des locutions formées avec *si*), employez la proposition suivante dans quatre phrases exprimant successivement une relation de **a. restriction b. cause explicative c. concession d. opposition.**

Ex. S'il parle tant des origines de l'homme, c'est parce qu'il a assisté à la conférence du professeur Froppens... (cause explicative)
... il a assisté à la conférence du professeur Froppens...

23 Observez l'aspect et les attitudes des trois «personnages» et exprimez leurs différences et leurs ressemblances au moyen de cinq emplois différents de *si*.

Chimpanzé

Gorille

Homme

Argumenter par l'hypothèse

24 En conservant les connecteurs argumentatifs et la structure du paragraphe, reproduisez le même genre d'argumentation par l'hypothèse en l'appliquant à l'une des thèses suivantes. **a.** Aucun insecte n'aurait pu atteindre le niveau d'évolution des humains. **b.** Il reste obligatoirement quelque part dans le monde quelques « hommes des cavernes ».

Si nous étions moitié moins grands, il nous serait impossible de manier la massue avec une puissance suffisante pour chasser les gros animaux, puisque l'énergie cinétique serait de seize à trente-deux fois moindre. Nous ne serions pas assez forts pour lancer un javelot ou une flèche ; nous ne pourrions pas couper ou fendre le bois avec des outils primitifs et extraire des minéraux avec des pics ou des burins. Toutes ces activités étant essentielles dans notre développement, il faut en conclure que seule une créature d'une taille très proche de la nôtre peut avoir franchi les étapes de notre évolution.

S. Jay Gould, *Darwin et les grandes énigmes de la vie*,
Éd. du Seuil, 1997.

25 Les gravures ci-dessous représent-elles des hommes ou des animaux habillés ? Justifiez votre réponse en utilisant des arguments par hypothèse.

26 Oralement. Sur le thème de l'évolution de l'homme dans les cent mille ans à venir, formez un court raisonnement qui tiendra dans l'un des cadres logiques suivants : **a.** *Supposons que … Soit … Soit …* **b.** *Si …, alors … Mais si …, alors …* **c.** *Dans le cas où …, alors … En conclusion, …*

27 Trois amis viennent de découvrir, dans une vallée perdue, une communauté d'hommes de Néandertal, restés jusqu'à nos jours à l'écart du monde. Une question se pose alors : faut-il informer tout le monde ou bien garder le silence sur cette découverte ? Imaginez le dialogue argumenté entre les trois amis. Leur argumentation reposera en grande partie sur des hypothèses.

28 En 1859, la publication de *L'Origine des espèces* de C. Darwin provoqua de vifs débats. Sa théorie de l'évolution bouleversait la manière de se représenter la place de l'homme dans l'univers : l'homme devenait une espèce animale parmi d'autres. Imaginez l'argumentation d'un opposant à Darwin, qui n'admet pas l'idée que l'homme et les grands singes ont eu un ancêtre commun.

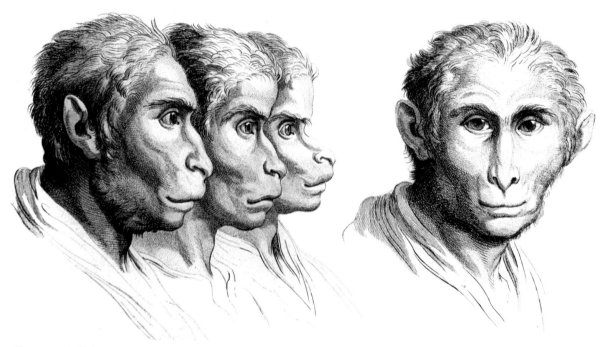

Gravures, XIXᵉ siècle.

Arguments juridiques

Une Société a décidé d'utiliser les « tropis » (voir p. 240), comme des bêtes de somme. Doug veut s'opposer à ce projet ; le docteur Williams lui donne son avis.

1 – S'il était prouvé que les tropis sont des singes, de quoi nous mêlerions-nous ? À moins de remettre en question le droit que l'espèce humaine a pris d'utiliser à son profit le travail des bêtes domestiques, sur quelle base morale nous opposerions-nous aux projets de la Société Fermière ? Ce
5 seraient alors des projets raisonnables ; et même parfaitement louables, puisqu'ils aideraient à soulager le genre humain, et à lui épargner une part de ses fatigues. Non ? jeta-t-il à Douglas avant de continuer.
– Si, en effet… dit celui-ci sur la réserve.
– Les projets de la Société Fermière ne sont des projets criminels que si
10 les tropis ne sont pas des singes, que s'ils appartiennent eux aussi au genre humain. Et d'ailleurs, que cela soit prouvé, et ces projets du même coup tomberont à la mer, puisque le commerce des esclaves est interdit, au moins dans le Commonwealth. Mais s'il est prouvé au contraire que les tropis sont des bêtes, alors notre devoir, mes chers
15 amis, loin de faire échec à la Société Fermière, devient le devoir inverse : celui de tout mettre en œuvre pour diminuer, grâce aux tropis domestiqués, la somme du travail humain.

Vercors, *Les Animaux dénaturés*, Éd. Albin Michel, 1952.

Questions (16 points)

A. L'exposé d'une alternative

1 Résumez l'argumentation du Docteur Williams en montrant qu'il repose sur une alternative entre deux hypothèses.

2 Quel connecteur introduit les hypothèses ? Par quel connecteur pourrait-on exprimer l'alternative ?

3 Le locuteur vous paraît-il prendre position ? S'agit-il d'un dilemme ou d'une véritable alternative ?

B. Les hypothèses

4 Dans la première phrase, distinguez la principale et la subordonnée. À quoi peut-on voir qu'il s'agit d'une hypothèse hors du réel ? Transformez la phrase de manière à exprimer l'irréel du passé.

5 Trouvez dans le texte un autre système hypothétique exprimant l'hypothèse dans le réel.

6 Reformulez la phrase : *Et d'ailleurs … à la mer* (l. 11-12) en utilisant un système hypothétique en *si*. Indiquez le temps et la valeur des verbes.

7 Dans la phrase : *Mais s'il est prouvé …* (l. 13), remplacez *si* par *au cas où*. Quelle modification cela entraîne-t-il ?

8 Complétez la subordonnée : *Si les arguments du docteur sont convaincants…* par deux principales différentes de manière exprimer **a.** une opposition ou une concession **b.** une explication.

Réécriture (4 points)

Tout en conservant les mêmes arguments, réécrivez le dernier paragraphe en utilisant dans l'ordre les connecteurs suivants : *Soit… et…, et alors…, et du même coup… puisque…, soit… au contraire…, alors…* . Vous ferez les adaptations nécessaires.

Rédaction (20 points)

Vous êtes un jeune homme ou une jeune femme des temps préhistoriques. Vous avez plein d'idées « nouvelles » et vous vous adressez aux membres de votre clan, réuni autour d'un feu à l'entrée de la grotte, pour les convaincre de la nécessité d'évoluer, de préparer l'avenir…

Consigne d'écriture. Vous utiliserez au moins deux arguments par hypothèse.

Opposer
des arguments

Notre planète

■ La Terre vue de l'espace, 2001.

Réfuter une argumentation

document 1 ## Débat d'« extra-terrestres »

Micromégas, habitant de Sirius qui mesure « cent vingt mille pieds », soit envi-
ron quarante kilomètres, visite le système solaire en compagnie d'un habitant de
Saturne, un « nain » de seulement « six mille pieds » soit deux kilomètres. Ils arri-
vent sur la Terre.

1   Le nain, qui jugeait quelquefois un peu trop vite, décida d'abord qu'il n'y
    avait personne sur la Terre. Sa première raison était qu'il n'avait vu per-
    sonne. Micromégas lui fit sentir poliment que c'était raisonner assez mal :
    « Car, disait-il, vous ne voyez pas avec vos petits yeux certaines étoiles de
5   la cinquième grandeur que j'aperçois très distinctement ; concluez-vous
    de là que ces étoiles n'existent pas ?
    – Mais, dit le nain, j'ai bien tâté.
    – Mais, répondit l'autre, vous avez mal senti.
    – Mais, dit le nain, ce globe-ci est si mal construit, cela est si irrégulier et
10 d'une forme qui me paraît si ridicule ! Tout semble être ici dans le chaos :
    voyez-vous ces petits ruisseaux dont aucun ne va de droit fil, ces étangs
    qui ne sont ni ronds, ni carrés, ni ovales, ni sous aucune forme régulière
    […] En vérité, ce qui fait que je pense qu'il n'y a ici personne, c'est qu'il
    me paraît que des gens de bon sens ne voudraient pas y demeurer.
15 – Eh bien ! dit Micromégas, ce ne sont peut-être pas des gens de bon sens
    qui l'habitent. Mais enfin il y a apparence que ceci n'est pas fait pour
    rien. Tout vous paraît irrégulier ici, dites-vous, parce que tout est tiré au
    cordeau dans Saturne et dans Jupiter.

Voltaire, *Micromégas*, 1752.

document 2 ## Dérèglements climatiques

Ferme abandonnée au Texas à la suite de la sècheresse de 1923.

Inondations au Bengal, 1971.

a Doc. 1 Quelle est la thèse du «nain» de Jupiter? Quelle est celle de Micromégas?

b Relevez tous les arguments que le nain avance pour appuyer sa thèse.

c Pour chacun de ces arguments, résumez l'argument opposé par Micromégas. Montrez que la réponse de Micromégas s'appuie toujours sur un mot, ou une expression, employés par le nain.

d Relevez les connecteurs qui font le lien entre les répliques des deux locuteurs. Indiquez leur sens. Lequel revient le plus souvent? Pourquoi?

e Doc. 2 Deux interlocuteurs s'opposent sur la question du réchauffement de la planète. Pour le locuteur A, les deux images illustrent les dérèglements climatiques dûs au réchauffement de la planète. Pour le locuteur B, elles ne prouvent rien. Rédigez la réponse de B qui commencera par rappeler la thèse de A: «Vous soutenez que...» et développera ensuite un argument contraire.

f Quels mots avez-vous utilisés dans cette réponse pour souligner l'opposition entre les arguments des deux interlocuteurs A et B?

LEÇON

■ Dans tout discours argumentatif, il y a en fait **deux thèses** en présence: celle que défend le locuteur, et celle, souvent implicite (voir chap. 22), à laquelle il s'oppose, l'**antithèse**: argumenter pour l'abolition de l'esclavage (thèse du locuteur), c'est s'opposer à la justification de l'esclavage (antithèse).

■ Une argumentation qui consiste principalement à s'opposer à une thèse, est une **réfutation**. Dans un **monologue**, l'antithèse est souvent présentée par le locuteur en début d'argumentation pour être ensuite réfutée.

■ Dans un **dialogue**, la thèse et l'antithèse sont défendues par deux locuteurs qui se livrent à un **débat contradictoire**. L'argumentation de chacun des locuteurs est alors double: **défendre** sa propre thèse et **réfuter** celle de l'autre; aux **arguments** de l'un sont opposés les **contre-arguments** de l'autre.

■ Les connecteurs utilisés dans la réfutation ou le débat contradictoire expriment souvent l'idée d'**opposition**.

1 **a.** Quel argument est avancé pour justifier la thèse? **b.** Dans la réfutation, distinguez le contre-argument et les explications qui développent ce contre-argument.

Thèse. Les espèces vivant dans les océans ne sont pas menacées par l'homme. Leur multiplication est si rapide et leurs moyens d'échapper aux pêcheurs si grands qu'aucune espèce n'est réellement menacée.

(J.-B. Lamarck)

Réfutation. Ce qui était vrai à son époque ne l'est plus aujourd'hui où les techniques de pêche industrielle épuisent les réserves de poissons. L'aveuglement des professionnels de la pêche a provoqué la raréfaction des espèces marines; elle a perturbé les écosystèmes marins et a appauvri de nombreuses communautés du littoral.

«Les humeurs des océans», *Pour la science*, Dossier, oct. 1998.

2 Trouvez au moins deux arguments pour réfuter les idées suivantes:

– L'usage d'une voiture n'a pas d'influence sur l'environnement.

– Le progrès technique se fait toujours aux dépens de la nature.

– L'océan est trop grand pour pouvoir être pollué.

3 Prolongez par le même jeu d'arguments et de contre-arguments la conversation entre Micromégas et son compagnon de voyage à propos de la Terre.

L'expression de l'opposition et de la comparaison

1 Les relations d'opposition et de comparaison

■ L'**opposition** consiste à mettre deux faits en parallèle pour souligner une différence ou une contradiction. La **comparaison** consiste à mettre deux faits en parallèle pour souligner ou suggérer des ressemblances.

→ *Il neige ici **alors qu'en Amérique c'est la canicule**.* (opposition)

→ *Il neige **comme si on était en hiver**.* (comparaison)

■ Contrairement aux autres relations logiques (cause, hypothèse, conséquence…), l'**opposition** et la **comparaison** ne reposent pas sur un principe de succession : deux faits sont mis **en parallèle** sans que l'un implique l'autre.

→ *La chaleur augmente* (A)*, **parce que la couche d'ozone diminue** (B).*
relation de cause : B (cause) ⟶ A (conséquence)

→ *La chaleur augmente* (A)*, **alors que la couche d'ozone diminue** (B).*
relation d'opposition : A (1ᵉʳ constat) / B (2ᵉ constat)

2 L'expression de l'opposition

Les subordonnées circonstancielles d'opposition

■ Les **subordonnées circonstancielles d'opposition** sont introduites par *alors que, tandis que, quand, pendant que, si, sauf que* (familier) suivies de l'indicatif, ou *sans que* suivie du subjonctif.

→ *Il pollue la rivière **alors qu'il se dit écologiste**.*

Remarque. Parfois analysée comme un cas particulier d'opposition, la concession s'en distingue parce qu'elle repose implicitement sur une relation de cause à effet. (voir chap.18)

– Toutes ces conjonctions peuvent exprimer une autre valeur (temps ou concession). C'est la présence ou l'absence d'une opposition entre deux termes, l'un dans la principale, l'autre dans la subordonnée, qui permet de les distinguer.

→ *On gaspille au Nord **quand la famine sévit au Sud**.* (opposition)

→ ***Quand la famine sévit**, il part aider les populations.* (temps)

– Les subordonnées introduites par *sans que, au lieu que* marquent une opposition négative (= *tandis que… ne… pas*) et sont au subjonctif.

→ *On détruit le poumon de la terre **sans que** les états s'y **opposent**.*

Les autres moyens d'exprimer l'opposition

■ L'opposition peut être exprimée par d'autres moyens que la subordination :

– la **juxtaposition,** où l'opposition est suggérée par la simple présence de termes contraires, ou bien par le couple négation/affirmation ;

→ *Le <u>soleil</u> brille sur les* **sommets** *; le <u>brouillard</u> a envahi la* **vallée.**

→ *Il <u>ne s'agit pas</u> de recommandations : il <u>s'agit</u> d'un plan de sauvetage !*

– la **coordination** par *mais,* parfois *et* ;

→ *Les plages sont magnifiques* **mais** *l'eau est complètement polluée.*

– un **groupe prépositionnel** introduit par *au lieu de…*

→ **Au lieu de l'exploiter sans fin**, *il faudrait entretenir la planète.*

3 L'expression de la comparaison

Les subordonnées comparatives

■ Les propositions **subordonnées comparatives** sont introduites par *comme, comme si, ainsi que, de même que.*

→ **De même que** *les <u>dinosaures ont disparu d'un coup</u>, la civilisation humaine pourrait ne pas survivre à un accident planétaire.*

– Les subordonnées introduites par *comme si,* qui expriment une comparaison hypothétique, sont soit à l'imparfait (irréel du présent), soit au plus-que-parfait.

→ *Les hommes exploitent ses réserves* **comme si elles étaient infinies.**

■ Les subordonnées comparatives (comme les consécutives, voir chap. 21) forment parfois un **système corrélatif** : elles sont alors introduites par *que* et appelées dans la principale par un terme **corrélatif** marquant le degré : *plus, moins, aussi…*

→ *Les États-Unis consomment* **plus de** *pétrole* **qu'ils n'en produisent.**

■ Les **comparatives** sont souvent **elliptiques**, se réduisant alors à un subordonnant (*comme, que…*) suivi d'un des constituants de la proposition.

→ **De même que** *les <u>dinosaures</u>, la civilisation humaine peut disparaître.*

→ *Les hommes sont plus irresponsables* **que** *méchants.*
(prop. sub. comparative elliptique = *qu'ils ne sont méchants*)

Les autres moyens d'exprimer la comparaison

■ Entre deux propositions indépendantes, la comparaison peut être exprimée par :

– la **coordination** au moyen d'un connecteur logique *(ainsi, de même…)* ;

→ *Nous protégeons les forêts ;* **de même,** *préservons les mers !*

– par **juxtaposition**, chaque indépendante contenant un terme corrélatif.

→ **Plus** *on monte,* **moins** *il y a d'oxygène.* **Tel** *il est,* **tel** *il doit rester.*

> **① Attention**
>
> Dans le langage soutenu, *comme si* peut être suivi du subjonctif plus-que-parfait.
>
> → *Ils exploitaient ses réserves* **comme si elles eussent été infinies**.

Exercices

RAPPEL DU COURS

■ L'**opposition** et la **comparaison** sont deux relations fondées sur la mise en parallèle : la première pour souligner une différence ou une contradiction, la seconde pour souligner une ressemblance.

■ Les subordonnées **circonstancielles d'opposition** sont introduites par *alors que, tandis que, pendant que, au lieu que, sans que...*

■ Les subordonnées **comparatives** sont introduites par *comme, comme si, ainsi que, de même que...*

■ Certaines comparatives forment avec la principale un **système corrélatif** : liées à un adverbe ou un déterminant de la principale marquant le degré *(plus, moins, tellement de, tant de...)*, elles sont introduites par la conjonction *que*.

Les relations d'opposition et de comparaison

4 Oralement. **a.** Complétez chacune des phrases suivantes par un mot ou une locution de l'une de ces deux listes. Liste A : *de même que, comme, tout comme, de la même manière que*. Liste B : *tandis que, alors que, au moment où*. **b.** Précisez pour chaque phrase si elle sert à exprimer une opposition ou une comparaison.

1. Les centrales thermiques rejettent de nombreux déchets ... les éoliennes préservent leur environnement. **2.** Le tourisme de masse contribue à détériorer les plages ... il enrichit les entrepreneurs. **3.** Les voitures au GPL ne sont pas polluantes ... les voitures électriques. **4.** Les décharges d'ordures prolifèrent ... l'on ne parle que de recyclage. **5.** ... certaines usines chimiques polluent les rivières, les transports dans les villes sont à l'origine d'une autres forme de pollution, la pollution sonore.

L'expression de l'opposition

5 Transformez ces phrases afin de construire des subordonnées circonstancielles d'opposition introduites par des conjonctions ou locutions variées (*alors que, si, quand, pendant que, sans que*).

1. Les pays développés ont les moyens de se défendre face à la pollution ; les pays sous-développés ont déjà perdu la bataille de l'environnement. **2.** Les pays riches sont les pollueurs de la

planète ; les plus pauvres sont contraints d'accepter de leur servir de poubelles. **3.** On déplore aujourd'hui que des espèces animales disparaissent ; pendant longtemps personne ne s'en est offusqué. **4.** L'Antiquité pouvait n'utiliser que l'énergie solaire ; le monde contemporain ne peut se passer de combustibles fossiles. **5.** La déforestation de l'Espagne s'est étalée sur plusieurs siècles ; il n'a fallu qu'un demi-siècle pour que disparaisse la moitié des forêts tropicales.

6 Dites si les conjonctions (ou locutions) en caractères gras introduisent une subordonnée circonstancielle d'opposition ou de temps.

1. Quand, en 1979, les scientifiques ont observé un trou dans la couche d'ozone au-dessus du Pôle Sud, la communauté internationale a pris des mesures draconiennes. **2. Alors que** l'ozone est dangereux au niveau du sol, il est indispensable en haute altitude. **3. Tandis que** la mélanine des blonds et des roux se dégrade sous l'action des U.V., celle des bruns constitue un filtre efficace. **4. Tandis que** tu restes allongé au soleil, ta mélanine te protège ! **5. Quand** la dose déclenchante pour les cancers de la peau est de 5000 heures d'exposition pour les peaux claires, il en faut plus de 15000 pour les peaux mates.

7 Dites si les phrases suivantes expriment l'opposition ou la concession.

1. Bien que certaines régions de France y soient peu exposées, le feu est un vrai fléau national. **2.** Certaines régions sont très exposées au feu, alors que d'autres ne connaissent pas ce fléau. **3.** Alors que les moyens de lutte sont très importants, le feu continue à causer d'immenses dommages. **4.** Bien que les cendres, dans un premier temps, augmentent la fertilité des sols, le feu appauvrit globalement les terres. **5.** Tandis que les cendres augmentent la fertilité des sols, la faune, elle, souffre beaucoup de ces incendies.

8 Dans les phrases suivantes, précisez de quelle manière est exprimée l'opposition : par deux propositions juxtaposées (contenant des termes contraires), par deux propositions coordonnées par *mais*, par un groupe prépositionnel.

1. Le vent responsable de la catastrophe s'était arrêté, mais l'ardeur du soleil augmentait chaque jour. **2.** Les forêts disparaissaient ; les déserts progressaient. **3.** Isolés, les survivants auraient succombé au découragement ; en groupe, ils reprirent espoir. **4.** Au lieu de se laisser mourir de faim, ils entreprirent de cultiver un petit bout de terre. **5.** La terre n'était pas riche, mais elle leur donna bientôt une petite récolte de pommes de terre.

L'expression de la comparaison

9 **a.** Relevez toutes les tournures exprimant la comparaison. **b.** Faites les transformations nécessaires pour faire apparaître des subordonnées de comparaison complètes introduites par : *comme si, ainsi que, comme, de même que*. (Plusieurs solutions sont possibles.)

1. Le bâtiment des chaudières creva ensuite, disparut. Puis, ce fut la tourelle carrée où râlait la pompe d'épuisement, qui tomba sur la face, ainsi qu'un homme fauché par un boulet. **2.** [La machine] marcha, elle détendit sa bielle, son genou de géante, comme pour se lever. **3.** Seule la haute cheminée de trente mètres restait debout, secouée, pareille à un mât dans l'ouragan. **4.** On croyait qu'elle allait s'émietter et voler en poudre, lorsque, tout à coup, elle s'enfonça d'un bloc, bue par la terre, fondue ainsi qu'un cierge colossal. **5.** L'épouvante roula des hommes comme un tas de feuilles sèches.

É. Zola, *Germinal*, 1884.

10 Complétez les propositions suivantes par des subordonnées comparatives elliptiques. Vous utiliserez pour cela des conjonctions variées : *de même que, comme, tout comme, aussi bien que...*

1. ..., la pollution sonore a de graves conséquences sur la santé. **2.** ..., les marteaux-piqueurs provoquent des troubles cardio-vasculaires. **3.** Les aboiements de chien, ..., sont des bruits de voisinage particulièrement irritants. **4.** ..., les horaires imposés pour le bricolage et le jardinage constituent une bonne mesure de prévention.

11 Dites si les *comme* en caractères gras introduisent des subordonnées comparatives, temporelles ou causales.

1. Comme l'été s'annonçait précoce, le paysan décida d'avancer la date des moissons. **2.** Cette année, les travaux des champs n'avancent pas **comme** elle veut. **3. Comme** le soleil allait se coucher, le berger vit son troupeau s'enfuir. **4.** Buteau la regarda, cette Beauce ouverte à ses pieds, **comme** un pêcheur regarde de sa falaise la mer démontée. (Zola) **5.** La Blanchette, **comme** on la nomme, est la meilleure laitière du troupeau.

12 À partir de ces propositions juxtaposées, construisez un système corrélatif contenant une subordonnée comparative.

Ex. *Les États-Unis consomment beaucoup de pétrole ; ils n'en produisent pas assez.* → *Les États-Unis consomment plus de pétrole qu'ils n'en produisent.*

1. La pollution pétrolière fait des dégâts ; les déchets divers jetés dans la mer (médicaments, détonateurs, sacs plastiques) en causent encore plus. **2.** Les poissons sont dangereux pour les hommes ; les hommes sont beaucoup plus dangereux pour les poissons. **3.** Les sociétés de pêche prennent des poissons ; elles en remettent autant dans les étangs. **4.** Dans les rivières, il meurt beaucoup de poissons ; il en naît moins. **5.** La navigation de plaisance cause de très graves dommages au milieu marin ; elle offre quelques agréments à ceux qui la pratiquent.

13 Dans les phrases suivantes, relevez et nommez les différents moyens d'exprimer la comparaison.

1. Moins il y a de forêts, plus les équilibres vitaux sont menacés. **2.** Comme pour l'ensemble de la planète, l'inventaire de la faune française est incomplet. **3.** Le nombre des espèces animales se réduit dans le monde ; de même, en France, des espèces disparaissent. **4.** Telles étaient les plages il y a cent ans, telles elles redeviendront dans mille ans. **5.** Pareilles à un rempart contre la pollution, les haies doivent être protégées.

L'antithèse et l'oxymore

L'enfer sous la terre

1 L'homme fouille les entrailles de la terre, il va chercher dans son centre
au risque de sa vie et aux dépens de sa santé des biens imaginaires à la
place des biens réels qu'elle lui offrait d'elle-même quand il savait en
jouir. Il fuit le soleil et le jour qu'il n'est plus digne de voir ; il s'enterre
5 tout vivant, et fait bien, ne méritant plus de vivre à la lumière du jour.
Là, des carrières, des gouffres, des forges, des fourneaux, un appareil
d'enclumes, de marteaux, de fumée et de feu, succèdent aux douces
images des travaux champêtres. Les visages hâves des malheureux qui
languissent dans les infectes vapeurs des mines, de noirs forgerons, de
10 hideux cyclopes, sont le spectacle que l'appareil des mines substitue, au
sein de la terre, à celui de la verdure et des fleurs, du ciel azuré, des ber-
gers amoureux et des laboureurs robustes, sur sa surface.

J.-J. Rousseau, *Les Rêveries du promeneur solitaire*, 1782.

a Quelle activité humaine Rousseau critique-t-il ici violemment ? De quelle activité fait-il au contraire l'éloge ?

b À quel GN s'oppose le GN *biens imaginaires* (l. 2) ? Même question pour le GP
au sein de la terre (l. 10-11).

c Dans la tournure : *il s'enterre tout vivant* (l. 4-5), les mots en caractères gras
sont-ils généralement employés ensemble ? Quelle impression leur juxtaposition
réussit-elle à créer ici ?

LEÇON

■ **L'antithèse** est une figure de style qui consiste à exprimer une opposition entre deux
êtres, deux objets, deux situations… grâce à des **termes contraires disposés dans la
phrase de façon symétrique**.

→ *La mine offre des biens **imaginaires**, l'agriculture des biens **réels**.*

Ces termes contraires peuvent être de vrais antonymes (*imaginaire/réel*) ou seulement des
termes que le contexte oppose (*mines/verdure*). Souvent, l'opposition est soulignée par un
parallélisme dans la construction de la phrase.

→ *Au sein de la terre, les hommes sont malheureux, à la surface, que de bonheur !*

Attention à ne pas confondre l'antithèse, figure de style, et l'antithèse, qui réfute la thèse.

■ **L'oxymore** est une figure qui consiste à réunir dans une même expression deux **termes**
en principe **contradictoires**.

→ *Un **mort-vivant**, «une **petite grande** âme».* (V. Hugo)

14 Montrez que les énoncés suivants reposent sur des antithèses en relevant les termes contraires qui les constituent.

1.Toutes les nuances tristes et mornes, toutes les nuances rayonnantes et gaies amortissent et illuminent tour à tour ta robe d'écaille. (Huysmans) **2.** Bientôt nous plongerons dans les froides ténèbres, / Adieu, vive clarté de nos étés trop courts. (Baudelaire) **3.** Ces richesses qui couvrent le sol, ces moissons, ces fruits, [...] sont la propriété de quelques-uns et les instruments de la fatigue et de l'esclavage du plus grand nombre (G. Sand). **4.** Hélas ! ai-je pensé, malgré ce grand nom d'Hommes, / Que j'ai honte de nous, débiles que nous sommes ! / Comment on doit quitter la vie et tous ses maux, / C'est vous qui le savez, sublimes animaux. (Vigny)

15 Complétez à votre guise les phrases suivantes, afin de faire apparaître des antithèses.

1. L'Homme moderne est devenu l'ennemi de la Terre ; les peuples primitifs ... . **2.** J'adore l'été, sa chaleur, sa végétation florissante ; ... . **3.** L'orage gronda, menaçant ; le soleil ... . **4.** Elle se sentit minuscule face ... . **5.** Le vélo est écologique, économique, bon pour la forme ; ... .

16 ✎ Écrivez la suite de ce texte (5 lignes), en opposant point par point, grâce à des antithèses, l'attitude des Blancs à celle des Indiens décrite par l'auteur.

Les Blancs se moquent de la terre, du daim ou de l'ours. Lorsque nous, Indiens, nous cherchons le gibier, nous mangeons toute la viande. Lorsque nous cherchons les racines, nous faisons de petits trous. Lorsque nous construisons nos maisons, nous faisons de petits trous. Lorsque nous brûlons l'herbe à cause des sauterelles, nous ne ruinons pas tout. Nous secouons les glands et les pommes de pin des arbres. Nous n'utilisons que le bois mort. L'homme blanc, lui ...

J.-P. Andrevon, « Le monde enfin »,
Les Mosaïques du temps, Éd. Le Livre de Poche, 1990.

17 Relevez les oxymores en expliquant en quoi les termes qui le constituent sont contradictoires.

1. De grandes vaches se déplaçaient avec lenteur dans un silencieux tintement de clochettes. (Robbe-Grillet) **2.** O Beauté ! monstre énorme, effrayant, ingénu ! (Baudelaire) **3.** Et, comme le soleil, dans son enfer polaire, / Mon cœur ne sera plus qu'un bloc rouge et glacé. (Baudelaire) **4.** C'était une passion for-

mée de tout ce qu'on peut imaginer en sentiments, langueurs, soupirs, transports, délicatesse, douce impatience. (Marivaux) **5.** Mille rêves en moi font de douces brûlures. (Rimbaud)

18 Complétez les GN suivants par un adjectif ou un nom, afin de créer des oxymores.

1. Une clarté ... **2.** une flamme ... **3.** un soleil ... **4.** un raz-de-marée ... **5.** un désert ... **6.** une banquise ... **7.** un crocodile ... **8.** un cafard ... **9.** de la boue ... **10.** le progrès ... .

19 Relevez, dans ces six vers, une antithèse et deux oxymores. Quelle double image de la forêt le poète veut-il ainsi donner ?

Et vous forêt immense, espaces frais et sombres,
Séjour majestueux du silence et des ombres, [...]
Qu'il m'est doux d'échapper sous vos vastes ombrages,
À la zone de feu qui brûle ces rivages !
Vous m'inspirez d'abord une douce terreur,
Du respect, du plaisir, une agréable horreur.

Saint-Lambert, « L'été », *Les Saisons*, 1769.

20 💿 Par groupes de deux. Écoutez ces deux extraits musicaux ou sonores. Chacun d'eux cherche à exprimer une opposition : trouvez le plus possible d'antithèses ou d'oxymores capables de traduire cette opposition. *Ex.* Pour l'extrait 1 : *Pour les oreilles, la ville est un enfer, la campagne est un paradis.*

21 Oralement. Observez attentivement ce tableau de Max Ernst. Le titre *La Joie de vivre* vous semble-t-il parfaitement adapté ? Quelle impression ce tableau produit-il également ? Formulez plusieurs oxymores et antithèses pour rendre compte de l'ambivalence de l'œuvre.

M. Ernst, *La Joie de vivre*, 1936-37.

Opposer des arguments

22 Oralement. Écoutez ces extraits de débats. **a.** Pour chacun d'eux, précisez quelle est la thèse des deux interlocuteurs. **b.** Ajoutez un argument à celle des deux thèses que vous souhaiteriez défendre.

23 Oralement. Choisissez collectivement plusieurs sujets de débat, sur le thème de l'environnement, que vous formulerez sous forme d'une thèse.
Ex. Il faut préserver les bords de mer en interdisant toute nouvelle construction sur les côtes.
Le premier élève à prendre la parole défend cette thèse. Son voisin immédiat doit alors la réfuter par un argument. Le suivant trouve un autre argument pour défendre la thèse... et ainsi de suite jusqu'à épuisement des arguments !

24 Par groupes de deux. Dans un texte sur les dangers que la dégradation de l'environnement fait peser sur la planète, un journaliste écrit :
« On peut toujours se rassurer en se disant que l'homme, de toute façon, trouvera toujours la parade. La confiance dans la science fait perdre de vue que chaque nouvelle conquête se paie. *L'Europe a trouvé les moyens de se nourrir grâce aux engrais chimiques, mais elle risque à terme de ne plus pouvoir boire l'eau du robinet, tant il y aura de nitrate dans la nappe phréatique.* »
a. Quelle thèse l'auteur défend-il dans ce passage ? **b.** Dans l'exemple en italiques, à quel procédé grammatical a-t-il recours pour montrer le « double visage » des engrais chimiques ? **c.** À votre tour, dressez une liste des conquêtes scientifiques qui, selon vous, « se paient ». **d.** Reprenez le même procédé que le journaliste pour présenter l'avantage immédiat, mais aussi le danger réel que représentent deux de ces conquêtes.

25 **a.** Formulez en une phrase l'antithèse pouvant correspondre à la thèse formulée dans l'exercice précédent. **b.** Rédigez, en une dizaine de lignes, la réfutation que l'on pourrait ainsi opposer au journaliste.

26 Aujourd'hui, les questions d'environnement et d'écologie sont au centre des débats politiques. Dans le cadre d'une campagne pour les élections présidentielles, un candidat projette d'agrandir le réseau autoroutier, tandis qu'un autre pense que le développement des transports ferroviaires est la seule solution pour préserver l'environnement. **a.** En groupe. Cherchez cinq arguments différents pour défendre chacune des deux thèses. **b.** Imaginez et rédigez un dialogue contradictoire d'une quinzaine de répliques entre les deux candidats. Vous utiliserez les moyens d'exprimer l'opposition étudiés dans ce chapitre (connecteurs, figures de style...).

27 Observez l'image ci-dessous. L'un des habitants de la ville représentée s'oppose à ses concitoyens en leur montrant le caractère inhumain de cet univers sans nature. Rédigez en une vingtaine de lignes son monologue argumentatif.

Photo composite de villes américaines.

Contre le catastrophisme

1 À ses débuts, le mouvement écologiste craignait un épuisement des ressources minérales dont dépendent les industries modernes. La quantité de combustibles fossiles et de minerais disponible sur cette planète est bien entendu limitée. La planète, après tout, n'est pas un espace infini. Mais
5 les réserves de la Terre sont bien plus riches que de nombreux écologistes voudraient nous le faire croire.

Localiser les réserves de ressources naturelles coûte cher. Et c'est le coût d'accès, et non la rareté naturelle de ces ressources, qui constitue le principal obstacle à leur exploitation. Les réserves de tous les combustibles
10 fossiles et de la plupart des métaux importants pour l'économie sont d'ailleurs aujourd'hui beaucoup plus importantes que ne le pensait le Club de Rome [fondé en 1968 par des experts, des hommes d'affaires et des hommes politiques] en 1971, quand il publia son fameux rapport *Les limites de la croissance*. Dans le cas du pétrole par exemple, les réserves de
15 brut dont l'extraction se fait à des prix raisonnablement compétitifs permettraient à l'économie de continuer à prospérer pendant encore cent cinquante ans avec un niveau de consommation égal à celui d'aujourd'hui. Si l'on ajoute à cela le fait que le prix de revient de l'énergie solaire a diminué de moitié tous les dix ans au cours de ces trente dernières
20 années, la pénurie d'énergie n'apparaît plus vraiment comme une menace sérieuse ni pour l'économie ni pour l'environnement.

B. Lomborg, «Il faut rompre avec le catastrophisme»,
Courrier International n° 607, 20-27 juin 2002.

Questions (14 points)

A. La réfutation d'une idée reçue

1 Quelle est la thèse de l'auteur de l'article ?

2 Quel argument utilise-t-il pour réfuter l'idée que les ressources sont devenues rares dans la nature ?

3 Relevez un connecteur introduisant une réfutation et analysez-le (classe grammaticale et valeur).

B. Opposition et comparaison

4 Ajoutez à la proposition : *le prix de revient de l'énergie solaire a diminué de moitié tous les dix ans.*
a. une subordonnée circonstancielle d'opposition
b. une subordonnée comparative non corrélative.

5 Relevez, une subordonnée comparative. Dites si elle est corrélative. Justifiez votre réponse.

6 Formez entre les deux propositions suivantes une comparaison par juxtaposition au moyen de deux termes corrélatifs : *Les réserves de matières*

premières augmentent ; les prix baissent. Relevez une antithèse dans cette phrase.

7 Pour formez un oxymore, quel mot faudrait-il ajouter à (au choix) : *des limites*, *une menace* ou *une richesse* (plusieurs réponses possibles).

Réécriture (6 points)

Imaginez que l'auteur de l'article se trouve face à son contradicteur : réécrivez le premier paragraphe sous forme d'un dialogue.

Rédaction (20 points)

Réfutez l'une des affirmations suivantes : **a.** La pollution n'est pas un danger pour la planète. **b.** La pollution est le principal danger pour la planète. **c.** Le progrès a des inconvénients, la pollution est inévitable.
Consigne d'écriture. Présentez votre réfutation comme un article de presse.

Argumenter par l'exemple

Les utopistes

■ *Construction de la tour de Babel,*
peinture flamande, XVIe siècle.

Décrire, raconter, pour argumenter

document 1 ## Un exemple d'utopie

1 Pour que la description d'une utopie soit facteur de changement, il faut qu'elle apparaisse comme réalisable, du moins à long terme. Une Europe faite d'États ne se faisant plus la guerre était une utopie en 1945 ; ceux qui ont voulu la réaliser ont pu montrer aux opinions
5 publiques que les guerres étaient de fausses solutions aux conflits ; aidés par l'écœurement des peuples devant tant de souffrances inutiles, ils ont pu mettre en place l'Union européenne. Cet exemple est un encouragement pour ceux qui, aujourd'hui, militent en faveur de l'utopie d'une communauté culturelle méditerranéenne.

A. Jacquard, *Petite Philosophie à l'usage des non-philosophes*, Éd. Calmann-Lévy, 1997.

document 2 ## Rêve de cité

Shuiten & Peeters,
L'Archiviste,
Éd. Casterman, 2000.

a Doc. 1 Quelle est la thèse de cet extrait ?

b Quel exemple l'auteur utilise-t-il comme un argument au service de cette thèse ? À quels événements historiques fait-il allusion ?

c Quelle conclusion pour l'avenir tire-t-il de cet argument ?

d Doc. 2 Observez les éléments qui composent cette cité utopique, choisissez-en trois et imaginez dans quel but l'architecte les a conçus.

e Placez-vous du point de vue des habitants de cette cité et imaginez quatre conséquences de cette architecture : deux négatives et deux positives.

f Pour illustrer l'une de ces conséquences, un habitant raconte une anecdote personnelle. Rédigez-la en quatre ou cinq lignes.

LEÇON

■ Pour défendre ou réfuter une idée, on peut la confronter à la réalité : c'est le **recours aux faits**. On a recours aux faits lorsque, pour illustrer une idée, on donne un **exemple**, on fournit une **preuve**, ou lorsque pour réfuter une idée, on donne un **contre-exemple** ou une **contre-preuve**.

■ C'est pourquoi, à l'intérieur d'un texte argumentatif, on peut souvent distinguer des passages descriptifs ou narratifs : **décrire** la réalité ou **raconter** ce qui s'est passé devient alors un **argument** au service d'une thèse.

■ Le récit ou la description de **faits imaginaires** peut également avoir une **visée argumentative**. Par exemple, la description de la vie quotidienne dans une société utopique a pour but de dénoncer les défauts de la société réelle.

■ Certains textes argumentatifs sont presque entièrement composés de récits : les fables, les paraboles, qui illustrent une « morale » en montrant les **conséquences négatives ou positives** d'une action, sont des **textes argumentatifs organisés autour d'un récit**.

1 Cherchez dans l'histoire, ou dans la littérature, un exemple pouvant servir d'argument en faveur des thèses suivantes : **1.** Un jour viendra où l'on ne travaillera plus que trois heures par jour. **2.** La suppression des frontières est un progrès pour l'humanité. **3.** Ce qui était autrefois considéré comme utopique est aujourd'hui une réalité.

2 Proposez des contre-exemples à opposer à A. Jacquard, afin de défendre l'idée que même les utopies les plus irréalisables en apparence peuvent être des « facteurs de changement ».

3 Dans ce texte, L.-S. Mercier, écrivain du XVIIIe siècle, imagine Paris en 2440. **a.** Selon vous, dans quel but les hommes de l'an 2440 ont-ils inventé cette salle nommée « l'enfer » ? **b.** Quel jugement sur son époque l'auteur suggère-t-il à travers ce récit imaginaire ? Formulez explicitement sa « thèse » implicite.

Dès qu'un prince parlait de combats ou inclinait à quelque passion belliqueuse, on le conduisait dans une salle qu'on avait justement nommée l'enfer. Aussitôt un machiniste mettait en jeu les ressorts accoutumés et l'on produisait à son oreille toutes les horreurs d'une mêlée, et les cris de la rage, et ceux de la douleur, et les clameurs plaintives des mourants, et les sons de la terreur, et les mugissements de cet affreux tonnerre, signal de la destruction, voix exécrable de la mort. Si la nature ne se soulevait pas alors dans son âme, si son front demeurait calme et immobile, on l'enfermait dans cette salle pour le reste de ses jours. Mais chaque matin on avait soin de lui répéter ce morceau de musique, afin qu'il fût satisfait sans que l'humanité en souffrît.

D'après L.-S. Mercier, *L'An 2440*, 1770.

L'expression du but et de la conséquence

1 Les relations de but et de conséquence

▪ La **cause** et la **conséquence** forment une seule et même relation présentée de deux points de vue différents : dire que A est la cause de B revient à dire que B est la conséquence de A.

→ *Ils rêvent d'améliorer le monde **si bien qu'ils inventent des cités**.*
                 A   B
(A principale → B sub. circonstancielle de conséquence)

→ *Ils inventent des cités **parce qu'ils rêvent d'améliorer le monde**.*
           B   A
(B principale ← A sub. circonstancielle de cause)

▪ Le **but** se distingue de la conséquence par une **intention**. Le **but** d'un acte est ce en vue de quoi il est accompli, c'est le résultat souhaité. La **conséquence** d'un fait est ce qui en découle, c'est le résultat effectif.

▪ Le **but** et la **conséquence** expriment deux formes de **postériorité logique** par rapport à un acte : ils résultent tous deux de cet acte.

→ *L'architecte a conçu une ville parfaite **pour que la misère disparaisse**.*

→ *L'architecte a conçu une ville parfaite **si bien que la misère disparaîtra**.*
(concevoir une ville parfaite → faire disparaître la misère)

2 Les subordonnées circonstancielles de but

▪ Les propositions **subordonnées circonstancielles de but** sont introduites par les locutions conjonctives *pour que, afin que, de sorte que, de peur que, de crainte que* suivies du **subjonctif**. On peut les placer avant ou après la principale.

→ *J'ai conçu le phalanstère **pour que chacun dispose du confort**.*

→ ***Afin que chacun puisse se cultiver**, des cours gratuits sont proposés après le travail.*

– Après *de peur que, de crainte que*, qui marquent un **but négatif** (ce que le sujet veut éviter), le verbe est employé en langue soutenue avec un *ne* sans valeur négative, appelé explétif (voir p. 43).

→ *Ils ont fait brûler son livre **de peur qu'il <u>ne</u> soulève une révolution**.*

– Après une principale à l'impératif, *que* peut introduire une subordonnée de but

→ *Approchez, **que je vous explique mon projet**. (que = afin que)*

Remarque. En phrase simple, le **groupe infinitif** complément circonstanciel de but introduit par *afin de, en vue de, de peur de, de crainte de, histoire de* (familier) correspond à une subordonnée qui aurait le même sujet que la principale.

→ *Thomas More a écrit* Utopia ***pour*** *dénoncer les injustices de son temps.* (pour que Thomas More dénonce les injustices de son temps)

3 Les subordonnées circonstancielles de conséquence

■ Les propositions **subordonnées circonstancielles de conséquence** (ou **consécutives**) sont introduites par les locutions conjonctives *si bien que, de (telle) sorte que, au point que…* suivies de **l'indicatif**. Contrairement aux circonstancielles de but que l'on peut déplacer, elles sont **toujours placées après** la proposition principale.

→ *Grâce à l'éducation et à la culture, tous les enfants deviendront vertueux,* ***de sorte que l'idée du mal disparaîtra de la société.***

■ Certaines subordonnées de conséquence introduites par *que* sont annoncées dans la principale par un terme «corrélatif» marquant l'**intensité**. Elles forment avec la principale un **système corrélatif**. Le terme corrélatif peut être :

– un adjectif (*tel*) ;

→ *Il a un* ***tel*** *désir d'appliquer ses idées* **qu**'*il a fondé une cité au Brésil.*

– un adverbe (*tellement, si, tant…*) ;

→ *Il est* ***si*** *convaincu* **qu**'*il veut mettre ses rêves en pratique.*

– un déterminant (*tant de, tellement de, trop de, assez de…*).

→ *Il a rassemblé* ***tant de*** *disciples* **qu**'*ils ont fondé une cité idéale.*

– Lorsque le corrélatif exprime un degré (*trop, assez, suffisamment…*), la subordonnée consécutive est au subjonctif et introduite par *pour que*.

→ *Ce projet est* ***trop*** *important* **pour que** *l'on renonce si près du but.*

> ## ! Attention
>
> Il ne faut pas confondre deux types de subordonnées consécutives : l'une introduite par *si bien que*, locution conjonctive, l'autre par *…si* (bien) *que…*, à valeur intensive, composée de l'adverbe d'intensité *si*, portant sur «bien», et de la conjonction *que*.
>
> → *Il travaille,* *si bien que les autres ne font rien.* (… donc…)
>
> → *Il travaille si bien que les autres ne font rien.* (/… si mal que…)

4 Les autres moyens d'exprimer la conséquence

■ La relation de conséquence, symétrique de la relation de cause, peut être exprimée entre deux propositions **indépendantes** :

– par **juxtaposition** ;

→ *Il n'y aura ni argent ni propriété : il n'y aura plus d'inégalités.*

– par **coordination**, au moyen des adverbes de liaison *par conséquent, c'est pourquoi, donc, alors, ainsi…*

→ *Il n'y aura ni argent ni propriété, il n'y aura* ***donc*** *plus d'inégalités.*

■ En **phrase simple**, les compléments circonstanciels de conséquence sont assez rares. Il s'agit de **groupes prépositionnels infinitifs** après les prépositions *à, pour, au point de* (avec l'idée d'intensité).

→ *Durant un mois, ils ont enlevé des pierres* **à** *s'en meurtrir les mains.*

Ils peuvent, comme la subordonnée, se construire en corrélation avec un terme marquant l'intensité.

→ *J'ai* ***trop*** *longtemps attendu* **pour** *renoncer si près du but.*

RAPPEL DU COURS

■ Le but et la conséquence marquent la **postériorité** logique : le **but** d'un acte est le résultat souhaité. La **conséquence** d'un événement est le résultat effectif.

■ Les subordonnéées circonstancielles de **but** sont introduites par *pour que, afin que, de peur que, de crainte que…* suivies du subjonctif.

■ Les subordonnées de **conséquence** sont placées après la principale et introduites par *si bien que, de sorte que, au point que…* suivies de l'indicatif.

■ Les **subordonnées** de **conséquence** en **système corrélatif** sont introduites par *que* et annoncées dans la principale par un terme marquant l'**intensité** : *telle, si, tellement, tant de…*

■ On peut aussi exprimer la conséquence par **juxtaposition**, **coordination** ou au moyen d'un **groupe prépositionnel infinitif**.

Les relations de but et de conséquence

4 **a. Oralement. Identifiez la cause et la conséquence dans chacune de ces phrases. b. Placez la cause dans une proposition principale et la conséquence dans une subordonnée.**

Ex. Ils sont heureux / Ils rient d'un rien. → Ils sont heureux (cause) *si bien qu'ils rient d'un rien.* (conséquence)

1. Utopie signifie « en aucun lieu » / il est inutile de chercher cette île sur une carte de géographie. **2.** C'est vous, ô citoyens, qui êtes la source de tous ces malheurs / il faut confier le gouvernement aux femmes. (Aristophane) **3.** Il faut quitter Rome et rejoindre les îles Fortunées / Jupiter avait réservé les rivages de ces îles pour une race pieuse. (Horace) **4.** C'était une société sans contrainte et sans armes / la cueillette suffisait aux besoins de tous. **5.** Les arbres fruitiers se relaient harmonieusement toute l'année / ce lieu est jardin d'abondance et de festins.

5 **Dites si les éléments en caractères gras expriment le but (le résultat souhaité) ou la conséquence (le résultat effectif).**

1. Badebec, fille du roi des Amaurotes en Utopie et femme de Gargantua, meurt en donnant naissance à Pantagruel ; **Gargantua est partagé entre le rire et les larmes. 2.** La plus grande perte de temps que je connaisse, dit Gargantua, est de compter les heures ; **il n'y aura donc à Thélème ni horloge, ni cadran.**

3. Une inscription se trouve sur la grande porte de Thélème **pour que seuls se sachent admis les représentants de la vraie liberté et de la vraie richesse. 4.** Les gens libres, bien nés et bien instruits ont un instinct et un aiguillon qui les pousse toujours à être vertueux : **c'est pourquoi il n'y a à Thélème aucune contrainte extérieure. 5. Pour rendre désirable une chose,** rappelle Gargantua, il suffit de l'interdire.

D'après Rabelais, *Pantagruel*, 1532 et *Gargantua*, 1534.

Les subordonnées circonstancielles de but

6 **Relevez les subordonnées circonstancielles de but et entourez les conjonctions.**

1. Le pays est cultivé pour que partout l'utile et l'agréable soient liés. **2.** Les hôtelleries établies ici sont payées par le gouvernement afin que le commerce s'en trouve facilité. **3.** Aucun habitant ne sort de notre petit royaume pour que notre innocence et notre félicité puissent être préservées. **4.** Venez nous voir, que vous puissiez vous faire une idée de notre société. **5.** Nous nous cachons derrière de hautes barrières naturelles de crainte que la rapacité des Européens ne nous anéantisse.

7 **Inventez une proposition principale pour chacune de ces subordonnées circonstancielles de but.**

1. … de peur que l'habitude du massacre des bêtes ne détruise peu à peu le sentiment d'humanité.

2. ... pour que la ville soit débarrassée des saletés, des immondices et des matières animales dont la putréfaction pourrait engendrer des maladies. **3.** ... de crainte que leur guérison ne s'en trouve retardée. **4.** ... pour que le meilleur leur soit réservé. **5.** ... afin que les soins affectueux ne soient pas négligés.

8 Complétez chacune des phrases suivantes à l'aide d'une subordonnée marquant **a.** un but positif **b.** un but négatif.

Ex. Il quitte sa planète→ **a.** *pour que ses proches l'admirent.* → **b.** *de crainte qu'on ne l'emprisonne.*
1. Il décida de parcourir la terre ... . **2.** Il fut obligé d'abandonner la terre pour la lune ... . **3.** Les habitants se nourrissent de fleurs ... . **4.** Je demandai néanmoins une douzaine d'alouettes ... . **5.** On n'utilise pas d'argent dans ce pays ... .

Les subordonnées circonstancielles de conséquence

9 Relevez, dans les phrases suivantes, les propositions subordonnées consécutives.

1. Je me trouvais dans une maison de campagne assez écartée de sorte que mes rêveries de voyage me reprirent. **2.** Je disposais désormais de suffisamment de moyens pour que ce voyage fût possible. **3.** Je m'étais attaché autour de moi quantité de fioles pleines de rosée, et la chaleur du soleil qui les attirait m'éleva si bien qu'à la fin je me trouvai au-dessus des plus hautes nuées. **4.** Mais cette attraction me faisait monter avec trop de rapidité, si bien que je cassai plusieurs fioles pour pouvoir m'approcher de la lune. **5.** Je sentis que l'attraction ne surmontait plus assez ma pesanteur pour que je pusse continuer mon élévation.

D'après C. de Bergerac, *Les États et Empires de la Lune,* 1657.

10 Complétez ces phrases à l'aide d'une subordonnée consécutive en ajoutant à la principale un terme corrélatif marquant l'intensité.

1. Le golfe présente des écueils et des bancs de sable ... . **2.** Les habitants connaissent les passages navigables ... . **3.** L'art et la nature ont fortifié les côtes ... . **4.** Ce conquérant construisit des villes extraordinaires ... . **5.** Des milliers d'ouvriers furent volontaires ... .

**11 a. Complétez les phrases à l'aide d'une des locutions conjonctives suivantes : *afin que, de crainte que, de sorte que, si bien que* (2 fois).
b. Pour chaque phrase, dites si la subordonnée exprime la conséquence ou le but.**

1. L'amitié et la bienveillance, principales vertus des Houyhnhnms, s'étendent sur toute l'espèce ... ils traitent l'étranger de la partie la plus éloignée du pays comme ils traitent leur plus proche voisin. **2.** Le soin qu'ils prennent de l'éducation de leurs poulains est uniquement dicté par la raison, ... ils n'ont point de tendresse particulière pour leurs enfants. **3.** Quand une Houyhnhnm a produit un petit de chaque sexe, elle cesse de vivre conjugalement avec son mari, ... le pays ne soit surchargé de population. **4.** L'amour, la galanterie, les présents n'ont aucune place dans leur pensée, ... ils ne sont exprimés par aucun mot de leur langue. **5.** Notre maître critiquait notre usage comme une monstruosité : vous élevez les femelles autrement que les mâles ... vos femelles ne soient bonnes qu'à mettre des enfants au monde.

D'après J. Swift, *Voyages de Gulliver*, 1726.

Les autres moyens d'exprimer la conséquence

12 a. Dites par quel moyen (juxtaposition, coordination, groupe prépositionnel infinitif, subordination) la conséquence se trouve exprimée dans les phrases suivantes. b. Transformez chacune d'elles afin de marquer la conséquence par un autre moyen que celui qui est proposé.

1. L'Océania avait besoin d'une nouvelle langue officielle, c'est pourquoi le novlangue fut créé. **2.** La langue ordinaire n'était déjà plus utilisée pour les articles de fond du *Times* si bien que l'on comptait que le novlangue serait la seule langue en usage vers l'année 2050. **3.** Le gouvernement réduisit le plus possible le choix des mots au point de diminuer le domaine de la pensée. **4.** Tous les mots qui pouvaient avoir un sens politique étaient abrégés : ils pouvaient être plus facilement et plus rapidement prononcés. **5.** Tous ces mots de deux ou trois syllabes entraînent une élocution volubile, à la fois martelée et monotone ; l'élocution devient donc neutre, indépendante de la pensée.

D'après G. Orwell, *1984*, Éd. Gallimard, 1949.

Vocabulaire

Le vocabulaire du but et de la conséquence

Le retour des utopies

1 On compare souvent la fin du XIXᵉ et son industrialisation sauvage qui **mena** de nombreux penseurs vers l'utopie socialiste, et l'apparition de nouvelles technologies en fin de siècle pour annoncer – ou **espérer** – un retour probable de l'utopie. Mais je crois que nous **sommes** tou-
5 jours **à la poursuite de** certaines utopies. L'utopie n'a pas uniquement une forme urbaine. Il en est de toutes natures. Et il me semble que l'utopie de notre siècle est principalement liée à l'évolution incroyable de nos connaissances. Il s'opère une sorte de transfert au niveau de la physique, de la biologie qui donne chaque jour plus de possibilités à la
10 vie, et **suscite** les rêves les plus fous…

J. Nouvel, *Villes rêvées*, P. de Moncan, Les Éditions du Mécène, 1998.

a Parmi les verbes ou les locutions verbales en caractères gras, distinguez **1.** ceux qui établissent un rapport de conséquence **2.** ceux qui permettent l'expression d'un but à atteindre.

b Pour les verbes relevés en **1.** dans la question précédente, distinguez précisément la cause et la conséquence ; quelles fonctions grammaticales occupent-elles ?

LEÇON

L'expression de la conséquence

■ Dans l'expression de la **conséquence**, on part de la cause (A) pour «descendre» vers les conséquences (B) ; l'expression de la cause, c'est l'inverse.

■ En dehors des connecteurs (voir p. 219), la **conséquence** peut être exprimée par :

– des **noms** : *l'effet, la conséquence, le résultat, la réaction, l'issue, l'impact, les suites, les séquelles, l'engrenage, les retombées…* ;

– des **verbes transitifs** directs : *provoquer, entraîner, susciter, engendrer, occasionner, déclencher, causer, créer…* ou indirects : *amener à, conduire à, permettre (de), pousser à, déboucher sur, aboutir à…* Dans les deux cas, c'est le complément d'objet qui exprime la conséquence dont le sujet est la cause.

→ *Les idées nouvelles (cause) ont provoqué une révolution (conséquence).*

– des verbes à la **tournure impersonnelle** : *il en découle…, il s'en suit…, il résulte que…*

L'expression du but

■ Le **but** est le résultat visé par une action, ce pour quoi on l'accomplit. Il suppose une **intention**. En dehors des connecteurs (voir p. 30), il peut être exprimé par :

– des **noms** à valeur objective (sans jugement du locuteur) : *but, intention, objectif, objet, projet, dessein, enjeu, fin, finalité* ; ou bien à valeur subjective, qui suggèrent le caractère incertain ou illusoire du but : *désir, idée, aspiration, souhait, espoir* ; *visée, cible, rêve, chimère, utopie* ;

– des **verbes** présentant le mouvement vers un but de manière neutre *(chercher à, avoir pour but [/idée]… de, projeter, tendre vers…)* comme nécessitant un effort *(tâcher de, s'ingénier à…)*, ou bien subjectivement, comme un projet incertain *(souhaiter, aspirer à, désirer, vouloir…)* ou inutile *(persister à…)*. C'est alors le COD ou le COI qui exprime le but à atteindre.

– des **adjectifs** : *destiné à, intentionnel…*

13 Relevez les mots ou les expressions qui expriment l'idée du but ou de la conséquence. Dans chaque phrase, distinguez précisément : l'action réalisée / son but ; la cause / sa conséquence.

1. Toute communauté humaine se doit de proclamer son objectif et de commencer à prendre les moyens de s'en approcher. **2.** Le mot bonheur […] implique une plénitude sans fin, qui ne peut-être obtenue. La mort, nécessairement, est au bout de l'aventure. **3.** Du moins pourrions-nous promettre à tous que tous les moyens disponibles permettant de lutter contre le «malheur» leur seront apportés. L'égalité face aux maladies, voilà une utopie réalisable. **4.** Aujourd'hui l'appel à l'utopie est la conséquence de la lucidité. **5.** Il est clair que la poursuite de la croissance de notre consommation des biens non renouvelables de la planète nous conduit à un suicide collectif.

A. Jacquard, *Petite Philosophie à l'usage des non-philosophes*, Éd. Calmann-Lévy, 1997.

14 Voici quelques mots exprimant l'idée de conséquence : *le contre-coup, l'aboutissement, l'impact, les séquelles, des répercussions, le fruit.* **a.** Complétez les phrases par le mot qui convient **b.** indiquez quelle nuance de sens apporte chacun de ces mots dans la phrase.

1. On peut encore observer dans certains quartiers de la cité … de la dernière guerre. **2.** Ce projet est … de nombreuses années de recherches. **3.** Les idées utopiques de l'architecte ont … sur la vie quotidienne des habitants. **4.** On ne mesure pas bien … que ce projet futuriste a eu à son époque. **5.** La cité tout entière est … de son imagination. **6.** Cette absence de projet nouveau est … de la disparition des grandes utopies.

15 Imaginez la chaîne des conséquences (cinq échelons) qui ont pu conduire de l'événement de «départ» (A) à l'événement «d'arrivée» (B). Vous utiliserez au moins cinq des verbes indiqués dans la leçon.

(A) : L'architecte a prévu des ascenseurs solaires…
(B) : … Pierre et Marie ont divorcé.

16 Reliez le mot (liste A) à sa définition (liste B).

Liste A : enjeu, dessein, aspiration, chimères, objectif.

Liste B : But à atteindre. Idées fausses, absurdes. Projet, résolution. Mouvement vers un idéal. Ce qui est à gagner ou à perdre dans une action.

17 **a.** Oralement. Employez chacun des verbes suivants dans une courte phrase. **b.** Recopiez le tableau et complétez-le avec ces verbes.

verbes annonçant un but présenté de manière neutre	présenté comme nécessitant un effort	jugé comme incertain ou inutile par le locuteur
	s'ingénier à	
		projeter de

Tenter de, s'évertuer à, se proposer de, viser à, rêver de, s'obstiner à, envisager de, s'appliquer à, espérer, s'employer à.

18 Complétez les phrases suivantes de manière à justifier le choix du mot en caractères gras.

1. Victor est de nouveau en proie à ses **chimères** : … . **2.** Depuis trois mois, Thomas se consacre à son grand **dessein** : … . **3.** Les utopistes **rêvent de** … . **4.** En émigrant en Amérique, les quakers **aspiraient à** … . **5.** Mon frère fait des études d'architecture **dans l'espoir de** … .

19 Décrivez en quatre phrases cette cité utopique en indiquant la finalité des innovations de l'architecte et les effets de cette architecture sur la vie quotidienne des habitants. Vous emploierez trois mots exprimant le but et trois mots exprimant la conséquence.

Projet futuriste pour l'aménagement immobilier de Paris, 1922.

Décrire et raconter pour argumenter

20 ✎ Prolongez le texte suivant (une dizaine de lignes) : le narrateur a découvert un autre moyen original inventé par cette société idéale pour résoudre certains problèmes (au choix) : supprimer le chômage, empêcher les plus forts de terroriser les plus faibles, supprimer les gâchis et la pollution.

En imaginant le fonctionnement d'une « académie » du futur, l'auteur critique l'Académie française de son temps, qui dans ses 40 membres, comptait souvent peu de vrais écrivains et beaucoup de gens politiquement influents.

Le nombre de sièges académiques [réservés aux académiciens] ne me parut pas ridiculement fixé, mais ce qu'il y avait de particulier, c'est que chaque fauteuil était surmonté d'un drapeau flottant. Dessus on lisait distinctement le titre des ouvrages de l'académicien dont il ombrageait la tête. Chacun pouvait s'asseoir dans un fauteuil, sans autre formule, sous la seule loi qu'il déploierait le drapeau où seraient inscrits ses titres. On se doute bien que personne n'osait arborer le drapeau blanc, comme faisaient dans mon siècle évêques, ducs, maréchaux, précepteurs.

L.-S. Mercier, *L'An 2440*, 1770.

21 ✎ Vous êtes législateur en Utopie. Décrivez en une dizaine de lignes votre projet que vous conclurez ainsi : *De là découlera enfin le bonheur de l'humanité.* (Vous utiliserez au moins trois manières différentes d'exprimer le but et trois manières différentes d'exprimer la conséquence).

22 ⊙ **a.** Écoutez attentivement la présentation du projet de Le Corbusier et représentez ce projet sous la forme d'un schéma contenant le plus de précisions possibles. **b.** ✎ La ville est construite et habitée depuis dix ans, vous êtes chargé(e) d'un rapport sur les conséquences (positives et/ou négatives) de cet urbanisme sur la vie quotidienne des habitants. Rédigez-le en un paragraphe.

23 Oralement. Vous devez justifier l'idée suivante : *l'imagination est la meilleure des armes de l'homme.* Imaginez un court récit (fable ou expérience personnelle) qui illustrera cette idée.

24 ✎✎ Décrivez le plan d'un collège idéal : vous insisterez sur le but de vos aménagements et leurs conséquences sur la vie quotidienne.

25 ✎✎ Inventez une fable en prose d'une dizaine de lignes. Votre récit sera un argument au service de l'idée suivante : l'avis de chacun mérite d'être entendu.

26 ✎✎ Sujet au choix. (image ci-dessous) **a.** Le personnage du premier plan a fait un long voyage pour parvenir à cette ville « idéale ». Il évoque les bienfaits qu'il en attend pour justifier la conclusion : « C'est là que je veux vivre et nulle part ailleurs ». Rédigez son argumentation. **b.** Le personnage de premier plan vient de s'enfuir de cette ville soi-disant « idéale ». Il récapitule les effets insupportables de son mode d'organisation pour justifier la conclusion : « Vivre n'importe où plutôt que là ! ». Rédigez son argumentation.

Shuiten & Peeters, *Voyage en Utopie,* Éd. Casterman, 2000.

vers le brevet

Une utopie au XVIIIe siècle

L'auteur, disciple de Rousseau, imagine une société organisée en communautés d'un millier d'hommes qui mettent en commun leur travail et leurs biens.

1 Tous ensemble cultivent les terres, ramassent, serrent les moissons et les fruits dans un même magasin. Dans l'intervalle de ces opérations, chacun travaille de sa profession particulière. Il y a un nombre suffisant d'ouvriers, soit pour façonner et préparer les productions de la terre,
5 soit pour fabriquer tous meubles et ustensiles de différente espèce. Les corps d'ouvrier, pourvus par le Public[1], d'outils et de matière comme de subsistance, ne s'embarrassent que de la quantité de ce qu'il doivent fournir, pour que personne ne manque de rien ; et cette quantité est également distribuée entre les membres de ce corps. Les ouvrages de
10 l'art, comme toute autre provision, sont mis en magasin commun. Passons aux conséquences d'une telle police[2]. 1. Il y a réciprocité de secours qui n'est jamais interrompue. 2. Elle peut être observée dans toutes les Provinces d'un Empire comme dans une seule. 3. Personne n'est surchargé d'ouvrage, et tous les citoyens sont encouragés. 4. Les
15 provisions de toute espèce s'accumulent ; et il ne faut par la suite, qu'un travail modéré pour entretenir celles qui ne sont pas d'un continuel usage, ou qui sont de durée. 5. Quoique tout soit commun, rien ne se prodigue[3], parce que personne n'a intérêt de prendre plus que le nécessaire, quand il est assuré de le trouver toujours.

Morelly, *Naufrage des Isles flottantes ou Basiliade du célèbre Pilpaï*, 1753.

1. Pourvus par le Public : équipés par la communauté.
2. Police : organisation de la société.
3. Rien ne se prodigue : il n'y a pas de gaspillage.

Questions (15 points)

A. Une description argumentée

1 Quel est le but de l'auteur ? Distinguez une partie descriptive et une partie argumentative.

2 Montrez que la partie descriptive a une visée argumentative ; relevez en particulier les éléments qui servent à justifier l'organisation sociale.

B. L'idée et ses conséquences

3 Expliquez le point commun et la différence du point de vue grammatical entre : *pour que personne ne manque de rien* (l. 8) et *pour les distribuer à qui en demande.*

4 Relevez dans la dernière phrase une subordonnée circonstancielle de cause et sa principale. Modifiez la phrase de manière à obtenir une subordonnée circonstancielle de conséquence.

5 Quelle est la valeur de *et* (l. 15) ? Remplacez *et* par : **a.** une locution adverbiale de même sens, **b.** une conjonction de subordination de même sens.

6 Remplacez le mot *conséquences* (l. 11) par deux synonymes différents.

7 Reformulez la phrase : *La conséquence d'une telle police est la réciprocité de secours,* en remplaçant le nom *conséquence* par un verbe.

Réécriture (5 points)

Réécrivez le 1er paragraphe à partir de « il y a un nombre suffisant d'ouvriers... » (l. 3) en remplaçant tous les compléments circonstanciels de but par des constructions exprimant la conséquence

Rédaction (20 points)

Imaginez votre société idéale.
Consigne d'écriture. Vous indiquerez ses buts et ses conséquences sur les hommes.

Utiliser l'implicite

Mondanités au XIXᵉ siècle

■ L. Visconti, *Le Guépard*, 1963.

L'implicite

document 1 ## Faut-il fréquenter ce salon ?

1 Un jour Massival, le musicien, le célèbre auteur de *Rébecca*, celui que, depuis quinze ans déjà, on appelait «le jeune et illustre maître», dit à André Mariolle, son ami :

– Pourquoi ne t'es-tu jamais fait présenter à Mᵐᵉ Michèle de Burne ? Je 5 t'assure que c'est une des femmes les plus intéressantes du nouveau Paris.

– Parce que je ne me sens pas du tout mis au monde pour son milieu.

– Mon cher, tu as tort. C'est là un salon original, bien neuf, très vivant et très artiste. On y fait d'excellente musique, on y cause aussi bien que 10 dans les meilleures potinières[1] du dernier siècle. Tu y serais fort apprécié, d'abord parce que tu joues du violon à la perfection, ensuite parce qu'on a dit beaucoup de bien de toi dans la maison, enfin parce que tu passes pour n'être point banal et point prodigue de tes visites.

G. de Maupassant, *Notre cœur* (début), 1890.

1. Potinière : endroit où l'on fait circuler les potins, où l'on parle de ce qui est à la mode.

document 2 ## Une soirée dans le grand monde

J. Béraud, *Une Soirée,* 1878.

a Doc. 1 Quelle différence percevez-vous entre : *Massival, le célèbre auteur de* Rebecca, dit... et *Massival est le célèbre auteur de* Rébecca ? Le narrateur présente-t-il l'information de la même manière ? Quelle tournure vous paraît la plus explicite ?

b Quand Mariolle entend la phrase : *Pourquoi ne t'es-tu jamais fait présenter à Mᵐᵉ Michèle de Burne* (l. 4), quelle information peut-il tirer du fait que son ami lui pose cette question ?

c Doc. 2 Oralement. Une femme veut que l'un des messieurs l'invite à danser, mais elle ne veut pas le lui demander directement. Choisissez parmi ces phrases celles qu'elle pourrait énoncer : *Je manque un peu d'exercice / Ma voisine adore la valse / J'ai horreur des bals / Vous n'aimez pas danser ? / L'orchestre est mauvais / Je suis fatiguée.*

d Cette femme dit : *On joue une valse, je reste donc assise.* Quelle information le destinataire peut-il déduire de cet enchaînement de propositions ?

e Vous êtes convié (e) à une soirée, mais pas votre meilleur(e) ami(e). Vous faites une phrase pour faire comprendre de manière détournée à celui (ou celle) qui vous a invité(e) que vous voulez qu'il (ou elle) invite votre ami(e).

f Regardez ce qui a été rédigé par votre voisin. Expliquez quel raisonnement doit faire le destinataire pour comprendre ce qu'on veut ainsi lui communiquer indirectement.

LEÇON

■ Quand nous parlons, nous transmettons deux types d'informations : **explicites** et **implicites**. Les informations explicites sont l'objet même de l'énoncé. Les informations implicites sont celles qui ne sont pas l'objet de l'énoncé mais que le destinataire peut déduire de l'énoncé.

■ Il existe des **implicites que tout le monde comprend**, qui sont codifiés, pour des raisons de politesse. L'énoncé : *Pouvez-vous me passer le sel ?* porte explicitement sur les capacités du destinataire *(pouvez-vous ?)* mais implicitement signifie : *Passez-moi le sel.*

■ Certaines informations implicites sont des **allusions**. Dans ce cas le locuteur produit un énoncé qui amène le destinataire à penser à quelqu'un, à quelque chose, ou à un événement, mais sans le désigner précisément. Par exemple, si quelqu'un qui m'a rendu un service est présent, je peux dire : *Il y a des gens gentils*, de façon à ce qu'il comprenne que je parle de lui.

■ Presque tous les énoncés contiennent des informations implicites de deux sortes : les **présupposés** et les **sous-entendus** (voir page suivante). Par exemple, *Le vicomte ne vient plus nous voir* contient le présupposé : « Auparavant le vicomte venait nous voir ». Dans un contexte approprié, *Il fait très chaud* peut servir à faire passer le sous-entendu : « Éteins le chauffage ».

■ Certaines informations implicites résultent de la **manière dont les phrases s'enchaînent**. De la juxtaposition des deux propositions *Dans le salon on joue du Schubert : je n'irai pas*, on peut déduire l'information implicite que le locuteur n'aime pas la musique de Schubert.

1 Dites quel est le sens littéral des énoncés suivants et comment le destinataire peut les comprendre.

1. *Est-ce que vous avez l'Écho des salons ?* (au marchand de journaux). **2.** *Voulez-vous vous asseoir ?* **3.** *Vous pouvez vous resservir.*

2 Oralement. Imaginez une situation où l'énoncé : *Saint-Tropez, c'est ravissant en novembre* sera une allusion à un événement important de la vie de quelqu'un.

3 Tirez une information implicite de chacun des enchaînements de phrases suivants.

1. *Il est venu ; il doit avoir besoin d'argent.* **2.** *Son cheval a gagné ; on n'a pas fini d'en entendre parler.* **3.** *Le vicomte chasse ; les sangliers peuvent dormir tranquilles.*

Présupposés et sous-entendus

Les deux types d'implicite les plus importants sont les présupposés et les sous-entendus. Les **présupposés** font **partie de l'énoncé**, alors que les **sous-entendus** doivent être **devinés** par le destinataire, qui met l'énoncé en relation avec la situation de communication et ce qu'il sait du locuteur.

1 Qu'est-ce qu'un présupposé ?

■ Quand on parle, on apporte des informations nouvelles mais on doit aussi s'appuyer sur des informations que l'on présente comme si elles étaient déjà acquises, évidentes. Par exemple, dans la phrase : *Le vicomte a cessé de voir le marquis* une des informations présentées comme acquises est : «Le vicomte, auparavant, voyait le marquis». On dit que les informations présentées comme nouvelles sont **posées** et que les informations présentées comme acquises sont **présupposées**, que ce sont des **présupposés.**

■ Certains présupposés portent sur l'**existence** de personnes ou d'objets, d'autres sur des **faits**.

> → *La réception aura lieu demain.* (La phrase présuppose l'**existence** d'une réception.)

> → *Le duc a fait réparer sa montre.* (La phrase présuppose le **fait** : la montre du duc était abîmée.)

■ Pour savoir si une information est présupposée, on transforme la phrase en phrase interrogative ou on la met à la forme négative : **si l'information reste vraie, c'est un présupposé**.

Ex. Si on transforme la phrase : *Le vicomte a cessé de monter à cheval* en phrase interrogative (*Est-ce que le vicomte a cessé de monter à cheval ?*), ce qui reste vrai, c'est l'information : «le vicomte auparavant montait à cheval». Si on met maintenant la phrase à la forme négative (*Le vicomte n'a pas cessé de monter à cheval.*), la même information reste encore vraie. On dira que cette information («le vicomte auparavant montait à cheval») est présupposée. En revanche, l'information que ce vicomte a cessé de monter à cheval est **posée** car elle est mise en doute dans la phrase interrogative et niée dans la phrase négative.

■ Parfois, le locuteur utilise le présupposé pour **manipuler son destinataire**, en présentant comme évidentes des informations qui ne le sont pas. Par exemple un policier peut demander : *À quelle heure avez-vous aperçu la victime ?* (présupposé : «Vous avez aperçu la victime») à un suspect qui nie avoir vu cette victime. Ce procédé est également très employé dans les débats ; en effet, il est plus difficile de contester un présupposé qu'une information posée.

2 Les divers moyens de construire des présupposés

■ Les présupposés peuvent être provoqués par certains **mots**.

→ *Paul a **cessé de** bavarder avec le duc.* (présupposé: «*auparavant il bavardait*»)

→ *Emma **s'imagine** que le prince l'a invitée.* (présupposé: «*le prince ne l'a pas invitée*»)

→ *Paul **aussi** monte à cheval.* (présupposé: «*quelqu'un d'autre monte à cheval*»)

■ Les présupposés peuvent également résulter de **certaines constructions**, en particulier:

– les GN à **article défini**;

→ ***Le prince*** *est malade.* (présupposé: «*il existe un prince*»)

→ ***Les amis du duc*** *sont influents.* (présupposé: «*le duc a des amis*»)

Remarque. Quand on emploie un article défini pour désigner une ou plusieurs personnes ou une ou plusieurs choses, on présuppose qu'ils existent.

– de nombreux GN qui s'interprètent comme une phrase (nominalisations);

→ ***L'absence du baron*** *a été remarquée.* (présupposé: «*le baron a été absent*»)

– les **relatives** épithètes déterminatives;

→ *Je déteste les gens **qui aiment les snobs**.* (présupposé: «*certains aiment les snobs*»)

– des constructions emphatiques en ***c'est... que...*** ou des **interrogations partielles** (voir p. 154);

→ ***C'est** le duc **qui** est ruiné.* (présupposé: «*quelqu'un est ruiné*»)

→ ***Qui** as-tu défié en duel?* (présupposé: «*tu as défié quelqu'un en duel*»)

– certains compléments **circonstanciels**.

→ *Il a vu la duchesse **à Nice**.* (présupposé: «*il a été à Nice*»)

→ ***Puisque tu vois le duc**, invite-le.* (présupposé: «*tu vois le duc*»)

3 Les sous-entendus

■ Il arrive que le locuteur dise une phrase **pour faire comprendre autre chose** à son destinataire. Par exemple, on peut dire: *Il est tard* dans l'intention de faire comprendre au destinataire qu'il est temps qu'il s'en aille. Ce type d'information implicite est appelé **sous-entendu**.

■ Pour comprendre un sous-entendu, le destinataire doit **mettre en relation l'énoncé avec le contexte** dans lequel il est dit. C'est dans un contexte particulier que *Il est tard* peut sous-entendre «Il faut que tu partes». Dans un autre contexte, *Il est tard* pourra être destiné à transmettre un autre sous-entendu, par exemple «Il faut aller se coucher», «Jacques va arriver», etc.

■ Pour être sûr que le sous-entendu sera bien compris, le locuteur peut dire quelque chose qui apparaît **nettement déplacé dans le contexte**, de manière à attirer l'attention du destinataire. Par exemple, si le locuteur répond: *C'est à moi que vous parlez?* quand c'est évident qu'on s'adresse à lui, ce peut être une façon de sous-entendre: «Vous devriez parler à quelqu'un d'autre».

RAPPEL DU COURS

■ Dans une phrase, certaines informations explicites sont **posées,** d'autres, implicites, sont **présupposées.** À la différence du posé, le présupposé se conserve même si la phrase devient interrogative ou est mise à la forme négative.

■ Les présupposés sont liés à l'emploi de certains **mots** ou de certaines **constructions.**

■ Les **sous-entendus** sont des informations implicites que le locuteur veut faire passer et que le destinataire devine en **mettant en relation l'énoncé avec son contexte.**

Qu'est-ce qu'un présupposé ?

4 Parmi les phrases suivantes, dites lesquelles sont des informations présupposées par l'énoncé : *On a servi trop de caviar aux noix à la réception du frère de la duchesse,* et lesquelles ne le sont pas.

1. On a servi du caviar. **2.** La duchesse a deux frères. **3.** Il existe une duchesse. **4.** La duchesse a donné une réception. **5.** La duchesse aime le caviar.

5 Dans chacune des phrases suivantes, dites quelle est l'information posée et trouvez une information présupposée, en vous aidant des tests d'interrogation et de négation.

Ex. Dans la phrase : *Ma sœur est à Deauville,* l'information posée est « Elle est à Deauville » ; mais « J'ai une sœur » est une information présupposée. En effet, dans *Est-ce que ma sœur est à Deauville ?* et *Ma sœur n'est pas à Deauville* le fait que j'aie une sœur reste vrai.

1. Le roi d'Angleterre dort. **2.** Le baron fréquente encore le salon de la comtesse. **3.** Mon frère est devenu prince. **4.** J'ai été invité au cocktail de la duchesse. **5.** La partie de chasse a été annulée.

6 **a.** Parmi ces trois informations : « la marquise d'Arpajon est en vie », « la marquise d'Arpajon est âgée », « la marquise d'Arpajon n'aime pas Mme de Cambremer », dites laquelle est présupposée par la phrase (1). **b.** Comment ce présupposé explique-t-il que soit énoncée la phrase (2) ? **c.** Dans la phrase (5), distinguez le posé et relevez trois présupposés.

(1) Que devient la marquise d'Arpajon ? demanda Mme de Cambremer. (2) – Mais elle est morte, répondit Bloch. (3) – Vous confondez avec la comtesse d'Arpajon qui est morte l'année dernière. »

(4) La princesse d'Agrigente se mêla à la discussion ; (5) jeune veuve d'un vieux mari très riche et porteur d'un grand nom, elle était beaucoup demandée en mariage »

M. Proust, *Le Temps retrouvé*, 1927.

Les divers moyens de construire des présupposés

7 Dans les phrases suivantes, dites ce qui présupposent les mots en caractères gras.

1. Le comte **sait** que le prince l'invitera. **2.** Le duc a **avoué** qu'il aimait la pétanque. **3.** Le prince **également** boit de la tisane le soir. **4.** Le vicomte **est retourné** à la chasse à courre. **5.** Madame de Grandair **n'**est **plus** mon amie.

8 Pour chacune de ces phrases, trouvez au moins un présupposé suscité par l'élément en caractère gras.

1. Lorsque j'ai vu Paul, il parlait avec la comtesse. **2. Les habitués de ce salon** adorent Oriane de Guermantes. **3. Le désespoir de Marcel** n'a échappé à aucun des invités du concert. **4. Où** avez-vous vu Marcel avec le baron ? **5. Après que vous êtes parti,** la duchesse a fait votre éloge.

9 Transformez en informations présupposées les informations posées dans les phrases suivantes.

Ex. « Le vicomte est malade » (information posée) → « La maladie du vicomte (information présupposée) le rend nerveux ».

1. Le baron est amoureux de la vicomtesse. **2.** La duchesse refuse d'aller au bal. **3.** La duchesse est triste. **4.** La comtesse a donné une fête. **5.** La baronne a un caniche abricot.

F.-X. Winterhalter, *Portrait de l'impératrice Eugénie entourée de ses dames d'honneur,* 1855.

10 En vous inspirant de ce tableau, faites dire à la femme qui tient un chapeau cinq phrases contenant chacune un présupposé provoqué par une interrogation partielle. Thème de la conversation : le prochain bal donné par l'Empereur.

Ex. Savez-vous dans quel salon aura lieu le bal ? présuppose : « le bal va avoir lieu dans un salon ».

Les sous-entendus

11 Imaginez deux contextes différents dans lesquels, en disant la phrase : *Il y a beaucoup d'invités.,* le locuteur chercherait à faire passer des sous-entendus différents. Dites quels sont ces sous-entendus.

12 Pour chacune des informations suivantes, imaginez une situation précise où elles pourraient être transmises sous forme de sous-entendus.

Ex. L'information « Je refuse votre invitation » peut être transmise comme sous-entendu dans la situation suivante : dans un palace de la Riviera, le comte dit au vicomte : *Venez me voir dans mon château* ; le comte répond : *Je passe mes vacances sur les lacs italiens.*

1. « Ce milliardaire est mon ami ». **2.** « Je fréquente les salons ». **3.** « Je vous invite dans mon château en Alsace ». **4.** « Les riches vivent sur la Côte d'Azur ».

13 Écoutez deux fois très attentivement cet extrait de roman. Puis répondez aux questions suivantes. **a.** Quel sous-entendu le duc a-t-il déduit de la phrase : *Je n'ai aucune admiration pour M. de Bornier ?* **b.** Essayez de restituer le raisonnement qui a amené le duc à ce sous-entendu. **c.** Comment le duc se justifie-t-il d'avoir tiré ce sous-entendu : *Vous devez avoir quelque cadavre entre vous, puisque vous le dénigrez ?*

14 Dans les phrases suivantes : **a.** montrez que la duchesse énonce la phrase 2 parce qu'elle pense que la phrase 1 peut entraîner un sous-entendu ; dites quel est ce sous-entendu. **b.** Montrez qu'elle énonce la phrase 3 parce qu'elle pense que la phrase 2 peut entraîner un autre sous-entendu ; dites quel est ce sous-entendu.

1. L'empereur Guillaume n'aime pas la peinture d'Elstir. **2.** Je ne dis du reste pas cela contre lui, répondit la duchesse, je partage sa manière de voir. **3.** Quoique Elstir ait fait un beau portrait de moi.

M. Proust, *Le Côté de Guermantes,* 1920.

Le vocabulaire des figures : ironie et paradoxe

C'est l'Homère de la vidange !

À la fin du XIXᵉ siècle, la duchesse de Guermantes a invité à dîner quelques membres de la haute société dont la princesse de Parme. La conversation tombe sur la littérature contemporaine.

1 – Mais Zola n'est pas un réaliste, Madame ! c'est un poète ! dit Mᵐᵉ de Guermantes, s'inspirant des études critiques qu'elle avait lues dans ces dernières années et les adaptant à son génie personnel [...]. Se laissant porter par les paradoxes qui déferlaient l'un après l'autre, devant celui-
5 ci, plus énorme que les autres, la princesse de Parme sauta par peur d'être renversée. Et ce fut d'une voix entrecoupée, comme si elle perdait sa respiration qu'elle dit :
– Zola, un poète !
– Mais oui, répondit en riant la duchesse, ravie par cet effet de suffo-
10 cation. Que votre Altesse remarque comme il grandit tout ce qu'il touche. Vous me direz qu'il ne touche justement qu'à ce qui... porte bonheur ! Mais il en fait quelque chose d'immense ; il a le fumier épique ! C'est l'Homère de la vidange ! Il n'a pas assez de majuscules pour écrire le mot de Cambronne.

M. Proust, *Le Côté de Guermantes*, 1920.

a Si vous ne connaissez pas le sens du mot *paradoxe* (l. 4), cherchez-le dans le dictionnaire. D'après ce que vous savez des romans de Zola, pourquoi la princesse pense-t-elle que ce que dit la duchesse est un paradoxe ?

b Que signifie la phrase *C'est l'Homère de la vidange* (l. 13) ? Pensez-vous que la tirade de la duchesse de Guermantes (« Que votre Altesse remarque [...] le mot de Cambronne » l. 10-14) soit à prendre au pied de la lettre ? Quels indices dans le texte vous permettent de justifier votre réponse ?

LEÇON

■ **L'ironie** et le **paradoxe** sont deux figures par lesquelles un locuteur dit un énoncé qui se présente comme manifestement le **contraire** de ce que l'on pense communément ou de ce qu'il pense.

■ Dans le **paradoxe**, le locuteur prend le **contre-pied des idées reçues**, de l'opinion commune. Par exemple, quand l'écrivain Blaise Pascal écrit *Qui fait l'ange fait la bête*, il s'oppose à l'idée reçue (les anges sont le contraire des bêtes), pour dire que celui qui veut être trop parfait devient facilement pire que les autres hommes.

– Le paradoxe permet de souligner l'**indépendance d'esprit** du locuteur. Son but est de montrer que les choses sont **plus complexes qu'on ne pense** habituellement. Ainsi, Pascal cherche-t-il à montrer que les extrêmes peuvent se rejoindre.

■ Dans l'**ironie**, le locuteur **joue ostensiblement la comédie** en disant quelque chose d'excessif, de ridicule, de déplacé… pour faire comprendre au destinataire qu'il **ne croit pas à ce qu'il dit**, qu'il pense en fait tout autre chose. Ainsi, *Quelle pensée profonde !* est un énoncé ironique s'il est employé au sujet d'une idée particulièrement stupide. Beaucoup d'énoncés ironiques comme celui-là sont des **antiphrases** qui disent le contraire de ce que pense son locuteur.

■ L'ironie vise souvent à **dévaloriser** quelqu'un. Le destinataire **ne la perçoit pas nécessairement**. Dit de manière ironique, *Vous avez beaucoup d'adresse* est en général une antiphrase qui dévalorise un destinataire qui s'est montré maladroit.

15 Dans la liste d'énoncés suivants, dites ceux qui vous semblent des paradoxes.

1. Qui veut sauver sa vie la perdra. **2.** À vaincre sans péril on triomphe sans gloire. **3.** On peut mourir d'être immortel. **4.** Il faut être fou pour être sage. **5.** La nuit tous les chats sont gris.

16 Même question avec les énoncés suivants.

1. Avoir toujours raison, c'est un grand tort. **2.** Le travail, c'est la santé. **3.** Les chiens aboient, la caravane passe. **4.** À quinze ans, on a toute la vie devant soi. **5.** La meilleure défense, c'est l'attaque.

17 Les slogans suivants reposent tous sur le même type de paradoxe. Expliquez-le.

1. La mâche, ça change de la salade. **2.** Il y a des chocolats, et il y a Lindt. **3.** Ne roulez plus en voiture, prenez une Renault.

18 Essayez de donner un sens aux paradoxes suivants.

1. On peut mourir d'être immortel. **2.** Si tu veux la paix, prépare la guerre. **3.** Le chemin de l'enfer est pavé de bonnes intentions.

19 Montrez en quoi la 1re phrase de M. Bergeret constitue un paradoxe et comment la phrase qui suit résout ce paradoxe.

« Je viens de commettre une mauvaise action : je viens de faire l'aumône. En donnant deux sous à Clopinel, j'ai goûté la joie honteuse d'humilier mon semblable ».

A. France, *M. Bergeret à Paris*, 19901.

20 Sur quels indices pouvez-vous vous appuyer pour montrer que ce texte est ironique ?

La majesté de la justice réside tout entière dans chaque sentence rendue par le juge au nom du peuple souverain. Jérôme Crainquebille, marchand ambulant, connut combien la loi est auguste, quand il fut traduit en police correctionnelle pour outrage à un agent de la force publique […] Au fond de la salle, entre les deux assesseurs, M. le président Bourriche siégeait. Les palmes d'officier d'académie étaient attachées sur sa poitrine. Un buste de la république et un Christ en croix surmontaient le prétoire, en sorte que toutes les lois divines et humaines étaient suspendues sur la tête de Crainquebille. Il en conçut une juste terreur.

A. France, *Crainquebille* (début), 1904.

21 L'un(e) de vos camarades refuse de vous parler depuis que vous l'avez battu(e) au tennis de table. Vous lui écrivez une lettre ironique pour l'amener à changer d'attitude (une dizaine de lignes).

22 Dans cet extrait de comédie, l'auteur évoque une élection à l'Académie française (Pinchet est le secrétaire général de l'Académie). D'après ce seul passage, peut-on savoir si la tirade de Pinchet est ironique ? Dans quel cas est-elle ironique et dans quel cas ne l'est-elle pas ?

BENIN – Mais enfin, quel est pour vous le candidat idéal ?

PINCHET – Le candidat idéal, messieurs, c'est celui qui n'a rien fait, qui n'a pas cédé à cette manie d'écrire, qui perd tant d'hommes remarquables. C'est celui que personne ne connaît et qui, en entrant à l'Académie, lui doit tout, car sans elle il ne serait rien. Ça c'est beau, ça, ça a de la grandeur !

Flers et Cavaillet, *l'Habit vert*, 1912.

23 Oralement. Imaginez une situation dans laquelle la phrase : *Je vous remercie infiniment* serait ironique et une situation où elle ne le serait pas.

Utiliser l'implicite

24 ✏ Le célèbre détective Dupin interroge le marquis de Beauséant, qu'il soupçonne d'avoir poignardé sa femme dans sa chambre. Le marquis nie être coupable ; il a un alibi. Rédigez trois questions posées par le détective qui contiennent chacune un présupposé différent que le marquis rejette.

25 ✏ (Image ci-dessous) Rédigez trois couples de répliques dans lesquelles le personnage (B) essaie de faire passer dans sa réponse un sous-entendu à l'autre personnage (A). Pour chacune, dites quel est ce sous-entendu.

Ex. A – *J'ai rencontré la duchesse ce matin*. B – *Elle avait un chapeau ravissant*. Sous-entendu : « je l'ai vue ».

26 ✏✏ (Image de droite) Rédigez un dialogue (huit répliques) entre les deux personnages. Chaque réplique doit susciter un sous-entendu que

vous expliciterez. Thème du dialogue : un voyage touristique en Italie.

27 ✏✏ Vous êtes le baron de Grandallure et, comme vous êtes ruiné, vous n'avez pas été invité comme chaque année à la réception que donne le comte de Hautemaison. Vous lui écrivez une lettre ironique pour lui faire part de votre indignation.

28 Oralement. Le comte de Hautemaison a reçu votre lettre. Il la commente pour expliquer à son fils de 9 ans, Gontran, que cette lettre est ironique.

29 ✏✏ Imaginez qu'un étranger ne comprenne que le sens littéral des formules de politesse, et non leur sens implicite. Il ne sait pas par exemple que *Pouvez-vous me prêter votre voiture ?* est une demande déguisée. Rédigez un récit dans lequel le fait de prendre au pied de la lettre la phrase : *Avez-vous l'heure ?* lui attire des ennuis (une dizaine de lignes).

Gravures de mode, vers 1860.

Une communication difficile

Monsieur Thibaudier veut donner sa fille Cécile en mariage à Garadoux, que celle-ci déteste. Garadoux est un jeune homme maniéré qui ne s'intéresse qu'à sa toilette ; il s'est installé chez son futur beau-père et se lève chaque jour très tard.

1 GARADOUX, *entrant par la gauche* – Bonjour… cher beau-père…

THIBAUDIER, *saluant* – Monsieur Garadoux…

GARADOUX, *saluant Cécile* – Ma charmante future… vous êtes fraîche, aujourd'hui, comme un bouquet de cerises.

5 CÉCILE – Je vous remercie… pour ma fraîcheur des autres jours !

THIBAUDIER, *à part* – Oh ! elle va trop loin ! (*haut*) Ce cher Garadoux !… Vous avez bien dormi ?

GARADOUX – Parfaitement ! (*à Cécile*) Je me suis levé un peu tard peut-être ?…

10 CÉCILE – Je n'ai pas dit cela !

THIBAUDIER – Le fait est que vous n'aimez pas la campagne le matin… (*vivement*) Ce n'est pas un reproche !

GARADOUX – Moi ? assister au réveil de la nature, je ne connais pas de plus magnifique tableau ! Les fleurs ouvrent leurs calices, le brin
15 d'herbe redresse sa tête pour rendre hommage au soleil levant. (*Il examine ses ongles.*) Le papillon essuie ses ailes encore humides des baisers de la nuit…

E. Labiche, *Les Deux Timides*, 1860.

Questions (16 points)

Dire sans dire

1 Si l'on en croit sa réplique : *Je vous remercie… pour ma fraîcheur des autres jours…* (l. 5), comment Cécile a-t-elle interprété la phrase précédente de Garadoux ? Comment s'appelle ce genre d'information implicite ? Est-ce à votre avis ce que Garadoux avait l'intention de lui dire ?

2 Cécile répond à Garadoux : *Je n'ai pas dit cela* (l. 10). Cette phrase est-elle tout à fait vraie ?

3 Pourquoi Thibaudier ajoute-t-il précipitamment : *Ce n'est pas un reproche* ? (l. 12)

Paradoxe et ironie

4 Est-ce que la phrase : *Vous êtes fraîche, aujour-d'hui, comme un bouquet de cerises* (l. 3-4) constitue un paradoxe ? Justifiez votre réponse.

5 Pensez-vous que la réplique de Cécile : *Je vous remercie* (l. 5) soit ironique ? Justifiez votre réponse en vous appuyant sur le contexte.

Réécriture (4 points)

Imaginez que vous ayez assisté à la scène et que vous la racontiez à un ami. Présentez les quatre premières répliques du texte comme un dialogue inséré dans votre récit. N'oubliez pas de signaler quand les personnages parlent de façon ironique.

Rédaction (20 points)

Écrivez une scène d'une quinzaine de répliques dans laquelle les relations entre les personnages seront très différentes : Cécile adore Garadoux qu'elle veut épouser contre la volonté de son père.
Consigne d'écriture. Céline cherchera à manifester son amour à Garadoux à l'aide d'implicites, pour ne pas éveiller les soupçons de Thibaudier.

Récapitulation

■ Sommet européen, 1972.

La modalisation du discours

Sempé,
Insondables mystères,
1993.

– Comme vous le savez, le mot péché vient du latin peccatum *qui a, selon toute vraisemblance, donné peccadille, mot que je préférerais utiliser dorénavant.*

LEÇON

■ La **modalisation** du discours est l'ensemble des procédés au moyen desquels un locu-teur **nuance, évalue** son discours (voir chap. 21) ou **ménage** sa relation à l'interlocuteur (voir chap. 22).

■ **Les éléments modalisateurs sont de formes très variées :**

– certains «**temps**» **verbaux** : le conditionnel, pour les informations incertaines, l'imparfait, pour l'atténuation du discours direct (voir chap. 11) ;

→ *Il **aurait** été aperçu au Yémen.*

→ *Je **voulais** vous demander un service.*

– des **périphrases verbales à valeur modale**, composées d'un verbe semi-auxiliaire (*devoir, pouvoir, avoir à, oser...*) et d'un verbe à l'infinitif ;

→ *Il **peut** venir d'un moment à l'autre. (probabilité)*

→ *Il ne **peut** pas venir (ses parents l'ont puni : permission / il a un empêchement : possibilité)*

→ *Il **doit** absolument venir. (obligation) / Il **doit** être arrivé. (probabilité)*

→ *Il **risque de** partir, il **sait** parler aux foules, il **pense** gagner, il **ose** chanter...*

– des **adverbes à valeur modale : valeur logique** (*peut-être, éventuellement, sans doute, évidemment...*) ou **valeur appréciative** (*malheureusement, étrangement...*) ;

– des **adjectifs à valeur modale**, qui s'emploient souvent dans les tournures impersonnelles ;

→ *Dans l'attente d'un **éventuel** (hypothétique, possible...) retour...*

→ *Il est **possible** / **probable**... qu'il revienne.*

– des éléments «en retrait de la phrase» qui expriment un commentaire du locuteur : **groupes prépositionnels** (*à mon avis, d'après moi, selon certaines rumeurs...*) et **propositions subordonnées** (*si vous le voulez bien, puisqu'on en parle...*) ;

– une proposition principale composée d'un **verbe d'énonciation à la première personne** (*je suppose que..., je me demandais si...*) ou d'une **tournure impersonnelle** (*il est possible que, il faut que, il est probable que...*).

■ Les formes de modalisation peuvent être cumulées dans une même phrase. C'est le cas dans les formules de politesse qui visent à dire sans heurter.

→ *Est-ce que **par hasard** vous pour**riez** vous déplacer **un peu**, **s'il vous plaît** ?*

1 Distinguez tous les éléments qui servent à atténuer l'affirmation suivante : *Il n'est pas le mari que nous souhaitions*. Indiquez leur nature.

Ton mari est adorable. Tu sais combien je l'aime : comme un fils. Et il me le rend au fond, je le sais bien, il est si gentil ; il est si jeune, si charmant, mais il faut bien reconnaître qu'il n'est peut-être pas exactement le mari que ton père et moi aurions pu souhaiter. Il n'est pas tout à fait assez mûr... Je ne parle pas de son âge... C'est une question de tempérament. Ton père était mûr à vingt-cinq ans...

N. Sarraute, *Le Planétarium*, Éd. Gallimard, 1959.

2 Dans le texte suivant, présentez la situation d'énonciation : qui parle, à qui, dans quel but ? Relevez toutes les expressions qui vous semblent avoir pour but d'atténuer le propos du locuteur.

Je voulais juste te dire, puisque nous venons à en parler... [...] Il ne s'agit pas, tu le sais, de situation. D'autres parents que nous auraient peut-être rechigné, mais tu sais bien que pour nous ça n'a pas compté... Vous êtes jeunes, vous vous aimez, tout l'avenir est devant vous. Seulement cet avenir, il faut le préparer. Et Alain – c'est ça le revers de la médaille... Son charme – je le comprends très bien, j'y suis très sensible, crois-moi – vient aussi de là, de son insouciance, de sa légèreté. Il n'y pense pas beaucoup à votre avenir. Pas assez si tu veux que je te dise toute ma pensée.

N. Sarraute, *op. cit.*

3 ✎ Prolongez le monologue du texte précédent : avec les mêmes précautions, la locutrice suggère à sa fille de demander le divorce.

4 Relevez les marques de modalisation et indiquez leur nature : adverbe (ou locution adverbiale), semi-auxiliaire, conditionnel, imparfait, tournure impersonnelle, verbe d'énonciation, proposition.

1. Voilà, je voulais vous parler... **2.** Mais si, je vous assure, elle-même est venue nous en parler... **3.** Ce serait formidable pour nous d'avoir cet appartement. **4.** Vous savez, il est possible qu'il refuse. **5.** On ne peut recevoir personne. **6.** On dirait qu'il est devenu plus stable, plus pesant. **7.** Ça ferait du bien à Alain de pouvoir inviter des gens. **8.** J'ai tout essayé, croyez-moi. **9.** Mais rien ne peut lui donner confiance en lui. **10.** Il est, si je puis dire, totalement *out*.

5 Un(e) ami(e) ou un membre de votre famille vit une grave crise dans ses relations avec ses parents : disputes, silences, bouderies... Ceux-ci vous interrogent sur l'attitude de leur fils ou de leur fille qu'ils ne comprennent pas. Vous avez, vous, quelques idées sur les raisons de cette crise et sans les brusquer, vous formulez des hypothèses ou des explications nuancées afin de les aider à y comprendre quelque chose.

6 ✎✎ La mère annonce à sa fille, qui ne s'y attendait pas, qu'elle a décidé de l'envoyer en pensionnat. Imaginez ses paroles, destinées à atténuer le choc de la nouvelle...

Achen, *Intérieur*, 1901.

Le discours argumentatif

Ph. Geluck,
Le Quatrième chat,
Éd. Casterman.

LEÇON

Un discours **argumentatif** vise à **convaincre** l'interlocuteur, à le faire changer d'opinion ou à lui faire adopter une idée au moyen d'arguments.

Caractéristiques textuelles de l'argumentation

Dans un **texte argumentatif**, on peut distinguer :

■ la **thèse** : l'idée principale que le locuteur veut faire admettre à son interlocuteur et qui s'oppose implicitement ou explicitement à une antithèse que le locuteur **réfute**.

■ les **données** (ou **prémisses**) : les faits ou les idées sur lesquelles les interlocuteurs sont d'accord, ce qui n'est pas soumis à la discussion.

■ les **arguments** : les idées avancées par le locuteur pour convaincre son interlocuteur, souvent illustrées par des **exemples**.

– L'**ordre** est variable : la thèse peut être présentée au début ou en **conclusion** ; elle peut aussi ne pas être exprimée et se déduire des arguments.

– Les arguments peuvent consister en une **explication** par la cause, l'examen des **conséquences** (avantages et inconvénients), la formulation d'hypothèses… L'argumentation peut intégrer les autres formes de discours : **description** (*Ex.* une société idéale), **récit** (fable, histoire exemplaire), **explication** (utilisation d'un savoir).

Caractéristiques grammaticales de l'argumentation

■ Le texte argumentatif se caractérise souvent par une forte présence des **connecteurs logiques** qui marquent les étapes de l'argumentation.

■ Les **propositions subordonnées** (hypothèse, cause, conséquence, but, opposition) y sont généralement nombreuses.

■ Le temps utilisé est le plus souvent le **présent de vérité générale**; mais aussi les **temps à valeur modale**: imparfait, plus-que-parfait et conditionnels pour marquer l'hypothèse.

■ Pour défendre son opinion, le locuteur souligne ou nuance son propos par des marques de **modalisation** plus ou moins fréquentes.

Les composantes de l'argumentation

1 **a. Quelle est la thèse défendue par l'orateur? b. Distinguez les «données» à partir desquelles il développe son argumentation. c. Résumez ses principaux arguments. Montrez que souvent le même argument est répété sous plusieurs formes.**

Rabaut Saint-Étienne, député de l'assemblée nationale en 1789 et pasteur protestant, propose à l'assemblée la loi étendant la liberté du culte à toutes les religions (seule la religion catholique disposait alors de cette liberté).

Je demande pour tous les non-Catholiques ce que vous demandez pour vous: l'égalité des droits, la liberté; la liberté de leur Religion, la liberté de leur Culte, la liberté de le célébrer dans des maisons consacrées à cet objet, la certitude de n'être pas plus troublés dans leur Religion que vous ne l'êtes dans la vôtre. [...]

Enfin, Messieurs, je reviens à mes principes, ou plutôt à vos principes, car ils sont à vous; vous les avez conquis par votre courage, et vous les avez consacrés à la face du monde en déclarant que *tous les hommes naissent et demeurent libres et égaux.*

Les droits de tous les Français sont les mêmes, tous les Français sont égaux en droits.

Je ne vois donc aucune raison pour qu'une partie des Citoyens dise à l'autre: Je serai libre, mais vous ne le serez pas.

Je ne vois aucune raison pour qu'une partie des Français[1] dise à l'autre[2]: Vos droits et les nôtres sont inégaux; nous sommes libres dans notre conscience, mais vous ne pouvez pas l'être dans la vôtre, parce que nous ne le voulons pas.

Je ne vois aucune raison pour que la Patrie opprimée[3] ne puisse lui répondre: Peut-être ne parleriez-vous pas ainsi si vous étiez le plus petit nombre; votre volonté exclusive n'est que la loi du plus fort, et je ne suis point tenu d'y obéir. Cette loi du plus fort pouvait exister sous l'empire despotique d'un seul, dont la volonté faisait l'unique loi; elle ne peut exister sous un Peuple libre et qui respecte les droits de chacun.

J.-P. Rabaut, dit Rabaut Saint-Étienne,
Discours du 22 août 1789.

1. Une partie des Français: les catholiques.
2. L'autre (partie des français): les minorités religieuses.
3. La Patrie opprimée: les minorités religieuses (protestants, juifs...).

Les types d'arguments

2 **Dans ces deux extraits, retrouvez l'idée principale et démêlez, parmi les répétitions, les différents arguments utilisés par chaque locuteur.**

1. Moi, j'adore le cirque! Cette poésie... tout ça! J'aurais aimé être dompteuse... J'adore les bêtes... Les Tigres! Hmm! On dirait de gros chats! Ce doit être terriblement grisant d'entrer dans une cage! C'est un peu comme: marcher sur un fil! Ça aussi j'aurais aimé. Et d'ailleurs j'aurais pu! Je suis souple de mon corps. Ce qui me plaît au cirque, c'est cette ambiance, ces couleurs! Avez-vous remarqué les couleurs au cirque? C'est absolument ravissant! Il y a aussi cette vie qui doit être passionnante... C'est de la poésie, quoi!

2. Moi, je déteste le cirque. D'abord, j'ai horreur des clowns. Je dois dire qu'ils ne m'ont jamais fait rire. Lorsque j'étais petit, ils me faisaient peur. Maintenant, ils me font pitié. Ils sont tout justes bons pour les gosses. Et encore, les gosses sont plus drôles qu'eux. C'est vrai. Et puis, de nos jours, ce n'est plus comme autrefois: les gosses sont plus intelligents. Songez, Monsieur, à tout ce qu'un gosse peut voir aujourd'hui à la télé! C'est extraordinaire, la télé! Alors comment voulez-vous que le cirque puisse encore intéresser les gosses?

P. Étaix, *Dactylographismes*, Éd. Gilbert Salachas, 1983.

3 Repérez les connecteurs logiques et à partir de ceux-ci résumez l'argumentation de V. Hugo contre la peine de mort. Comment appelle-t-on ce type d'argument ?

De deux choses l'une :

Ou l'homme que vous frappez est sans famille, sans parents, sans adhérents dans ce monde. Et dans ce cas, il n'a reçu ni éducation, ni instruction, ni soins pour son esprit, ni soins pour son cœur ; et alors de quel droit tuez-vous ce misérable orphelin ? Vous le punissez de ce que son enfance a rampé sur le sol sans tige et sans tuteur ! Vous lui imputez à forfait l'isolement où vous l'avez laissé ! De son malheur vous faites son crime ! Personne ne lui a appris à savoir ce qu'il faisait. Cet homme ignore. Sa faute est à sa destinée, non à lui. Vous frappez un innocent.

Ou cet homme a une famille ; et alors croyez-vous que le coup dont vous l'égorgez ne blesse que lui seul ? que son père, que sa mère, que ses enfants n'en saigneront pas ? Non. En le tuant, vous décapitez toute sa famille. Et ici encore vous frappez des innocents.

V. Hugo, *Le Dernier Jour d'un condamné*, préface de 1832.

L'argumentation et les autres formes de discours

Argumentation et récit

4 **a.** À quel type de récit le texte appartient-il ? Relevez quelques caractéristiques du discours narratif. **b.** Quelle thèse Voltaire développe-t-il à travers ce récit ? **c.** Quelle idée est suggérée dans la partie finale du récit qui évoque la réaction des protestants ? Dans quelle partie du texte l'exprime-t-il ?

Peu de temps avant la mort de François Ier, quelques membres du parlement de Provence, animés par des ecclésiastiques contre les habitants de Mérindol et Cabrières, demandèrent au roi des troupes pour appuyer l'exécution de dix-neuf personnes de ce pays condamnées par eux ; ils en firent égorger six mille, sans pardonner ni au sexe, ni à la vieillesse, ni à l'enfance ; ils réduisirent trente bourgs en cendres. Ces peuples, jusqu'alors inconnus, avaient tort, sans doute, d'êtres nés Vaudois ; c'était leur seule iniquité.

Après la mort de François Ier, prince plus connu cependant par ses galanteries et par ses malheurs que par ses cruautés, le supplice de mille hérétiques, surtout celui du conseiller au parlement Dubourg, et enfin le massacre de Vassy, armèrent les persécutés, dont la secte s'était multipliée à la lueur des bûchers et sous le fer des bourreaux ; la rage succéda à la patience ; ils imitèrent les cruautés de leurs ennemis ; neuf guerres civiles remplirent la France de carnage ; une paix plus funeste que la guerre produisit la Saint-Barthélémy, dont il n'y avait aucun exemple dans les annales des crimes.

[...] Il y a des gens qui prétendent que l'humanité, l'indulgence, et la liberté de conscience, sont des choses horribles ; mais, en bonne foi, auraient-elles produit des calamités comparables ?

Voltaire, *Traité sur la Tolérance*, 1763.

Argumentation et description

5 Quel est le but du texte suivant ? Montrez qu'il est de forme descriptive mais à visée argumentative.

Parfois, il suffit de beaucoup de choses pour être heureux : la fraîcheur bienfaisante de la climatisation, une bonne radio CD avec 6 haut-parleurs pour flatter les oreilles, les émotions que procure le nouveau moteur 1,4 HDi, le confort royal d'une direction à assistance électrique, l'ABS avec répartiteur électronique de freinage et l'aide au freinage d'urgence pour un sentiment de sécurité optimale. Tous ces équipements innovants sont disponibles de série sur la nouvelle Citroën C3 SX Pack Clim. Et, bonheur suprême, la possibilité de prendre un bain de lumière en choisissant, en option, le toit ouvrant en verre panoramique.

Argumentation et explication

6 Par quels arguments Nicholl justifie-t-il son opinion sur les Sélénites ? Montrez que ces arguments relèvent du discours explicatif.

Face au journaliste Michel Ardan, Nicholl et Barbicane soutiennent la thèse que les habitants de la lune, les « Sélénites », sont déjà venus sur Terre.

– Alors, ami Barbicane, s'ils sont aussi forts que nous, et même plus forts, ces Sélénites, pourquoi n'ont-ils pas lancé un projectile lunaire jusqu'aux régions terrestres ?

– Qui te dit qu'ils ne l'ont pas fait ? répondit sérieusement Barbicane.

– En effet, ajouta Nicholl, cela leur était plus facile qu'à vous, et pour deux raisons : la première parce que l'attraction est six fois moindre à la surface de la Lune qu'à la surface de la Terre, ce qui permet à un projectile de s'enlever plus aisément ; la seconde, parce qu'il suffisait d'envoyer ce projectile à huit mille lieues seulement au lieu de quatre-vingt mille, ce qui ne demande qu'une force de projection dix fois moins forte.

J. Verne, Autour de la lune, 1869.

Le débat : argumenter et réfuter

7 **a.** Présentez en deux colonnes les arguments et les contre-arguments de chacun des deux camps. **b.** Relevez un argument par hypothèse, un argument par la cause, une alternative contrainte, un paradoxe. **c.** Relevez différents moyens de persuasion employés par les personnages pour atteindre l'interlocuteur : la prière, le compliment, l'ironie, la vérité générale.

Devant la menace des navires grecs, les Troyens débattent : d'un côté Hector et les femmes (dont Andromaque et Hécube), partisans de rendre Hélène aux Grecs pour éviter la guerre, de l'autre les vieillards dont Priam, le roi, Démokos le poète, partisans de garder Hélène et de faire la guerre.

PRIAM – [La paix] vous donnera des maris veules, inoccupés, fuyants, quand la guerre vous fera d'eux des hommes !…

DÉMOKOS – Des héros.

HÉCUBE – Nous connaissons le vocabulaire. L'homme en temps de guerre s'appelle le héros. Il peut ne pas en être plus brave, et fuir à toutes jambes. Mais c'est du moins un héros qui détale.

ANDROMAQUE – Mon père, je vous en supplie. Si vous avez cette amitié pour les femmes, écoutez ce que toutes les femmes du monde vous disent par ma voix. Laissez-nous nos maris comme ils sont. Pour qu'ils gardent leur agilité et leur courage, les dieux ont créé autour d'eux tant d'entraîneurs vivants ou non vivants ! Quand ce ne serait que l'orage ! Quand ce ne serait que les bêtes ! Aussi longtemps qu'il y aura des loups, des éléphants, des onces, l'homme aura mieux que l'homme comme émule et comme adversaire. […] Pourquoi voulez-vous que je doive Hector à la mort d'autres hommes ?

PRIAM – Je ne le veux pas, ma petite chérie. Mais savez-vous pourquoi vous êtes là, toutes si belles et si vaillantes ? C'est parce que vos maris et vos pères et vos aïeux furent des guerriers. S'ils avaient été paresseux aux armes, s'ils n'avaient pas su que cette occupation terne et stupide qu'est la vie se justifie soudain et s'illumine par le mépris que les hommes ont d'elle, c'est vous qui seriez lâches et réclameriez la guerre. Il n'y a pas deux façons de se rendre immortel ici-bas, c'est d'oublier qu'on est mortel !

ANDROMAQUE – Oh ! justement, père vous le savez bien ! Ce sont les braves qui meurent à la guerre. Pour ne pas y être tué, il faut un grand hasard ou une grande habileté. Il faut avoir courbé la tête ou s'être agenouillé au moins une fois devant le danger. Les soldats qui défilent sous les arcs de triomphe sont ceux qui ont déserté la mort. Comment un pays pourrait-il gagner dans son honneur et dans sa force en les perdant tous les deux ?

PRIAM – Ma fille, la première lâcheté est la première ride d'une peuple.

ANDROMAQUE – Où est la pire lâcheté ? Paraître lâche vis-à-vis des autres, et assurer la paix ? Ou être lâche vis-à-vis de soi-même et provoquer la guerre ?

DÉMOKOS – La lâcheté est de ne pas préférer à toute mort la mort pour son pays.

HÉCUBE – J'attendais la poésie à ce tournant. Elle n'en manque pas une.

ANDROMAQUE – On meurt toujours pour son pays ! Quand on a vécu en lui digne, actif, sage, c'est pour lui aussi qu'on meurt.

J. Giraudoux, La Guerre de Troie n'aura pas lieu,
Éd. Bernard Grasset, 1935.

8 Ces jeunes gens sont en plein débat, leurs avis s'opposent. Rédigez leur dialogue argumentatif.

Débat…

[Extrait 1] *Nox*

*Le 2 décembre 1851, Louis-Napoléon Bonaparte, alors président de la République,
fait un coup d'État et devient empereur. Hugo, député républicain, s'enfuit à l'étranger,
où il écrit un recueil de poèmes très violents contre Napoléon III : Les Châtiments.*

1 Donc cet homme s'est dit : – «Le maître des armées,
        L'empereur surhumain,
Devant qui, gorge au vent, pieds nus, les renommées
        Volaient, clairons en mains,
5 Napoléon, quinze ans, régna, dans les tempêtes
        Du Sud à l'Aquilon.
Tous les rois l'adoraient, lui, marchant sur leurs têtes,
        Eux, baisant son talon ;
Nous nous partagerons, mon oncle et moi, l'histoire ;
10   Le plus intelligent,
C'est moi, certes ! il aura la fanfare de gloire,
        J'aurai le sac d'argent […].
Moi chat-huant, je prends cet aigle dans ma serre.
        Moi si bas, lui si haut.
15 Je le tiens ! je choisis son grand anniversaire ;
        C'est le jour qu'il me faut.

V. Hugo, *Les Châtiments*, 1853.

Le discours et le texte

1 Montrez que par ces paroles attribuées à Napoléon III le poète donne une explication indirecte, qu'il répond à la question «pourquoi ce coup d'État ?»

2 À votre avis, cette explication du coup d'État est-elle objective ? En quoi est-elle différente de celle que pourrait écrire un historien ?

Les phrases et le texte

3 Dans la 1re strophe, relevez les GN, distinguez les expansions du nom et précisez leur nature grammaticale.

4 Dans la 1re phrase, relevez trois expressions qui désignent la même personne ; laquelle est sujet de *régna* ? Quelle est la fonction des deux autres ?

Figures

5 Relevez une hyperbole dans ce texte ; dites en quoi il s'agit d'une hyperbole.

Versification

6 Le poème fait alterner deux vers de longueurs différentes. De combien de syllabes sont-ils constitués ? Comment doit-on prononcer le vers 1 ?

Exercice d'écriture

7 **Faire un exposé neutre.** Vous rédigez un manuel d'histoire et vous réécrivez les explications de Victor Hugo non en poète et en adversaire politique, mais en historien qui cherche à rendre compte des faits de façon neutre.

Le poème et son recueil

8 Ce groupe de strophes appartient au grand poème d'ouverture des *Châtiments* intitulé *Nox* («nuit» en latin). En observant la table des matières du recueil, dites pourquoi ce poème s'intitule ainsi et pourquoi il se trouve placé en tête du livre.

Victor Hugo, *Les Châtiments*

[Extrait 2] *Souvenir de la nuit du 4*

Lecture suivie...

*Dans ce poème Victor Hugo évoque la mort d'un petit garçon,
tué lors de l'insurrection républicaine qui a suivi le Coup d'État.
C'est sa grand-mère qui l'élevait. Ce fragment est la conclusion du poème.*

1   Vous ne comprenez donc point, mère, la politique.
    Monsieur Napoléon, c'est son nom authentique,
    Est pauvre, et même prince ; il aime les palais,
    Il lui convient d'avoir des chevaux, des valets,
5   De l'argent pour son jeu, sa table, son alcôve,
    Ses chasses ; par la même occasion, il sauve
    La famille, l'Église et la société ;
    Il veut avoir Saint-Cloud[1] plein de roses l'été,
    Où viendront l'adorer les préfets et les maires ;
10 C'est pour cela qu'il faut que les vieilles grand'mères,
    De leurs pauvres doigts gris que fait trembler le temps,
    Cousent dans le linceul des enfants de sept ans.

V. Hugo, *op. cit.*

1. Saint-Cloud : château près de Paris.

Le discours et le texte

1 Montrez que ce texte répond de manière détournée à la question : « Pourquoi l'enfant est-il mort ? ». En quoi cette explication est-elle polémique ?

2 Cet extrait se situe à la fin d'un poème qui raconte la veillée funèbre de l'enfant. En vous appuyant sur cet extrait, montrez que l'ensemble de ce récit est un argument en faveur d'une thèse qui n'est pas dite : quelle pourrait être cette thèse ?

Les phrases et le texte

3 Complétez la proposition *Napoléon III a pris le pouvoir* par une subordonnée circonstancielle **a.** de cause **b.** d'opposition **c.** de comparaison. Vous veillerez à ce que ces subordonnées adoptent le point de vue de Victor Hugo dans ce recueil.

Vocabulaire

4 Quelle est la valeur logique de *c'est pour cela que* (v. 10) ? Cherchez un connecteur qui ait un sens équivalent dans ce contexte.

Versification

5 En combien de syllabes devez-vous découper le vers 7 pour le prononcer comme il faut ? Quels problèmes rencontrez-vous ?

Exercice d'écriture

6 **Polémiquer contre un adversaire politique.** Racontez la mort de l'enfant, tué sur une barricade, en imaginant que vous êtes un adversaire de Napoléon III et que vous avez été témoin de l'événement : vous faites un discours dans une réunion politique (*Je dois vous raconter une scène terrible...*)

Le poème et son recueil

7 Ce poème se trouve dans la partie des *Châtiments* intitulée « L'ordre est sauvé ». Expliquez le sens de ce titre et justifiez la place de ce poème dans cette partie. Pourquoi le poète a-t-il daté son texte du 2 décembre 1852 ?

Lecture suivie

[Extrait 3] *Sonnez, sonnez toujours, clairons de la pensée*

Ce poème raconte un épisode de la Bible. Les Hébreux, conduits par Josué, assiègent Jéricho. Josué fait faire le tour de la ville à «l'arche d'alliance», un coffre renfermant les textes sacrés.

1   Quand Josué rêveur, la tête aux cieux dressée,
    Suivi des siens, marchait, et, prophète irrité,
    Sonnait de la trompette autour de la cité,
    Au premier tour qu'il fit le roi se mit à rire ;
5   Au second tour, riant toujours, il lui fit dire :
    – Crois-tu donc renverser ma ville avec du vent ? –
    […] À la cinquième fois, sur ces murs ténébreux,
    Aveugles et boiteux vinrent, et leurs huées
    Raillaient le noir clairon sonnant sous les nuées ;
10 À la sixième fois, sur sa tour de granit
    Si haute qu'au sommet l'aigle faisait son nid,
    Si dure que l'éclair l'eût en vain foudroyée,
    Le roi revint, riant à gorge déployée,
    Et cria : – Ces Hébreux sont bons musiciens ! –
15 Autour du roi joyeux, riaient tous les anciens
    Qui le soir sont assis au temple, et délibèrent.

    À la septième fois, les murailles tombèrent.

V. Hugo, *op. cit.*

Le discours et le texte

1 Ce poème est une *allégorie*. Cherchez le sens de ce mot. Pour Victor Hugo, que représentent le roi, Josué, le clairon ?

2 V. Hugo utilise implicitement ce récit allégorique comme un argument en faveur d'une thèse. Cherchez quels sont cet argument et cette thèse en prenant en compte la situation dans laquelle se trouve le poète.

Les phrases et le texte

3 Quelle est le mode et le temps de *eût* (v. 12) ? Quelle est sa valeur ? Quelle forme utiliserait-on aujourd'hui ?

4 Quelle est la fonction grammaticale de *prophète irrité* (v. 2) et de *riant toujours* (v. 5) ?

Vocabulaire et figures

5 Quel sens a *noir* dans *le noir clairon* (v. 9) ? Diriez-vous que *noir clairon* est un oxymore ?

6 Quel effet produit le fait que le dernier vers soit isolé ? On appelle ce procédé une «chute». En quoi est-il parfaitement adapté ici ?

Exercice d'écriture

7 **Transposer le récit dans le monde contemporain.** L'équivalent des clairons, aujourd'hui, serait peut-être les médias. Inventez une histoire dans laquelle une puissante multinationale est vaincue par une campagne médiatique et des manifestations. Comme Victor Hugo, vous procéderez par amplifications successives et détacherez une phrase en conclusion.

Le poème et le recueil

8 Cherchez dans le recueil un autre poème qui évoque la Bible. Pourquoi Victor Hugo évoque-t-il ainsi un épisode tiré de la Bible dans un volume qui traite pourtant de la politique du XIXᵉ siècle ?

[Extrait 4] *Lux*

Ces strophes sont les dernières de «Lux», le grand poème qui clôt Les Châtiments.
Le poète imagine un univers radieux, dans lequel ses idéaux de fraternité auront triomphé.

1 Oui, je vous le déclare, oui, je vous le répète,
Car le clairon prédit ce que dit la trompette,
      Tout sera paix et jour !
Liberté ! plus de serf et plus de prolétaire !
5 O sourire d'en haut ! ô du ciel pour la terre
      Majestueux amour !

L'arbre saint du Progrès, autrefois chimérique,
Croîtra, couvrant l'Europe et couvrant l'Amérique,
      Sur le passé détruit,
10 Et, laissant l'éther pur luire à travers ses branches,
Le jour, apparaîtra plein de colombes blanches,
      Plein d'étoiles, la nuit.

Et nous qui serons morts, morts dans l'exil peut-être,
Martyrs saignants, pendant que les hommes, sans maître,
15   Vivront, plus fiers, plus beaux,
Sous ce grand arbre, amour des cieux qu'il avoisine,
Nous nous réveillerons pour baiser sa racine
      Au fond de nos tombeaux.

Jersey, 16-20 décembre 1853. V. Hugo, *op. cit.*

Le discours et le texte

1 Dans ce poème pensez-vous que l'auteur développe une argumentation ou décrit une sorte de tableau ? Justifiez votre réponse.

Les phrases et le texte

2 Dans la phrase : *Et laissant l'éther* [...] *la nuit.* (v. 10-12) quel est le sujet du verbe ? Quelle est la fonction de *le jour* et de *la nuit* ? Justifiez leurs positions dans la phrase. Quel effet recherche ici le poète ?
3 Montrez que la métaphore de l'arbre organise les 2e et 3e strophes.

Vocabulaire

4 Quelle différence y-a-t-il entre « clairon » et « trompette » (v. 2) ? « Clairon » figure aussi dans le poème de la page 296. Est-ce un hasard ?

Versification

5 Les vers ne sont pas tous de la même longueur. Quel effet le poète recherche-t-il ainsi ?

Exercice d'écriture

6 Décrire ce qui n'existe pas. Comme Victor Hugo, décrivez au futur simple un monde à venir qui serait conforme à vos idéaux.

Le poème et son recueil

7 Ce passage ne parle pas de Napoléon III et de la France de 1853 : pourquoi l'auteur l'a-t-il néanmoins placé à la fin des *Châtiments* ? Qu'est-ce que cela nous révèle sur le sens du combat de Hugo contre le Second Empire ?

Boîte à outils

Les abréviations du manuel

C-D

chapitre . . . . chap.

complément circonstanciel . . CC

complément d'objet . . . . . . CO

complément d'objet direct . COD

complément d'objet indirect   COI

complément d'objet second . COS

déterminant . . . . dét.

deuxième 2e

E-F

édition . . . . Éd.

exemple . . . . Ex.

féminin . . . . fém.

I

ibidem (même référence) . . . . . *Ibid.*

G

groupe adjectival . . . . GA

groupe nominal . . . . GN

groupe prépositionnel . . . . . GP

groupe verbal . . . . GV

L-M-N

ligne . . . . l.

masculin . . . . masc.

nous . . . . ns

O-P

ouvrage cité . . . . *op. cit.*

page . . . . p.

pages . . . . pp.

personne . . . . pers.

pluriel . . . . plur.

première 1re

prépositions . . . . .prép.

propos . . . . pr.

proposition . . . . prop.

Q

quelque chose . . . . qqch

quelqu'un . . . . qqn

S

singulier . . . . sing.

subordonnée . . . . sub.

T

thème . . . . th.

traduction . . . . trad.

troisième 3e

V

verbe . . . . V.

volume . . . . vol.

vous . . . . vs

L'alphabet phonétique international

voyelles

[i]   vie

[y]   vue, flûte

[u]   vous

[e]   blé, chanter

[ɛ]   fête, mai, mer

[ø]   bleu

[œ]   beurre, œuf

[ə]   le, cheval

[ɔ]   bol, sonner

[o]   beau, chaud, pot

[a]   balle, la

[ɑ]   pâte

voyelles nasales

[ɛ̃]   malin, bain

[ɔ̃]   bon, tombe

[ɑ̃]   banc, lente

[œ̃]   brun, un

semi-consonnes

[j]   taille, soleil, yeux

[w]   oui, joie

[ɥ]   lui, huile

consonnes

[p]   port

[t]   tort

[k]   corps, qui, kaki

[b]   balle

[d]   dalle

[g]   gare, guitare

[f]   ficelle

[s]   saucisson, attention

[ʃ]   chemise, schéma

[v]   vent

[z]   base, zèbre

[ʒ]   joie, neige

[ʀ]   rire

[l]   lire, belle

[m]   maman, flamme

[n]   nord, sonne

[ɲ]   vigne

[ŋ]   parking

Les classes de mots

Les cinq classes de mots variables

1. Les **verbes** varient :
– en mode : *indicatif, subjonctif, impératif, infinitif, participe,*
– en temps : *je **viens**, je **viendrai**,*
– en personne : ***je** viens, **tu** viens, **il** vient,*
– en genre : *quand **elle** est venue,*
– en nombre : ***il** vient, **ils** vienn**ent**.*

2. Les **noms** varient :
– en nombre : ***le** comédien, **les** comédiens,*
– parfois en genre : ***le** comédien, **la** comédien**ne**.*

3. Les **déterminants** varient :
– en genre : *un, une - le, la - mon, ma - ce, cette…*
– en nombre : *le, les - mon, mes…*
– en personne pour les adjectifs possessifs : *mon cahier, ton cahier.*

4. Les **adjectifs qualificatifs** varient :
– en genre : *un garçon jouff**lu**, une fille jouff**lue**,*
– en nombre : *un garçon jouff**lu**, des garçons jouff**lus**.*

5. Les **pronoms** varient :
– en genre : *il, elle…*
– en nombre : *celui-ci, ceux-ci…*
– en personne : *le mien, le tien, je, tu …*
– suivant leur fonction dans la phrase : *le, lui - qui, que, dont…*

Les six classes de mots invariables

1. Les **adverbes** : *beaucoup, longtemps, peu, bien…*

2. Les **prépositions** : *de, chez, par, depuis…*

3. Les **conjonctions de subordination** : *que, si, parce que, depuis que…*

4. Les **conjonctions de coordination** : *mais, ou, et, or, ni, car…*

5. Les **interjections** : *hélas !...*

6. Les **onomatopées** : *hihan, plouf, cocorico…*

300

Le pluriel des noms

règles de formation	singulier	pluriel
En général, on ajoute un -*s*.	*un enfant*	*des enfants*
Les noms en -*s*, -*x* ou -*z* ne changent pas de forme au pluriel.	*un palais* *une croix* *un nez*	*des palais* *des croix* *des nez*
Les noms en -*au*, -*eau* et en -*eu* ont leur pluriel en -*x*.	*un tuyau* *un barreau* *un cheveu*	*des tuyaux* *des barreaux* *des cheveux*
Sept noms en -*ou* prennent un -*x* au pluriel : *bijou, caillou, chou, genou, hibou, joujou, pou.* Les autres ont un pluriel en -*s*.	*un bijou* *un clou*	*des bijoux* *des clous*
Les noms en -*al* ont leur pluriel en -*aux*. <u>Sauf</u> : *bal, carnaval, festival, récital, régal.*	*un général* *un festival*	*des généraux* *des festivals*
Certains mots en -*ail* ont leur pluriel en -*aux* : *bail, corail, émail, travail, ventail, vitrail.* Les autres ont un pluriel en -*s*.	*un corail* *un rail*	*des coraux* *des rails*

Le pluriel des adjectifs qualificatifs

règles de formation	singulier	pluriel
1. En général, on ajoute un -*s* à l'adjectif.	*sot*	*sots*
2. Les adjectifs qui se terminent au singulier par -*x* sont **invariables.**	*heureux*	*heureux*
3. Un certain nombre d'adjectifs ont un pluriel en -*x* : – les adjectifs qui se terminent par -*eau*. – la plupart des adjectifs en -*al* (qui ont leur pluriel en -*aux*). <u>Sauf</u> : *bancal, banal, fatal, final, natal, naval.*	*beau* *spécial* *fatal*	*beaux* *spéciaux* *fatals*
4. Attention à deux adjectifs en -*eu*.	*bleu* *hébreu*	*bleus* *hébreux*

Le féminin des noms

règles de formation	masculin	féminin
1. On ajoute un -*e* au nom masculin (quand le nom se termine par une voyelle, il n'y a pas de changement de prononciation).	*un cousin* *un ami*	*une cousine* *une amie*
2. On ajoute un -*e* et on modifie la dernière ou l'avant-dernière lettre.		
– Les noms se terminant par -*er* prennent un accent grave au féminin.	*un boucher*	*une bouchère*
– Les noms se terminant par un -*t* doublent parfois le -*t*.	*un chat* <u>sauf</u> : *un candidat*	*une chatte* *une candidate*
– Les noms se terminant par -*et* doublent le -*t*.	*le cadet* <u>sauf</u> : *le préfet*	*la cadette* *la préfète*
– Les noms se terminant par -*on* ou -*en* doublent le -*n*.	*un chien* *un lion*	*une chienne* *une lionne*
– Deux noms se terminant par -*an* doublent le -*n*.	*un paysan* *Jean*	*une paysanne* *Jeanne*
– Quand les consonnes ***f, p, x*** se trouvent à la fin du nom masculin, elles sont modifiées au féminin.	*un veuf* *un loup* *un époux*	*une veuve* *une louve* *une épouse*
3. On ajoute un suffixe au nom masculin : – le suffixe -*sse*, – le suffixe -*ine* (notamment pour les noms étrangers).	*un prince* *un héros* *un tsar*	*une princesse* *une héroïne* *une tsarine*
4. On change le suffixe du nom masculin : – *eur* → *euse* – *eur* → *eresse* (ou *oresse*) – *eur* → *rice* – *eur* → *ante* – *eau* → *elle* – *eau* → *ette*	*un menteur* *un enchanteur* *un acteur* *un serviteur* *un chameau* *un chevreau*	*une menteuse* *une enchanteresse* *une actrice* *une servante* *une chamelle* *une chevrette*
5. Le radical change totalement.	*un frère* *un neveu*	*une sœur* *une nièce*
6. Le nom est totalement identique au masculin et au féminin.	*un enfant*	*une enfant*

Le féminin des adjectifs qualificatifs

règles de formation	masculin	féminin
1. On ajoute un -e à la forme masculine (quand l'adjectif se termine par une voyelle, il n'y a pas de changement de prononciation).	*brut* *joli*	*brute* *jolie*
2. On ajoute un -e et on modifie la dernière ou l'avant-dernière lettre.		
– Les adjectifs se terminant par **-er** prennent un accent grave au féminin.	*fier*	*fière*
– Les adjectifs se terminant par **-ot** doublent parfois le -t.	*sot* mais, *idiot*	*sotte* *idiote*
– Les adjectifs se terminant par **-et** doublent le -t. <u>Sauf</u> : complet, concret, discret, inquiet, secret.	*muet* *discret*	*muette* *discrète*
– Les adjectifs se terminant par **-s** doublent ce -s.	*gros*	*grosse*
– Les adjectifs se terminant par **-l** doublent ce -l.	*cruel*	*cruelle*
– Les adjectifs en **-on** ou **-ien** doublent le -n.	*bon* *ancien*	*bonne* *ancienne*
– La consonne finale peut changer : - *f* → *v* - *c* → *ch* - *x* → *ss, c* - *s* → *ch* - *c* → *qu, cqu*.	*neuf* *blanc* *roux* *doux* *frais* *public* *grec*	*neuve* *blanche* *rousse* *douce* *fraîche* *publique* *grecque*
3. On ajoute une consonne à quelques adjectifs masculins qui se terminent par une voyelle.	*rigolo* *andalou* *favori*	*rigolote* *andalouse* *favorite*
4. On ajoute le suffixe -sse à l'adjectif masculin.	*traître*	*traîtresse*
5. On change le suffixe de l'adjectif masculin : – *eur* → *euse* – *eur* → *eresse* – *eur* → *rice* – *eau* → *elle* – *ou* → *olle*.	*flatteur* *vengeur* *directeur* *beau* *fou*	*flatteuse* *vengeresse* *directrice* *belle* *folle*
6. Attention à quelques formations particulières.	*vieux* *malin* *bénin*	*vieille* *maligne* *bénigne*

Les déterminants

Les articles

1. Les **articles indéfinis** : *un, une, des, de.*

❶ *De* remplace *des* à la forme négative *(Je ne reprendrai pas de gâteaux secs.)* ou devant un adjectif qualificatif au pluriel *(J'aimerais porter de belles robes.)*.

2. Les **articles définis** :
– formes simples : *le, la, les,*
– forme élidée : *l',* devant une voyelle *(l'arbre)* ou un *h* muet *(l'horreur),*
– formes contractées : *au (à + le), aux (à + les), du (de + le), des (de + les).*

3. Les **articles partitifs** : *du, de la, de l' (du beurre, de la confiture).*

Les déterminants démonstratifs

	singulier	pluriel
masculin	ce, cet (-ci/-là)	ces (-ci/-là)
féminin	cette (-ci/-là)	ces (-ci/-là)

On emploie **cet** au masculin singulier devant une voyelle ou un *h* muet *(cet athlète, cet homme)*.

Les déterminants possessifs

	un seul possesseur	plusieurs possesseurs
1re personne	mon, ma, mes	notre, nos
2e personne	ton, ta, tes	votre, vos
3e personne	son, sa, ses	leur, leurs

Les déterminants possessifs s'accordent en genre et en nombre avec le nom qu'ils déterminent, mais ils varient aussi avec la *personne* du possesseur.

Les déterminants numéraux cardinaux

un, deux, trois, quatre…, vingt…, cent…, mille…

❶ Les déterminants numéraux cardinaux sont invariables, sauf **vingt** et **cent** lorsqu'ils sont multipliés et qu'ils ne sont pas suivis d'un autre déterminant numéral *(quatre-vingts ans, trois cents kilomètres,* mais *vingt-cinq ans* et *trois cent deux kilomètres)*.

Les déterminants interrogatifs et exclamatifs

*quel, quels, quelle, quelles : **Quelle** heure est-il ? **Quels** beaux fruits !*

Les déterminants indéfinis

indétermination	quelque, n'importe quel, certain, tel ou tel
pluralité	quelques, plusieurs, certains, maint, beaucoup de, tant de
quantité nulle	aucun, nul
totalité	tout, chaque
différence	autre, différents, divers
ressemblance	même

Les pronoms

Les pronoms personnels

Leur forme varie en genre, en nombre et selon la fonction qu'ils occupent dans la proposition.

	sujet	COD	COI/COS	accentué	réfléchi
1re pers. sing.	je	me	me	moi	me
2e pers. sing.	tu	te	te	toi	te
3e pers. sing. masc.	il	le	lui	lui	se
3e pers. sing. fém.	elle	la	lui	elle	se
1re pers. plur.	nous	nous	nous	nous	nous
2e pers. plur.	vous	vous	vous	vous	vous
3e pers. plur. masc.	ils	les	leur	eux	se
3e pers. plur. fém.	elles	les	leur	elles	se
pronom indéfini	on			soi	se
pronoms adverbiaux			y / en		

Les pronoms démonstratifs

	singulier	pluriel
masculin	celui, celui-ci, celui-là	ceux, ceux-ci, ceux-là
féminin	celle, celle-ci, celle-là	celles, celles-ci, celles-là
neutre	ce, c', ceci, cela, ça	

Les pronoms possessifs

	1re sing.	2e sing.	3e sing.	1re plur.	2e plur.	3e plur.
masc. sing.	le mien	le tien	le sien	le nôtre	le vôtre	le leur
fém. sing.	la mienne	la tienne	la sienne	la nôtre	la vôtre	la leur
masc. plur.	les miens	les tiens	les siens	les nôtres	les vôtres	les leurs
fém. plur.	les miennes	les tiennes	les siennes	les nôtres	les vôtres	les leurs

Les pronoms numéraux : un, deux, trois..., les deux, les trois...

Les pronoms relatifs : *qui, que, quoi, dont, où, lequel* et ses composés.

Les pronoms interrogatifs

	formes simples	formes renforcées	formes composées
sujet	qui	qui est-ce qui/qu'est-ce qui	
COD, attribut	qui, que, quoi	qui est-ce que qu'est-ce que	lequel, lesquels, laquelle, lesquelles lequel, lesquels, laquelle, lesquelles
après une préposition	prép. + qui prép. + quoi		auquel, duquel, à laquelle, de laquelle, auxquel(le)s, desquel(le)s

Les pronoms indéfinis

indétermination	quelqu'un, quelque chose, n'importe lequel, quiconque, un tel
pluralité	quelques-uns, plusieurs, certains
quantité nulle	aucun, nul, rien, personne
totalité	tout, chacun
différence	l'un... l'autre, les uns... les autres
ressemblance	le(s) même(s)

La construction du groupe verbal

1. La construction intransitive

Émilie *danse*.

2. La construction attributive

Émilie *paraît contente*.
    V   Att.

3. Les constructions transitives

▪ Construction transitive directe
Émilie *observe le monde*.
    V   COD

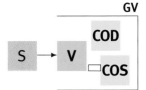

▪ Construction transitive indirecte
Émilie *pense à son secret*.
    V   COI

▪ Construction doublement transitive
Émilie *offre des fleurs à tout le monde*.
    V   COD   COS

Remarque. **Les compléments circonstanciels** peuvent être ajoutés à n'importe quelle construction.

Émilie *danse tous les soirs*.
    V   CC

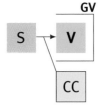

Émilie *pense souvent à son secret*.
    V   CC   COI

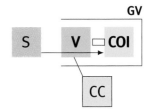

Les expansions du nom

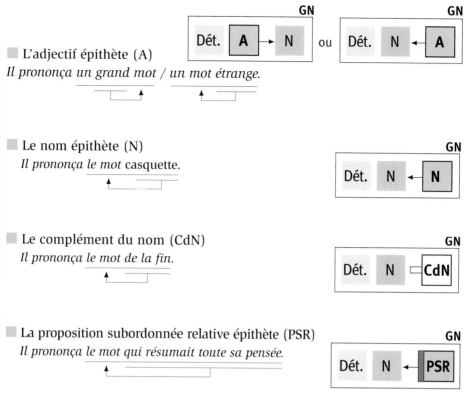

■ L'adjectif épithète (A)
Il prononça un grand mot / un mot étrange.

■ Le nom épithète (N)
Il prononça le mot casquette.

■ Le complément du nom (CdN)
Il prononça le mot de la fin.

■ La proposition subordonnée relative épithète (PSR)
Il prononça le mot qui résumait toute sa pensée.

Les appositions

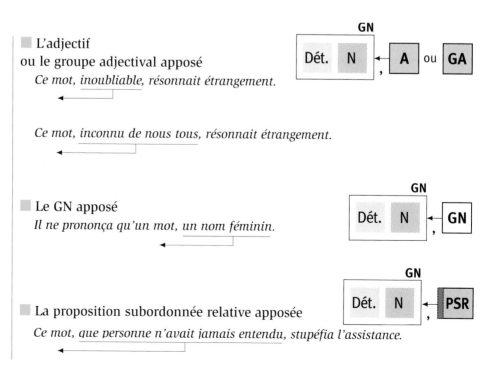

■ L'adjectif
ou le groupe adjectival apposé
Ce mot, inoubliable, résonnait étrangement.

Ce mot, inconnu de nous tous, résonnait étrangement.

■ Le GN apposé
Il ne prononça qu'un mot, un nom féminin.

■ La proposition subordonnée relative apposée
Ce mot, que personne n'avait jamais entendu, stupéfia l'assistance.

Les fonctions du groupe nominal

Sujets

Une casquette lui irait bien.

S → V

Compléments essentiels

■ **Attribut du sujet (Att.)**
Ce grand sac mou est une casquette.

S V → Att.

■ **Complément d'objet direct**
Notre professeur a acheté une casquette.

S → V COD

■ **Complément d'objet indirect (après prép.)**

Depuis longtemps, M. François rêvait de cette casquette.

S → V COI

■ **Complément d'objet second**
Il confie tous ses secrets à sa casquette.

S → V COD COS

■ **Attribut du complément d'objet (CO)**
Je trouve cette casquette très originale

S → V COD Att.

Compléments facultatifs

■ **Complément du nom (après préposition) (CdN)**
Le bord de sa casquette est rose tyrien.

GN
Dét. N CdN

■ **Apposition (App.)**
Son objet préféré, une casquette, traînait sur le bureau.

GN
Dét. N , App.

■ **Complément de l'adjectif (après préposition) (CdA)**
Il est tellement fier de sa casquette !

GN
A CdA

■ **Complément circonstanciel (généralement après prép.)**
Dans sa casquette, il rangeait son porte-monnaie et son courrier.
Il a décroché un rôle à Hollywood grâce à sa casquette.

S → V CC

Les préfixes et les suffixes

Principaux préfixes d'origine latine

préfixes	sens	exemples
a-	vers	*amener*
ante-	devant	*antéposé*
	avant	*antédiluvien*
co- (com-, con-, col-, cor-)	avec	*copropriété, concitoyen*
ex- (é-)	hors de	*exporter émerger*
in- (im-, il-, ir-)	dans, sur	*inonder*
in- (im-, il-, ir-)	négation	*inutile, impossible, illégal, irréel*
post-	derrière, après	*postérieur*
pré-	devant	*préfixe*
	avant	*préjugé*
re-	à nouveau	*revenir*

Principaux préfixes d'origine grecque

préfixes	sens	exemples
a-	négation	*apolitique*
dia-	à travers	*diamètre*
hyper-	au-dessus	*hypermarché*
hypo-	sous	*hypoglycémie*
para-	à côté	*paramédical*
péri-	autour	*périmètre*

Principaux suffixes

suffixes	sens	exemples
d'adjectifs		
-able, -ible, -uble	possibilité	*périssable, visible, soluble*
-âtre	sens péjoratif	*blanchâtre*
-et, -elet	diminutif	*propret, maigrelet*
-ique, -el	indique une caractéristique	*artistique, paternel*
de noms		
-aille	sens péjoratif ou collectif	*ferraille*
-iste, -eur	activité,	*dentiste, ingénieur*
-tion	action, résultat	*parution*
d'adverbes		
-ment	manière	*gentiment*
de verbes		
-asser	sens péjoratif	*traînasser*
-ifier, iser	cause d'une action	*solidifier, pasteuriser*

La phrase

1. Nature de la phrase

■ La **phrase verbale**

*Une tempête **a ravagé** la moitié de la France.*

■ La **phrase non verbale**

***Tempête** sur la France.* (phrase nominale)

***Interdit** de sortir.* (phrase adjectivale)

2. Complexité de la phrase

■ La **phrase simple**

Une bourrasque a renversé la cheminée. (phrase minimale)

D'un seul coup, une violente bourrasque a renversé la cheminée du voisin. (phrase simple étendue)

■ La **phrase complexe**

- Rapport de **juxtaposition**

Les arbres s'abattaient, les tuiles s'envolaient.

- Rapport de **coordination**

*Les arbres s'abattaient **et** les tuiles s'envolaient.*

- Rapport de **subordination**

*Le vent était **si** fort **qu**'il a renversé la cheminée.*

3. Les propositions dans la phrase complexe

■ La **proposition indépendante (PI)**

Les routes étaient barrées car les arbres jonchaient le sol.

■ La **proposition principale (PP)** et la **proposition subordonnée (PS)**

Les routes étaient barrées par les arbres qui jonchaient le sol.

Comme le toit était en partie détruit, nous avons dû mettre une bâche.

4. Les types de subordonnées

■ La **proposition subordonnée relative (PSR)**

*Le vent a renversé la cheminée **qui** portait l'antenne de télévision.*

*Le toit de la grange, **que** nous venions de refaire, a été pulvérisé.*

■ La **proposition subordonnée conjonctive introduite par *que* (complétive) (PSC)**

*Les météorologistes pensent **que** cela peut se reproduire.*

■ La **proposition subordonnée conjonctive circonstancielle (PSCC)**

***Comme** l'électricité était coupée, il n'y avait pas de chauffage.*

*Nous avons pu faire sécher les murs **quand** l'électricité a été rétablie.*

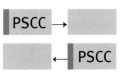

Les principales valeurs des temps - I

1. Présent

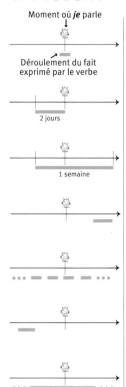

■ **Valeur temporelle de base : présent immédiat**
*Je vous **félicite** pour ce projet plein d'avenir…*

■ **Présent étendu au passé**
*Depuis deux mois, il ne **parle** que de ce projet.*

■ **Présent étendu au futur**
*Cette semaine, je **reste** à Paris.*

■ **Présent à valeur de futur**
*À la première occasion, je **quitte** la ville.*

■ **Présent à valeur répétitive**
*Chaque soir, nous **refaisons** le monde.*

■ **Présent de narration**
*Rien ne bougeait ; soudain un bras **se lève**.*

■ **Présent de vérité générale**
*Un homme libre **choisit** son destin.*

2. Passé composé

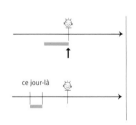

■ **Accompli au moment présent**
*Ça y est ! Nous y **sommes arrivés** !*

■ **Limité dans le passé**
*Ce jour-là, nous **sommes arrivés** à Paris.*
arrivâmes

3. Futurs

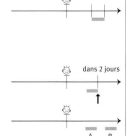

■ **Futur simple** - valeur temporelle de base : postérieur au présent
*Plus tard, j'**écrirai** un livre de grammaire.*

■ **Futur antérieur**
– Accompli dans le futur
*Demain, il **aura atteint** son but.*
– Antérieur à un autre fait futur
*Quand j'**aurai fini** mes études, j'**écrirai** des livres de grammaire.*
        A   **B**

Les principales valeurs des temps - II

1. Passé simple

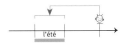

- **Limité dans le passé** (entre un début et une fin)

  *Il **passa** tout l'été dans sa cabane.*

2. Imparfait

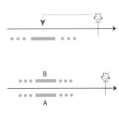

- **Non limité dans le passé.**

  *Elle **observait** attentivement le geste des canotiers.* (Pas d'idée de limite.)

- **Valeur descriptive** (faits simultanés)

  *La brise **soufflait**, un oiseau **traversait** le ciel, Léon décida de sortir.*
        A   **B**

- **Valeur répétitive**

  *Chaque matin, il **arrivait** bras ouverts en imitant le bruit de l'avion.*

3. Plus-que-parfait et passé antérieur

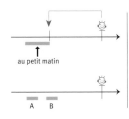

- **Accompli dans le passé**

  *Très vite, il **s'était retrouvé** chef.*

- **Antérieur à un autre fait passé**

  *Petite, elle en **avait rêvé** ; enfin, elle y **était**…*
           A   **B**

4. Conditionnels

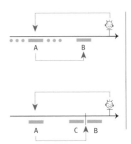

- **Conditionnel présent : futur du passé**

  *Il **était prévu** que je **serais** le seul responsable de l'expédition.*
    A   **B**

- **Conditionnel passé : futur accompli dans le passé**

  *Il **a dit** qu'il nous **écrirait** dès qu'il **l'aurait retrouvée**.*
    A   **B**   **C**

Le classement des relations logiques

Sur le modèle des subordonnées temporelles, on peut répartir les propositions subordonnées à valeur logique en trois groupes selon la relation qu'elles entretiennent avec la principale, indépendamment de leur place.

■ La **concession,** la **condition,** la **cause,** expriment un fait **logiquement antérieur** au fait principal (il le conditionne, le précède logiquement).

■ L'**opposition** et la **comparaison** expriment un fait **mis en parallèle** avec le fait principal.

■ La **conséquence** et le **but** expriment un fait **logiquement postérieur** au fait principal.

Relations temporelles (modèle)

relations temporelles	antériorité	simultanéité	postériorité
	Personne ne l'a revue *depuis qu'elle est partie.* (+ après que, dès que, aussitôt que, sitôt que, lorsque…)	Des pas résonnent au grenier *quand il parle.* (+ pendant que, quand, lorsque, tant que, tandis que, comme, alors que…)	Cachez-vous *avant qu'il ne soit trop tard.* (+ avant que, jusqu'à ce que, en attendant que…)

Relations logiques

relations logiques	antériorité logique	mise en parallèle	postériorité logique
	cause *La terre a tremblé **parce qu'un papillon a battu de l'aile.*** (+ puisque, vu que, attendu que, étant donné que, d'autant que…)	**opposition** ***Alors qu'un papillon bat de l'aile,*** *un autre s'endort.* (+ tandis que, quand, sans que, sauf que…)	**conséquence** *Un papillon a battu de l'aile **si bien que** la terre a tremblé.* (+ de telle sorte que, de sorte que, au point que…)
	condition ***Si** un papillon bat de l'aile,* *la terre tremble.* (+ pourvu que, à condition que, pour peu que, au cas où…)	**comparaison** *Il parle des papillons **comme** d'autres parlent de la peste.* (+ comme si, ainsi que, de même que, autant que, plus…que, moins …que, aussi… que…)	**but** *Il faut surveiller les papillons **afin que** cessent tous ces cataclysmes* (+ pour que, de peur que, de crainte que…)
	concession *La terre n'a pas tremblé, **bien qu'un papillon ait battu de l'aile…*** (+ même si,quand bien même, …)		

Tableaux de conjugaison

ÊTRE	

INDICATIF

présent	passé composé
je suis	j' ai été
tu es	tu as été
il est	il a été
nous sommes	nous avons été
vous êtes	vous avez été
ils sont	ils ont été

imparfait	plus-que-parfait
j' étais	j' avais été
tu étais	tu avais été
il était	il avait été
nous étions	nous avions été
vous étiez	vous aviez été
ils étaient	ils avaient été

passé simple	passé antérieur
je fus	j' eus été
tu fus	tu eus été
il fut	il eut été
nous fûmes	nous eûmes été
vous fûtes	vous eûtes été
ils furent	ils eurent été

futur	futur antérieur
je serai	j' aurai été
tu seras	tu auras été
il sera	il aura été
nous serons	nous aurons été
vous serez	vous aurez été
ils seront	ils auront été

CONDITIONNEL

présent	passé
je serais	j' aurais été
tu serais	tu aurais été
il serait	il aurait été
nous serions	nous aurions été
vous seriez	vous auriez été
ils seraient	ils auraient été

SUBJONCTIF

présent	passé
que je sois	que j' aie été
que tu sois	que tu aies été
qu'il soit	qu'il ait été
que nous soyons	que nous ayons été
que vous soyez	que vous ayez été
qu'ils soient	qu'ils aient été

imparfait	plus-que-parfait
que je fusse	que j' eusse été
que tu fusses	que tu eusses été
qu'il fût	qu'il eût été
que nous fussions	que nous eussions été
que vous fussiez	que vous eussiez été
qu'ils fussent	qu'ils eussent été

IMPÉRATIF

présent	passé
sois	aie été
soyons	ayons été
soyez	ayez été

INFINITIF SIMPLE	INFINITIF COMPOSÉ
être	avoir été

PARTICIPE PRÉSENT	PARTICIPE PASSÉ
étant	été, ayant été

AVOIR	

INDICATIF

présent	passé composé
j' ai	j' ai eu
tu as	tu as eu
il a	il a eu
nous avons	nous avons eu
vous avez	vous avez eu
ils ont	ils ont eu

imparfait	plus-que-parfait
j' avais	j' avais eu
tu avais	tu avais eu
il avait	il avait eu
nous avions	nous avions eu
vous aviez	vous aviez eu
ils avaient	ils avaient eu

passé simple	passé antérieur
j' eus	j' eus eu
tu eus	tu eus eu
il eut	il eut eu
nous eûmes	nous eûmes eu
vous eûtes	vous eûtes eu
ils eurent	ils eurent eu

futur	futur antérieur
j' aurai	j' aurai eu
tu auras	tu auras eu
il aura	il aura eu
nous aurons	nous aurons eu
vous aurez	vous aurez eu
ils auront	ils auront eu

CONDITIONNEL

présent	passé
j' aurais	j' aurais eu
tu aurais	tu aurais eu
il aurait	il aurait eu
nous aurions	nous aurions eu
vous auriez	vous auriez eu
ils auraient	ils auraient eu

SUBJONCTIF

présent	passé
que j' aie	que j' aie eu
que tu aies	que tu aies eu
qu'il ait	qu'il ait eu
que nous ayons	que nous ayons eu
que vous ayez	que vous ayez eu
qu'ils aient	qu'ils aient eu

imparfait	plus-que-parfait
que j' eusse	que j' eusse eu
que tu eusses	que tu eusses eu
qu'il eût	qu'il eût eu
que nous eussions	que nous eussions eu
que vous eussiez	que vous eussiez eu
qu'ils eussent	qu'ils eussent eu

IMPÉRATIF

présent	passé
aie	aie eu
ayons	ayons eu
ayez	ayez eu

INFINITIF SIMPLE	INFINITIF COMPOSÉ
avoir	avoir été

PARTICIPE PRÉSENT	PARTICIPE PASSÉ
ayant	eu, eue, ayant eu

AIMER			

INDICATIF

AIMER

présent

j'	aime
tu	aimes
il	aime
nous	aimons
vous	aimez
ils	aiment

passé composé

j'	ai	aimé
tu	as	aimé
il	a	aimé
nous	avons	aimé
vous	avez	aimé
ils	ont	aimé

imparfait

j'	aimais
tu	aimais
il	aimait
nous	aimions
vous	aimiez
ils	aimaient

plus-que-parfait

j'	avais	aimé
tu	avais	aimé
il	avait	aimé
nous	avions	aimé
vous	aviez	aimé
ils	avaient	aimé

passé simple

j'	aimai
tu	aimas
il	aima
nous	aimâmes
vous	aimâtes
ils	aimèrent

passé antérieur

j'	eus	aimé
tu	eus	aimé
il	eut	aimé
nous	eûmes	aimé
vous	eûtes	aimé
ils	eurent	aimé

futur

j'	aimerai
tu	aimeras
il	aimera
nous	aimerons
vous	aimerez
ils	aimeront

futur antérieur

j'	aurai	aimé
tu	auras	aimé
il	aura	aimé
nous	aurons	aimé
vous	aurez	aimé
ils	auront	aimé

CONDITIONNEL

présent

j'	aimerais
tu	aimerais
il	aimerait
nous	aimerions
vous	aimeriez
ils	aimeraient

passé

j'	aurais	aimé
tu	aurais	aimé
il	aurait	aimé
nous	aurions	aimé
vous	auriez	aimé
ils	auraient	aimé

SUBJONCTIF

présent

que j'	aime
que tu	aimes
qu'il	aime
que nous	aimions
que vous	aimiez
qu'ils	aiment

passé

que j'	aie	aimé
que tu	aies	aimé
qu'il	ait	aimé
que nous	ayons	aimé
que vous	ayez	aimé
qu'ils	aient	aimé

imparfait

que j'	aimasse
que tu	aimasses
qu'il	aimât
que nous	aimassions
que vous	aimassiez
qu'ils	aimassent

plus-que-parfait

que j'	eusse	aimé
que tu	eusses	aimé
qu'il	eût	aimé
que nous	eussions	aimé
que vous	eussiez	aimé
qu'ils	eussent	aimé

IMPÉRATIF

présent

| aime |
| aimons |
| aimez |

passé

aie	aimé
ayons	aimé
ayez	aimé

INFINITIF SIMPLE	INFINITIF COMPOSÉ
aimer	avoir aimé

PARTICIPE PRÉSENT	PARTICIPE PASSÉ
aimant	aimé, ée, ayant aimé

ÊTRE AIMÉ

INDICATIF

présent

je	suis	aimé
tu	es	aimé
il	est	aimé
nous	sommes	aimés
vous	êtes	aimés
ils	sont	aimés

passé composé

j'	ai	été aimé
tu	as	été aimé
il	a	été aimé
nous	avons	été aimés
vous	avez	été aimés
ils	ont	été aimés

imparfait

j'	étais	aimé
tu	étais	aimé
il	était	aimé
nous	étions	aimés
vous	étiez	aimés
ils	étaient	aimés

plus-que-parfait

j'	avais	été aimé
tu	avais	été aimé
il	avait	été aimé
nous	avions	été aimés
vous	aviez	été aimés
ils	avaient	été aimés

passé simple

j'	fus	aimé
tu	fus	aimé
il	fut	aimé
nous	fûmes	aimés
vous	fûtes	aimés
ils	furent	aimés

passé antérieur

j'	eus	été aimé
tu	eus	été aimé
il	eut	été aimé
nous	eûmes	été aimés
vous	eûtes	été aimés
ils	eurent	été aimés

futur

j'	serai	aimé
tu	seras	aimé
il	sera	aimé
nous	serons	aimés
vous	serez	aimés
ils	seront	aimés

futur antérieur

j'	aurai	été aimé
tu	auras	été aimé
il	aura	été aimé
nous	aurons	été aimés
vous	aurez	été aimés
ils	auront	été aimés

CONDITIONNEL

présent

je	serais	aimé
tu	serais	aimé
il	serait	aimé
nous	serions	aimés
vous	seriez	aimés
ils	seraient	aimés

passé

j'	aurais	été aimé
tu	aurais	été aimé
il	aurait	été aimé
nous	aurions	été aimés
vous	auriez	été aimés
ils	auraient	été aimés

SUBJONCTIF

présent

que je	sois	aimé
que tu	sois	aimé
qu'il	soit	aimé
que nous	soyons	aimés
que vous	soyez	aimés
qu'ils	soient	aimés

passé

que j'	aie	été aimé
que tu	aies	été aimé
qu'il	ait	été aimé
que nous	ayons	été aimés
que vous	ayez	été aimés
qu'ils	aient	été aimés

imparfait

que je	fusse	aimé
que tu	fusses	aimé
qu'il	fût	aimé
que nous	fussions	aimés
que vous	fussiez	aimés
qu'ils	fussent	aimés

plus-que-parfait

que j'	eusse	été aimé
que tu	eusses	été aimé
qu'il	eût	été aimé
que nous	eussions	été aimés
que vous	eussiez	été aimés
qu'ils	eussent	été aimés

IMPÉRATIF

présent

sois	aimé
soyons	aimés
soyez	aimés

passé

inusité

INFINITIF SIMPLE	INFINITIF COMPOSÉ
être aimé	avoir été aimé

PARTICIPE PRÉSENT	PARTICIPE PASSÉ
étant aimé	aimé, ée, ayant été aimé

MANGER			ACHETER		

INDICATIF

présent		passé composé		présent		passé composé	
je	mange	j'	ai mangé	j'	achète	j'	ai acheté
tu	manges	tu	as mangé	tu	achètes	tu	as acheté
il	mange	il	a mangé	il	achète	il	a acheté
nous	mangeons	nous	avons mangé	nous	achetons	nous	avons acheté
vous	mangez	vous	avez mangé	vous	achetez	vous	avez acheté
ils	mangent	ils	ont mangé	ils	achètent	ils	ont acheté

imparfait		plus-que-parfait		imparfait		plus-que-parfait	
je	mangeais	j'	avais mangé	j'	achetais	j'	avais acheté
tu	mangeais	tu	avais mangé	tu	achetais	tu	avais acheté
il	mangeait	il	avait mangé	il	achetait	il	avait acheté
nous	mangions	nous	avions mangé	nous	achetions	nous	avions acheté
vous	mangiez	vous	aviez mangé	vous	achetiez	vous	aviez acheté
ils	mangeaient	ils	avaient mangé	ils	achetaient	ils	avaient acheté

passé simple		passé antérieur		passé simple		passé antérieur	
je	mangeai	j'	eus mangé	j'	achetai	j'	eus acheté
tu	mangeas	tu	eus mangé	tu	achetas	tu	eus acheté
il	mangea	il	eut mangé	il	acheta	il	eut acheté
nous	mangeâmes	nous	eûmes mangé	nous	achetâmes	nous	eûmes acheté
vous	mangeâtes	vous	eûtes mangé	vous	achetâtes	vous	eûtes acheté
ils	mangèrent	ils	eurent mangé	ils	achetèrent	ils	eurent acheté

futur		futur antérieur		futur		futur antérieur	
je	mangerai	j'	aurai mangé	j'	achèterai	j'	aurai acheté
tu	mangeras	tu	auras mangé	tu	achèteras	tu	auras acheté
il	mangera	il	aura mangé	il	achètera	il	aura acheté
nous	mangerons	nous	aurons mangé	nous	achèterons	nous	aurons acheté
vous	mangerez	vous	aurez mangé	vous	achèterez	vous	aurez acheté
ils	mangeront	ils	auront mangé	ils	achèteront	ils	auront acheté

CONDITIONNEL

présent		passé		présent		passé	
je	mangerais	j'	aurais mangé	j'	achèterais	j'	aurais acheté
tu	mangerais	tu	aurais mangé	tu	achèterais	tu	aurais acheté
il	mangerait	il	aurait mangé	il	achèterait	il	aurait acheté
nous	mangerions	nous	aurions mangé	nous	achèterions	nous	aurions acheté
vous	mangeriez	vous	auriez mangé	vous	achèteriez	vous	auriez acheté
ils	mangeraient	ils	auraient mangé	ils	achèteraient	ils	auraient acheté

SUBJONCTIF

présent		passé		présent		passé	
que je	mange	que j'	aie mangé	que j'	achète	que j'	aie acheté
que tu	manges	que tu	aies mangé	que tu	achètes	que tu	aies acheté
qu'il	mange	qu'il	ait mangé	qu'il	achète	qu'il	ait acheté
que nous	mangions	que nous	ayons mangé	que nous	achetions	que nous	ayons acheté
que vous	mangiez	que vous	ayez mangé	que vous	achetiez	que vous	ayez acheté
qu'ils	mangent	qu'ils	aient mangé	qu'ils	achètent	qu'ils	aient acheté

imparfait		plus-que-parfait		imparfait		plus-que-parfait	
que je	mangeasse	que j'	eusse mangé	que j'	achetasse	que j'	eusse acheté
que tu	mangeasses	que tu	eusses mangé	que tu	achetasses	que tu	eusses acheté
qu'il	mangeât	qu'il	eût mangé	qu'il	achetât	qu'il	eût acheté
que nous	mangeassions	que nous	eussions mangé	que nous	achetassions	que nous	eussions acheté
que vous	mangeassiez	que vous	eussiez mangé	que vous	achetassiez	que vous	eussiez acheté
qu'ils	mangeassent	qu'ils	eussent mangé	qu'ils	achetassent	qu'ils	eussent acheté

IMPÉRATIF

présent	passé	présent	passé
mange	aie mangé	achète	aie acheté
mangeons	ayons mangé	achetons	ayons acheté
mangez	ayez mangé	achetez	ayez acheté

INFINITIF SIMPLE	INFINITIF COMPOSÉ	INFINITIF SIMPLE	INFINITIF COMPOSÉ
manger	avoir mangé	acheter	avoir acheté

PARTICIPE PRÉSENT	PARTICIPE PASSÉ	PARTICIPE PRÉSENT	PARTICIPE PASSÉ
mangeant	mangé, ée, ayant mangé	achetant	acheté, ée, ayant acheté

1. Se conjuguent sur **manger** les verbes en **-ger** : bouger, déranger, juger…
2. Se conjuguent sur **acheter** les verbes ayant un **-e** ou un **-é** dans leur avant-dernière syllabe : p**e**ser (je pèse), s**é**cher (je sèche)… sauf les verbes comme **jeter** et **appeler** qui doublent la consonne (voir page suivante).

	APPELER		**JETER**	

INDICATIF

APPELER

présent	passé composé
j' appelle	j' ai appelé
tu appelles	tu as appelé
il appelle	il a appelé
nous appelons	nous avons appelé
vous appelez	vous avez appelé
ils appellent	ils ont appelé

imparfait	plus-que-parfait
j' appelais	j' avais appelé
tu appelais	tu avais appelé
il appelait	il avait appelé
nous appelions	nous avions appelé
vous appeliez	vous aviez appelé
ils appelaient	ils avaient appelé

passé simple	passé antérieur
j' appelai	j' eus appelé
tu appelas	tu eus appelé
il appela	il eut appelé
nous appelâmes	nous eûmes appelé
vous appelâtes	vous eûtes appelé
ils appelèrent	ils eurent appelé

futur	futur antérieur
j' appellerai	j' aurai appelé
tu appelleras	tu auras appelé
il appellera	il aura appelé
nous appellerons	nous aurons appelé
vous appellerez	vous aurez appelé
ils appelleront	ils auront appelé

CONDITIONNEL

présent	passé
j' appellerais	j' aurais appelé
tu appellerais	tu aurais appelé
il appellerait	il aurait appelé
nous appellerions	nous aurions appelé
vous appelleriez	vous auriez appelé
ils appelleraient	ils auraient appelé

SUBJONCTIF

présent	passé
que j' appelle	que j' aie appelé
que tu appelles	que tu aies appelé
qu'il appelle	qu'il ait appelé
que nous appelions	que nous ayons appelé
que vous appeliez	que vous ayez appelé
qu'ils appellent	qu'ils aient appelé

imparfait	plus-que-parfait
que j' appelasse	que j' eusse appelé
que tu appelasses	que tu eusses appelé
qu'il appelât	qu'il eût appelé
que nous appelassions	que nous eussions appelé
que vous appelassiez	que vous eussiez appelé
qu'ils appelassent	qu'ils eussent appelé

IMPÉRATIF

présent	passé
appelle	aie appelé
appelons	ayons appelé
appelez	ayez appelé

INFINITIF SIMPLE	INFINITIF COMPOSÉ
appeler	avoir appelé

PARTICIPE PRÉSENT	PARTICIPE PASSÉ
appelant	appelé, ée, ayant appelé

INDICATIF

JETER

présent	passé composé
je jette	j' ai jeté
tu jettes	tu as jeté
il jette	il a jeté
nous jetons	nous avons jeté
vous jetons	vous avez jeté
ils jettent	ils ont jeté

imparfait	plus-que-parfait
je jetais	j' avais jeté
tu jetais	tu avais jeté
il jetait	il avait jeté
nous jetions	nous avions jeté
vous jetiez	vous aviez jeté
ils jetaient	ils avaient jeté

passé simple	passé antérieur
je jetai	j' eus jeté
tu jetas	tu eus jeté
il jeta	il eut jeté
nous jetâmes	nous eûmes jeté
vous jetâtes	vous eûtes jeté
ils jetèrent	ils eurent jeté

futur	futur antérieur
je jetterai	j' aurai jeté
tu jetteras	tu auras jeté
il jettera	il aura jeté
nous jetterons	nous aurons jeté
vous jetterez	vous aurez jeté
ils jetteront	ils auront jeté

CONDITIONNEL

présent	passé
je jetterais	j' aurais jeté
tu jetterais	tu aurais jeté
il jetterait	il aurait jeté
nous jetterions	nous aurions jeté
vous jetteriez	vous auriez jeté
ils jetteraient	ils auraient jeté

SUBJONCTIF

présent	passé
que je jette	que j' aie jeté
que tu jettes	que tu aies jeté
qu'il jette	qu'il ait jeté
que nous jetions	que nous ayons jeté
que vous jetiez	que vous ayez jeté
qu'ils jettent	qu'ils aient jeté

imparfait	plus-que-parfait
que je jetasse	que j' eusse jeté
que tu jetasses	que tu eusses jeté
qu'il jetât	qu'il eût jeté
que nous jetassions	que nous eussions jeté
que vous jetassiez	que vous eussiez jeté
qu'ils jetassent	qu'ils eussent jeté

IMPÉRATIF

présent	passé
jette	aie jeté
jetons	ayons jeté
jetez	ayez jeté

INFINITIF SIMPLE	INFINITIF COMPOSÉ
jeter	avoir jeté

PARTICIPE PRÉSENT	PARTICIPE PASSÉ
jetant	jeté, jetée, ayant jeté

---

1. Se conjuguent sur **appeler** et **jeter** la plupart des verbes en **-eler** et en **-eter** : ruisseler, cacheter…

	ÉTUDIER			
INDICATIF	**présent**		**passé composé**	
	j' étudie		j' ai étudié	
	tu étudies		tu as étudié	
	il étudie		il a étudié	
	nous étudions		nous avons étudié	
	vous étudiez		vous avez étudié	
	ils étudient		ils ont étudié	
	imparfait		**plus-que-parfait**	
	j' étudiais		j' avais étudié	
	tu étudiais		tu avais étudié	
	il étudiait		il avait étudié	
	nous étudiions		nous avions étudié	
	vous étudiiez		vous aviez étudié	
	ils étudiaient		ils avaient étudié	
	passé simple		**passé antérieur**	
	j' étudiai		j' eus étudié	
	tu étudias		tu eus étudié	
	il étudia		il eut étudié	
	nous étudiâmes		nous eûmes étudié	
	vous étudiâtes		vous eûtes étudié	
	ils étudièrent		ils eurent étudié	
	futur		**futur antérieur**	
	j' étudierai		j' aurai étudié	
	tu étudieras		tu auras étudié	
	il étudiera		il aura étudié	
	nous étudierons		nous aurons étudié	
	vous étudierez		vous aurez étudié	
	ils étudieront		ils auront étudié	
CONDITIONNEL	**présent**		**passé**	
	j' étudierais		j' aurais étudié	
	tu étudierais		tu aurais étudié	
	il étudierait		il aurait étudié	
	nous étudierions		nous aurions étudié	
	vous étudieriez		vous auriez étudié	
	ils étudieraient		ils auraient étudié	
SUBJONCTIF	**présent**		**passé**	
	que j' étudie		que j' aie étudié	
	que tu étudies		que tu aies étudié	
	qu'il étudie		qu'il ait étudié	
	que nous étudiions		que nous ayons étudié	
	que vous étudiiez		que vous ayez étudié	
	qu'ils étudient		qu'ils aient étudié	
	imparfait		**plus-que-parfait**	
	que j' étudiasse		que j' eusse étudié	
	que tu étudiasses		que tu eusses étudié	
	qu'il étudiât		qu'il eût étudié	
	que nous étudiassions		que nous eussions étudié	
	que vous étudiassiez		que vous eussiez étudié	
	qu'ils étudiassent		qu'ils eussent étudié	
IMPÉRATIF	**présent**		**passé**	
	étudie		aie étudié	
	étudions		ayons étudié	
	étudiez		ayez étudié	

INFINITIF SIMPLE	INFINITIF COMPOSÉ
étudier	avoir étudié

PARTICIPE PRÉSENT	PARTICIPE PASSÉ
étudiant	étudié, ée, ayant étudié

	PAYER			
INDICATIF	**présent**		**passé composé**	
	je paie		j' ai payé	
	tu paies		tu as payé	
	il paie		il a payé	
	nous payons		nous avons payé	
	vous payez		vous avez payé	
	ils paient		ils ont payé	
	imparfait		**plus-que-parfait**	
	je payais		j' avais payé	
	tu payais		tu avais payé	
	il payait		il avait payé	
	nous payions		nous avions payé	
	vous payiez		vous aviez payé	
	ils payaient		ils avaient payé	
	passé simple		**passé antérieur**	
	je payai		j' eus payé	
	tu payas		tu eus payé	
	il paya		il eut payé	
	nous payâmes		nous eûmes payé	
	vous payâtes		vous eûtes payé	
	ils payèrent		ils eurent payé	
	futur		**futur antérieur**	
	je paierai		j' aurai payé	
	tu paieras		tu auras payé	
	il paiera		il aura payé	
	nous paierons		nous aurons payé	
	vous paierez		vous aurez payé	
	ils paieront		ils auront payé	
CONDITIONNEL	**présent**		**passé**	
	je paierais		j' aurais payé	
	tu paierais		tu aurais payé	
	il paierait		il aurait payé	
	nous paierions		nous aurions payé	
	vous paieriez		vous auriez payé	
	ils paieraient		ils auraient payé	
SUBJONCTIF	**présent**		**passé**	
	que je paie		que j' aie payé	
	que tu paies		que tu aies payé	
	qu'il paie		qu'il ait payé	
	que nous payions		que nous ayons payé	
	que vous payiez		que vous ayez payé	
	qu'ils paient		qu'ils aient payé	
	imparfait		**plus-que-parfait**	
	que je payasse		que j' eusse payé	
	que tu payasses		que tu eusses payé	
	qu'il payât		qu'il eût payé	
	que nous payassions		que nous eussions payé	
	que vous payassiez		que vous eussiez payé	
	qu'ils payassent		qu'ils eussent payé	
IMPÉRATIF	**présent**		**passé**	
	paie ou paye		aie payé	
	payons		ayons payé	
	payez		ayez payé	

INFINITIF SIMPLE	INFINITIF COMPOSÉ
payer	avoir payé

PARTICIPE PRÉSENT	PARTICIPE PASSÉ
payant	payé, ée, ayant payé

1. Se conjuguent sur **étudier** les verbes en **-ier**.
2. Se conjuguent sur **payer** les verbes en **-ayer,** en **-uyer** et en **-oyer** (sauf **envoyer**).

Attention à quelques difficultés dans la conjugaison des verbes du 1er groupe.

● Au **présent de l'indicatif,** la terminaison des première et troisième personnes du singulier est toujours -*e*.

> *j'envoie, il envoie*
> *je copie, il copie*

● Attention aux verbes en **-eter** et en **-eler**.

> *j'achète / je jette*
> *je pèle / j'appelle*

mais :

> *nous achetons / nous jetons*
> *nous pelons / nous appelons*

● Attention aux terminaisons du passé simple pour les verbes du 1er groupe.

> *je chantai*
> *il chanta*

ENVOYER		
INDICATIF	**présent**	**passé composé**
	j' envoie	j' ai envoyé
	tu envoies	tu as envoyé
	il envoie	il a envoyé
	nous envoyons	nous avons envoyé
	vous envoyez	vous avez envoyé
	ils envoient	ils ont envoyé
	imparfait	**plus-que-parfait**
	j' envoyais	j' avais envoyé
	tu envoyais	tu avais envoyé
	il envoyait	il avait envoyé
	nous envoyions	nous avions envoyé
	vous envoyiez	vous aviez envoyé
	ils envoyaient	ils avaient envoyé
	passé simple	**passé antérieur**
	j' envoyai	j' eus envoyé
	tu envoyas	tu eus envoyé
	il envoya	il eut envoyé
	nous envoyâmes	nous eûmes envoyé
	vous envoyâtes	vous eûtes envoyé
	ils envoyèrent	ils eurent envoyé
	futur	**futur antérieur**
	j' enverrai	j' aurai envoyé
	tu enverras	tu auras envoyé
	il enverra	il aura envoyé
	nous enverrons	nous aurons envoyé
	vous enverrez	vous aurez envoyé
	ils enverront	ils auront envoyé
CONDITIONNEL	**présent**	**passé**
	j' enverrais	j' aurais envoyé
	tu enverrais	tu aurais envoyé
	il enverrait	il aurait envoyé
	nous enverrions	nous aurions envoyé
	vous enverriez	vous auriez envoyé
	ils enverraient	ils auraient envoyé
SUBJONCTIF	**présent**	**passé**
	que j' envoie	que j' aie envoyé
	que tu envoies	que tu aies envoyé
	qu'il envoie	qu'il ait envoyé
	que nous envoyions	que nous ayons envoyé
	que vous envoyiez	que vous ayez envoyé
	qu'ils envoient	qu'ils aient envoyé
	imparfait	**plus-que-parfait**
	que j' envoyasse	que j' eusse envoyé
	que tu envoyasses	que tu eusses envoyé
	qu'il envoyât	qu'il eût envoyé
	que nous envoyassions	que nous eussions envoyé
	que vous envoyassiez	que vous eussiez envoyé
	qu'ils envoyassent	qu'ils eussent envoyé
IMPÉRATIF	**présent**	**passé**
	envoie	aie envoyé
	envoyons	ayons envoyé
	envoyez	ayez envoyé

INFINITIF SIMPLE	**INFINITIF COMPOSÉ**
envoyer	avoir envoyé
PARTICIPE PRÉSENT	**PARTICIPE PASSÉ**
envoyant	envoyé, ée, ayant envoyé

● Se conjuguent sur **finir**
tous les verbes du 2e groupe.
Seul **haïr** présente
quelques particularités.
Il conserve son tréma sur le **i**
sauf aux trois personnes
du singulier du présent
de l'indicatif (*je hais, tu hais,*
il hait) et à la deuxième personne
du singulier du présent
de l'impératif (*hais*).
Le tréma se substitue
à l'accent circonflexe
au passé simple de l'indicatif
(*nous haïmes, vous haïtes*).

FINIR			
INDICATIF	**présent** je finis tu finis il finit nous finissons vous finissez ils finissent		**passé composé** j' ai fini tu as fini il a fini nous avons fini vous avez fini ils ont fini
	imparfait je finissais tu finissais il finissait nous finissions vous finissiez ils finissaient		**plus-que-parfait** j' avais fini tu avais fini il avait fini nous avions fini vous aviez fini ils avaient fini
	passé simple je finis tu finis il finit nous finîmes vous finîtes ils finirent		**passé antérieur** j' eus fini tu eus fini il eut fini nous eûmes fini vous eûtes fini ils eurent fini
	futur je finirai tu finiras il finira nous finirons vous finirez ils finiront		**futur antérieur** j' aurai fini tu auras fini il aura fini nous aurons fini vous aurez fini ils auront fini
CONDITIONNEL	**présent** je finirais tu finirais il finirait nous finirions vous finiriez ils finiraient		**passé** j' aurais fini tu aurais fini il aurait fini nous aurions fini vous auriez fini ils auraient fini
SUBJONCTIF	**présent** que je finisse que tu finisses qu'il finisse que nous finissions que vous finissiez qu'ils finissent		**passé** que j' aie fini que tu aies fini qu'il ait fini que nous ayons fini que vous ayez fini qu'ils aient fini
	imparfait que je finisse que tu finisses qu'il finît que nous finissions que vous finissiez qu'ils finissent		**plus-que-parfait** que j' eusse fini que tu eusses fini qu'il eût fini que nous eussions fini que vous eussiez fini qu'ils eussent fini
IMPÉRATIF	**présent** finis finissons finissez		**passé** aie fini ayons fini ayez fini

INFINITIF SIMPLE finir	INFINITIF COMPOSÉ avoir fini
PARTICIPE PRÉSENT finissant	PARTICIPE PASSÉ fini, finie, ayant fini

ALLER		
INDICATIF		

présent	passé composé
je vais	je suis allé
tu vas	tu es allé
il va	il est allé
nous allons	nous sommes allés
vous allez	vous êtes allés
ils vont	ils sont allés

imparfait	plus-que-parfait
j' allais	j' étais allé
tu allais	tu étais allé
il allait	il était allé
nous allions	nous étions allés
vous alliez	vous étiez allés
ils allaient	ils étaient allés

passé simple	passé antérieur
j' allai	je fus allé
tu allas	tu fus allé
il alla	il fut allé
nous allâmes	nous fûmes allés
vous allâtes	vous fûtes allés
ils allèrent	ils furent allés

futur	futur antérieur
j' irai	je serai allé
tu iras	tu seras allé
il ira	il sera allé
nous irons	nous serons allés
vous irez	vous serez allés
ils iront	ils seront allés

CONDITIONNEL

présent	passé
j' irais	je serais allé
tu irais	tu serais allé
il irait	il serait allé
nous irions	nous serions allés
vous iriez	vous seriez allés
ils iraient	ils seraient allés

SUBJONCTIF

présent	passé
que j' aille	que je sois allé
que tu ailles	que tu sois allé
qu'il aille	qu'il soit allé
que nous allions	que nous soyons allés
que vous alliez	que vous soyez allés
qu'ils aillent	qu'ils soient allés

imparfait	plus-que-parfait
que j' allasse	que je fusse allé
que tu allasses	que tu fusses allé
qu'il allât	qu'il fût allé
que nous allassions	que nous fussions allés
que vous allassiez	que vous fussiez allés
qu'ils allassent	qu'ils fussent allés

IMPÉRATIF

présent	passé
va	sois allé
allons	soyons allés
allez	soyez allés

INFINITIF SIMPLE	INFINITIF COMPOSÉ
aller	être allé

PARTICIPE PRÉSENT	PARTICIPE PASSÉ
allant	allé, allée, étant allé

DEVOIR		
INDICATIF		

présent	passé composé
je dois	j' ai dû
tu dois	tu as dû
il doit	il a dû
nous devons	nous avons dû
vous devez	vous avez dû
ils doivent	ils ont dû

imparfait	plus-que-parfait
je devais	j' avais dû
tu devais	tu avais dû
il devait	il avait dû
nous devions	nous avions dû
vous deviez	vous aviez dû
ils devaient	ils avaient dû

passé simple	passé antérieur
je dus	j' eus dû
tu dus	tu eus dû
il dut	il eut dû
nous dûmes	nous eûmes dû
vous dûtes	vous eûtes dû
ils durent	ils eurent dû

futur	futur antérieur
je devrai	j' aurai dû
tu devras	tu auras dû
il devra	il aura dû
nous devrons	nous aurons dû
vous devrez	vous aurez dû
ils devront	ils auront dû

CONDITIONNEL

présent	passé
je devrais	j' aurais dû
tu devrais	tu aurais dû
il devrait	il aurait dû
nous devrions	nous aurions dû
vous devriez	vous auriez dû
ils devraient	ils auraient dû

SUBJONCTIF

présent	passé
que je doive	que j' aie dû
que tu doives	que tu aies dû
qu'il doive	qu'il ait dû
que nous devions	que nous ayons dû
que vous deviez	que vous ayez dû
qu'ils doivent	qu'ils aient dû

imparfait	plus-que-parfait
que je dusse	que j' eusse dû
que tu dusses	que tu eusses dû
qu'il dût	qu'il eût dû
que nous dussions	que nous eussions dû
que vous dussiez	que vous eussiez dû
qu'ils dussent	qu'ils eussent dû

IMPÉRATIF

présent	passé
dois	aie dû
devons	ayons dû
devez	ayez dû

INFINITIF SIMPLE	INFINITIF COMPOSÉ
devoir	avoir dû

PARTICIPE PRÉSENT	PARTICIPE PASSÉ
devant	dû, due, ayant dû

		DIRE			FAIRE	

<table>
<tr><td rowspan="8">INDICATIF</td><td colspan="2">présent</td><td colspan="2">passé composé</td><td colspan="2">présent</td><td colspan="2">passé composé</td></tr>
</table>

DIRE

INDICATIF

présent
je dis
tu dis
il dit
nous disons
vous dites
ils disent

passé composé
j' ai dit
tu as dit
il a dit
nous avons dit
vous avez dit
ils ont dit

imparfait
je disais
tu disais
il disait
nous disions
vous disiez
ils disaient

plus-que-parfait
j' avais dit
tu avais dit
il avait dit
nous avions dit
vous aviez dit
ils avaient dit

passé simple
je dis
tu dis
il dit
nous dîmes
vous dîtes
ils dirent

passé antérieur
j' eus dit
tu eus dit
il eut dit
nous eûmes dit
vous eûtes dit
ils eurent dit

futur
je dirai
tu diras
il dira
nous dirons
vous direz
ils diront

futur antérieur
j' aurai dit
tu auras dit
il aura dit
nous aurons dit
vous aurez dit
ils auront dit

CONDITIONNEL

présent
je dirais
tu dirais
il dirait
nous dirions
vous diriez
ils diraient

passé
j' aurais dit
tu aurais dit
il aurait dit
nous aurions dit
vous auriez dit
ils auraient dit

SUBJONCTIF

présent
que je dise
que tu dises
qu'il dise
que nous disions
que vous disiez
qu'ils disent

passé
que j' aie dit
que tu aies dit
qu'il ait dit
que nous ayons dit
que vous ayez dit
qu'ils aient dit

imparfait
que je disse
que tu disses
qu'il dît
que nous dissions
que vous dissiez
qu'ils dissent

plus-que-parfait
que j' eusse dit
que tu eusses dit
qu'il eût dit
que nous eussions dit
que vous eussiez dit
qu'ils eussent dit

IMPÉRATIF

présent
dis
disons
dites

passé
aie dit
ayons dit
ayez dit

INFINITIF SIMPLE	INFINITIF COMPOSÉ
dire	avoir dit

PARTICIPE PRÉSENT	PARTICIPE PASSÉ
disant	dit, dite, ayant dit

FAIRE

INDICATIF

présent
je fais
tu fais
il fait
nous faisons
vous faites
ils font

passé composé
j' ai fait
tu as fait
il a fait
nous avons fait
vous avez fait
ils ont fait

imparfait
je faisais
tu faisais
il faisait
nous faisions
vous faisiez
ils faisaient

plus-que-parfait
j' avais fait
tu avais fait
il avait fait
nous avions fait
vous aviez fait
ils avaient fait

passé simple
je fis
tu fis
il fit
nous fîmes
vous fîtes
ils firent

passé antérieur
j' eus fait
tu eus fait
il eut fait
nous eûmes fait
vous eûtes fait
ils eurent fait

futur
je ferai
tu feras
il fera
nous ferons
vous ferez
ils feront

futur antérieur
j' aurai fait
tu auras fait
il aura fait
nous aurons fait
vous aurez fait
ils auront fait

CONDITIONNEL

présent
je ferais
tu ferais
il ferait
nous ferions
vous feriez
ils feraient

passé
j' aurais fait
tu aurais fait
il aurait fait
nous aurions fait
vous auriez fait
ils auraient fait

SUBJONCTIF

présent
que je fasse
que tu fasses
qu'il fasse
que nous fassions
que vous fassiez
qu'ils fassent

passé
que j' aie fait
que tu aies fait
qu'il ait fait
que nous ayons fait
que vous ayez fait
qu'ils aient fait

imparfait
que je fisse
que tu fisses
qu'il fît
que nous fissions
que vous fissiez
qu'ils fissent

plus-que-parfait
que j' eusse fait
que tu eusses fait
qu'il eût fait
que nous eussions fait
que vous eussiez fait
qu'ils eussent fait

IMPÉRATIF

présent
fais
faisons
faites

passé
aie fait
ayons fait
ayez fait

INFINITIF SIMPLE	INFINITIF COMPOSÉ
faire	avoir fait

PARTICIPE PRÉSENT	PARTICIPE PASSÉ
faisant	fait, faite, ayant fait

PRENDRE

INDICATIF

présent

je	prends
tu	prends
il	prend
nous	prenons
vous	prenez
ils	prennent

passé composé

j'	ai	pris
tu	as	pris
il	a	pris
nous	avons	pris
vous	avez	pris
ils	ont	pris

imparfait

je	prenais
tu	prenais
il	prenait
nous	prenions
vous	preniez
ils	prenaient

plus-que-parfait

j'	avais	pris
tu	avais	pris
il	avait	pris
nous	avions	pris
vous	aviez	pris
ils	avaient	pris

passé simple

je	pris
tu	pris
il	prit
nous	prîmes
vous	prîtes
ils	prirent

passé antérieur

j'	eus	pris
tu	eus	pris
il	eut	pris
nous	eûmes	pris
vous	eûtes	pris
ils	eurent	pris

futur

je	prendrai
tu	prendras
il	prendra
nous	prendrons
vous	prendrez
ils	prendront

futur antérieur

j'	aurai	pris
tu	auras	pris
il	aura	pris
nous	aurons	pris
vous	aurez	pris
ils	auront	pris

CONDITIONNEL

présent

je	prendrais
tu	prendrais
il	prendrait
nous	prendrions
vous	prendriez
ils	prendraient

passé

j'	aurais	pris
tu	aurais	pris
il	aurait	pris
nous	aurions	pris
vous	auriez	pris
ils	auraient	pris

SUBJONCTIF

présent

que je	prenne
que tu	prennes
qu'il	prenne
que nous	prenions
que vous	preniez
qu'ils	prennent

passé

que j'	aie	pris
que tu	aies	pris
qu'il	ait	pris
que nous	ayons	pris
que vous	ayez	pris
qu'ils	aient	pris

imparfait

que je	prisse
que tu	prisses
qu'il	prît
que nous	prissions
que vous	prissiez
qu'ils	prissent

plus-que-parfait

que j'	eusse	pris
que tu	eusses	pris
qu'il	eût	pris
que nous	eussions	pris
que vous	eussiez	pris
qu'ils	eussent	pris

IMPÉRATIF

présent

prends
prenons
prenez

passé

aie	pris
ayons	pris
ayez	pris

INFINITIF SIMPLE	INFINITIF COMPOSÉ
prendre	avoir pris

PARTICIPE PRÉSENT	PARTICIPE PASSÉ
prenant	pris, prise, ayant pris

SAVOIR

INDICATIF

présent

je	sais
tu	sais
il	sait
nous	savons
vous	savez
ils	savent

passé composé

j'	ai	su
tu	as	su
il	a	su
nous	avons	su
vous	avez	su
ils	ont	su

imparfait

je	savais
tu	savais
il	savait
nous	savions
vous	saviez
ils	savaient

plus-que-parfait

j'	avais	su
tu	avais	su
il	avait	su
nous	avions	su
vous	aviez	su
ils	avaient	su

passé simple

je	sus
tu	sus
il	sut
nous	sûmes
vous	sûtes
ils	surent

passé antérieur

j'	eus	su
tu	eus	su
il	eut	su
nous	eûmes	su
vous	eûtes	su
ils	eurent	su

futur

je	saurai
tu	sauras
il	saura
nous	saurons
vous	saurez
ils	sauront

futur antérieur

j'	aurai	su
tu	auras	su
il	aura	su
nous	aurons	su
vous	aurez	su
ils	auront	su

CONDITIONNEL

présent

je	saurais
tu	saurais
il	saurait
nous	saurions
vous	sauriez
ils	sauraient

passé

j'	aurais	su
tu	aurais	su
il	aurait	su
nous	aurions	su
vous	auriez	su
ils	auraient	su

SUBJONCTIF

présent

que je	sache
que tu	saches
qu'il	sache
que nous	sachions
que vous	sachiez
qu'ils	sachent

passé

que j'	aie	su
que tu	aies	su
qu'il	ait	su
que nous	ayons	su
que vous	ayez	su
qu'ils	aient	su

imparfait

que je	susse
que tu	susses
qu'il	sût
que nous	sussions
que vous	sussiez
qu'ils	sussent

plus-que-parfait

que j'	eusse	su
que tu	eusses	su
qu'il	eût	su
que nous	eussions	su
que vous	eussiez	su
qu'ils	eussent	su

IMPÉRATIF

présent

sache
sachons
sachez

passé

aie	su
ayons	su
ayez	su

INFINITIF SIMPLE	INFINITIF COMPOSÉ
savoir	avoir su

PARTICIPE PRÉSENT	PARTICIPE PASSÉ
sachant	su, sue, ayant su

		VALOIR	

	présent		**passé composé**	
INDICATIF	je vaux		j' ai valu	
	tu vaux		tu as valu	
	il vaut		il a valu	
	nous valons		nous avons valu	
	vous valez		vous avez valu	
	ils valent		ils ont valu	

<table>
<tr><th colspan="2">VALOIR</th></tr>
</table>

VALOIR

INDICATIF

présent
je vaux
tu vaux
il vaut
nous valons
vous valez
ils valent

passé composé
j' ai valu
tu as valu
il a valu
nous avons valu
vous avez valu
ils ont valu

imparfait
je valais
tu valais
il valait
nous valions
vous valiez
ils valaient

plus-que-parfait
j' avais valu
tu avais valu
il avait valu
nous avions valu
vous aviez valu
ils avaient valu

passé simple
je valus
tu valus
il valut
nous valûmes
vous valûtes
ils valurent

passé antérieur
j' eus valu
tu eus valu
il eut valu
nous eûmes valu
vous eûtes valu
ils eurent valu

futur
je vaudrai
tu vaudras
il vaudra
nous vaudrons
vous vaudrez
ils vaudront

futur antérieur
j' aurai valu
tu auras valu
il aura valu
nous aurons valu
vous aurez valu
ils auront valu

CONDITIONNEL

présent
je vaudrais
tu vaudrais
il vaudrait
nous vaudrions
vous vaudriez
ils vaudraient

passé
j' aurais valu
tu aurais valu
il aurait valu
nous aurions valu
vous auriez valu
ils auraient valu

SUBJONCTIF

présent
que je vaille
que tu vailles
qu'il vaille
que nous valions
que vous valiez
qu'ils vaillent

passé
que j' aie valu
que tu aies valu
qu'il ait valu
que nous ayons valu
que vous ayez valu
qu'ils aient valu

imparfait
que je valusse
que tu valusses
qu'il valût
que nous valussions
que vous valussiez
qu'ils valussent

plus-que-parfait
que j' eusse valu
que tu eusses valu
qu'il eût valu
que nous eussions valu
que vous eussiez valu
qu'ils eussent valu

IMPÉRATIF

présent
vaux
valons
valez

passé
aie valu
ayons valu
ayez valu

INFINITIF SIMPLE	INFINITIF COMPOSÉ
valoir	avoir valu
PARTICIPE PRÉSENT	**PARTICIPE PASSÉ**
valant	valu, value, ayant valu

VENIR

INDICATIF

présent
je viens
tu viens
il vient
nous venons
vous venez
ils viennent

passé composé
je suis venu
tu es venu
il est venu
nous sommes venus
vous êtes venus
ils sont venus

imparfait
je venais
tu venais
il venait
nous venions
vous veniez
ils venaient

plus-que-parfait
j' étais venu
tu étais venu
il était venu
nous étions venus
vous étiez venus
ils étaient venus

passé simple
je vins
tu vins
il vint
nous vînmes
vous vîntes
ils vinrent

passé antérieur
je fus venu
tu fus venu
il fut venu
nous fûmes venus
vous fûtes venus
ils furent venus

futur
je viendrai
tu viendras
il viendra
nous viendrons
vous viendrez
ils viendront

futur antérieur
je serai venu
tu seras venu
il sera venu
nous serons venus
vous serez venus
ils seront venus

CONDITIONNEL

présent
je viendrais
tu viendrais
il viendrait
nous viendrions
vous viendriez
ils viendraient

passé
je serais venu
tu serais venu
il serait venu
nous serions venus
vous seriez venus
ils seraient venus

SUBJONCTIF

présent
que je vienne
que tu viennes
qu'il vienne
que nous venions
que vous veniez
qu'ils viennent

passé
que je sois venu
que tu sois venu
qu'il soit venu
que nous soyons venus
que vous soyez venus
qu'ils soient venus

imparfait
que je vinsse
que tu vinsses
qu'il vînt
que nous vinssions
que vous vinssiez
qu'ils vinssent

plus-que-parfait
que je fusse venu
que tu fusses venu
qu'il fût venu
que nous fussions venus
que vous fussiez venus
qu'ils fussent venus

IMPÉRATIF

présent
viens
venons
venez

passé
sois venu
soyons venus
soyez venus

INFINITIF SIMPLE	INFINITIF COMPOSÉ
venir	être venu
PARTICIPE PRÉSENT	**PARTICIPE PASSÉ**
venant	venu, ue, étant venu

	VOIR		VOULOIR	
	présent	**passé composé**	**présent**	**passé composé**
INDICATIF	je vois tu vois il voit nous voyons vous voyez ils voient	j' ai vu tu as vu il a vu nous avons vu vous avez vu ils ont vu	je veux tu veux il veut nous voulons vous voulez ils veulent	j' ai voulu tu as voulu il a voulu nous avons voulu vous avez voulu ils ont voulu
	imparfait	**plus-que-parfait**	**imparfait**	**plus-que-parfait**
	je voyais tu voyais il voyait nous voyions vous voyiez ils voyaient	j' avais vu tu avais vu il avait vu nous avions vu vous aviez vu ils avaient vu	je voulais tu voulais il voulait nous voulions vous vouliez ils voulaient	j' avais voulu tu avais voulu il avait voulu nous avions voulu vous aviez voulu ils avaient voulu
	passé simple	**passé antérieur**	**passé simple**	**passé antérieur**
	je vis tu vis il vit nous vîmes vous vîtes ils virent	j' eus vu tu eus vu il eut vu nous eûmes vu vous eûtes vu ils eurent vu	je voulus tu voulus il voulut nous voulûmes vous voulûtes ils voulurent	j' eus voulu tu eus voulu il eut voulu nous eûmes voulu vous eûtes voulu ils eurent voulu
	futur	**futur antérieur**	**futur**	**futur antérieur**
	je verrai tu verras il verra nous verrons vous verrez ils verront	j' aurai vu tu auras vu il aura vu nous aurons vu vous aurez vu ils auront vu	je voudrai tu voudras il voudra nous voudrons vous voudrez ils voudront	j' aurai voulu tu auras voulu il aura voulu nous aurons voulu vous aurez voulu ils auront voulu
CONDITIONNEL	**présent**	**passé**	**présent**	**passé**
	je verrais tu verrais il verrait nous verrions vous verriez ils verraient	j' aurais vu tu aurais vu il aurait vu nous aurions vu vous auriez vu ils auraient vu	je voudrais tu voudrais il voudrait nous voudrions vous voudriez ils voudraient	j' aurais voulu tu aurais voulu il aurait voulu nous aurions voulu vous auriez voulu ils auraient voulu
SUBJONCTIF	**présent**	**passé**	**présent**	**passé**
	que je voie que tu voies qu'il voie que nous voyions que vous voyiez qu'ils voient	que j' aie vu que tu aies vu qu'il ait vu que nous ayons vu que vous ayez vu qu'ils aient vu	que je veuille que tu veuilles qu'il veuille que nous voulions que vous vouliez qu'ils veuillent	que j' aie voulu que tu aies voulu qu'il ait voulu que nous ayons voulu que vous ayez voulu qu'ils aient voulu
	imparfait	**plus-que-parfait**	**imparfait**	**plus-que-parfait**
	que je visse que tu visses qu'il vît que nous vissions que vous vissiez qu'ils vissent	que j' eusse vu que tu eusses vu qu'il eût vu que nous eussions vu que vous eussiez vu qu'ils eussent vu	que je voulusse que tu voulusses qu'il voulût que nous voulussions que vous voulussiez qu'ils voulussent	que j' eusse voulu que tu eusses voulu qu'il eût voulu que nous eussions voulu que vous eussiez voulu qu'ils eussent voulu
IMPÉRATIF	**présent**	**passé**	**présent**	**passé**
	vois voyons voyez	aie vu ayons vu ayez vu	veuille, veux voulons veuillez, voulez	aie voulu ayons voulu ayez voulu

INFINITIF SIMPLE	**INFINITIF COMPOSÉ**	**INFINITIF SIMPLE**	**INFINITIF COMPOSÉ**
voir	avoir vu	vouloir	avoir voulu
PARTICIPE PRÉSENT	**PARTICIPE PASSÉ**	**PARTICIPE PRÉSENT**	**PARTICIPE PASSÉ**
voyant	vu, vue, ayant vu	voulant	voulu,ue, ayant voulu

326

PLEUVOIR			
INDICATIF	présent il pleut	passé composé il a plu
	imparfait il pleuvait	plus-que-parfait il avait plu
	passé simple il plut	passé antérieur il eut plu
	futur il pleuvra	futur antérieur il aura plu
CONDITIONNEL	présent il pleuvrait	passé il aurait plu
SUBJONCTIF	présent qu'il pleuve	passé qu'il ait plu
	imparfait qu'il plût	plus-que-parfait qu'il eût plu

FALLOIR			
INDICATIF	présent il faut	passé composé il a fallu
	imparfait il fallait	plus-que-parfait il avait fallu
	passé simple il fallut	passé antérieur il eut fallu
	futur il faudra	futur antérieur il aura fallu
CONDITIONNEL	présent il faudrait	passé il aurait fallu
SUBJONCTIF	présent qu'il faille	passé qu'il ait fallu
	imparfait qu'il fallût	plus-que-parfait qu'il eût fallu

INFINITIF PRÉSENT pleuvoir	INFINITIF PASSÉ avoir plu
PARTICIPE PRÉSENT pleuvant	PARTICIPE PASSÉ plu, ayant plu

INFINITIF SIMPLE falloir	PARTICIPE COMPOSÉ fallu

Remarque. Le verbe **pleuvoir** peut, au sens figuré, s'employer au pluriel.
Les coups pleuvaient sur le dos du pauvre Blaise.

Programme des classes de troisième des collèges

(Arrêté du 15 septembre 1998 – BOHS n° 10 du 15 octobre 1998)

Objectifs de la classe de troisième

Dans le cadre des objectifs généraux du collège, la classe de troisième représente une étape décisive pour la maîtrise des discours. Les apprentissages s'organisent selon trois directions essentielles :
• La compréhension et la pratique des grandes formes de l'argumentation qui constituent pour les élèves l'innovation principale. Leur étude associe celle des discours narratif, descriptif et explicatif ;
• L'expression de soi. Celle-ci peut se manifester par le récit ou l'argumentation, et mettre l'accent sur l'implication et l'engagement (opinion, conviction, émotion), ou au contraire la distanciation et le détachement (objectivité, distance critique, humour) ;
• La prise en compte d'autrui, envisagée à la fois dans sa dimension individuelle (dialogue, débat) et dans sa dimension sociale et culturelle (ouverture aux littératures étrangères, notamment européennes).
Ces objectifs orientent les pratiques de lecture, d'écriture et d'oral, combinées dans les séquences qui organisent l'année. Lecture et expression sont toujours liées.

La lecture

A Objectifs

Le principal objectif pratique de la lecture en troisième est de consolider l'autonomie des élèves face à des textes divers.
• Les principaux objectifs de connaissance sont :
– L'étude de l'expression de soi ;
– la prise en compte de l'expression d'autrui.
• Dans cette perspective, l'année de troisième :
– met l'accent sur la lecture de textes autobiographiques et de poèmes lyriques ;
– ouvre davantage à la lecture d'œuvres étrangères ;
– accorde une place accrue à la lecture de textes à visée argumentative.
Dans le prolongement des années précédentes, les lectures portent sur des œuvres des xixe et xxe siècles, sans exclure d'autres périodes. Elles doivent être nombreuses et diversifiées, incluant la littérature pour la jeunesse, les textes documentaires, l'image. Pour enrichir l'imaginaire, on a soin de multiplier et de diversifier les textes, en recourant largement à des lectures cursives. On veillera dans tous les cas à éclairer le contexte des œuvres lues. L'enjeu principal est la compréhension de leur sens. L'appropriation de repères culturels est une finalité majeure des activités de lecture.

B Textes à lire
1] Approche des genres
• Autobiographie et/ou Mémoires : on engage la réflexion sur le discours autobiographique, on observe comment le narratif s'y associe souvent à l'argumentatif.

• Poésie : on met l'accent notamment sur la poésie lyrique et la poésie engagée y compris la chanson.
• Roman et nouvelle : on poursuit l'étude des formes narratives, en diversifiant les textes et les pratiques de lecture.
• Théâtre : on souligne la relation entre le verbal et le visuel dans l'œuvre théâtrale.

2] Choix de textes et d'œuvres
• Littérature pour la jeunesse
Les titres peuvent être choisis par le professeur dans la liste présentée en annexe des Documents d'accompagnement du programme, avec le souci de proposer au moins une œuvre humoristique.
• Textes porteurs de références culturelles
– Une œuvre à dominante argumentative (essai, lettre ouverte, conte philosophique) ;
– Une œuvre autobiographique française ;
– Un ensemble de textes poétiques du xixe ou du xxe siècle ;
– Une pièce de théâtre du xixe ou du xxe siècle, française ou étrangère ;
– Deux romans, ou un roman et un recueil de nouvelles, du xixe ou du xxe siècle ;
Ces œuvres, au choix du professeur, devront inclure au moins un titre pris dans les littératures européennes. Les méthodes de lecture mises en œuvre se répartiront, à parts égales, entre la lecture cursive, l'étude de l'œuvre intégrale, l'approche par un ensemble d'extraits.
• Textes documentaires
Pour conduire les élèves à une plus grande autonomie dans le choix et le maniement des documents, on développe l'usage de dictionnaires, d'usuels et d'ouvrages de références. On leur apprend à consulter les banques de données, notamment informatiques et télématiques.
Dans l'étude de la presse, on distingue l'information du commentaire, on fait percevoir comment les informations ont été sélectionnées et on dégage les spécificités du discours journalistique, en comparant par exemple le traitement d'un même sujet dans plusieurs journaux (écrits ou audiovisuels).
• L'image
On travaille sur les relations entre le visuel et le verbal (cf. entre autres, Théâtre, ci-dessus B.1.). Dans la perspective de l'argumentation, on étudie plus particulièrement l'image publicitaire et le dessin d'humour.
On aborde l'analyse du film en comparant le récit en image et le récit écrit (par exemple à travers une adaptation à l'écran d'une œuvre littéraire ou l'étude d'un scénario).
On développe l'esprit critique par l'analyse de productions audiovisuelles diverses (émissions télévisées, spots publicitaires, documentaires, fictions, etc.).

L'écriture

A Objectifs

• En classe de troisième, l'activité d'écriture a deux objectifs majeurs :
– perfectionner l'écriture de textes narratifs complexes ;

– maîtriser l'exposé écrit d'une opinion personnelle.

• Dans la continuité des cycles précédents, on conduit les élèves à produire des écrits fréquents et diversifiés (narration, description, explication, expression d'opinion), dans une progression d'ensemble régie par les deux objectifs ci-dessus.

B Textes à écrire

1] Écriture à usage personnel

Prise de notes à partir d'un support écrit ou d'une communication orale, et reprise de ces notes en vue d'une utilisation précise.
• Mise en ordre des idées et des informations.
• Écriture et réécriture du brouillon.
• Utilisation du traitement de texte.

2] Écriture pour autrui

Réduction ou amplification d'un récit, d'un texte explicatif, d'un texte argumentatif simple, en fonction d'un contexte.
• Pratique du récit :
– rédaction de récits complexes ayant pour cadre le monde réel ou un monde imaginaire ;
– récit dont la trame suit ou ne suit pas l'ordre chronologique, avec insertion de passages descriptifs et utilisation de paroles rapportées directement ou indirectement ;
– récit à partir d'un récit donné avec changement de point de vue.
En particulier les élèves devront rédiger, dans l'année :
– le récit d'une expérience personnelle ;
– un témoignage : relater un événement et exprimer sa réaction.
• Pratique de l'argumentation :
– présentation d'une prise de position étayée par un argument concret (par exemple, un fait historique…) et un argument abstrait (raisonnement). Cette compétence est à maîtriser en fin de troisième.
– présentation de plusieurs opinions sur une question. Cette compétence est en cours d'acquisition.
Dans tous les cas, on fera saisir aux élèves la notion de paragraphe. Les textes produits devront comporter une introduction, un développement et des éléments de conclusion. La réalisation de textes d'une à deux pages correctement rédigés est une exigence minimale.

L'oral

A Objectifs

• L'objectif général est qu'en fin de troisième les élèves sachent :
– identifier les situations d'oral les plus usuelles de la vie personnelle, scolaire et sociale ;
– distinguer l'écoute, le dialogue, l'exposé ;
– se comporter de façon pertinente dans les différentes activités orales.
• On poursuit les pratiques des années précédentes dans les domaines de la lecture à haute voix et de la récitation. On approfondit, celle du compte rendu oral en l'orientant vers l'initiation à l'exposé, et celle du dialogue en l'orientant vers la participation à un débat.

B Textes à dire

1] Lecture et récitation orales

On continue à pratiquer :
– la récitation (en liaison avec les textes étudiés) ;

– la lecture à haute voix (en particulier les mises en voix et mises en espace simples de textes de théâtre).

2] Comptes rendus et témoignages

• On développe :
– la pratique du compte rendu (à la suite d'une visite de monument, de lectures de documents) ;
– la pratique du récit oral (témoignage, récit d'une expérience personnelle).
• Il s'agit là d'oral préparé ; on conduira les élèves à se détacher progressivement de leurs notes, pour s'engager dans une expression orale plus improvisée. Ces interventions orales devront avoir une certaine ampleur (plusieurs minutes) sans devenir pour autant de lourds exposés.

C Dialogue, débat, exposé d'une opinion

• Partant de la pratique des dialogues mise en œuvre en 5e et 4e, on amène les élèves à maîtriser :
– la formulation d'une question précise en fonction d'un destinataire (appelant à développer une information, à justifier un avis, etc.) ;
– l'écoute de l'énoncé d'autrui : sa reformulation pour assurer la compréhension ;
– l'expression d'une opinion personnelle.
• Cette pratique pourra se faire en situation d'échange à deux (dialogue), ou en situation de groupe (débat). Elle prendra appui sur des lectures (œuvres littéraires, presse, documents audiovisuels…). Diverses formes de simulations peuvent y être mises en œuvre (négociations, procès, émissions de radio ou de télévision, interviews…). Ces activités exigent une durée plus longue que celles présentées en B.

D Les compétences à développer

• L'ensemble des activités d'oral appelle et développe les compétences suivantes :
– adapter l'attitude, la gestuelle et la voix à la situation d'énonciation (prise en compte de l'espace, des interlocuteurs, des règles qui régissent les tours de parole) ;
– distinguer les registres de langue et choisir celui qui convient à la situation de communication (lexique, syntaxe, formes d'interpellation, marques de la politesse) ;
– écouter et reformuler le discours d'autrui (les reformulations sont un moyen privilégié d'évaluer la réussite de l'échange) ;
– faire des résumés, des synthèses ou des développements en s'entraînant, selon le cas, à la brièveté ou à l'amplification.

Les outils de la langue pour la lecture, l'écriture et la pratique de l'oral

A Objectifs

L'étude de la langue est toujours liée aux lectures et aux productions des élèves. En classe de troisième, ils doivent déjà savoir identifier les diverses formes de discours. On approfondit donc l'étude de l'argumentatif et du narratif, en accordant au premier une place plus importante.
Le but de cette classe est que les élèves comprennent la notion de forme de discours, l'importance de la notion de point de vue, indissociable de celle d'énonciation, et sachent les mettre en œuvre.
Des moments spécifiques seront consacrés à des mises au point sur les outils de la langue, dans le cadre des séquences, en fonction des objectifs d'écriture, d'oral et de lecture.

NB. Les notions qui apparaissent dans les listes qui suivent sont présentées comme des «outils». Cela signifie que le professeur se préoccupe avant tout de les faire utiliser, en situation de production et de réception, puis, éventuellement et dans un second temps, de les nommer. L'élève n'a donc pas à apprendre des listes de définitions abstraites et la part de métalangage qui apparaît ici s'adresse aux professeurs (ce point sera repris et complété dans le document d'accompagnement pour la classe de 3e, et certaines notions explicitées).

B Vocabulaire

Comme pour la 5e et 4e, l'étude du vocabulaire est envisagée selon différents niveaux d'analyse, en allant de l'organisation du lexique aux relations entre lexique et discours. En liaison avec le discours argumentatif, l'accent est mis en classe de troisième sur la dimension axiologique du lexique.

• La structuration lexicale (préfixe, suffixe, radical, modes de dérivation, néologismes, emprunts). Aperçus sur l'histoire de la langue, sur l'origine des mots français, sur l'évolution de la forme et du sens des mots, sur la formation des locutions.

• Les relations lexicales: antonymie, synonymie.

• Les champs lexicaux et les champs sémantiques, à travers la lecture et l'étude de textes.

• Le lexique et le discours:
– lexique et niveaux de langue,
– dénotation et connotation,
– lexique de l'évaluation méliorative et péjorative,
– lexique et expressivité: les figures (comparaison, métaphore, métonymie, périphrase, antithèse; leur rôle dans la créativité et dans l'efficacité du discours);

• L'enrichissement du vocabulaire notamment:
– vocabulaire abstrait avec l'étude de l'argumentation,
– vocabulaire de la personne (sensations, affectivité, jugement).
Les enchaînements lexicaux prévisibles par effet d'usage et les expressions toutes faites.

C Grammaire

Les italiques indiquent les acquisitions propres à la classe de troisième; les caractères romains: les notions déjà abordées en cycle central.

1] Discours

• Énoncé, énonciation:
– personnes, temps verbaux, adverbes, déterminants, dans l'énoncé ancré dans la situation d'énonciation ou coupé de la situation d'énonciation;
– combinaison entre ces deux systèmes d'énonciation.

• Modalisation: modalisateurs, modes, temps verbaux.

• Point de vue de l'énonciateur (approfondissements).

• Mises en relief, usage de la voix active et de la voix passive.

• Fonctions des discours (synthèses et combinaisons):
– pôle narratif: raconter/décrire;

– pôle argumentatif: expliquer/argumenter.

• Paroles rapportées directement et indirectement: «style indirect libre», marques d'oralité, récit de paroles.

• Actes de paroles.

• Explicite et implicite.

• Effets des discours: persuader, dissuader, convaincre, émouvoir, amuser, inquiéter.

2] Texte

• Le paragraphe.

• Connecteurs spatio-temporels et logiques.

• Reprises pronominales et reprises nominales.

• Formes de progression.

• Organisation des textes: formes cadres et formes encadrées.

3] Phrase

• Phrase simple et phrase complexe:
– fonctions par rapport au nom (expansion nominale, apposition, relatives déterminatives et explicatives);
– fonctions par rapport à l'adjectif (le groupe adjectival);
– fonctions par rapport au verbe (approfondissements);
– fonctions par rapport à la phrase (approfondissements);
– coordination et subordination (étude des diverses subordonnées, notamment conjonctives).

• Étude du verbe:
– aspect verbal,
– forme pronominale,
– conjugaison: modes et temps des verbes du premier et du deuxième groupes et des verbes usuels du troisième groupe.

D Orthographe

On distingue l'orthographe lexicale (ou orthographe d'usage) de l'orthographe grammaticale (formes verbales, accords en genre et en nombre, homophones grammaticaux).

• Orthographe lexicale:
– familles de mots et de leurs particularités graphiques; – différentes formes de dérivation;
– homophones et paronymes.

• Orthographe grammaticale:
– formes verbales (notamment des radicaux, des modes, des temps, des homophones des formes verbales);
– accords dans le groupe nominal, dans la phrase verbale et dans le texte;
– marques de l'énonciation (ex.: je suis venu/je suis venue).
L'évaluation cherche à valoriser les graphies correctes plutôt qu'à sanctionner les erreurs.

On propose aux élèves des exercices brefs, nombreux et variés, distinguant l'apprentissage (exercices à trous, réécritures diverses) et l'évaluation. Les réalisations écrites des élèves donnent lieu à observation, interrogation sur les causes d'erreur, élaboration d'une typologie et mise en place de remédiation.

L'usage du dictionnaire doit être une pratique constante des élèves.

Index des auteurs

Index des notions

Crédits iconographiques

Couverture : (h) Photo Josse • (m) G. Dagli Orti • (b) Extrait de l'ouvrage «Les cités obscures – L'archiviste», de Schuiten & Peeters/© Casterman S.A. ■
Atelier de rentrée : p. 10 : Keystone ■ p. 13 : Corbis/R. Hamilton Smith ■ **Chap 1 :** pp. 14 et 15 : Photo Josse ■ p. 16 : © Dupuis, 1987 ■ p. 23 (g) : AKG, Paris ■ p. 23 (d) : RMN/Arnaudet : ■ p. 24 : © 2003 Kunsthaus Zürich. Tous droits réservés ■ **Chap 2 :** pp. 26 et 27 : Kharbine Tapabor ■ p. 28 : Kharbine Tapabor ■ p. 36 : Keystone ■ **Chap 3 :** pp. 38 et 39 : RMN/J. G. Berizzi ■ p. 40 : «Extrait de Corto Maltese, Vaudou pour Monsieur le Président», de Hugo Pratt/© Casterman S.A. ■ p. 47 (g) : AKG, Paris/H. Bock ■ p. 47 (m) : AKG, Paris/E. Lessing ■ p. 47 (d) : AKG, Paris ■ p. 48 (g) : AKG, Paris ■ p. 48 (d) : Corbis/G. Kufner ■ **Chap 4 :** p. 50 : Rue des Archives ■ p. 52 : «Extrait de Grimion gant de cuir», de Makyo, © Editions Glénat ■ pp. 56 et 59 : Collection Christophe L : ■ p. 60 : Bridgeman Giraudon Charmet ■ **Chap 5 :** pp. 62 et 63 : AKG, Paris ■ p. 64 : Photo Josse ■ p. 68 : Corbis/Bettmann ■ p. 71 : Roger Viollet ■ p. 72 (g) : Collection Dubuisson ■ p. 72 (d) : AKG, Paris/E. Lessing ■ **Chap 6 :** pp. 74 et 75 : G. Dagli Orti ■ p. 76 : © 1998 - Guy Delcourt Productions – Heuet ■ p. 80 : Roger Viollet ■ p. 83 : «Extrait de l'Affaire du Chat» de Geluck/© Casterman S.A. ■ p. 84 : © Walter Wehner ■ **Chap 7 :** pp. 86 et 87 : G. Dagli Orti ■ p. 88 : Goscinny-Tabary/© Editions Tabary ■ p. 92 : Corbis/Bettmann ■ p. 96 : Collection Christophe L ■ **Chap 8 :** p. 98 : Corbis/Bettmann ■ p. 99 : Getty Images ■ p. 100 : Le journal de Spirou n° 2452 - Série «Bidouille et Violette» d'Yslaire - © Editions Glénat ■ p. 104 : © Claire Bretecher, Agrippine et les inclus, 1995 ■ p. 108 : Musée Rodin, Paris – Les Causeuses de Camille Claudel - © Adagp, Paris 2003 – Photo de Bruno Jarret, © Adagp, Paris 2003. ■ pp. 111 et 113 : AKG, Paris ■ **Chap 9 :** pp. 114 et 115 : Collection Christophe L ■ p. 116 : Extrait de l'ouvrage «Aymeric et les cathares» par Michel Roquebert et Gérald Forton, © Nouvelles Editions Loubatières ■ p. 121 : Extrait de l'ouvrage «Le cheval de Troie» de J. Martin/© Casterman S.A ■ p. 123 : G. Dagli Orti ■ p. 125 : Collection Christophe L ■ **Chap 10 :** pp. 126 et 127 : Bridgeman Giraudon ■ p. 128 : D. R. ■ p. 133 : AKG, Paris ■ p. 136 (m) : Musée de la Musique/Billing ■ p. 136 (b) : Collection Christophe L ■ **Chap 11 :** pp. 138 et 139 : RMN/J. Schormans ■ p. 140 : © Brassaï estate – RMN ■ p. 147 : Photo Josse ■ p. 148 : AKG, Paris ■ **Chap 12 :** pp. 150 et 151 : Roger-Viollet ■ p. 152 : Collection Christophe L ■ p. 157 : RMN/Levandowski ■ p. 159 : Collection Christophe L ■ **Chap 13 :** pp. 162 et 163 : © Brigitte Enguerand ■ p. 164 : Kharbine-Tapabor ■ p. 171 : Roger-Viollet ■ p. 172 : © Claude Lapointe, Bayard Presse Jeunesse ■ **Chap 14 :** pp. 178 et 179 : © Jacques Carelman – Adagp, Paris 2003 ■ p. 181 : © Jacques Carelman – Adagp, Paris 2003 ■ p. 187 : G. Dagli Orti – Adagp, Paris 2003 ■ **Chap 15 :** pp. 190 et 191 : Corbis/Hulton-Deutsch Collection ■ p. 192 (h) : Magnum/M. Frank ■ p. 192 (m) : D.R. ■ p. 192 (b) : © Jean Vigne ■ p. 196 (1) : Corbis/D. Kirkland ■ p. 196 (2) : Corbis/Hulton-Deutsch Collection ■ p. 196 (3) : Corbis/Bettmann ■ p. 196 (4) : Rue des Archives ■ p. 200 : © J. M. Perier ■ p. 201 : Magnum Photos/H. Cartier-Bresson ■ **Chap 16 :** pp. 202 et 203 : Magnum Photos/D. Hurn ■ p. 204 : Roger-Viollet ■ p. 211 (g) : Getty Images/Taxi ■ p. 211 (d) : Roger-Viollet ■ p. 212 : © La documentation française ■ **Chap 17 :** pp. 214 et 215 : Bridgeman Giraudon Charmet ■ p. 216 : «Extrait de : Carmen Cru – Vie et mœurs ; Tome 3 - © Lelong/Fluide Glacial» ■ p. 223 : «L'histoire vue par les cancres» de Jean Charles et dessinée par H. Blanc - © Calmann-Lévy ■ p. 224 : AKG, Paris ■ **Chap 18 :** pp. 226 et 227 : Roger-Viollet ■ p. 228 : «Sambre - Révolution, révolution» d'Yslaire et Balac - © Editions Glénat ■ p. 235 : Rue des Archives ■ p. 236 : Corbis Sygma/Retro Renault ■ **Chap 19 :** pp. 238 et 239 : Getty Images/J. Balog ■ p. 240 : France 3/Mc Gufff ■ p. 247 (g) : Sunset/G. Lacz ■ p. 247 (m) : Sunset/Westock ■ p. 247 (b) : Sunset/R. Patricot ■ p. 248 : Roger-Viollet ■ **Chap 20 :** pp. 250 et 251 : Corbis/Stocktrek ■ p. 252 : Corbis/Bettmann ■ p. 259 : Loan of Théo Wormland Stiftung to the Pinakothek der Moderne, München and Kunstdia-Archiv ARTOTEK, D-Weilhein ■ p. 260 : Corbis ■ **Chap 21 :** p. 262 et 263 : G. Dagli Orti ■ p. 264 : Extrait de l'ouvrage «Les cités obscures – L'Archiviste» de Schuiten & Peeters/© Casterman S.A. ■ p. 271 : L'Illustration ■ p. 272 : Extrait de l'ouvrage «Voyage en Utopie», de Schuiten & Peeters/Casterman S.A ■ **Chap 22 :** pp. 274 et 275 : Collection Christophe L ■ p. 276 : G. Dagli Orti ■ p. 281 : G. Dagli Orti ■ pp. 284 et 285 : Kharbine-Tapabor ■ **Chap 23 :** pp. 286 et 287 : Corbis/Bettmann ■ p. 288 : Dessin extrait de «Insondables mystères» de Sempé, © 1993 Editions Denoël ■ p. 289 : Bridgeman Giraudon ■ p. 290 : «Le quatrième Chat» de Philippe Geluck/Casterman S.A ■ p. 293 : Corbis/Royalty-Free ■ pp. 295 et 297 : L'Illustration ■
Illustrations : Frédéric Pillot ■
Maquette intérieure : Catherine Jambois ■

Ouvrage imprimé en France sur papier mince.
Achevé d'imprimer par Maury à Malesherbes.
N° d'imprimeur : 101653 - N° d'édition : 003514-01.
Dépôt légal : avril 2003.